VRIJE VAL

LEIF G.W. PERSSON BIJ DE BEZIGE BIJ

Linda

Leif G.W. Persson

Vrije val

Vertaling Rory Kraakman

2008
DE BEZIGE BIJ
AMSTERDAM

Cargo is een imprint van uitgeverij De Bezige Bij, Amsterdam

Oorspronkelijke titel *Faller fritt som i en dröm*
Oorspronkelijke uitgever Albert Bonniers Förlag, Stockholm
Omslagontwerp Studio Jan de Boer
Foto auteur Ulla Montan
Vormgeving binnenwerk Perfect Service, Schoonhoven
Druk Bariet, Ruinen
ISBN 978 90 234 2732 2
NUR 305

www.uitgeverijcargo.nl

Voor Mikael en de Beer

Ongeacht of de waarheid absoluut of relatief is en geheel afgezien van het feit dat velen van ons er voortdurend naar op zoek zijn, blijft zij uiteindelijk toch voor bijna iedereen verborgen. Doorgaans uit noodzaak, en anders uit piëteit jegens degenen die haar toch niet zouden begrijpen. De waarheid is geen recht waar iedereen aanspraak op kan maken. We hebben te maken met een praktisch probleem dat we moeten oplossen, moeilijker dan dat is het niet.

De professor

Woensdag 10 oktober.
In de haven van Puerto Pollensa op Noord-Mallorca.

's Ochtends even voor zeven uur had de Esperanza haar plek aan de aanlegsteiger achter in de jachthaven verlaten. Een mooie kleine boot met een mooie naam.

I

Woensdag 15 augustus, acht weken eerder.
Op het hoofdkwartier van de rijksrecherche in Kungsholmen, Stockholm.

'Olof Palme,' zei de hoofdcommissaris van de rijksrecherche, Lars Martin Johansson. 'Komt die naam jullie bekend voor?'

Hij leek bijna een beetje uitgelaten toen hij dat zei, net terug van vakantie, met een flatterende bruine huidskleur, rode bretels en een linnen overhemd zonder stropdas, als een luchtige overgang van vrije tijd naar werktijd. Hij leunde naar voren tegen het hoofdeinde van de vergadertafel en liet zijn blik langs de andere vier glijden die aan dezelfde tafel waren aangeschoven.

Niemand leek zijn enthousiasme te delen. Drie van de vier aanwezigen, inspecteur Anna Holt, hoofdinspecteur Jan Lewin en hoofdinspecteur Lisa Mattei, hadden elkaar aarzelend aangekeken, terwijl de vierde van het gezelschap, hoofdinspecteur Yngve Flykt, die leiding gaf aan het Palme-rechercheteam, zich eerder leek te generen voor de vraag en dat wellicht probeerde te compenseren door er beleefd afwezig uit te zien.

'Olof Palme,' herhaalde Johansson, die deze keer indringender klonk. 'Gaat er geen belletje rinkelen?'

Uiteindelijk had Lisa Mattei antwoord gegeven. De jongste van het gezelschap, maar al geruime tijd gewend aan de rol van beste leerling van de klas. Eerst had ze naar de leider van het Palme-rechercheteam gegluurd, die slechts vermoeid had geknikt, en daarna had ze in haar notitieblok gekeken, dat overigens niet vol stond met de aantekeningen en krabbeltjes die ze normaal altijd maakte, los van wat er besproken werd. Daarna had ze in twee zinnen de politieke carrière van Olof Palme samengevat en in vier zinnen de wijze waarop hij aan zijn einde was gekomen.

'Olof Palme,' zei Mattei. 'Sociaaldemocraat en de bekendste Zweedse politicus van na de oorlog. Tweemaal benoemd tot minister-president, van 1969 tot 1976 en van 1982 tot 1986. Werd eenentwintig jaar, vijf maanden en veertien dagen geleden vermoord in het centrum van Stockholm, hoek Sveavägen-Tunnelgatan, op vrijdagavond 28 februari 1986, om twintig minuten over elf. Hij werd door één schot van achteren neergeschoten en schijnt zo goed als onmiddellijk te zijn overleden. Ik was zelf elf jaar toen het gebeurde, dus ik ben bang dat ik hier niet veel meer aan kan toevoegen,' eindigde Mattei.

'Zeg dat niet,' zei Johansson met Norrlands flegma. 'Ons slachtoffer was een minister-president van goede komaf. Zo vaak komt het toch niet voor dat we met dit soort slachtoffers te maken hebben. Ik mag dan alleen maar het hoofd van de rijksrecherche zijn, maar ik heb ook gevoel voor orde en ben in hoge mate allergisch voor onopgeloste zaken,' ging hij verder. 'Ik trek ze me zeer persoonlijk aan, mochten jullie je afvragen waarom jullie hier zitten.'

Niemand had zich dat afgevraagd. Maar tegelijkertijd leek geen van hen bijzonder enthousiast. Hoe dan ook was het allemaal op deze manier begonnen. Zoals bijna altijd in dit soort situaties. Met enkele politiemensen rond een tafel die een zaak bespreken. Zonder zwaailicht, zonder sirenes en absoluut zonder getrokken dienstwapens. Al was het de eerste keer, ruim twintig jaar geleden, begonnen zoals het bijna nooit begon. Met zwaailicht, sirenes en getrokken wapens. Maar het had niet geholpen. Het was slecht afgelopen.

Daarna had Johansson zijn ideeën ontvouwd over wat er zou moeten gebeuren. Over de motieven en de praktische invulling. Zoals zo vaak baseerde hij zich op zijn persoonlijke ervaringen, zonder ook maar een spoortje van oprechte of valse bescheidenheid te tonen.

'Naar mijn ervaring is het vaak zinvol om, als een zaak zogenaamd vastloopt, wat nieuwe mensen op te roepen die de zaak met een frisse blik bekijken. Het is gemakkelijk om je er blind op te staren,' zei Johansson.

'Ik begrijp het,' antwoordde Anna Holt en ze klonk bitser dan de bedoeling was. 'Maar als je het niet erg vindt...'

'Zeker niet,' onderbrak Johansson haar. 'Als je me eerst mijn zin laat afmaken.'

'Ga verder,' zei Holt. Leer ik het dan nooit, dacht ze.

'Als je een jaartje ouder wordt, zoals ik, neemt helaas de kans toe dat je niet meer weet wat je wilde zeggen als je onderbroken wordt,' legde Johansson uit en hij lachte nog vriendelijker naar Holt. 'Waar was ik gebleven?'

'De manier waarop je het wilde aanpakken,' viel Mattei in. 'Het onderzoek dus,' verduidelijkte ze.

'Dank je, Lisa,' zei Johansson. 'Bedankt dat je deze oude man wilt helpen.'

Hoe krijgt hij het voor elkaar, dacht Holt verbaasd. En uitgerekend Lisa?

Volgens Johansson was het niet de bedoeling een nieuw Palme-onderzoek te starten. De rechercheurs die zich al met de zaak bezighielden, en dat in veel gevallen hun gehele ambtsperiode als rechercheur al hadden gedaan, mochten daar natuurlijk ongestoord mee doorgaan.

'Dus daar wil ik van het begin af aan helder over zijn, Yngve.' Johansson knikte vriendelijk naar de leider van het Palme-onderzoek, die niettemin eerder ongerust dan opgelucht leek.

'Nee,' zei Johansson. 'Dat soort ideeën kunnen jullie vergeten. Ik was iets van plan wat beduidend eenvoudiger en informeler is. Ik wil simpelweg een second opinion. Geen nieuw onderzoek. Slechts een second opinion van enkele slimme collega's die de zaak met een frisse blik kunnen bekijken.'

'Ik wil dat jullie het onderzoek opnieuw doorspitten,' vervolgde hij. 'Is er iets wat we niet hebben gedaan maar wel hadden moeten doen? Zit er iets in het materiaal zelf wat we over het hoofd hebben gezien en de moeite waard is om verder uit te diepen? Als we het nog kunnen uitdiepen? In dat geval wil ik het weten, moeilijker dan dat is het niet.'

Ondanks zijn hoop ten aanzien van dit laatste punt hadden ze vervolgens meer dan een uur gediscussieerd over de bezwaren die drie van de vier aanwezigen inbrachten. De enige die niets zei was Lisa Mattei, maar na het overleg was haar notitieblok net zo volgekrabbeld als altijd. Deels met wat haar collega's hadden gezegd. En deels met haar gebruikelijke droedeltjes, los van wat ze hadden gezegd.

Als eerste begon hoofdinspecteur Jan Lewin, die na enkele inleidende woorden en een discreet kuchje snel inging op Johanssons hoofdmotief, namelijk de behoefte aan een nieuwe, frisse blik. Het idee als zodanig was uitstekend. Zelf was hij er vaak genoeg een voorstander van geweest. Vooral toen hij leiding gaf aan het onderzoeksteam van de rijksrecherche dat zich bezighield met *cold cases*, oude zaken waarin men was vastgelopen. Maar dat was nu net de reden waarom hij juist voor deze zaak uitermate ongeschikt was. Tijdens de beginjaren van het onderzoek, Lewin werkte destijds bij de toenmalige afdeling Geweldsdelicten in Stockholm, droeg hij namelijk de eindverantwoordelijkheid voor het verzamelen van belangrijke delen van het onderzoeksmateriaal. Pas nadat het onderzoek door de rijksrecherche werd overgenomen, was hij teruggekeerd naar zijn oude taken bij de afdeling Geweldsdelicten in Stockholm. Vele jaren later was hijzelf naar de rijksrecherche overgestapt en daar had hij enkele keren tijdelijk het Palme-onderzoek ondersteund, onder andere met de registratie en het doorlichten van nieuwe tips die waren binnengekomen.

'Ik weet niet of je het nog weet, maar de onderzoeksleider die destijds hoofdcommissaris van de regio Stockholm was, Hans Holmér, had enorme hoeveelheden gegevens verzameld die misschien niet direct iets met de moord te maken hadden, maar soms toch waardevol kunnen blijken te zijn.' Lewin knikte met nadruk naar Lisa Mattei, die immers nog maar een klein meisje was toen het gebeurde.

'De toenmalige hoofdcommissaris kan ik me herinneren,' zei Johansson. Onzaliger nagedachtenis, dacht hij. Hoewel ik het meeste dat hij heeft verzonnen toch wel heb weten te verdringen. 'Waar hield jij je mee bezig, Lewin?'

Vooral met gegevens waarvan de waarde op zijn zachtst gezegd niet duidelijk was, volgens Lewin.

'Alle hotelregistraties in Stockholm en omgeving rond de tijd van de moord. Alle binnen- en buitenlandse reizen die door middel van de gebruikelijke paspoort- en grenscontroles konden worden nagetrokken, alle parkeerovertredingen in Stockholm en omgeving rond de tijd van het misdrijf, alle snelheids- en andere verkeersovertredingen die op de dag van de moord, de dag voor de moord en de dag erna in het hele land waren begaan en alle andere misdrijven en politieoptredens in de omgeving van Stockholm rond de tijd van het misdrijf. We verzamelden alles, van dronkenschap, overlast en burengerucht tot de gebruikelijke misdrijven waarvan aangifte werd gedaan op die bewuste dag. We namen ook alle ongevallen mee. Plus alle zelfdodingen en opmerkelijke sterfgevallen die zich zowel voor als na de moord op Palme voordeden. Ik kan me herinneren dat ze daar nog steeds mee bezig waren toen ik uit het onderzoek stapte. Jullie begrijpen wel dat het al met al een flinke hoeveelheid was. Honderden kilo's papier, wel tienduizenden pagina's, en dan heb ik het alleen nog maar over de gegevens die in mijn tijd binnenkwamen.'

'De brede, objectieve aanpak,' constateerde Johansson, die opvallend tevreden klonk.

'Ja, zo noemen ze dat,' zei Lewin, 'en soms werkt het ook wel, maar deze keer bleef bijna alles onaangeroerd liggen. Simpelweg omdat de tijd ontbrak. Ik bekeek oppervlakkig wat er binnenkwam omdat ik mijn handen vol had aan wat het meeste opviel. Negentig procent van al het papier werd min of meer direct teruggestopt in de dozen waarin het vanaf het begin had gezeten.'

'Geef me eens een paar voorbeelden,' vroeg Johansson. 'Wat is jou het meeste opgevallen, Lewin?'

'Ik kan me onder andere vier zelfmoordgevallen herinneren. Slechts een paar uur na de moord op de premier vond de eerste plaats. Ik weet het nog precies, want toen de papieren op mijn bureau belandden, kreeg ik als vanouds dat gevoel van opwinding dat je kunt hebben als je beseft dat je iets belangrijks in handen hebt.' Lewin schudde bedachtzaam zijn hoofd.

'De man die zichzelf van het leven beroofde, had zich in de kelder van zijn huis opgehangen. Een arbeidsongeschikt verklaarde bewaker die op het eiland Ekerö woonde, een kilometer of twintig van Stockholm. Een van zijn collega's was zijn buurman en van hem kreeg ik de tip. Het slachtoffer had bovendien een wapenvergunning voor enkelhandige wapens, tot overmaat van ramp een revolver die zeer goed overeenkwam met wat we op dat moment wisten over het moordwapen. Mensen die hem kenden, beschouwden hem over het algemeen als een zonderling. Eenzelvig, sinds een paar jaar gescheiden, een alcoholprobleem, het gebruikelijke beeld. Hij leek kortom redelijk te voldoen, maar toen bleek hij een alibi te hebben voor de avond van de moord. Eerst had hij met een paar andere buren ruziegemaakt toen ze rond een uur of tien 's avonds hun hond uitlieten. Daarna had hij vanuit zijn huis met zijn ex-vrouw gebeld, drie keer in totaal als ik me niet vergis, en ongeveer tegelijkertijd dat Palme werd neergeschoten, waren zij met elkaar aan het bakkeleien. Ik kon hem zonder problemen van de lijst schrappen. Tijdens een huiszoeking hebben we trouwens zijn revolver gevonden. We hebben er zelfs mee proefgeschoten, ook al wisten we toen al dat het niet het juiste kaliber was.'

'En het tweede geval?' Johansson keek zijn collega bijna wellustig aan.

'Nee,' zei Lewin. 'De kans is groot dat ik je teleurstel, al ging ik juist met deze zaken uiterst nauwkeurig te werk, om het zo maar te zeggen. Toen de media ophef maakten over het zogeheten politiespoor, omdat er onder ons collega's zouden zijn die Olof Palme hadden vermoord, heb ik op eigen initiatief het materiaal doorzocht om dit te controleren, kan ik me herinneren. Alle parkeer- en overige verkeersovertredingen waarbij het voertuig of de bestuurder ervan in verband kon worden gebracht met collega's, of ze nu dienst hadden of niet.'

'Maar dat leverde ook niets op,' zei Johansson.

'Nee,' antwoordde Lewin. 'Afgezien van enkele tamelijk fantasievolle verklaringen over waarom juist die ene collega zijn parkeerboetes niet hoefde te betalen, of waarom zijn auto op zo'n merkwaardige plek stond.'

'Precies,' zei Johansson. 'De oude bekende liefdesaffaires, als je het mij vraagt. Het zal hoe dan ook best interessant voor je zijn om terug te keren naar je oude dozen, of niet soms? Nu je ze in perspectief kunt zien, bedoel ik. Je moet me niet kwalijk nemen dat ik ervan overtuigd ben dat die taak je best goed ligt. En dat je de rest ook nog even kunt bekijken, als je toch bezig bent, bedoel ik.'

'Met enig voorbehoud wat de frisse blik betreft.' Lewin klonk positiever dan zijn bedoeling was. 'Ja, misschien wel. De basisgedachte is in principe goed.'

Lafaard, dacht Anna Holt, die zelf niet van plan was Johansson zo gemakkelijk weg te laten komen.

'Met alle respect, chef, hoewel ik het eens ben met de frisse blik en hoewel ik zelf nooit in de buurt van het onderzoek ben geweest, vind ik het geen goed idee,' zei Holt. Zo, het hoge woord is eruit, dacht ze.

'Ga verder, Anna,' zei Johansson met dezelfde uitdrukking in zijn ogen als hij van zijn eerste elandhond had geleerd. Die blik die het natuurlijke gevolg is van onverdeeld positieve aandacht. Die hij kreeg als hij samen met zijn hond tijdens de jacht pauzeerde en hem beval netjes te zitten, vlak voordat hij hem een plakje worst gaf uit hun lunchpakket. 'Hoe bedoel je?'

'Ik bedoel dat er in de hele Zweedse politiehistorie geen zaak te vinden is die zo is uitgekauwd als deze. Steeds maar weer opnieuw onderzocht, in alle mogelijke opzichten. Zonder noemenswaardig technisch bewijs. Met getuigen die twintig jaar geleden al zijn opgebruikt en van wie menigeen voor de zekerheid al dood of onaanspreekbaar is. Van wie de enige noemenswaardige verdachte – daarbij denk ik aan Christer Pettersson, zoals jullie zeker begrijpen – bijna twintig jaar geleden door de rechtbank in Stockholm werd veroordeeld en vervolgens een halfjaar later door het gerechtshof werd vrijgesproken. Dezelfde Pettersson die men tien jaar later opnieuw probeerde aan te klagen, maar waarbij het Openbaar Ministerie er niet eens in slaagde de zaak te heropenen. Dezelfde Pettersson die een paar jaar geleden overleden is. Alsof al die voorafgaande gebeurtenissen niet meer dan voldoende waren om het onderzoek naar hem te staken.'

'Dat doet me denken aan die klassieke sketch, Anna. Volgens mij won die de prijs van de beste tv-sketch ter wereld of zoiets. Dat Monty Python-verhaal over die dode papegaai, weet je wel?' zei Johansson. 'Was dat niet Norwegian Blue? Zo heette die toch? Die papegaai bedoel ik.'

'*This parrot is dead.* Je weet wel, die scène waarin die verontwaardigde klant zijn dode papegaai op de toonbank smakt,' legde een enthousiaste Johansson uit terwijl hij tegelijkertijd ter verduidelijking met zijn vuist op tafel sloeg.

'Zeker,' zei Holt. 'Zo kun je het ook zeggen. Dit onderzoek is dood. Net zo dood als de papegaai van Monty Python.'

'Misschien is ie alleen een beetje moe. Zei hij het niet zo, die winkelier die de papegaai verkocht? Als de klant zijn beklag komt doen. Hij is niet dood, alleen een beetje moe. Ik heb de indruk dat dat misschien het geval is. Niet dood, alleen een beetje moe.'

Je hoeft het bij mij niet te proberen, dacht Holt. Toegeven was wel het laatste wat ze van plan was, ongeacht alle rookgordijnen en doorzichtige grapjes van haar chef.

'Het Palme-onderzoek is niet vastgelopen,' herhaalde Holt. 'Het

Palme-onderzoek is uitgekauwd, stuk gekauwd. Het is geen cold case, niet eens bevroren. Het Palme-onderzoek is dood.'

'Je hoeft je niet zo op te winden, Holt. Ik begrijp het.' Johansson klonk plotseling lang niet zo aardig en vriendelijk meer. 'Zelf heb ik de indruk dat het onderzoek misschien alleen een beetje moe is. Dat je met een frisse blik moet kijken. Dat je uitgaat van die goeie ouwe vuistregel die altijd van kracht is als je je met dit soort zaken bezighoudt.'

'Je schikken naar de situatie,' zei Holt, die Johansson al sinds een aantal jaren en zaken geleden kende.

'Precies,' zei Johansson en hij lachte weer net zo vriendelijk als eerst. 'Fijn om te horen dat we het eens zijn, Anna.'

Als laatste was hoofdinspecteur Yngve Flykt aan het woord, de leider van het Palme-rechercheteam. Als het aan hem had gelegen, had dit overleg nooit plaatsgevonden. Hij hield niet van gedonder en wat hij over zijn hoogste baas had gehoord, met name over wat hij soms deed met collega's die niet deden wat hij zei, maakte dat hij vanaf het begin volslagen kansloos was.

Met alle respect voor zijn chef, natuurlijk was hij een warme voorstander van het hele basisidee, en evenzeer dankbaar voor het feit dat zijn chef duidelijk en gedecideerd had verklaard dat er geen sprake zou zijn van enige veranderingen in de goed ingewerkte en uitstekend functionerende organisatie, met respect voor al deze punten en al het overige dat hij in alle haast was vergeten op te noemen, wilde hij desalniettemin, uiteraard met alle goede bedoelingen, op enkele praktische problemen wijzen, die collega Lewin overigens al had aangestipt...

'Waar zat je aan te denken?' onderbrak Johansson hem.

'Ons onderzoeksmateriaal,' zei de leider van het Palme-onderzoek, terwijl hij Johansson bijna smekend aankeek. 'Zelfs voor een grote zaak is de omvang ervan niet normaal, om het zo maar te zeggen. Ik weet niet of je ooit bij ons bent geweest om ernaar te kijken, maar het is een kolossale hoeveelheid materiaal. Gewoon gigantisch. Zoals je misschien weet, neemt het op onze gang zes lokalen in beslag. We hebben al vijf tussenwanden weggehaald en het duurt niet lang of de volgende is aan de beurt. De dozen en mappen zijn tot aan het plafond opgestapeld.'

'Ga verder,' zei Johansson. Hij vormde zijn lange vingers tot een boog en leunde achterover in zijn stoel. Typisch Flykt, dacht Johansson. Moet aangeboren zijn.

'Wat ik en mijn team ervan begrepen hebben, gaat het hier in feite om het omvangrijkste onderzoeksmateriaal uit de hele politiegeschiedenis. Het schijnt zelfs omvangrijker te zijn dan het vooronderzoeksmateriaal van de moord op Kennedy en de aanslag op die jumbojet boven Lockerbie in Schotland.'

'Ik begrijp het,' onderbrak Johansson hem. 'Wat is het probleem? Het grootste deel zal zo onderhand wel in de computer zijn ingevoerd.'

'Uiteraard, en dat deel wordt steeds groter, maar het is nu eenmaal niet iets waar je zomaar even doorheen bladert. We hebben het over ongeveer één miljoen A4'tjes. Het merendeel bestaat uit verslagen van verhoren en daarvan zijn er duizenden die tientallen pagina's beslaan, soms nog meer. Afgerond honderdduizend verschillende documenten die in zo'n duizend mappen worden bewaard. Om maar niet te spreken over alle dozen waarin we de spullen hebben opgeslagen die je niet in normale mappen kunt stoppen. Een of andere expert van de laatste regeringscommissie had volgens mij destijds, zo'n tien jaar geleden al, uitgerekend dat een gekwalificeerde rechercheur zeker tien fulltime arbeidsjaren nodig zou hebben om het materiaal alleen maar vluchtig door te nemen. Als je het mij vraagt kost het nog veel meer tijd, bovendien blijven de gegevens binnenstromen.'

'Ik begrijp het,' zei Johansson en hij maakte een licht afwerend gebaar met zijn rechterhand. 'Maar enige vorm van schifting moet toch wel mogelijk zijn? Als ik me niet vergis, zijn er bijvoorbeeld tienduizenden pagina's met de gebruikelijke valse tips, en die moet je er toch wel tussenuit kunnen halen?'

'Ik ben bang dat dat niet voldoende is,' bracht Flykt ertegen in. 'Er zijn er hoogstwaarschijnlijk aanzienlijk meer. Daarbij komt het probleem dat sommige valse tips, zoals je ook wel weet, aanvankelijk heel overtuigend lijken. Een tijdje geleden las ik een interview in de krant met onze eigen professor van de rijkspolitie, waarin hij beweerde dat als we de Palme-moord opeens hadden opgelost, bij nader inzien zou blijken dat negenennegentig procent van het hele onderzoeksmateriaal niets met de zaak van doen had en bijna alles wat we hadden verzameld ronduit misleidend was. Bij wijze van uitzondering waren hij en ik het volkomen met elkaar eens.'

'Dat is niet best,' zei Johansson met een grijns. 'Om te horen dat je het met zo iemand eens bent, bedoel ik. Wat ik probeer te zeggen is dat het natuurlijk geen probleem moet zijn om het materiaal te sorteren. Voor een paar slimme collega's met een frisse blik. Zelf heb ik me altijd prima weten te redden met behulp van de beschrijving van de gebeurtenis, van de belangrijkste ooggetuigen dus, het forensisch-technisch onderzoek en het forensisch-geneeskundig rapport.' Johansson telde mee met zijn vingers terwijl hij sprak en lachte gemoedelijk terwijl hij er drie omhooghield.

'Bovendien,' ging hij verder, 'moeten er juist van deze zaak wel enkele behoorlijke samenvattingen bestaan die helderheid verschaffen over het gebruikelijke waar, wanneer en hoe. Wie het slachtoffer was, schijnen zelfs onze collega's van de ordepolitie al een paar minuten na de daad te hebben begrepen.'

'Dat is juist.' Flykt knikte bevestigend en leek haast opgelucht, alsof hij plotseling vaste grond onder de voeten had gekregen. 'Onze eigen daderprofielgroep heeft zowel een analyse van het misdrijf als een profiel van de dader uitgewerkt, in samenwerking met onze collega's van de FBI. Bovendien bestaan er verschillende andere analyses van experts die we hebben geraadpleegd. Zowel van het misdrijf in grote lijnen als van verscheidene details. Bijvoorbeeld van het moordwapen en de twee kogels die op de plaats van het misdrijf werden veiliggesteld. Het is al met al heel wat.'

'Zie je wel,' zei Johansson, terwijl hij een weids gebaar met zijn armen maakte, met dezelfde overtuiging als een doorsnee bijbelventer uit zijn Ångermanlandse jeugd. 'Dus waar wachten we nog op?'

Zodra Johansson de leider van het Palme-team had losgelaten, begon iedereen in het lokaal voorzichtig met zijn stoelpoten te schuiven, maar hij had hun valse hoop gegeven.

'Ik begrijp dat de dames en heren staan te popelen om te beginnen,' zei Johansson met een scheef lachje, 'maar voordat we uit elkaar gaan, wil ik nog één ding onderstrepen. Een waarschuwing vooraf.' Hij knikte nadrukkelijk en keek hen een voor een grimmig aan.

'Jullie mogen hier met niemand over spreken. Jullie mogen er met elkaar over spreken in zoverre het noodzakelijk is om je werk te kunnen doen. Als jullie om dezelfde reden met iemand anders willen spreken, heb je daar eerst mijn toestemming voor nodig.'

'Wat zeg ik tegen mijn medewerkers?' De leider van het Palme-team keek niet vrolijk. 'Ik bedoel...'

'Niets,' onderbrak Johansson hem. 'Mocht er iemand zijn die zich iets begint af te vragen, dan stuur je hem of haar maar naar mij. Dat zou jij toch wel moeten begrijpen,' voegde hij eraan toe. 'Na al die mediaterreur waarmee het Palme-onderzoek jarenlang is bestookt. Ik wil niet hebben dat allerlei collega's een hoop onzin gaan rondbazuinen. Hoe komen de media aan al die nonsens denk je? Als ik morgen de krant opensla, is wel het laatste wat ik wil lezen dat ik een nieuw onderzoek naar de moord op Olof Palme heb ingesteld.'

'Juist daarom denk ik dat het verstandig is om de mensen van mijn team een beetje te informeren. Om een hoop onnodig geklets te voorkomen, bedoel ik.' Flykt keek bijna smekend terwijl hij dat zei. 'Misschien zouden we het kunnen oplossen door te zeggen dat je Holt, Lewin en Mattei hebt verzocht alle geregistreerde gegevens door te nemen. Ik bedoel, dat soort werkzaamheden wordt immers doorlopend gedaan, bovendien vaak door collega's buiten het team. Of misschien dat het om een zuiver administratieve revisie gaat.'

'Zoals gezegd,' zei Johansson, 'geen woord. Stuur alle nieuwsgierige aagjes naar mij zodat ik hun honger naar feitenkennis kan stillen, en als ze daar niet tevreden mee zijn, heb ik vast wel iets anders voor ze. Wij zien elkaar weer over een week. Zelfde tijd, zelfde plaats. Nog vragen?'

Niemand had iets te vragen. Nadat ze waren opgestaan, knikte Johansson eerst kort naar Flykt. Toen glimlachte hij vriendelijk naar Lisa Mattei, vroeg haar alvast om een exemplaar van haar uitgeschreven aantekeningen en adviseerde haar goed op zichzelf te passen. Holt negeerde hij volledig en Jan Lewin nam hij op weg naar buiten even apart.

'Eén ding zit me dwars wat deze zaak betreft,' merkte Johansson op.

'Dat er vanaf het begin een verkeerd spoor is gevolgd,' antwoordde Lewin, die al langer meedraaide en Johansson die woorden vaker had horen uitspreken.

'Precies,' stemde Johansson in. 'Een eenzame gek die heel toevallig laat op de avond, midden in de stad, een volkomen onbewaakte minister-president tegen het lijf loopt en ook nog toevallig een gigantische revolver bij zich draagt. Dat schijnt bijna iedereen immers te geloven, net als het merendeel van onze geliefde collega's. Dan vraagt deze man van gevorderde leeftijd zich stilletjes af: hoe normaal is dat?'

'Ik begrijp wat je bedoelt,' zei Lewin.

'Mooi zo,' zei Johansson. 'Dan spreken we elkaar volgende week weer. En mocht je de rotzak voor die tijd te pakken krijgen, dan hoor ik dat graag van je.'

2

Na het overleg met Johansson was Anna Holt teruggegaan naar haar kamer in het landelijk coördinatiecentrum, waar ze sinds ruim een jaar werkte als politiecommissaris. Ze sloot zorgvuldig de deur achter zich, voordat ze plaatsnam achter haar bureau en drie keer diep ademhaalde. Daarna vloekte ze hardop en grondig over het thema volwassen jongetjes met twintig kilo overgewicht, rode bretels en de dubbelrol van Norrlandse plattelandskomiek en hoogste chef van de rijksrecherche. Dat luchtte enigszins op, maar niet zoveel als ze gehoopt had, dus toen Lisa Mattei een halfuur later op haar deur klopte, was ze nog steeds slechtgehumeurd.

'Hoe is het, Anna?' vroeg Mattei. 'Je kijkt een beetje somber.'

'Wat denk je,' kaatste Anna.

'Trek je toch niks van Johansson aan,' reageerde Mattei. 'Johansson is een beetje eigenaardig, maar zo is hij nu eenmaal. Ik heb met Flykt gesproken, je kunt niet veel anders doen dan aanhaken. Hij zou een pasje voor ons regelen.'

'De hoogste tijd om je te schikken naar de situatie. De hoogste tijd om een dode papegaai weer tot leven te wekken.'

'Precies. Je weet best dat er meer dan één manier is om een kat te villen, zou Lars Martin hebben gezegd.'

'Oké, oké, oké,' zei Holt met een zucht en ze stond op. Dus nu wordt ons aller Johansson plotseling Lars Martin genoemd, dacht ze. Uitgerekend door Lisa.

Lewin was eveneens teruggekeerd naar zijn bureau. Daar had hij zichzelf goed en wel een kwartier zitten verwijten dat hij opnieuw in een situatie was beland die hij redelijkerwijs had kunnen voorkomen. En dan ook nog samen met zijn hoogste chef, Lars Martin Johansson, met wie hij anders elke vorm van contact zorgvuldig probeerde te vermijden.

De man die de hoek om kan kijken, dacht Lewin somber. Zo werd hij immers door veel collega's beschreven, vooral als ze een slok ophadden. De legende Lars Martin Johansson uit het Ångermanlandse Ådalen. Politieagent en jager, met dezelfde kijk op rechtvaardigheid als op de jacht, of hij nu te maken had met mensen van vlees en bloed of met onschuldige dieren. Johansson met zijn grote neus en onwaarschijnlijke vermogen om lucht te krijgen van de minste of geringste vorm van menselijke zwakte. Met zijn joviale optreden en menselijke warmte, die hij aan en uit kon zetten naar eigen goeddunken. Sluw, hard en volslagen meedogenloos zodra het erop aankwam, zodra zijn prooi binnen handbereik was en de moeite waard leek te zijn.

Daarna kreeg Lewin last van zijn geweten. Johansson was ondanks alles een collega, bovendien zijn hoogste chef, en wie was hij om over een medemens te oordelen met wie hij nooit diepgaand contact had gehad en die hij eigenlijk niet eens zo goed kende.

Hoogste tijd om je te schikken naar de situatie, dacht Lewin. Hij pakte de telefoon van zijn bureau en toetste het directe nummer van Flykt in.

'Welkom in het heiligdom,' zei Flykt vriendelijk en hij knikte naar de bergen papier waarmee ze omgeven waren. Mappen en dozen die van de vloer tot aan het plafond tegen de muren stonden opgestapeld. Stapels dozen, in keurige rijtjes op de vloer opgesteld. Een kamer van ruim zeventig vierkante meter, die nu al veel te klein leek.

'Ja, Jan, jij bent hier eerder geweest,' vervolgde Flykt en hij wendde zich tot Lewin, 'maar voor jou, Anna, en voor jou, Mattei, is het wellicht de eerste keer?'

'Ik heb hier ooit een rondleiding gehad,' zei Holt. 'Dat was weliswaar enkele jaren geleden, maar de hoeveelheid lijkt niet te zijn verminderd sinds toen.' Als Johansson hier is geweest, is hij blind of gek, dacht ze.

'Een vraag,' zei Holt tegen Flykt, 'heeft Johansson al dit materiaal gezien? Tijdens het ochtendoverleg kreeg ik de indruk van niet.'

'Dat dacht ik ook,' antwoordde Flykt, 'maar zojuist vertelde een van mijn collega's uit het team dat hij hier blijkbaar een kijkje heeft genomen voordat hij met vakantie ging. Dat bezoek heb ik gemist omdat ik vrij had. Bovendien vermoed ik dat hij het deel van het materiaal heeft doorgekeken dat zich bij de veiligheidsdienst, de *Säpo*, bevindt. Ik kan me herinneren dat ons ooit werd verzocht om gegevens aan te vullen in de periode dat hij daar als operationeel hoofd zat. Al weet jij dat misschien beter dan ik, want jij hebt daar immers gewerkt. Bovendien mogen we niet vergeten dat hij als expert is ingeroepen door alle regeringscommissies die hebben onderzocht hoe wij ons als eenvoudige politiemensen door de jaren heen hebben gedragen. Als je het mij vraagt weet Johansson meer dan de meesten van ons.'

'Johanssons wegen zijn ondoorgrondelijk,' merkte Holt met een glimlach op.

'Niets is minder waar,' stemde Flykt in, eveneens met een glimlach. 'Heeft iemand nog vragen?' Om een of andere reden keek hij naar Mattei.

Oei, dacht Lisa Mattei, die haar ogen nauwelijks van de vele stapels papier kon afhouden. Dit wordt net zoiets als het beklimmen van een berg. En ik heb nog wel hoogtevrees.

'Voor mij is het de eerste keer hier,' zei ze. 'Het lijkt me interessant om te zien wat jullie hebben verzameld.' Alsof je een berg beklimt, dacht ze weer terwijl ze haar blik over de rijen met mappen liet glijden.

'Inderdaad, het is heel wat geworden met de jaren en er komt nog elke week een map bij. Vooral met valse tips als je het mij vraagt,' antwoordde Flykt. 'Dus het minste wat ik kan doen, is jullie veel succes wensen. Als jullie iets vinden wat mijn collega's en ik over het hoofd hebben gezien, is er niemand zo gelukkig als wij.'

Dat lijkt me een vrij risicoloze belofte, dacht Holt, die genoegen nam met een knikje en een glimlach.

De tijd waarin er nog een wonder kon gebeuren, is helaas voorbij, dacht Lewin, wat hij natuurlijk niet uitsprak.

En ik heb nog wel hoogtevrees, dacht Mattei, maar ze was toch echt niet van plan om dat tegen haar collega's of zelfs maar tegen Anna te zeggen.

Lars Martin Johansson was in een opperbeste stemming. Hij was tevreden in het algemeen, maar nog meer met zichzelf. Het meest tevreden was hij nog met zijn beslissing eindelijk iets te doen aan de politionele misère die bekendstond als Palme-onderzoek. Al meer dan twintig jaar de verantwoordelijkheid van de rijksrecherche, sinds hooguit een paar jaar van hemzelf en nu was het de hoogste tijd dat er iets gebeurde. Tijdens het afgelopen decennium, na de laatste miskleun betreffende de inmiddels overleden 'Palme-moordenaar' Christer Pettersson, had het team dat zich met de zaak had beziggehouden andere taken op zich genomen.

De identificatie van de Zweedse slachtoffers na de tsunamiramp in Thailand had langer dan een jaar aanspraak gemaakt op hun kennis en ervaring. Daarna waren dergelijke opdrachten letterlijk naar de Palme-rechercheurs toe blijven stromen. Zweedse burgers die in het buitenland het slachtoffer waren geworden van aanslagen, natuurrampen en de gebruikelijke ongevallen. Het kleine beetje tijd dat men nog aan de Palme-moord besteedde, werd hoofdzakelijk gestoken in het kringetje van privéspeurders, betweters en figuren die binnen de politie, ongeacht hun geslacht, toverkollen werden genoemd. Al die mensen die voortdurend wilden meehelpen en bovendien volledig op de hoogte waren van wat hij en zijn collega's er eventueel aan bijdroegen. Daar kunnen we natuurlijk niet zo mee doorgaan want dan kunnen we het hele circus net zo goed opdoeken, dacht Johansson. Daarop had hij zijn besluit genomen.

Zodra Flykt hen alleen had gelaten, stelde Holt voor dat ze zich even terug zouden trekken voor overleg. Niet in de Palme-kamer – de papierberg die hen omringde vervulde haar met een zuiver fysieke afkeer, al zei ze daar natuurlijk niets over – maar op een plek waar het aangenamer was. Niemand had enig bezwaar. Eerst hadden ze koffie gehaald en daarna waren ze in een leeg vergaderlokaal gaan zitten, met gesloten deuren.

'Ja ja,' zei Holt, 'daar zitten we dan. Het is de hoogste tijd dat we ons schikken naar de situatie, mede met het oog op wat ons te wachten staat. Het goede nieuws is dat we in elk geval minder hoeven te lezen als we het materiaal onderling verdelen.'

'In dat geval wil ik voorstellen dat ik de gebeurtenis zelf voor mijn rekening neem,' zei Lewin. 'Het gedeelte waar Johansson over sprak, met de getuigenverklaringen van de plaats delict, het forensisch-technisch onderzoek en het forensisch-geneeskundig rapport. Ik dacht tenminste dat ik daar zou kunnen beginnen.'

'Daar heb ik geen enkel bezwaar tegen,' zei Holt. 'Grijp je kans, Lisa. Is er een speciaal onderdeel waar jij naar zit te smachten? Nu kun je nog kiezen.'

'Ik weet niet genoeg van de zaak af,' antwoordde Mattei. 'Ik zou graag wat meer overzicht willen krijgen. Over al die verschillende sporen, of werkhypothesen om precies te zijn, waarvan ik zoveel heb gehoord vanaf het moment dat ik bij de politie kwam. Je weet wel. Koerdische terroristen, eenzame gekken, mysterieuze wapenhandel en onze collega's, het politiespoor.'

'Uitstekend,' zei Holt. 'Ik denk niet dat je gebrek aan leesvoer zult hebben.' In elk geval iemand die zich schikt naar de situatie, dacht ze.

'En jij dan, Anna,' vroeg Lewin en hij schraapte voorzichtig zijn keel.

'Ik was van plan de leiding te nemen en het werk tussen jou en Lisa te verdelen,' zei Holt en ze lachte vriendelijk.

'Alle gekheid op een stokje,' vervolgde ze, 'ik wil me gaan toeleggen op Christer Pettersson. Ongeacht wat Johansson vindt van mijn frisse blik en ongeacht het feit dat ik er niet meer van weet dan wat ik erover in de krant heb gelezen en wat ik er op het werk tot vervelens toe over heb gehoord, heb ik altijd gedacht dat Christer Pettersson Olof Palme heeft doodgeschoten. En dat denk ik nog steeds, mochten jullie je dat afvragen, maar omdat ik er vaker naast heb gezeten, ben ik in elk geval bereid om een nieuwe poging te wagen.'

'Oké.' Lewin knikte. 'Dan is dat hierbij geregeld. Om mee te beginnen tenminste.'

'Klinkt goed,' constateerde Mattei en ze stond op.

'Ja,' zei Holt. 'Hebben we een keus?' Vervolgens zuchtte ze luid en schudde met haar hoofd, ondanks de belofte die Johansson haar had afgedwongen.

3

Tevreden met zichzelf en met de beslissing die hij al op de eerste werkdag na zijn vakantie had genomen, besloot Johansson om vroeg naar huis te gaan en de dag af te sluiten door thuis wat werkzaamheden te verrichten. Zijn secretaresse vond dat een uitstekend plan, niet in de laatste plaats vanwege het prachtige zomerweer. Ze zou zelf graag hetzelfde hebben gedaan, als ze de mogelijkheid had gehad te kiezen of zelfs maar een wens in die richting te uiten.

'Klinkt verstandig,' stemde ze in. 'Met het oog op het mooie weer, bedoel ik. Is er nog iets anders wat ik moet weten?'

'Ik ben alleen bereikbaar in uiterst dringende omstandigheden. En de gebruikelijke dingen, zoals je weet,' zei Johansson.

'Dat ik goed op mezelf moet passen.'

'Precies. Beloof me dat je goed op jezelf past.'

'Dat beloof ik. Al heb ik voor vanavond geen grootse plannen. Ik was van plan de bloembakken op het balkon water te geven als ik thuiskom. Is dat goed?'

'Dat lijkt me een uitstekend idee,' constateerde haar baas. 'Als je maar niet over het balkonhek naar beneden valt.'

'Dat beloof ik,' zei ze. Wat zou mij kunnen gebeuren, dacht ze toen hij de deur uit liep. Vijftig jaar oud, alleen, geen kinderen, mijn enige vriendin is met haar nieuwe vriend op vakantie gegaan en ik heb niet eens een kat om te aaien.

Johansson wandelde over de kaden van de stad naar huis, in het behaaglijke zomerbriesje dat over het water van het Mälarmeer heentrok en zijn Norrlandse lichaam verkoelde. Een Amerikaan in Parijs, dacht Johansson om een of andere reden, waarna hij op dezelfde manier over zichzelf begon na te denken. Een eenvoudige jongen van het platteland, uit Näsåker en het rode Ådalen in het noorden van Ångermanland, die veertig jaar geleden naar de Koninklijke Hoofdstad verhuisde om op de politieschool in Solna te beginnen. Die zijn lot in eigen handen had genomen, dat met sterke armen had gedragen, dat naar behoren had gedaan en de lange weg naar de top van de politiepiramide had afgelegd. Een eenvoudige jongen van het platteland die nu het einde van de reis naderde en met pensioen zou gaan, ongeveer op hetzelfde moment dat de moord op de premier zou verjaren. Wat zou er mooier zijn dan deze zaak op te helderen voordat hij afscheid nam?

In dergelijke aangename gedachten verzonken had hij de hele weg langs het Norr Mälarstrand, Riddarholmen en de hellingen van Söder gelopen. Daar had hij een omweg gemaakt via de markthallen van Söder, om enkele lekkernijen in te slaan voor de zomermaaltijd waar hij zijn vrouw mee wilde verrassen, als ze terugkwam van haar werk bij de bank. Wat lekkere hapjes slechts, vooral vis, schaaldieren en groenten, maar desondanks nam hij twee goedgevulde tassen mee naar zijn woning aan de Wollmar Yxkullsgatan.

De rest van de middag was hij ijverig aan het koken geweest. Omdat het daar het perfecte weer voor was, had hij buiten de tafel gedekt, op hun nieuwe terras dat vlak voordat ze met vakantie gingen was aangelegd en nu ingewijd kon worden. Hij maakte een salade van verse zalm, avocado en milde rucola, sneed verse tonijn in mooie dikke plakken, snipperde er wat kruiden over en zette alles terug in de koelkast, in afwachting van het juiste moment.

Daarna schrobde hij de worteltjes en aardappelen, deed die in een pan en goot er water bij. Hij controleerde de temperatuur van de droge, Duitse riesling, die hij als wijn voor bij de maaltijd had gekozen. Na kort overleg met zichzelf had hij ook een fles champagne in een koeler met ijs gezet. Zijn vrouw en hij nuttigden deze drank bij voorkeur ijskoud.

Vervolgens had hij ook de rest gedaan, tussen de verse asperges met gesmolten boter, het kaasplankje en de frambozen als toetje door. Alles in de juiste volgorde natuurlijk, en terwijl hij toch bezig was, had hij zichzelf beloond met een koud, Tsjechisch pilsje. Toen zijn vrouw belde om te zeggen dat ze net onderweg was en over een kwartier thuis zou zijn, zette hij de pannen op het vuur en proostte hij met zichzelf.

Proost, Lars, dacht het hoofd van de rijksrecherche Lars Martin Johansson, en hij hief zijn bierglas. Waarschijnlijk is er geen sterveling op deze aardbol die niet vindt dat je een enorme geluksvogel bent.

'Mijn God,' barstte Pia Johansson uit zodra ze de hal binnenkwam en haar handtas op het haltafeltje zette. 'Ik heb zo'n honger dat ik een gebraden hond zou kunnen verslinden. Met vacht en al.'

'Dat is vast niet nodig,' antwoordde Johansson. Hij boog zich voorover, legde zijn rechterhand om haar tengere nek, met zijn duim in het kuiltje van haar hals, liet zijn linkerhand zachtjes rusten tegen haar rechterwang en ademde haar geur in, terwijl hij met zijn lippen licht haar voorhoofd beroerde bij de haargrens.

'Wat vind je ervan als we eerst gaan eten?' vroeg Pia.

'Vanzelfsprekend,' zei Johansson. 'Anders had ik je gelijk meegetrokken.'

'God, wat lekker,' zuchtte Pia twee uur later, toen ze bij de frambozen en een lichtbevroren riesling waren aangekomen, die Johansson speciaal voor deze gelegenheid achter de hand had gehouden. 'Als ik veertig jaar jonger was geweest, had ik een boer gelaten.'

'Onmogelijk,' zei Johansson. 'Alleen hele kleine kinderen laten een boer. En Chinezen. Daar schijnt het een gewoonte te zijn, om te laten merken dat het heeft gesmaakt.'

'Wat een geluk dat ik de enige ben die jou nu hoort. Oké dan, als ik vijfenveertig jaar jonger was geweest. Dan had ik een boer gelaten.'

'Kinderen boeren, mannen snurken, laten stiekem een scheet, produceren zelfs enorme rookbommen als ze alleen zijn, of zich bij iemand op hun gemak voelen. Vrouwen doen zoiets niet.'

'Hoe komt dat, denk je?'

'Ik zou het niet weten.' Johansson schudde zijn hoofd. 'Heb je trouwens zin in een kop koffie?'

'Nou en of,' stemde Pia in. 'Maar eerst wil ik je bedanken voor deze vorstelijke maaltijd.'

'Een eenvoudig gastmaal slechts. Noodzakelijke proviand voor onze eenzame tocht over deze aardbol.'

'Ik maak me bijna ongerust. Je bent toch niks van plan?'

'Absoluut niet,' zei Johansson. 'Ik wil alleen maar indruk maken op de vrouw van mijn leven.'

'Je wilt toch geen geld van me lenen?'

'Lenen,' snoof Johansson. 'Een onafhankelijke man leent geen geld.'

‘Oké dan,’ zei Pia. ‘Dan wil ik graag een dubbele espresso met warme melk.’

‘Een goede keuze. Zelf neem ik een bodempje cognac voor de spijsvertering.’

‘Daar zie ik vanaf. Met het oog op morgen. Na de vakantie is er altijd heel veel te doen.’ Maar vooral omdat ik een vrouw ben, dacht ze.

‘Ik was van plan om het morgen kalmpjes aan te doen,’ zei Johansson. Je bent de baas of je bent het niet, dacht hij.

Morgen is er weer een dag, dacht Johansson nadat hij het espresso-apparaat had gevuld en een borrel had ingeschonken voor de spijsvertering. Ik ben een gelukkig man, en sommige dagen zijn beter dan andere.

Na de maaltijd verhuisden ze naar de bank in Johanssons werkkamer. Johansson had de tv aangezet en keek naar het late nieuws. Maar er was niets aan de hand en aangezien zijn rode mobieltje de hele avond had gezwegen, was de boodschap waarmee hij het overleg had afgesloten blijkbaar effectief geweest. Geen kik over een lang geleden vermoorde premier. Pia was met haar hoofd op zijn schoot in slaap gevallen. Ze lag volkomen stil, terwijl hij met zijn hand over haar voorhoofd streek. Je slaapt in elk geval wel als een kind, dacht hij. Onbeweeglijk, stil en slechts nu en dan met licht trillende oogleden. Al moest hij zijn plannen voor vanavond bijstellen en misschien was dat ook wel beter, na al dat eten en al die wijn. Maar wat nu?

Zijn vrouw loste het probleem voor hem op. Plotseling kwam ze met een ruk overeind, keek op haar horloge en schudde haar hoofd.

‘Lieve hemel,’ zei Pia. ‘Elf uur al. Ik ga naar bed. Blijf niet te lang zitten. Morgen is er weer een werkdag.’

‘Komt goed,’ antwoordde Johansson. Morgen zien we wel weer, dacht hij en hij strekte zich uit om de tv-bijlage te pakken.

Eerst had hij heen en weer gezapt tussen het tweecijferige aantal tv-kanalen waarover hij tegenwoordig beschikte. De meeste programma’s had hij eerder gezien en wat hij niet had gezien, leek niet de moeite waard. Voornamelijk een hoop onzin over mysterieuze seriemoordenaars, die in elk geval de goede smaak hadden om zich ver van zijn bureau te houden. Ondertussen had hij een idee gekregen.

De Palme-kamer stond vol met mappen, ordners en dozen, die alle wanden en een groot deel van de vloer bedekten. Johanssons grote werkkamer stond vol met boeken, van de vloer tot aan het plafond. Boeken over alles tussen hemel en aarde, mits de inhoud ervan hem interesseerde. Als dat niet het geval was, bracht hij de boeken naar zolder of gaf hij ze weg. De Palme-kamer was weliswaar twee keer zo groot als Johanssons werkkamer, maar het verschil in het aantal letters en woorden was minder groot. Boeken, boeken, boeken... videobanden, dvd- en cd-mapjes, plus verscheidene hoezen met oude vertrouwde grammofoonplaten. Maar vooral boeken, bijna alleen maar boeken. Boeken die hij met plezier had gelezen en graag opnieuw zou lezen. Boeken om van te leren en om beter te kunnen nadenken. Boeken waar hij letterlijk van was gaan houden, omdat hun fysieke aanwezigheid aantoonde dat hij al sinds jaar en dag de baas over zijn eigen leven was en goed voor zichzelf had gezorgd. Al die boeken die hij tijdens zijn jeugd op de boerderij even buiten Näsåker zo vreselijk miste dat het gemis hem soms naar de keel greep. Maar die hij nooit heeft beschouwd als een berg die hij moest beklimmen.

In de boerderij waar Johansson opgroeide, waren niet veel boeken. Het leven dat men er leidde, bood weinig ruimte om te lezen. In de grote kamer stond een boekenkast met oude bijbels, psalmboeken, handleidingen voor het boerenbedrijf en beschouwingen van de vrije kerk die een natuurlijk onderdeel van het lokale culturele erfgoed vormden en gedenkwaardig genoeg werden bevonden om in te binden. Veel meer was het niet.

In de werkkamer van zijn vader – het boerderijkantoor – stonden dikke catalogi over alles wat met het werk en het leven van alledag te maken had. Catalogi van fabrikanten van tractors, landbouw- en bosbouwmachines, van wapen- en munitieleveranciers, van visgerei, schroeven, spijkers, teer, verf en lak, grendels en planken, motorzagen, normaal gereedschap, zaaigoed, fokdieren en alles wat verder deel uitmaakte van het leven op de boerderij, met behulp van de posterijen kon worden besteld, onder rembours kon worden verzonden en eindigde door de postbode een hand te geven.

In de kamer van zijn oudere broers lagen verscheidene stukgebladerde jaargangen van het sporttijdschrift *Record*, het mannenblad *Lectuur* en de *Kijk*, die slordig in hun enige, krakkemikkige boekenkast lagen opgestapeld. Daarnaast verschillende andere publicaties waarin een plaatje meer zei dan duizend woorden en die ze bij voorkeur onder hun matrassen bewaarden.

Die laatste lectuur ontbrak natuurlijk in de kamer van zijn zussen. In plaats daarvan lazen zij *Anne van Grönkulla*, *Pollyanna*, *De kinderen van de Frostmoberg*, *Kulla-Gulla* en verder alles wat om hetzelfde thema draaide en kleine meisjes opvoedde tot jonge, zorgzame vrouwen en goede moeders.

Zo niet Johansson, die al als kleine jongen las zoals een koekoeksjong at. Die zichzelf al een jaar voordat hij naar de basisschool ging had leren lezen, hoe is volstrekt onduidelijk. Wiens leeslust zijn lieve vader diep ongerust maakte en voor zijn oudere broers de voortdurend terugkerende aanleiding vormde om hem voor de gek te houden en hem steevast een dreun te verkopen zodra hij betrapt werd met een veel te dik boek zonder plaatjes.

Het was begonnen met misdaadromans. *Ture Sventon*, *Agaton Sax*, *Meesterdetective Kalle Blomkvist* en *Sherlock Holmes*, de beste van allemaal. Om zijn leesvoer ongestoord te kunnen nuttigen, moest hij eerst stiekem zijn toevlucht nemen tot de gereedschapsschuur, het koetshuis of de buiten-wc. Pas toen hij groot genoeg was om zich te kunnen verdedigen, kon hij zijn eigen kamer met zijn eigen leeslamp en de relatieve rust opzoeken die hij voor zijn roeping nodig had.

Daarna was hij verdergegaan met avonturenromans in het algemeen, van een andere tijd en werkelijkheid dan de zijne en juist daarom geschikt om zijn fantasie de vrije loop te kunnen laten. De avonturen en lotgevallen van Biggles, de saamhorigheid van de drie musketiers en de eenzaamheid van Robinson Crusoë. *De reis om de wereld in tachtig dagen* en *Gullivers reizen*. Zelf reisde hij door tijd en ruimte, in een vrije vlucht tussen werkelijkheid en fantasie, zo ver als op het ticket van de gemeentebibliotheek van Näsåker stond aangegeven. De mooiste reis die een mens kon ondernemen, als iemand op de gedachte was gekomen de kleine Lars Martin ernaar te vragen.

Toen hij negen jaar was, had zijn vader hem in de auto gezet en hem meegenomen op een andere reis, een reis van dertig kilometer naar de plattelandsdokter. Hoog tijd, nood aan de man, want zijn jongste zoon was bezig zijn ogen te vernielen omdat hij boeken las als een ware bezetene. Hoewel hij verder volkomen normaal leek, kon zijn vader niet uitsluiten dat er in zijn hoofd iets was vastgelopen. Ongeveer als een grammofoonplaat waar een kras op zat.

'Het is dus niet zo dat hij hele vreemde dingen doet, of loopt te klieren of zo,' verduidelijkte vader Evert nadat hij de deur tussen hemzelf en de dokter en het patiëntje in de wachtkamer daarbuiten had dichtgedaan.

'Zo erg is het niet, als je het mij vraagt. Hij is goed te hanteren, houdt van vissen en hij is zelfs een kei met de luchtbuks die ik hem met de kerst heb gegeven. Het gaat om dat lezen van hem. Hij spant samen met zijn lerares en die vrouw van de bibliotheek in het dorp, en als je even niet oplet, komt hij thuis met tassen vol boeken die ze hem hebben aangesmeerd. Ik ben bang dat zijn ogen regelrecht naar de knoppen gaan.'

De dokter had het geval onderzocht. De ogen, oren en neus van de negenjarige Lars Martin Johansson bekeken, zijn hoofd bevoeld en met een hamertje op zijn knie geslagen, maar vooralsnog leek alles in orde te zijn. Daarna had hij de onderste rij letters op de poster aan de wand moeten oplezen. Eerst met beide ogen, vervolgens met een hand voor zijn linkeroog en toen voor zijn rechter, en daar was ook niet veel mis mee.

'Die jongen is zo gezond als een vis,' vatte de dokter alles samen nadat zijn patiënt was teruggekeerd naar de wachtkamer.

'Maar denkt u niet dat hij een bril nodig heeft? Dat zal toch wel helpen,' hield Evert vol.

'Net zo min als een havik, als je het mij vraagt,' zei de dokter.

'Maar al dat lezen van hem dan? Die jongen lijkt wel bezeten. Hij mankeert toch niets aan zijn hoofd?'

'Hij vindt het gewoon leuk om te lezen. Sommigen houden daarvan,' zei de plattelandsdokter en om een of andere reden slaakte hij een diepe zucht. 'Het ergste wat hem kan overkomen is dat hij dokter op het platteland wordt,' constateerde hij en hij zuchtte nog eens.

Vervolgens waren Evert en zijn jongste zoon teruggereden naar de boerderij en werd er nooit meer met een woord over gesproken. Ruim tien jaar later was Lars Martin naar Stockholm afgereisd om politieagent te worden en in alle rust te kunnen lezen. Uiteindelijk vooral over misdrijven, in de meeste gevallen ontleend aan de werkelijkheid, in sommige aan de fantasie. Een behoorlijke omweg, zou je kunnen denken, maar reizen is niet altijd eenvoudig en er zijn vaak verschillende wegen die naar de eindbestemming leiden.

Nadat hij wat in zijn boekenkast had rondgesnuffeld, vond Johansson uiteindelijk wat hij zocht. Deel zeven van Carl Grimbergs klassieke naslagwerk over de Zweedse geschiedenis, dat de Gustaviaanse tijd behandelde: *De wonderbare lotgevallen van het Zweedse volk*. Een mooi boekwerkje dat uitnodigde om het in je hand te wegen, eerste druk, gebonden in kalfsleer en met gouden letters op de rug.

Daar zijn die computernerds aan voorbijgegaan, ondanks alle netwerkverbindingen en zoekmachines, dacht Johansson tevreden nadat hij het laatste beetje wijn had uitgeschonken, zich op de bank had genesteld en begon te lezen over de moord op Gustav III en de tijd waarin hij leefde. Hoe dicht bij zijn eigen slachtoffer of een soortgelijk Zweeds misdrijf kon je komen, dacht hij.

Hij had er ruim een uur over gedaan om het te lezen, het meeste wist hij al, en daarna had hij pen en papier gepakt om aantekeningen te kunnen maken terwijl hij nadacht.

Het gemaskerde bal op 16 maart 1792 in de Opera van Stockholm. Een groep daders in de omgeving van het slachtoffer die een hekel hadden aan hem en aan wat hij belangrijk vond. Edellieden, hovelingen, leden van zijn eigen koninklijke garde. Daders die de ideale gelegenheid op een presenteerblaadje kregen aangeboden. Met een persoonlijke uitnodiging die voldoende tijd bood om hun kans te kunnen grijpen. Daders van wie werd verwacht dat ze al een masker droegen voordat ze zouden toeslaan.

Daders die allemaal toegang hadden tot vuurwapens, Johansson glimlachte scheef toen hij dit noteerde, en een van hen was in elk geval gemotiveerd genoeg om naar het slachtoffer toe te lopen, zijn wapen te trekken, op hem te richten en af te vuren. Motief, gelegenheid en middel, vatte Johansson samen, op dezelfde manier als zijn collega's dat inmiddels waarschijnlijk ook hadden gedaan.

Een slachtoffer dat door velen werd gehaat, door edellieden, militairen, rijke burgers. Kortom door voorname lui, die de macht te danken hadden aan hun zwaarden, geldbuidels en afkomst en vreesden dat een absoluut vorst dat voorgoed van hen af zou nemen. Een slachtoffer dat bij velen geliefd was. Bij dichters en kunstenaars, vanwege de verlichtende gloed die over de periode van Gustavs heerschappij scheen te liggen, en in hun geval op basis van goede economische vooruitzichten, dacht Johansson.

Dat een groot gedeelte van de boerenbevolking de koning ook liefhad was minder gemakkelijk te begrijpen. Voortdurend geplaagd door oorlogen, een geplunderde schatkist en daarbovenop de dagelijkse ellende in de vorm van misoogsten, hongersnood, epidemieën en gewone ziekten. De mensen wisten waarschijnlijk niet beter, dacht boerenzoon Johansson en hij slaakte een zucht.

Door velen gehaat, door velen geliefd, maar niet veel ruimte voor gevoelens daartussenin. Wat kun je nog meer verwachten van een motief, vatte Johansson samen toen hij zijn tanden poetste voor de badkamerspiegel na een dag hard werken, een uitstekende maaltijd die hijzelf had klaargemaakt en tot slot wat leeswerk, zuiver voor zijn plezier. In het beste geval heb ik er ook nog iets van geleerd, dacht hij.

Tien minuten later sliep hij. Met een glimlach op zijn lippen, maar verder net als anders. Op zijn rug, met zijn handen over zijn borst gevouwen, met mannelijk gesnurk, veilig in zijn eigen lichaam, vrij van dromen. Of in elk geval vrij van dromen die hij zich zou kunnen herinneren of waar hij zelfs maar naar kon gissen als hij de volgende ochtend wakker werd.

Meestal ging Lars Martin Johansson als laatste slapen en werd hij als eerste wakker, maar deze keer was zijn vrouw blijkbaar eerder opgestaan dan hij. De zwakke geur van koffie had zijn gevoelige neus gealarmeerd en hem wakker gemaakt. Hoewel het pas zeven uur was, lag hij al een paar uur achter op zijn normale dagelijkse routine. Zijn vrouw Pia had het ontbijt al klaargezet – 'Ik heb gewerkt als een paard om de maaltijd van gisteren een beetje terug te kunnen betalen' – en had hem in het voorbijgaan met een onschuldig glimlachje gewezen op de ochtendkrant.

'Je staat trouwens in de krant,' zei Pia terwijl ze zijn koffie inschonk. 'Waarom heb je niets gezegd?'

‘Waarover,’ vroeg Johansson terwijl hij iets te veel warme melk in zijn koffiekopje goot.

‘Dat je een nieuw Palme-onderzoek hebt ingesteld.’

Wat zeg je verdomme, mens, dacht Johansson, die dat voor geen prijs hardop zou hebben gezegd. Niet tegen zijn geliefde echtgenote, zelfs niet na bijna twintig jaar huwelijk. Dat niet alle dagen goed waren, woog nauwelijks op tegen het feit dat heel wat dagen goed genoeg waren en vele zelfs veel beter dan een man van zijn vrouw zou mogen eisen.

‘Wat zeg je me daar, liefste,’ zei Johansson.

‘Lees zelf maar.’ Pia reikte hem het *Dagens Nyheter* aan, dat ze naast haar eigen stoel op de grond had gelegd.

‘Allejezus,’ steunde Johansson terwijl hij staarde naar de weinig flatterende foto van hemzelf op de voorpagina van de grootste landelijke ochtendkrant.

‘De hoogste tijd als je het mij vraagt,’ zei zijn vrouw. ‘Voor een nieuw Palme-onderzoek, bedoel ik,’ verduidelijkte ze. ‘Al had je ze misschien een betere foto moeten geven. Je bent immers heel wat afgevallen sinds deze is genomen.’

4

Na het ontbijt had Johansson een douche genomen en zich zorgvuldig aangekleed. Geen linnen overhemd met open kraag, geen rode bretels. In plaats daarvan een grijs pak, een wit overhemd met een nette stropdas en zwarte gepoetste schoenen, de uitrusting die mensen als hij nodig hadden als ze ten strijde trokken. Daarna was hij de keuken ingelopen, had de krant opgevouwen, die in de zak van zijn jasje gestoken en was hij naar zijn werk vertrokken. Het artikel had hij niet gelezen. Dat was niet eens nodig geweest, aangezien een blik erop voldoende was om te kunnen inschatten wat erin stond.

Eenmaal op zijn werk begroette hij vriendelijk zijn secretaresse, wuifde afwerend met zijn krant, ging zijn kamer in en deed de deur achter zich dicht. Pas daarna las hij grondig en met een pen in de hand de grote mediahappening van de dag door. Dat het hoofd van de rijksrecherche een 'nieuw geheim onderzoek naar de moord op Olof Palme' had ingesteld. Had ik gelijk of had ik gelijk, dacht Johansson en hij slaakte een zucht, omdat alles wat daarin stond, zijn bange vermoedens bevestigde.

Zelfs de foto. Een paar jaar geleden genomen, van een twintig kilo dikkere Lars Martin Johansson die chagrijnig in de camera staart. Uiteraard was een dergelijk type niet bereikbaar geweest voor commentaar, maar de twee anonieme bronnen hadden daarentegen al hun ellende mogen spuien. Over onvoldoende middelen, chefs die nergens begrip voor hadden en hoe hun normale werkzaamheden nu van hen waren afgenomen.

De dikke, boosaardige baas die zijn eigen tekortkomingen afreageert op zijn arme, onschuldige werknemers, dacht Lars Martin Johansson.

'Het lijkt erop dat we het een en ander te doen hebben vandaag,' zei Johansson tegen zijn secretaresse, zodra ze tegenover hem aan zijn grote bureau was gaan zitten.

'Een aantal mensen wilde je spreken,' antwoordde ze met dezelfde onschuldige uitdrukking als zijn vrouw.

'Wat wilden ze?'

'Ze hadden iets in de krant gelezen. Over een nieuw geheim onderzoek naar de moord op Olof Palme dat jij gisteren zou hebben ingesteld.'

'Wie waren dat dan? Die mensen die me wilden spreken, bedoel ik.'

'Zo goed als iedereen, zo te zien,' antwoordde zijn secretaresse terwijl ze haar ogen over het papier liet gaan dat ze in haar hand hield.

'Geef me een paar namen.'

'Nou ja, Flykt natuurlijk. Hij is hier al twee keer geweest. Hij wilde je persoonlijk spreken om eventuele misverstanden uit de weg te ruimen, naar aanleiding van wat er in het artikel stond.'

'Stel je voor,' zei Johansson. 'Nooit geweten dat Flykt voor *Dagens Nyheter* werkte. Zeg tegen die idioot dat hij moet wachten.'

'Oké, maar misschien niet zo letterlijk,' vond zijn secretaresse. 'Dan kun je dat beter zelf tegen hem zeggen. Ik zal hem zeggen dat je in de loop van de dag van je laat horen en dat hij bereikbaar moet zijn.'

'Uitstekend,' zei Johansson tevreden, omdat hij wist dat Flykt graag op tijd naar huis ging, vooral op dagen als deze, als het uitzonderlijk goed golfweer beloofde te worden. 'Zorg ervoor dat hij in het gebouw blijft tot ik van me laat horen.'

'Ik begrijp precies wat je bedoelt,' zei zijn secretaresse, die haar baas goed kende en nu niet graag in de schoenen stond van hoofdinspecteur Flykt, leider van het Palme-team van de rijksrecherche.

'Wie zijn die anderen dan?'

'Zo goed als iedereen, zoals ik al zei. In elk geval iedereen van de media, want ze bellen als gekken, maar die stuur ik door naar onze eigen persafdeling. Maar om bij dit gebouw te beginnen, de hoofdcommissaris van de rijkspolitie heeft van zich laten horen via ons hoofd communicatie, die nieuwe, je weet wel. De hoofdcommissaris schijnt op werkbezoek te zijn bij de politie in Haparanda. Onze plaatsvervangende hoofdcommissaris, zij schijnt overigens wel aanwezig te zijn, heeft ook gebeld en vraagt zich af of er iets is wat ze moet weten of dat ze ergens mee kan helpen. Dat zou ik aan je doorgeven. Verder heeft Anna Holt gebeld om te vragen of er nieuws is waar zij en haar collega's van moeten weten. Je beste vriend heeft ook gebeld, als jullie deze keer geen onenigheid met elkaar hebben natuurlijk.'

'Jarnebring,' zei Johansson verrukt. 'Heeft Bo gebeld? Wat wilde hij dan?'

'Tja. Wat wilde hij. Hij wilde met je praten, zei dat hij de ochtendkrant had gelezen en zich zorgen over je maakte.'

'Letterlijk,' zei Johansson begerig.

'Oké,' zuchtte ze. 'Hij vroeg zich af of je een hersenbloeding had gekregen. Of hij je ergens mee kon helpen en dat je hem moest bellen zodra je tijd had.'

'Dat zei hij dus.'

'De hoofdofficier van justitie in Stockholm heeft gebeld. Twee keer al. Ze drong erop aan je onmiddellijk te mogen spreken. Als ik me niet vergis, is zij de leider van het vooronderzoek in de Palmezaak, dus daar zal het wel iets mee te maken hebben.'

'Denk je dat,' zei Johansson. 'Ja, oké. Dan doen we als volgt. Bel dat magere mens van het OM op en zeg dat ze me natuurlijk kan spreken als ze dat wil. En anders mag je haar vertellen dat ze niet al die onzin moet geloven die ze in de krant leest. Onze eigen mediamensen wil ik over een kwartier ontvangen, hier in mijn kamer. De rest kan wachten totdat ik van me laat horen. Verder nog iets?'

'Laten we hier maar mee beginnen,' zei zijn secretaresse instemmend.

De eerste die Johansson aan de telefoon kreeg, was de vrouwelijke hoofdofficier in Stockholm. Ze gaf leiding aan het vooronderzoek en was in formele zin eindverantwoordelijk voor het onderzoek naar de moord op de premier. Als je puur naar de formele kant van de zaak zou kijken tenminste. Maar waarom eigenlijk? Johanssons rol was in dit verband nogal bescheiden. Hij moest haar voorzien van de politionele middelen die zij nodig achtte om haar taak uit te kunnen voeren. Daar was hij zich natuurlijk zeer bewust van, en daarom had hij, voordat hij zijn besluit had genomen, ettelijke uren zitten overpeinzen hoe hij de zaak moest aanpakken. Hoe hij ervoor kon zorgen dat er iets tot stand kwam en dat degenen die dat deden dat in alle rust konden doen. Het grote gevaar van lekkage had de doorslag gegeven. Zo had hij het toen bedacht, en alles wat er verder bij kwam had beter tot later kunnen wachten. Maar nu was het anders gelopen en was het de hoogste tijd om te hergroeperen.

'Ik lees in *Dagens Nyheter* dat je een nieuw Palme-onderzoek hebt ingesteld,' begon de hoofdofficier met zeer beheerste stem en een verdacht beleefde toonval. 'Wat ik me alleen afvraag...'

'Ja, ik heb het ook gelezen,' onderbrak Johansson haar vriendelijk. 'Wat een stelletje warhoofden. Waar halen ze het vandaan?'

'Pardon?'

'Komkommertijd,' ging Johansson verder. 'Pure fantasieverhalen. Typisch zo'n bericht voor de komkommertijd. Maar dat lijkt het altijd wel te zijn bij dat sensatiekrantje.'

'Begrijp ik daaruit dat je geen nieuw onderzoek hebt ingesteld of enige wijzigingen hebt doorgevoerd in het onderzoek dat ik in principe leid?'

Niet meer zo beheerst. Niet meer zo beleefd, dus hoog tijd om daar een eind aan te maken, dacht Johansson.

'Dat zou me wat moois zijn,' zei Johansson met een verongelijkt gezicht, hoewel hij alleen was. 'Dat zou je trouwens beter moeten weten dan ik. Jij bent immers de leider van het Palme-onderzoek. Bovendien ben jij de jurist van ons tweeën, als ik het wel heb.'

'Dan begrijp ik er werkelijk niets meer van.'

'Ik ook niet,' bevestigde Johansson met klem. 'Zoals je vast wel weet, heeft het complete onderzoeksmateriaal jaren in kartonnen dozen gezeten en hebben we pas een paar maanden terug voldoende ruimte kunnen maken om het op te bergen. Daar weet je vast wel van?'

'Vanzelfsprekend,' zei ze. 'Die beslissing heb ik zelf genomen, in samenspraak met Flykt en de rest van het team.'

'Precies,' stemde Johansson in. 'Maar daarna kreeg ik ze op mijn dak omdat ze nog meer ruimte nodig hadden, en voordat de rest van ons de straat op moet omdat we nergens meer kunnen zitten, vind ik dat het de hoogste tijd is dat we alle geregistreerde gegevens nog eens nalopen. Dat we een beter en moderner systeem bedenken simpelweg. Misschien kunnen we alles vastleggen op van die kleine diskettes, je weet wel, waarna we al dat papier in de kelder kunnen neerzetten. Of een gedeelte ervan, tenminste. Daar heeft Flykt me trouwens op gewezen. Ik vond het een uitstekend idee en daarom heb ik enkele jonge medewerkers van mij gevraagd of ze met een paar goede ideeën konden komen. Moderne manieren van gegevensverwerking en gegevensopslag en dat soort dingen, die volledig aan ouwe rotten zoals ik voorbij zijn gegaan, ondanks al die cursussen waar ze ons naartoe hebben gesleept.'

'En Lewin dan?' vroeg de hoofdofficier, die nog steeds niet geheel overtuigd leek. 'Hij mag dan niet stokoud zijn, maar om hem nu te betitelen als een jonge medewerker is een beetje overtrokken.'

'Hij zit erbij omdat hij het materiaal nog van een tijdje geleden kent en omdat degenen die voor jou werken het druk met andere opdrachten schijnen te hebben,' verduidelijkte Johansson. Je moet met iemand van hier hebben gesproken, dacht Johansson. In het artikel stond geen woord over Lewin. Bij de recherche werkten meer dan zevenhonderd mensen van wie maar een met die achternaam. En wat een geluk dat je nu niet door mij verhoord wordt, dacht hij.

'Het is natuurlijk niet mijn taak om me met jouw administratieve routines te bemoeien,' zei de hoofdofficier instemmend.

'Nee, dat zou me wat zijn,' zei Johansson opgewekt.

De rest van het gesprek was gelopen als een trein, waarvan Johansson de bestuurder was. Voor de goede zaak had hij een volle vijf minuten de gebruikelijke beleefdheden zitten uitwisselen en had hij het gesprek afgesloten met de hoop dat ze binnenkort eens zouden afspreken voor wat meer sociale omgang in de privésfeer. Johansson en zijn vrouw waren al een tijdje van plan om de hoofdofficier en haar echtgenoot uit te nodigen, om gezellig wat te eten en te drinken. En wat de media betrof, hoefde ze zich absoluut niet ongerust te maken. Daar zou hij zelf wel korte metten mee maken, aangezien ze de slechte smaak hadden gehad om zijn toko te bevuilen.

'Je vraagt je toch werkelijk af waar ze al die onzin vandaan halen,' zuchtte Johansson en voor de zekerheid schudde hij zijn hoofd, hoewel hij zich nog steeds alleen in zijn kamer bevond.

Daarna had hij een overleg gehad met het hoofd voorlichting van de commissaris van de rijkspolitie en zijn eigen voorlichtingsafdeling om de mediastrategie te bepalen. Volgens Johansson was het allemaal heel eenvoudig. Hij had geen nieuw Palme-onderzoek ingesteld. Hij had niet eens de minste wijziging doorgevoerd in het inmiddels al twintig jaar oude onderzoek. Dat was namelijk niet zijn afdeling, maar die van de onderzoeksleider, en zij was zoals bekend hoofdofficier in Stockholm.

'Waar het hier om gaat,' legde Johansson uit, terwijl hij met zijn ellebogen op tafel naar voren leunde, 'is dat ik drie rechercheurs van de rijksrecherche – die speciaal ervaring hebben met het verwerken van grote hoeveelheden vooronderzoeksmateriaal volgens de allerlaatste methoden, de ontwikkelingen binnen de informatietechnologie gaan immers razendsnel op zijn zachtst gezegd, en dat weten jonge mensen als jullie trouwens beter dan ik – heb gevraagd hoe we het materiaal kunnen opslaan, zodat het Palme-team ermee kan werken zonder dat we een extra verdieping moeten aanbouwen. Het was trouwens een idee van Flykt, mocht iemand zich dat afvragen.'

'Ik heb begrepen dat het onderzoeksmateriaal een paar jaar in dozen heeft gezeten,' zei het hoofd voorlichting met een sluwe uitdrukking op zijn gezicht.

'Precies,' beaamde Johansson. 'Dat kan zo niet langer. Het materiaal moet op een eenvoudige manier toegankelijk zijn voor de mensen van het team, zodat ze ermee kunnen werken. Anders kunnen we het net zo goed in de kelder neerzetten en de zaak definitief afsluiten.' Knappe jongen, dacht hij.

'Wat doen we met de media?' vroeg zijn eigen persvoorlichter.

'Een normaal persbericht. Ik wil het eerst zien voordat het wordt afgegeven. RPC wil het vast en zeker ook van tevoren zien,' zei Johansson en daarbij keek hij in de richting van het hoofd voorlichting van RPC, oftewel *rikspolischefen*, de commissaris van de Zweedse rijkspolitie.

'Wat doen we met de televisie,' vroeg zijn collega van de rijksrecherche. 'Zal ik voor vanmiddag een tijdstip afspreken voor interviews in uw kantoor?'

'Zodat ze op die achterlijke redacties van ze naar hartenlust kunnen knippen en plakken? Geen sprake van,' zei Johansson en hij liet zijn eigen mediaman kennismaken met de ouderwetse politieblik zoals hij die van zijn beste vriend Bo Jarnebring had geleerd. 'Als ze nog steeds interesse hebben, ben ik vanavond beschikbaar voor de live-uitzendingen op kanaal een, twee en vier. Alleen ik, geen anderen, en vooral niet van die zogenaamde deskundigen.' Jou moet ik een beetje in de gaten houden, dacht hij.

Flykt kan wachten, dacht Johansson twee uur later toen hij de stapel papier op zijn bureau had doorgewerkt, had geluncht in een Japans restaurant in de buurt van het politiebureau en voelde dat hij het roer van zijn schip weer stevig in handen had. Maar misschien zou ik wel een gesprek met onze Anna kunnen voeren, dacht hij. Ze kan weliswaar vreselijk koppig zijn, maar je kunt er hoe dan ook op vertrouwen dat ze zegt wat ze vindt.

Vijf minuten later zat 'onze Anna', dat wil zeggen politiecommissaris Anna Holt, zevenenveertig jaar, in de bezoekersfauteuil in zijn kamer.

'Hoe gaat het?' vroeg Johansson met een vriendelijke glimlach en geïnteresseerde blauwe ogen.

'Je bedoelt met onze grondige inspectie van de gegevensverwerking van het Palme-materiaal,' zei Holt zuur. De kwestie van haar baas kon nog even wachten, dacht ze. Ze zaten hier slechts met zijn tweeën, kenden elkaar al jaren en om eerlijk te zijn voelde ze er niet veel voor om er nu over te beginnen.

'Precies. Hebben jullie de rotzak weten te vinden die het gedaan heeft?'

'Ik geloof niet dat je je zorgen hoeft te maken, niet over mij, Lisa of Lewin,' antwoordde Holt. 'De media hebben weliswaar als gekken achter ons aan gezeten, maar geen van ons heeft met ook maar een van hen gesproken. En dat zullen we ook niet doen.'

'Daar ben je dus zeker van.'

'Ja,' zei Holt.

Dan is het waarschijnlijk ook zo, dacht Johansson. Holt was geen leugenachtig type. Het was vermoedelijk zelfs zo erg dat ze niet wist hoe dat moest. En Mattei was nu eenmaal Mattei. En Lewin? Die stakker sprak met geen enkele levende ziel als hij daar niet toe gedwongen werd door een verhoor af te nemen.

'Maar misschien zijn er twee andere dingen waar je over na zou moeten denken,' zei Holt.

'Vertel.' Johansson leunde achterover in zijn stoel.

'Om te beginnen denk ik dat het een krankzinnig plan is. Hoe kunnen drie mensen met een zogenaamde frisse blik iets nieuws van enige waarde vinden als honderden collega's van ons dat in meer dan twintig jaar tijd ook niet is gelukt? Want je kunt toch niet in alle ernst beweren dat al die mensen die jarenlang aan de Palme-zaak hebben gewerkt een stelletje warhoofden, sufkoppen, blinde vinken, uilskuikens en onderkruipsels zijn, om maar een paar van je favoriete epitheta te gebruiken.'

'Nee, niet allemaal,' glimlachte Johansson instemmend. Favoriete epitheta, dacht hij enthousiast. Anna begint een ontwikkelde vrouw te worden. Komt vast door haar contact met onze Mattei. Dat tengere grietje was een paar jaar geleden immers gepromoveerd. Weliswaar op een volstrekt onbegrijpelijk proefschrift over vrouwen die door hun mannen doodgeslagen zijn en hoe verschrikkelijk dat allemaal is, maar soms kwam dat wel van pas om die hongerige aasgieren van de media het zwijgen op te leggen, dacht hij.

'Het is gigantisch veel materiaal,' zei Holt. 'Het is een enorme berg papier, niet een gewone hooiberg waar eventueel een naald in ligt. Of die er nu in zit of niet, we zullen hem toch nooit vinden. Maar dat wist je zeker wel?'

'Zeker,' zei Johansson vergevingsgezind. 'Dus hiervoor geldt echt dat je je moet schikken naar de situatie. En dat tweede punt waar je het over had?'

'Oké. Stel je voor dat we het toch doen. Stel je voor dat we iets van doorslaggevende betekenis vinden wat voor een doorbraak in het onderzoek zorgt. Dan ben ik er vrijwel zeker van dat je grote problemen krijgt met verschillende mensen in je omgeving. Aangezien je in feite tegen ze hebt gelogen. Om over de media maar niet te spreken. Toen ik voor de lunch bij onze voorlichtingsafdeling langsging, heb ik een uitdraai van je persbericht zien liggen. Ik snap niet dat je zoiets durft.'

'Ik begrijp het,' zei Johansson, die met zijn gedachten al ergens anders leek te zitten.

'Ik heb één ding van mijn vader geleerd,' vervolgde hij.

'Ja?'

'Toen ik nog klein was en op de boerderij woonde, kreeg mijn vader eens bezoek van een verzekeringsagent die hem een bosbouwverzekering wilde aansmeren voor een stuk grond dat hij pas had gekocht. Het lag een beetje ongunstig als het zou gaan stormen, en omgewaaide bomen en afgebroken boomtoppen zijn geen goede zaak. Het probleem was alleen dat de verzekering meer kostte dan wat hij voor dat stuk grond had betaald. Dus dat was evenmin een goede zaak. Weet je wat mijn vader toen zei?'

Het is weer zover, dacht Holt. Een enkele reis vijftig jaar terug in de tijd. Van het Palme-onderzoek, een actuele en zeer concrete kwestie, naar weer zo'n jeugdherinnering van Johansson.

'Nee,' zei Holt. 'Hoe kan ik dat weten?' Daarom vertel je dit toch, dacht ze.

'Wie dan leeft, wie dan zorgt,' zei Johansson. 'Dat zei hij. Wie dan leeft, wie dan zorgt. Dus hij nam geen verzekering, maar toen hij twintig jaar later het bos rooide, hield hij daar behoorlijk wat aan over. Je gelooft toch zeker niet dat ze me aan de schandpaal nagelen als we, tegen alle verwachtingen in, dat geef ik toe, deze geschiedenis tot een goed einde kunnen brengen? Het enige risico dat ik dan loop, is dat er een standbeeld voor me wordt opgericht voor de ingang hierbeneden aan de Polhemsgatan.'

'Daar ben ik niet zo zeker van,' zei Holt.

'Wie dan leeft, wie dan zorgt,' zei Johansson, terwijl hij zijn schouders ophaalde.

5

Pas om kwart over zes was het wachten van hoofdinspecteur Flykt voorbij. Hij had al drie telefoontjes moeten plegen om zijn steeds sarcastischer wordende golfvrienden gerust te stellen, toen zijn chef onaangekondigd de deur opende en zijn kamer binnenkwam.

'Klop, klop,' zei Johansson vriendelijk glimlachend en zwaaiend met zijn grote rechterhand. Ik vraag me af waar die rotzak zijn golftas heeft neergezet, dacht hij na een vluchtige inspectie van Flykts werkkamer.

'Ik begrijp dat je het druk hebt gehad.' Flykt probeerde net zo luchtig te klinken als Johansson. 'Dit was een vervelende toestand, al heb ik geprobeerd om ze te waarschuwen voor...'

'Laat maar zitten, Flykt,' zei Johansson afwerend. 'Ik ben absoluut niet van plan uit te zoeken wie van jouw medewerkers zo stom is geweest zijn mond voorbij te praten. Dat jij het niet bent, had ik gelijk al begrepen.'

'Ja, ik hoop toch echt dat je dat niet denkt,' zei Flykt.

Nee, dacht Johansson. Je bent natuurlijk gewoon weer eens loslippig geweest.

'Je hebt het persbericht zeker al gezien?' vroeg Johansson. 'En je had geen aanmerkingen, als ik het goed begrepen heb?'

'Nee.' Flykt schudde voor de zekerheid zijn hoofd.

'Mooi zo. Dan wordt het tijd dat jij en ik ervandoor gaan om met die lui van de tv te praten,' zei Johansson. 'Tussen de zendtijden door kunnen we wel wat eten.'

'Maar ik heb me niet voorbereid op een livegesprek,' wierp Flykt tegen.

'Dat hoeft ook niet,' zei Johansson. 'Je moet met me mee om die aasgieren te laten zien hoe een eendrachtig front eruitziet.' Ook al heb je je golftas al in de auto gelegd, dacht hij.

Het was al bijna elf uur 's avonds voordat Johansson zijn eigen stulpje aan de Wollmar Yxkullsgatan betrad. Eerst had hij twee interviews gedaan voor drie verschillende tv-zenders, waarna zijn chauffeur Flykt voor het politiebureau had afgezet omdat hij zijn auto moest ophalen die nog in de garage stond.

Het was stil en donker in de woning. Zijn vrouw had een conferentieweekend in een hotel op een eiland aan de scherenkust en zou de volgende dag pas terugkomen. Johansson had uitgekeken naar een paar uurtjes rust, na een zware dag die slecht had kunnen aflopen maar hopelijk goed was geëindigd. In de mand onder de brievenbus lag een dvd met zijn tv-optredens, die zijn secretaresse had opgenomen en een van zijn vele medewerkers vervolgens naar hem toe had gebracht.

Uitstekend, dacht Johansson, die tevreden was met zichzelf en deze avond.

Eerst had hij een dienblad klaargezet met een verantwoorde keuze uit de restanten van de vorige avond en een koud pilsje. Na een kort overleg met zichzelf schonk hij ook een flinke borrel in. Het was toch al donderdag, bijna weekend, dacht Johansson tevreden grijnzend.

Daarna droeg hij het dienblad naar zijn werkkamer, schonk het pilsje in, maakte een ouderwets broodje klaar met allerlei lekkernijen, stopte de dvd in de dvd-speler en ging in zijn grote fauteuil voor de tv zitten.

Laten we eens kijken, zei blinde Sara, dacht Johansson, waarop hij een flinke hap nam, zijn borrel halveerde, naspoelde met bier en de tv aanzette.

In het vroege en late journaal op de beide zenders van de publieke omroep waren zo goed als dezelfde fragmenten te zien. Er zat te weinig tijd tussen de uitzendingen om er veel in te kunnen knippen en plakken. Het voornaamste verschil was dat het fragment in het late nieuws was ingekort. Een goed teken dat de zaak binnenkort afgedaan zou zijn.

Een correcte, mannelijke presentator die de voorspelbare vragen stelde, maar die uiteindelijk moeite had zijn enthousiasme te verbergen over het feit dat Johansson categorisch bleef ontkennen waarover 's lands grootste ochtendkrant had bericht. Vooral vanwege de manier waarop Johansson dat deed, en dat was vermoedelijk ook de reden waarom hij genoegen nam met de afsluitende routinevragen.

'Maar iemand in uw positie moet zich toch hebben afgevraagd hoe zo'n gerucht kan ontstaan,' vroeg de mannelijke presentator.

'Natuurlijk heb ik me dat afgevraagd,' antwoordde Johansson. 'Het verspreiden van geruchten is in ons vak net zo'n groot probleem als bij jullie, en de redenen daarvoor zullen niet wezenlijk verschillen. Maar de meeste feiten waarvan de media verslag uitbrengen, zijn waar en de meeste zaken die wij politiemensen bespreken, zijn ook waar. Het feit dat er verder speculaties, misverstanden of zelfs pure onwaarheden de ronde doen, is de prijs die we moeten betalen om in dialoog te kunnen blijven met elkaar.'

'En deze keer zat men er helemaal naast,' constateerde de interviewer.

'Ja, inderdaad,' zei Johansson. 'Maar we mogen ook niet vergeten dat het uiteindelijk gaat om de moord op een minister-president, en persoonlijk zou ik me ernstig zorgen maken als ik op een dag zou ontdekken dat de media niet langer interesse toonden voor deze gebeurtenis.'

'Nu u hier toch bent... Denkt u dat de moord op Olof Palme ooit wordt opgelost?'

Nu komt het erop aan, dacht Johansson. Nu wordt elk woord op een goudschaaltje gewogen.

'Als je bij de politie aan een moordonderzoek werkt, gaat het maar om één ding. Dat je je schikt naar de situatie,' zei Johansson.

'Maar wat denkt u zelf?'

'In al mijn jaren als politieman heb ik zelf ook heel veel, veel te veel moordzaken moeten onderzoeken. Maar bij deze zaak ben ik nooit betrokken geweest.' Het juiste moment voor de zwaarmoedige, piekerende oude smeris, dacht hij. En voor die in zichzelf gekeerde speurneuzenblik die hij zijn beste vriend nooit helemaal heeft kunnen aanleren.

'Maar u heeft toch wel...'

'Je vraagt het aan de verkeerde,' onderbrak Johansson hem. 'Die vraag moet je stellen aan de hoofdofficier van justitie in Stockholm die het vooronderzoek leidt, of aan de rechercheurs van het Palmeteam die aan de zaak werken.'

'Maar u heeft blindelings vertrouwen in hen?'

'Vanzelfsprekend,' zei Johansson. 'Het zijn prima mensen.'

Die zit, dacht Johansson tevreden. Hij drukte de pauzeknop in, at de rest van zijn heerlijke broodje op, nam de andere helft van zijn borrel, spoelde na met bier en deed de tv weer aan. Tijd voor wat stevigers, dacht hij tevreden. Een vrouwelijke reporter, aanzienlijk jonger dan hij, bijna net zo mooi als zijn eigen vrouw en hopelijk iets te geraffineerd, slimmer dan goed voor haar was.

Eerst had hij zijn zegje mogen doen door de boodschap van zijn eigen persbericht samen te vatten. Toen was het plotseling ernst.

'Wat ik niet precies begrijp, is dat u drie van de meest ervaren moordrechercheurs hebt ingezet voor iets wat me typisch een taak lijkt voor computerdeskundigen,' zei ze met zo'n vriendelijke, veelbetekenende glimlach.

'Voor mij is dat vrij logisch,' zei Johansson. 'Als je zo'n enorme hoeveelheid materiaal moet sorteren, is het noodzakelijk dat je, zoals je zelf zegt, een zeer ervaren moordrechercheur bent.'

'Maar computers en gegevensverwerking zijn nu niet direct hun specialisme.'

'Ik ben bang dat je mijn medewerkers onderschat,' zei Johansson. 'Ze hebben naast de reguliere politieopleiding allemaal een uitgebreide academische opleiding genoten en een van hen is bovendien gepromoveerd. Als je het mij vraagt, is zij wellicht de enige politieagente in het land die zoveel met dit soort zaken heeft gewerkt. Als moordrechercheur is zij zeer bedreven. Als politieagente heeft zij buitengewoon veel ervaring op wetenschappelijk en statistisch gebied, en, wat computertechnische kwesties betreft, met hoe je zeer grote hoeveelheden onderzoeksmateriaal het beste kunt hanteren.'

'En uzelf dan?' vroeg ze plotseling. 'U bent immers een legendarische moordrechercheur. Bent u niet in de verleiding geraakt om de moord op de minister-president op te lossen?'

'Wat computers en verwerken van gegevens en dat soort dingen betreft, ben ik een ouwe sul aan het worden,' antwoordde Johansson. 'Ik ben elke dag weer zielsgelukkig als het me lukt om in te loggen op mijn eigen computer.'

'Dus u bent nooit in de verleiding geweest?'

'Natuurlijk wel. Maar gelukkig ben ik nu oud en wijs genoeg om dat over te laten aan mensen die meer verstand van zaken hebben dan ik. Ik heb prima mensen tot mijn beschikking die aan de Palme-zaak werken. Het is mijn taak erop toe te zien dat ze niet kopje-onder gaan in al dat papier waarmee ze zich hebben omringd.'

'U doet het voorkomen alsof het zuiver om de arbeidsomstandigheden gaat.'

'Inderdaad,' zei Johansson. 'Mensen zoals ik dienen zich met dat soort kwesties bezig te houden. Het creëren van goede arbeidsomstandigheden, zodat mijn medewerkers goed kunnen functioneren. Je zult je vast nog wel herinneren hoe het er de vorige keer aan toeging in deze zaak, toen een heleboel oude politiechefs het in hun hoofd kregen om voor detective te spelen.'

Anna Holt, Jan Lewin en Lisa Mattei hadden ook een groot deel van de avond het optreden van Johansson op tv gevolgd.

Die man tart alle beschrijvingen, dacht Anna Holt toen ze midden in het late nieuws van TV4 het toestel uitzette. Hoe hij keer op keer volkomen normale mensen zover weet te krijgen dat ze van hun à propos raken en plotseling over iets heel anders beginnen, alleen omdat hij ervoor heeft gekozen daarover te praten. Bovendien werd het tijd om onder de wol te kruipen, als het al mogelijk was om uit die berg papier te kruipen waaronder Johansson haar had begraven.

De man die de hoek om kan kijken, dacht Lisa Mattei plechtig, en ineens had ze absoluut geen hoogtevrees meer. Daarna was ze achter haar computer gaan zitten, omdat ze plotseling een idee had gekregen.

Een uitgebreide academische opleiding, zo kun je het ook omschrijven, dacht Jan Lewin toen hij volkomen eenzaam in zijn flatje in Gärdet zat. In zijn geval betrof het een propedeuse rechten, één jaar criminologie en een basiscursus statistiek, die hij had afgebroken omdat hij geen chocola kon maken van al die cijfers en formules.

Het ergste was nog dat het weinige dat hij tijdens die academische studie had geleerd, alleen maar uit open deuren bestond, of uit dingen die hij al wist. Afgezien van het statistische gedeelte natuurlijk, dat had hem voornamelijk in verwarring gebracht. Het wordt tijd om mijn bed op te zoeken, dacht hij. Vervolgens had hij zich uitgekleed, zijn tanden gepoetst en was hij gaan slapen. Zoals altijd had hij eerst een paar uur liggen woelen voordat hij eindelijk in slaap was gevallen.

Je schikken naar de situatie, dacht hij. Hoe doe je dat als de eenzaamheid je leven zinloos en doelloos heeft gemaakt.

Johansson zelf voelde zich voortreffelijk. Hij had de rest van de avond doorgebracht met het lezen van nog een paar hoofdstukken uit Grimbergs boek over de Gustaviaanse tijd en de moord op Gustav III. Daarna was hij achter zijn computer gaan zitten en was hij het internet opgegaan om meer te weten te komen over moordaanslagen op mensen als Gustav III en zijn 'eigen' slachtoffer. De manier waarop hij dat deed, zou in elk geval een vrouwelijke verslaggever van TV4 versteld hebben doen staan.

Interessant, dacht Johansson. Maar eigenlijk heb je dat al die tijd al vermoed, dacht hij toen hij twee uur later onder de douche zijn nieuwe inzichten stond te overdenken, terwijl er zich een nieuw idee in zijn hoofd vormde.

Daarna moest hij om een of andere reden denken aan de wijze waarop de politie te werk was gegaan bij het onderzoek naar de moord op de grote koning Gustav, meer dan tweehonderd jaar geleden. Een werkelijk uitstekend onderzoek. Binnen de mogelijkheden van die tijd had de toenmalige hoofdcommissaris alles gedaan wat van een goede politieman kon worden verwacht. Alles wat zijn opvolger honderdvierennegentig jaar later niet lukte.

Om te beginnen had Liljensparre de deuren van het operagebouw afgesloten, voordat iemand de kans kreeg te ontkomen. Hij had de namen van alle aanwezigen laten noteren en enkele inleidende verhoren afgenomen. Vervolgens had hij persoonlijk de twee pistolen onderzocht die de dader op de plaats delict had weggegooid. Het ene was geladen, het andere was zojuist afgevuurd en beide waren kort daarvoor vervaardigd. Liljensparre had dat bovendien kunnen doen zonder te hoeven denken aan vingerafdrukken of DNA-sporen, dacht Johansson met een glimlach, terwijl het water gestaag bleef stromen.

De dag daarop had Liljensparre alle wapensmeden van de stad bij zich geroepen en een van hen had onmiddellijk het wapen herkend. Hij had het veertien dagen eerder zelf vervaardigd, voor een kapitein met de naam Jacob Johan Anckarström. Dezelfde Anckarström die het gemaskerde bal van de avond ervoor had bezocht en er al enige tijd om bekendstond een hekel aan de koning te hebben.

Anckarström werd opgepakt voor verhoor en had vrijwel onmiddellijk bekend, waarna Liljensparre vrolijk was doorgegaan. Zeer waarschijnlijk in dezelfde rode wollen kousen die hij droeg op het manshoge portret dat nog altijd in het oude politiebureau in Stockholm in de gang van de hoofdcommissaris hing. Een voor een werden de aanstichters, medeplichtigen, samenzweerders en tegenstanders in het algemeen gevangengezet, waar een aanzienlijk deel van hen zich onmiddellijk trachtte vrij te praten door te roddelen over alle anderen die daar al zaten.

We moeten in die tijd goede verhoorders hebben gehad, dacht Johansson tevreden, terwijl hij extra grondig zijn oksels inzeepte.

Toen het aantal gevangenen boven de honderd uitsteeg, met een hoofdcommissaris die elke dag ijveriger werd, vonden de machthebbers het blijkbaar welletjes. Liljensparre werd ontheven van zijn taken, het onderzoek afgerond en het merendeel van de gevangenen vrijgelaten. Alleen de meest direct betrokkenen werden veroordeeld – met uitzondering van Anckarström, die simpel gezegd in mootjes werd gehakt – tot verbazingwekkend milde straffen, met het oog op de tijd en de aard van het misdrijf.

Ondank is 's werelds loon voor een arme diender, hoe het ook afloopt, dacht Lars Martin Johansson. Wie dan leeft, wie dan zorgt. Hij draaide de kraan dicht en reikte naar een handdoek.

Daarna was hij zijn bed ingekropen en vijf minuten later was hij in een diepe slaap gevallen, zonder dat er ook maar iemand last had van zijn gesnurk.

6

In tegenstelling tot wat hij tegen Holt en Mattei tijdens hun inleidende bespreking had gezegd, was Lewin met zijn oude dozen begonnen. Dezelfde dozen die alles tussen hemel en aarde bevatten wat in het beste geval van dubieuze politionele waarde was. Het resultaat van het interne onderzoek waar hij ruim twintig jaar eerder verantwoordelijk voor was geweest.

Die keer had hij niets gevonden en daarna scheen niemand nog een poging te hebben ondernomen. Drie gewone verhuisdozen van karton die tussen honderden andere stonden opgestapeld. Uiteraard helemaal onderaan, zoals altijd. Hij had ze gevonden met behulp van zijn eigen handgeschreven inhoudsopgaven, die hij twintig jaar geleden op de dozen had geplakt.

Hoewel iemand de dozen moest hebben verplaatst, en waarschijnlijk verscheidene keren, lagen de papieren die erin zaten nog exact zoals hij ze er zelf in had gelegd. Alleen het spinrag ontbreekt, dacht Lewin. Als eerste haalde hij het zelfmoordgeval op een van de eilanden in het Mälarmeer tevoorschijn. Voornamelijk uit piëteit, en om zijn eigen herinneringen te toetsen. Een professionele reden had hij niet.

Het proces-verbaal – 'verdachte doodsoorzaak' – was gedateerd op de dag na de moord op de premier, zaterdag 1 maart 1986, en opgesteld door de politie van Norrmalm na een tip van dezelfde collega die met hem contact had opgenomen. Het was hem niet duidelijk waarom het proces-verbaal bij Norrmalm terecht was gekomen, de eilanden van het Mälarmeer hoorden bij een andere politieregio. Waarschijnlijk omdat de collega die met de tip was gekomen daar werkte, en natuurlijk door de algehele chaos na de moord op de minister-president.

Het proces-verbaal lag bovenop in de map en daarin lagen tevens een sectierapport, een technisch onderzoeksrapport van het huis op het eiland Ekerö waar men de gewezen bewaker had gevonden die zichzelf in de kelder had opgehangen, een wapentechnisch onderzoek van de revolver die bij de huiszoeking werd gevonden, maar die niets met de zelfmoord te maken had, een schietproef met hetzelfde wapen en een ballistische vergelijking met de twee kogels die men op de plaats delict waar de premier was vermoord had veiliggesteld. Hoewel men toen al wist dat het wapen een heel ander en beduidend minder sterk kaliber had dan het wapen dat de moordenaar van Palme had gebruikt.

Onder in de map lagen de verhoren met vijf verschillende getuigen: zijn ex-vrouw en vier buurtbewoners. Helemaal onderin lag het memo dat Lewin had opgesteld toen hij de zaak had afgeschreven. Overtuigd als hij toen was, volkomen vrij van alle twijfel waar hij altijd meer door geplaagd werd dan vrijwel al zijn andere collega's, dat de man die zichzelf van het leven had beroofd absoluut niets te maken kon hebben met de moord op Olof Palme.

Maar het zou de zaak een stuk eenvoudiger hebben gemaakt als hij het wel was geweest, dacht Lewin zuchtend.

Voor de kopieën van oude parkeerboetes was een aparte doos nodig geweest. Van vrijdagmiddag 28 februari 1986 tot zaterdagmiddag 1 maart hadden de parkeerwachten en politie nagenoeg tweeduizend foutgeparkeerde voertuigen op de bon geslingerd in Stockholm en omgeving, op de luchthaven Arlanda, het centraal station in Uppsala, Enköping en Södertälje en in de veerdienstterminals van Nynäshamn, Norrtälje, Kapellskär en Hargshamn in het noorden van de provincie Uppland. Gesorteerd in stapeltjes volgens de politieregio's en de verschillende parkeerdistricten in Stockholm. Geordend volgens het tijdstip dat op de bonnen stond vermeld. Keurig bij elkaar gebonden met elastiekjes. Vermoedelijk had hij de meeste er zelf omheen gedaan.

Boven op de stapel lag een blauwe archiefmap. In die map lagen de kopieën van negentien verschillende parkeerboetes die Lewin tot zijn eigen politie-instantie of tot afzonderlijke politiefunctionarissen had herleid. Zes daarvan hadden betrekking op civiele dienstauto's, waarvan alle boetes waren kwijtgescholden. De overige dertien bonnen betroffen auto's die in eigendom waren van collega's.

Negen van hen hadden binnen de aangegeven periode hun boete betaald en aangezien hun voertuigen in de buurt van hun woonadres stonden, was daar vast en zeker niets mee aan de hand. Twee van hen hadden betaald na een herinnering en ook daar had Lewin niets merkwaardigs aan kunnen ontdekken.

Hij had met beide autobezitters gesproken. Een van hen was zo openhartig geweest te vertellen dat hij een andere vrouw had bezocht dan de vrouw met wie hij getrouwd was. Dat was overigens een collega van hem en als de Palme-rechercheurs niets beters te doen hadden, stond het hun natuurlijk vrij om ook met haar een gesprek te voeren. Liever dat, dan dat hij in het realityprogramma *Opsporing verzocht* in verband met het politiespoor zou worden genoemd. Als Lewin bovendien zo goed was om niets tegen zijn vrouw te zeggen, was er niemand zo dankbaar als hij. Lewin had genoegen genomen met het verhaal van de collega/minnares en na afloop van het gesprek nog een mogelijke dader van de lijst geschrapt.

Restten nog twee voertuigen die op de bewuste dag fout geparkeerd stonden en in bezit waren van politiemensen van wie de boetes waren kwijtgescholden. In beide gevallen had de eigenaar zijn auto in diensttijd gebruikt. In het eerste geval door een rechercheur van de narcoticabrigade die een afspraak met een van zijn tipgevers had en zijn eigen Alfa Romeo prefereerde boven een dienstauto, omdat die aanzienlijk minder zou opvallen bij de mensen naar wie hij op zoek was dan een Saab of Volvo van de politie.

In het tweede geval ging het om een collega van de inlichtingendienst, die bij iemand was gaan kijken die door de Säpo verborgen werd gehouden op een van hun geheime adressen. Verder leek alles in orde te zijn. Zowel de adressen waar de voertuigen stonden geparkeerd als de tijdstippen waarop de boetes werden uitgeschreven, versterkten de indruk dat deze gebeurtenissen in geen enkel opzicht iets met de moord op de premier te maken hadden. Bovendien had hij schriftelijke informatie gekregen van zowel de narcoticabrigade als de veiligheidsdienst.

Ik begrijp niet hoe ik het volhield, zelfs in die tijd, dacht Lewin toen hij zijn oude dozen terugschoof en er een aparte stapel van maakte om zijn rug te ontzien.

Daarna was hij begonnen met de werkzaamheden die hij Holt en Mattei had beloofd te zullen doen. Alleen al het vinden van de onderzoeksgegevens die hij daarvoor nodig had, had hem tot laat in de avond beziggehouden. Pas tegen tienen kon hij het politiebureau verlaten. Hij nam de metro terug naar huis, twijfelde even voor de 7-Elevenwinkel in de buurt waar hij woonde, nam een beslissing, liep naar binnen en kocht een belegd broodje en een flesje mineraalwater. Toen hij zijn appartement betrad, was alles weer zoals gebruikelijk. Hem wachtte wederom een eenzame nacht en de ochtend daarop wederom een dag met dezelfde invulling. Een reeks nachten en dagen die nooit lijkt te eindigen, dacht Lewin toen hij eindelijk in slaap viel.

7

Het was niet eens in Anna Holt opgekomen om in de Palme-kamer te gaan zitten. Niet aan de krakkemikkige inklaptafel die ze daar zelf hadden neergezet en waarop nauwelijks ruimte was voor de computers die Lisa Mattei voor hen had aangesloten. Daarom had Lisa met behulp van diezelfde computers de documenten gelokaliseerd die Holt nodig had voor haar onderzoek naar de 'Palme-moordenaar' Christer Pettersson. Ten slotte hadden ze het materiaal samen naar de werkkamer van Holt gebracht, waar ze de documenten ongestoord wilde lezen. Het waren in totaal een stuk of tien mappen, slechts een klein deel van al het materiaal over Pettersson. Tevens het deel dat volgens Mattei de wezenlijke kern van zijn zaak zou moeten vormen, tot aan de aanklacht in mei 1989, zijn veroordeling tot een levenslange gevangenisstraf door de rechtbank van Stockholm van een paar maanden daarna, en hoe aan dit alles een einde kwam toen een unanieme beslissing van het gerechtshof hem in november van datzelfde jaar vrijsprak.

Toen Holt met haar lading naar buiten glipte, had ze een onrustige blik van Jan Lewin opgevangen. In de wereld van Lewin kon je dit soort documenten niet zomaar onder je arm meenemen. Vooral niet het soort documenten dat in de Palme-kamer werd bewaard. De meegenomen documenten moesten op een speciale lijst worden genoteerd en zodra je ermee klaar was, worden geretourneerd en afgevinkt op dezelfde lijst. Datum, tijdstip, handtekening. Het mocht dan wel zo zijn dat al zijn collega's hetzelfde deden als Holt, maar tegelijkertijd was dat de reden dat uitgerekend nauwgezette mensen als hij zo moeilijk de documenten konden vinden die ze voor hun werk nodig hadden.

Jammer dat Jan zo zorgelijk van aard is. Hij ziet er namelijk geweldig uit, dacht Holt toen ze met Lisa de deur uitliep in de richting van de onverstoorde rust in Holts eigen kamer.

'Is er nog iets waarmee ik je kan helpen?' vroeg Lisa Mattei toen ze de mappen op Holts bureau had neergelegd.

'Het is prima zo,' glimlachte Holt. 'Je hebt zelf ook wel het een en ander te doen.'

'Ik heb deze voor je meegenomen.' Ze gaf Holt een plastic tasje dat ze onder haar arm vastgeklemd hield.

'Wat is het?' vroeg Holt.

'Een paar interessante gegevens over Christer Pettersson en zijn uittreksel uit het strafregister. Dat zul je vast en zeker ook in een van die mappen tegenkomen, maar een extra kopie kan altijd van pas komen als je eigen aantekeningen wilt maken. Verder is het niet veel bijzonders en van het meeste ben je vast wel op de hoogte. Maar soms kan het geen kwaad om wat exacte data en dergelijke bij de hand te hebben.'

'Wanneer heb je daar tijd voor gehad?'

'Heb ik uitgezocht zodra ik wist waar Johansson met ons over wilde spreken.'

'Maar dat was al voordat we besloten dat ik Pettersson zou bekijken.'

'Iemand van ons moest het doen,' constateerde Mattei, haar schouders ophalend. 'Dat voorzag ik wel,' zei ze met een glimlach.

'Dank je,' zei Holt. Die lieve Lisa toch, dacht ze. Die meer in haar hoofd heeft zitten dan de rest van ons samen.

Toen ze de deur achter zich dicht had gedaan, had ze haar bureau leeggemaakt, haar mappen binnen handbereik gelegd, een notitieblok en een pen tevoorschijn gehaald. Ze leunde achterover in haar bepaald niet oncomfortabele bureaustoel, nam het plastic tasje over Christer Pettersson dat Mattei aan haar had gegeven en legde ten slotte haar voeten op het bureau. Volledig in overeenstemming met de algemene tips en raadgevingen inzake allerlei levensvragen die haar hoogste baas zo gul aan zijn medewerkers uitdeelde als hij daarvoor in de stemming was.

Volgens Lars Martin Johansson, 'het Genie van Näsåker' zoals zijn medewerkers die niet geloofden dat hij 'om de hoek kon kijken' hem noemden zodra ze er volkomen zeker van waren dat hij hen niet kon horen, was dit namelijk de meest ideale lichaamshouding als je je op 'veeleisend leeswerk' ging toeleggen. Je benen en voeten moesten in een hogere positie verkeren dan het hoofd om de toestroom van bloed naar de hersens te vergemakkelijken, en dat lukte het beste als je op een comfortabele, voldoende lange bank kon liggen, voorzien van het noodzakelijke aantal kussens.

Belangrijk was ook dat het niet te warm mocht zijn. Volgens Johansson, die op dit punt altijd verwees naar een omvangrijke sociaal-medische studie uit Japan, waarvan hij zelfs de namen van de schrijvers wist te noemen, was voor deze leeshouding ongeveer dezelfde temperatuur vereist als voor het bewaren van de betere wijnen.

Johansson had voor het eerst uitleg gegeven over deze belangrijke kwestie toen ze tegen het einde van een geslaagd personeelsfeest enkele jaren eerder samen aan de bar zaten.

'Dat lijkt me vreselijk koud,' wierp Holt tegen.

'Wat is koud,' snoof Johansson. 'Het moet juist koud zijn. Dan kun je beter nadenken. Het moet precies zo koud zijn dat je een heldere kop krijgt zonder dat je billen eraf vriezen.'

'Oké, maar ik dacht dat wijn bij zo'n tien, twaalf graden moest worden bewaard.'

'Dat hangt er een beetje van af,' zei Johansson vaag. 'Maar in de kamer mag het niet meer dan zestien graden zijn. Tijdens het lezen dus,' verduidelijkte hij. 'Als we het over slapen hebben, moet het aanzienlijk kouder zijn.'

'Te koud,' zei Holt en ze schudde nadrukkelijk haar hoofd. 'Veel te koud voor mij. Ik zou helemaal niet kunnen nadenken als het zo koud was in mijn kamer.' Ik vraag me af of die arme vrouw van hem een Eskimo is, dacht ze.

'Ja, dat vermoeden had ik eigenlijk al,' constateerde Johansson en de rest van de avond werd er niets meer over gezegd.

Op een dag als deze kun je maar beter geen raam openzetten, zuchtte Holt en ze tuurde naar het zonlicht achter de neergelaten jaloezieën. En een eigen ligbank kon ze ook wel vergeten. Johansson had in elk geval geen concrete maatregelen genomen in die richting en de enige van de hele rijksrecherche die een comfortabele ligbank had voor onmiskenbaar intellectuele werkzaamheden, was hijzelf natuurlijk. Volgens welingelichte bronnen werd die uitsluitend gebruikt voor zijn dagelijkse middagdutjes. Tot nu toe had niemand hem erop zien lezen.

Die man is net een groot kind, dacht Holt. Ze zuchtte opnieuw en begon de papieren over Christer Pettersson te lezen die Mattei haar had gegeven.

Christer Pettersson werd geboren op 23 april 1947 in Solna. Hij was nauwelijks drie jaar geleden overleden op zevenenvijftigjarige leeftijd, op 29 september 2004. Al op zondag 2 maart 1986 dook hij voor het eerst op in het opsporingsmateriaal van de Palme-rechercheurs, minder dan twee dagen na de moord op de minister-president.

Toen waren Jan Lewin en de collega's die verantwoordelijk waren voor het interne onderzoek namelijk klaar met hun eerste overzichten van eerdere grove geweldsmisdrijven in de omgeving van de hoek Sveavägen-Tunnelgatan, waar de premier werd vermoord. Het was een omvangrijke lijst die duizenden misdrijven en meer dan duizend personen bevatte. Een van hen was Christer Pettersson, die zestien jaar daarvoor, in december 1970, ruzie had gekregen met een voor hem onbekende man op een metrostation, slechts vijftig meter van de plek waar de premier was vermoord. Pettersson was op straat achter hem aangegaan, waar hij de discussie had afgesloten door zijn slachtoffer in het hart te steken met een bajonet die hij bij zich had. Binnen een week had de politie hem te pakken en in juni van het jaar daarop werd hij voor doodslag veroordeeld tot dwangverpleging in een tbs-kliniek.

Zowaar niet de eerste keer dat hij in aanraking kwam met de Zweedse justitie. In de uitdraai van het strafregister werd melding gemaakt van honderden misdrijven. Vanaf de eerste keer in 1964, toen hij zeventien jaar was, tot zijn dood aan toe. De laatste vermeldingen in het register dateerden van de zomer van het jaar waarin hij overleed. Pettersson had bijna de helft van zijn volwassen leven doorgebracht in gevangenissen, psychiatrische inrichtingen en afkickklinieken. De misdrijven die van hem bekend waren, kenmerkten zich voor een groot deel door gebruik van geweld. Tegelijkertijd werd nergens melding gemaakt van het gebruik van een vuurwapen, niet voor en niet na de moord op de premier. Er waren ook geen aanwijzingen voor politieke of ideologische beweegredenen. Petterssons geweldsdelicten leken voornamelijk betrekking te hebben op figuren die in dezelfde sociale situatie verkeerden als hij, of van wie werd verwacht dat ze mensen als hij in bedwang moesten houden. Mannen met wie hij had gevochten of van geld en drugs had beroofd, vrouwen die hij had gekend of met wie hij had samengeleefd en tevens had mishandeld. Daarnaast politieagenten, portiers en beveiligingspersoneel.

Maar zijn criminaliteit bestond het meest uit gewone diefstallen en kruimeldiefstallen, en de gedupeerde die het meest in zijn registeruitdraai als eiser optrad, was de staatswinkel in alcoholische dranken, Systembolaget. In dat verband was hij ook aan drie van de vier bijnamen gekomen die de politie had genoteerd, namelijk 'de Wanbetaler', 'de Draver' en 'de Halve Buiging'.

Als Pettersson de drankwinkel binnenkwam bestelde hij een fles wodka, brandewijn of roomlikeur, griste de fles naar zich toe zodra de winkelbediende die op de toonbank had neergezet en 'draafde' dan zomaar de winkel uit, 'zonder te betalen'. 'De halve buiging' was de beweging met het lichaam die de werknemer van Systembolaget moest maken als hij de halveliterfles brandewijn tevoorschijn haalde, die men om praktische redenen meestal onder de toonbank in de buurt van de kassa bewaarde, en wat een van de meest gebruikelijke bestellingen scheen te zijn die Pettersson tijdens zijn leven deed.

Tegen deze achtergrond wekte zijn vierde bijnaam des te meer verbazing. Pettersson stond namelijk ook bekend als 'de Graaf' of beter gezegd 'de Graef met ae'. Iets waar hij zelf bij vrienden vaak de nadruk op legde. Een echte 'graef' en, heel belangrijk, in de juiste, oude spelling.

Waarom hij zo werd genoemd, bleek niet uit de papieren van de politie, maar voor Holt was het mysterie al opgelost met behulp van de nauwgezette Lisa Mattei. Onder een asterisk in de kantlijn had ze in haar keurige handschrift de volgende aantekening gemaakt: 'CP geboren en getogen in Bromma. Burgerlijk milieu. Vader had eigen bedrijf. Moeder huisvrouw. Middelbare school niet afgemaakt. Eén jaar theaterschool. In zijn omgang met gelijkgezinden deed hij zichzelf en zijn afkomst vaak voornamer voor dan in werkelijkheid het geval was.'

Zwaar verslaafd, beroepscrimineel van laag allooi, die feiten waren wel bekend, dacht Holt, maar dat was niet de reden waarom ze zich na het inleidende leeswerk ongemakkelijk voelde. Al op de derde dag, zondag 2 maart 1986, was hij op een lijst terechtgekomen met zo'n duizend andere criminelen van zijn soort op basis van een zestien jaar oude steekpartij met dodelijke afloop. Vervolgens scheen twee jaar lang niemand van haar collega's ook maar een moment aan hem of aan zijn handel en wandel te hebben gedacht. Pas in de zomer van 1988 waren ze hem in de gaten gaan houden en in december van dat jaar werd hij opgepakt.

Waarom juist op dat moment, dacht Holt. En waarom duurde het in hemelsnaam zo lang?

8

Zonder afbreuk te doen aan haar nauwkeurigheid en objectiviteit had Mattei toch geprobeerd haar taak te vereenvoudigen. Met behulp van haar computer had ze alle samenvattingen en analyses tevoorschijn gehaald die in het materiaal van het Palme-onderzoek besloten lagen. Vervolgens had ze die geordend op tijd, om op die manier een globale indruk te krijgen van welke gegevens op welk tijdstip dermate belangrijk werden gevonden dat ze een speciale toelichting vereisten.

Aangezien de hoeveelheid materiaal naar haar smaak nogal magertjes was, had ze vervolgens met behulp van de verschillende registers een keuze uit de documenten gemaakt, die ze daarna tevoorschijn haalde en doorbladerde om te kijken wat erin stond. Ongeveer een op de tien documenten had ze niet kunnen terugvinden, omdat die in de verkeerde map waren gestopt, de map zelf op de verkeerde plek terecht was gekomen of simpelweg was zoekgeraakt.

Ik vraag me af of Johansson daarvan op de hoogte is, dacht Mattei.

Daarna had ze een aantal eenvoudige getalsmatige inschattingen gemaakt van de hoeveelheid tijd die haar vroegere collega's in het opsporingsonderzoek of de verschillende werkhypothesen hadden gestoken. Al die 'sporen', zoals de eerste onderzoeksleider, hoofdcommissaris van de regio Stockholm Hans Holmér ze had genoemd, hoewel dat woord een heel andere, zeer concrete politietechnische betekenis had.

Een overvloed aan Holmér-sporen, dacht Mattei. Maar bijna geen normale sporen. Geen voet- of vingerafdrukken, geen huidschilfers, lichaamsvocht of losgeraakte stukjes van voorwerpen die op de dader terug waren te voeren. Uiteraard geen DNA, want dat bestond nog niet in de politiewereld toen de premier werd vermoord. De twee revolverkogels die in de nacht van de moord waren gebruikt, waren het enige dat ze hadden. En het feit dat gewone burgers de kogels op de plaats delict hadden gevonden en aan de politie hadden overhandigd, had het er niet gemakkelijker op gemaakt.

Met behulp van een aantal dossiers dat bij de respectievelijke sporen hoorde, had Mattei al in één dag tijd een redelijke indruk gekregen van waarmee haar collega's zich in ruim twintig jaar tijd hadden beziggehouden. De verschillende sporen kwamen en gingen. Als tijdens een wandeling in een winterlandschap, waarin bepaalde spoorafdrukken vaker voorkomen dan andere.

Als eerste binnen en als eerste weer buiten was iemand die in de media aanvankelijk als 'de drieëndertigjarige man' werd aangeduid, maar al vrij snel bij zijn naam werd genoemd, Åke Victor Gunnarsson. De eerste paar dagen na de moord had de politie al diverse tips binnengekregen over Gunnarsson. Zijn uiterlijk vertoonde veel overeenkomsten met het signalement van de dader, hij bleek in het bezit te zijn van hetzelfde revolvertype als de dader had gebruikt, had contact met een Palme-vijandige organisatie en had zich verscheidene keren hatelijk over het slachtoffer uitgelaten. Niet geheel onbelangrijk was ook dat hij zich op het tijdstip vlak voor de moord in de nabije omgeving van de plaats delict bevond en de uren daarna in de buurt bleef rondhangen, waar hij zich op zijn zachtst gezegd uiterst merkwaardig gedroeg.

Nauwelijks veertien dagen na de moord, op woensdag 12 maart, werd hij aangehouden. Een week later had men hem vrijgelaten en nog eens twee maanden later, op 16 mei 1986, had de officier van justitie besloten de zaak te seponeren.

In die twee maanden was er echter heel wat gebeurd rond deze Gunnarsson, wat langzamerhand resulteerde in een stuk of zes dikke mappen in het archief van het Palme-onderzoek. Technische onderzoeken van zijn woning en kleding, verhoren met familie en getuigen, fotoconfrontaties, diverse uitlatingen van experts en een uitgebreide uiteenzetting van zijn achtergrond en levensloop. Daarna was het een paar jaar zo goed als stil rond hem gebleven. Bevrijd van de verdenking dat hij de minister-president zou hebben vermoord, was hij begin jaren negentig naar de Verenigde Staten geëmigreerd. En pas nadat de Amerikaanse politie in januari 1994 met de mededeling kwam dat Gunnarsson dood was aangetroffen – voor de zekerheid met enkele schoten vermoord, gedumpt in een bosbeekje ergens op het boerenland van North Carolina – haalde hij opnieuw de voorpagina's.

Het bleek om een normaal geval van jaloezie te gaan. Dat de dader die Gunnarsson te grazen had genomen van de politie bleek te zijn, was op een of andere manier het logische gevolg van het leven dat hij verder had geleid. De rechercheur van het Palme-team die verantwoordelijk was voor het vooronderzoek naar Gunnarsson kon zijn teleurstelling in elk geval moeilijk verkroppen.

In zijn beleving was Gunnarsson nog steeds de moordenaar van Olof Palme en slechts een paar jaar na Gunnarssons dood had hij dan ook een boek uitgegeven waarin hij had geprobeerd dat te bewijzen.

Mattei had in een van de mappen een exemplaar gevonden met de opdracht 'Van de schrijver, voor mijn collega's in de Palme-kamer'. Toen Lewin diezelfde kamer had verlaten om een kop koffie voor hen te halen, had ze van de gelegenheid gebruikgemaakt het boek stiekem in haar handtas te stoppen zodat ze het thuis in alle rust zou kunnen lezen.

Zes overvolle mappen over Åke Victor Gunnarsson stelden niets voor vergeleken met het materiaal over het zogenoemde Koerdenspoor, of het PKK-spoor, waar klaarblijkelijk in het eerste jaar van het Palme-onderzoek nagenoeg tweehonderd politieagenten fulltime aan hadden gewerkt.

De gedachte dat de PKK, Partya Karkeren Kûrdistan of de Koerdische arbeiderspartij, de premier zou hebben vermoord, scheen al in de eerste week van het onderzoek een grote indruk op de onderzoeksleiders te hebben gemaakt. Het oorspronkelijke materiaal kwam bij de collega's van de veiligheidsdienst vandaan, die andere redenen hadden om zich te interesseren voor deze organisatie. In de twee direct daaraan voorafgaande jaren had de PKK achter drie moorden en een moordpoging in Zweden en Denemarken gezeten, misdrijven die gericht waren tegen ex-leden van de organisatie. Afgezien van een zekere oppervlakkige gelijkenis in de werkwijze was het echter nagenoeg een raadsel waarom ze het ook op de Zweedse minister-president zouden hebben gemunt.

De PKK stond erom bekend ex-leden en infiltranten in de eigen gelederen te vermoorden. Ze richtten hun pijlen niet op westerse politici en allerminst op de premier van Zweden. Een politicus en een land die de vrijheidsstrijd van de Koerden goedgezind waren en politiek asiel boden aan een groot aantal Koerdische vluchtelingen.

Tegen het einde van de maand juli 1986 had de onderzoeksleiding besloten dat de PKK 'zeer waarschijnlijk achter de moord op de minister-president zat'. Men had zelfs verscheidene besprekingen over deze zaak gevoerd en in een van de mappen vond Mattei een uitvoerig rapport van de onderzoeksleiders zelf, waarin ze hun overtuiging zwart-op-wit hadden gezet.

In de zes maanden die daarop volgden, zou het Koerden-spoor, of het PKK-spoor, tevens het zogeheten Hoofdspoor worden. Geheel volgens de terminologie van de hoogste chef, wat voor Lisa Mattei in zakelijk opzicht een raadsel was. Hoe dan ook had men toen, twintig jaar geleden, grotendeels alle beschikbare middelen ingezet op dit spoor en was alles uiteindelijk met een grote knal uiteengespat.

Vroeg in de ochtend van 20 januari 1987 sloeg onderzoeksleider Holmér zijn grote slag. Meer dan twintig Koerden werden opgepakt, er werden verschillende huiszoekingen en een groot aantal beslagleggingen gedaan. Al na een paar uur hadden de openbare aanklagers de meesten die door de politie in hechtenis waren genomen vrijgelaten, alle beslagleggingen werden binnen een paar dagen opgeheven en de twee personen die vastzaten, werden na een week op vrije voeten gesteld.

Het schandaal was een feit. Holmér werd van zijn taken als onderzoeksleider ontheven en diende als regionaal hoofdcommissaris zijn ontslag in. De verantwoordelijkheid voor het onderzoek werd overgelaten aan de procureur-generaal en de rijksrecherche zou hem voorzien van de politiemanschappen die nodig waren voor de praktische uitvoering. Daarmee was het Koerden-spoor plotseling geëindigd. Alles wat er twintig jaar later nog van over was, waren bijna honderd mappen papier, plus een aantal dozen waarvan de inhoud moeilijk in mappen te stoppen was.

Zucht en steun, dacht Lisa Mattei, hoewel ze bijna nooit zoiets dacht.

Maar er zaten ook andere dingen tussen. Alle valse tips bijvoorbeeld. Nog eens honderd mappen met duizenden tips, vooral over de afzonderlijke daders die Olof Palme vermoord zouden hebben. Dat was ook de voornaamste reden dat het aantal vermelde personen

– verdacht om uiteenlopende redenen, aangegeven om verschillende oorzaken, beschuldigd zonder enig bewijs, naar aanleiding van pure hersenspinsels in het hoofd van de tipgever – op de lijst was opgelopen tot bijna tienduizend. In verreweg de meeste gevallen waren ze direct de map ingegaan, zonder dat de politie er ook maar de minste interesse voor had getoond.

Laten we vurig hopen dat het niet een van hen is, dacht Lisa Mattei wijsneuzig.

Restten nog de sporen die in elk geval minder mappen in beslag namen. Vaak waren één of twee mappen genoeg, vijf op zijn hoogst. In dit deel van het onderzoek leken ook de politieke, ideologische en meer op de buitenwereld gerichte ambities van de rechercheurs tot uiting te komen. Hierin waren de sporen te vinden over Zuid-Afrika, het Irak-Iranconflict alias Iran-Irakconflict, het Midden-Oosten inclusief Israël, India-Pakistan alias de Indiase wapenaffaire alias Bofors-affaire.

Er waren ook verschillende sporen naar 'terroristische' of 'gewelddadige organisaties', het hele arsenaal van de RAF, de Rode Brigades, Zwarte September en Ustasja tot de gemillimeterde jonge talenten van de BSS, *Bevara Sverige Svenskt*, oftewel Behoud Zweden voor de Zweden, en de gedesillusioneerde oude socialisten die beweerden de basis te vormen van 'de mannen die Zweden hebben opgebouwd'.

Er zaten ook organisaties en personen bij die beter hadden moeten weten of op zijn minst mededogen met het slachtoffer hadden moeten tonen. Nationale veiligheidsorganen op de Balkan, in Zuid-Afrika en diverse dictaturen en bananenrepublieken, evenals de CIA in de Verenigde Staten. Militairen en gewone Zweedse politieagenten, diverse intimi, bekenden, ex-collega's en ex-partijgenoten. Zelfs onderzoeksrapporten over familieleden van het slachtoffer.

Het familiespoor, dacht Lisa Mattei gnuivend. Om een of andere reden zag ze ook haar moeder voor zich. Haar moeder, die al langer dan twintig jaar als politiecommissaris bij de veiligheidsdienst werkte.

Hierin was werkelijk voor ieder wat wils te vinden, en wat de documentatie voor de politieke speculaties betrof, kon Mattei constateren dat die consistent genoeg leek. Mysterieuze tipgevers van wie men beweerde dat ze een geheim verleden hadden, verschillende onthullingen in de media, gewezen tv-journalisten met een psychiatrische diagnose en uiteraard de gebruikelijke warhoofden die in het officiele debat optraden. Verder weinig tot niets.

De meest concrete bijdragen die Mattei vond, waren de reisverhalen waarmee verschillende Palme-rechercheurs door de jaren heen waren gekomen. Op voorwaarde dat het spoor naar warmere gebieden leidde en dat het jaargetijde juist was, had men namelijk ter plaatse verschillende sporen laten uitzoeken.

Helaas in alle gevallen zonder resultaat, maar de buitenlandse collega's leken hoe dan ook goed voor hun Zweedse bezoekers te hebben gezorgd.

Dat is altijd iets, dacht Lisa Mattei.

Maar de inhoud ging voornamelijk over 'Palme-moordenaar' Christer Pettersson. Tijdens twee perioden van in totaal een paar jaar leek het vooral over hem te gaan. Van de zomer van 1988 tot het einde van het jaar daarop, toen hij door het gerechtshof werd vrijgesproken. Daarna enkele jaren van betrekkelijke rust tot 1993, toen men begon met de voorbereidingen voor een verzoek tot herziening van het vonnis dat tot vrijspraak had geleid.

Het verzoek werd in december 1997 ingediend en in mei van het jaar daarop werd het door een unanieme Hoge Raad afgewezen. Drie jaar geleden zei Pettersson het aardse bestaan vaarwel en nam hij alles wat hij eventueel nog aan het onderzoek had kunnen bijdragen mee in zijn graf.

Het materiaal van het Palme-onderzoek had een paar jaar lang in dozen gezeten. De stuk of tien rechercheurs die een bijdrage hadden geleverd, waren allang met heel andere opdrachten bezig. Ze kwamen doorgaans één keer in de week bij elkaar om koffie te drinken en over hun opdrachten te praten. Over dingen die in het verleden waren gebeurd, over oude collega's die waren overleden of met pensioen waren gegaan en over Christer Pettersson, nog altijd het populairste gespreksonderwerp dat ter tafel kwam.

Nog even en ze zijn allemaal dood, dacht Lisa Mattei, die slechts elf jaar oud was toen de minister-president van Zweden werd vermoord.

9

Ondanks alle gebeurtenissen van donderdag kon Johansson toch een rustig weekend tegemoetzien. De voorbeeldige, heldere wijze waarop hij op alle grote tv-zenders alles had ontkend, had vast een zekere indruk gemaakt op al die uilskuikens van de grootste ochtendkrant van Zweden.

Bij de overige media leek zijn boodschap effect te hebben gehad. Ze hadden in elk geval niet meer gebeld om te vragen naar het Palme-onderzoek. Maar dat gold niet voor *Dagens Nyheter*. Op vrijdagochtend was zijn spijsvertering al tijdens het ontbijt van slag geraakt door een uitgebreid hoofdartikel met de tot nadenken stemmende kop 'Politiemacht in verval'. Uiteraard niet op persoonlijke titel, zoals altijd wanneer het ernst was.

Het komt vast bij die boosaardige wijven vandaan die daar werken, dacht Johansson.

Als het waar was wat de hoogste leidinggevende van de rijksrecherche beweerde – de schrijver van het artikel wist namelijk uit ervaring dat je types als Johansson nooit zomaar op hun woord moest geloven, vooral niet als het ging om de moord op Olof Palme – was het blijkbaar nog erger dan de krant had gevreesd.

Het Palme-onderzoek was simpelweg in stilte beëindigd, hoewel het hier misschien wel ging om de belangrijkste gebeurtenis in de geschiedenis van de Zweedse binnenlandse politiek van na de Tweede Wereldoorlog. Onderzoeksmateriaal dat in alle stilte in dozen is gestopt, rechercheurs die bij nader inzien aan heel andere zaken werkten. Hooggeplaatste officieren van justitie en politieagenten die blijkbaar van plan waren om dit politionele fiasco in hun eigen kelder te verstoppen.

Binnenkort verjaarde de moord op Olof Palme. Daarna zou het onderzoeksmateriaal jarenlang geheim worden verklaard. Op dat punt bestond er bij *Dagens Nyheter* geen enkele twijfel. Ook niet toen men tot de enige vanzelfsprekende slotsom kwam dat het hoog tijd werd voor de regering om een nieuwe onderzoekscommissie in te stellen, met vertegenwoordigers uit alle partijen van het parlement en met mensen die vanuit de samenleving werden gesteund. De keuze van de voorzitter was volgens de krant ook voor de hand liggend, namelijk de procureur-generaal die volgens Johansson en zijn collega's bekendstond om zijn niet-aflatende geweeklaag over het gebrek aan inzet, ordelijkheid en moraal bij de politie.

Een erger noodlot bestaat niet, vond Lars Martin Johansson, en daarbij dacht hij louter aan zichzelf. Niet aan de premier die het slachtoffer werd van een onopgeloste moord en om die reden zijn gevoel voor orde verstoorde.

Eenmaal op zijn werk was het tijd voor een variatie op hetzelfde thema. Volgens zijn secretaresse 'stond hoofdinspecteur Flykt erop' zijn hoogste baas onmiddellijk te willen spreken.

Ondanks zijn naam, dacht Johansson somber.

'Oké,' zei hij. 'Laat die rotzak maar binnen.'

Hoofdinspecteur Flykt leek niet echt vrolijk. Zichtbaar nerveus zelfs, want zijn anders zo flatteus gebronsde gezicht was rood aangelopen.

'Ga zitten, Flykt,' bromde Johansson en hij gaf een kort knikje in de richting van de bezoekersstoel. Hij zat zelf comfortabel onderuitgezakt, met zijn handen over zijn buik gevouwen en een ernstige uitdrukking op zijn gezicht. Gedraag je niet langer als iemand die zijn eerste misdaad heeft begaan, dacht hij.

'Waarmee kan ik je helpen?'

Er waren problemen, volgens Flykt. Twee verschillende problemen, hoewel er natuurlijk wel een verband tussen bestond.

'Vertel,' zei Johansson en hij peuterde met zijn grote rechterduim in zijn linkerneusgat, op jacht naar ontsierende haartjes en de gebruikelijke pulken.

Bij *Dagens Nyheter* weigerden ze blijkbaar op te geven. Hoewel zijn baas op een voorbeeldig verhelderende wijze alles had ontkend, lagen ze nog steeds op de loer. Flykt had dat persoonlijk kunnen constateren.

'Uiteraard,' zei Johansson. 'Wat had je anders verwacht? Daar moeten we dan maar mee leren leven. Op zoek gaan naar die lui die hun bek niet kunnen houden, heeft weinig zin. Dat weet je net zo goed als ik.'

Natuurlijk wist Flykt dat, maar de situatie was ondertussen verontrustend en...

'Maak je nou niet druk over die krant,' onderbrak Johansson hem. 'Ze krijgen er vanzelf genoeg van zodra ze hun gebruikelijke gal ergens anders over kunnen spuwen. Wat was dat tweede punt?'

'Het tweede punt?' vroeg Flykt verbaasd.

'Je had toch twee problemen,' verduidelijkte Johansson. 'Dat tweede probleem stond met het eerste in verband. Dat zei je net zelf, als ik me niet vergis.'

Uiteraard, uiteraard, Johansson moest een beetje geduld met hem hebben als hij een beetje warrig overkwam. Het was namelijk zo dat hij en zijn collega's sinds de vorige dag letterlijk belaagd werden door die talloze tipgevers en privédetectives die verantwoordelijk waren voor het merendeel van hun werkzaamheden vanaf het moment dat de Hoge Raad het verzoek tot herziening van de zaak tegen Pettersson had afgewezen.

De laatste jaren hadden de meesten van hen zich gedeisd gehouden, maar dankzij Johansson waren ze weer tot leven gekomen.

'Nou ja, niet door jou, maar door dat ongelukkige artikel in DN dus,' zei Flykt. 'Laten we eerlijk zijn,' voegde hij eraan toe.

'De gebruikelijke toverkollen die hondenpoep en oude patronen opsturen, die ze op de plaats delict zouden hebben aangetroffen,' grijnsde Johansson.

'Inderdaad,' zei Flykt. 'En daar komen alle binnengekomen berichten natuurlijk nog bij.'

Volgens Flykt was de telefooncentrale min of meer geblokkeerd. Bovendien werden ze overspoeld met mailtjes en zelfs sms'jes van collega's die zo onvoorzichtig waren geweest om hun mobiele telefoonnummers te geven. De postafdeling had geklaagd. Karrenvrachten vol binnenkomende post, terwijl hun bom- en bullshitdetectors oververhit raakten. De interne veiligheidsafdeling had al een stuk of tien aangiften binnengekregen op grond van verdenking van geweldpleging en dreigementen jegens het personeel dat al die ellende moest afhandelen.

'Neem me niet kwalijk,' zei Johansson. 'Maar ik begrijp nog steeds het probleem niet.' Flikker die rotzooi weg en geef de schuld aan de posterijen als er gezeik komt, dacht hij.

Flykts probleem was heel eenvoudig. Hij had niet voldoende mensen om die toestroom van tips te kunnen registreren, beoordelen en analyseren. Normaal gesproken waren ze met zijn twaalven, inclusief hijzelf. Daarnaast had hij een secretaresse en nog een assistent die in deeltijd werkte. Maar nu waren het er beduidend minder. De helft van zijn mankracht was met vakantie of had vrij vanwege eerder gemaakte overuren. Twee rechercheurs volgden een cursus in Canada. Drie bevonden zich op de Canarische Eilanden om te assisteren bij de identificatie van de Zweedse slachtoffers van de grote hotelbrand die tien dagen daarvoor had gewoed. Alleen Flykt, zijn secretaresse en een vrouwelijke collega die voor de helft was afgekeurd vanwege een burn-out, waren overgebleven.

'Kom met een voorstel.' Johansson boog zich naar voren en keek Flykt strak aan. 'Hoe kan ik je helpen?' Zeur, zeur, zeur, dacht hij.

Flykt zette zich schrap. Een onbezonnen gedachte slechts. Zouden Holt, Lewin en Mattei zich tijdelijk met de registratie kunnen bezighouden, totdat zijn eigen personeel weer terug was gekeerd en het over kon nemen?

'Absoluut niet,' antwoordde Johansson met ijzeren stem. 'Dat zou me wat moois zijn. Ze zijn immers bezig met een administratieve doorlichting van jullie manier van gegevensverwerking. Hoe zouden zij zich met jullie recherchewerk kunnen bemoeien? Dat mens van het Openbaar Ministerie wordt niet blij als ze jou zo hoort praten, Yngve.'

'Heb je een ander voorstel?'

'Flikker die rotzooi weg,' zei Johansson. 'Geef de posterijen de schuld als iemand aanmerkingen heeft.'

De rest van Johanssons dag was betrekkelijk normaal en acceptabel verlopen.

Even voordat hij naar huis zou gaan, had Mattei om een persoonlijk onderhoud gevraagd en aangezien Johansson op zijn leesbank lag en zijn gedachten al had laten gaan over het avondeten, was hij vooral zijn eigen tevreden ik toen zijn secretaresse haar binnenliet.

'Ga zitten, Lisa,' zei Johansson vriendelijk en hij gebaarde met zijn arm naar de dichtstbijzijnde fauteuil. 'Hoe gaat het eigenlijk?'

'Je bedoelt met de administratieve doorlichting van het Palmemateriaal?' vroeg Mattei.

'Precies. Heb je die rotzak van een dader al gevonden?' Slimme meid, dacht hij. Ze deed hem een beetje aan de opgewekte, verstandige Spaar denken, uit die moralistische filmpjes over Spaar en Spil die zijn juf uit Näsåker liet zien toen hij net een paar jaar naar school ging.

Nee. Mattei had de dader niet gevonden. Wel had ze een redelijk goede indruk weten te krijgen van de redenen waarom anderen dat evenmin was gelukt. Bovendien was haar inmiddels behoorlijk duidelijk geworden wat het onderzoeksmateriaal inhield.

'In grote lijnen,' verduidelijkte Mattei. 'De richting en de structuur, om het zo maar te zeggen.'

'Oké,' zei Johansson. Kleine spriet, dacht hij.

'Ik heb een plan dat ik aan je wilde voorleggen.'

'*Shoot*.'

'Ik zou een sociologisch onderzoekje willen doen.'

Johansson had weliswaar geknikt, maar de lichte verandering in zijn grijze ogen was Mattei niet ontgaan.

Een sociologisch onderzoekje waarin ze simpelweg de collega's wilde ondervragen die al die jaren op jacht waren geweest naar de moordenaar van Palme. De collega's die nog steeds in leven waren en met wie nog te praten viel. Gewoon aan hen vragen wie het had gedaan en waarom het liep zoals het liep.

'Denk je niet dat je daarmee slapende honden wakker maakt?' wierp Johansson tegen, die plotseling aan het hoofdartikel van die ochtend moest denken.

Integendeel, volgens Mattei. Als de opdracht tot doel had betere procedures te ontwikkelen om dit gigantische materiaal te kunnen hanteren, was het noodzakelijk om er een soort algemeen waardeoordeel over te vormen. Wie zouden zich daar beter over kunnen uitspreken dan degenen die er al die jaren mee hadden gewerkt?

'Ik begrijp wat je bedoelt,' zei Johansson aarzelend.

'Als ik hen was, zou ik me gevleid voelen,' voegde ze eraan toe. Jij niet, dacht hij. Ik ook niet. Maar bijna al die anderen wel.

'Klinkt goed,' zei Johansson. 'Je hebt me overtuigd. Laat het me weten als je praktische hulp nodig hebt.'

10

De eerste week na de vakantie was voor Johansson net zo goed geëindigd als die was begonnen, en alle bullshit en ellende daartussenin besloot hij te vergeten. Op vrijdagavond had zijn vrouw hem vrijaf gegeven voor een etentje met zijn beste vriend, die tegenwoordig bij de regionale recherche van Stockholm werkte als plaatsvervangend onderzoeksleider, hoofdinspecteur Bo Jarnebring. De Grootste der Ouwe Rotten.

'Komt prima uit,' zei Pia. 'Ik moet toch even bij mijn vader langs als we dit weekend weggaan. Doe de groeten aan Bo en drink niet te veel.'

'Dat beloof ik,' loog Johansson.

Johansson en Jarnebring hadden afgesproken op 'de gebruikelijke plek'. Het Italiaanse restaurant dat op vijf minuten loopafstand van zijn woning lag en waar hij al meer dan twintig jaar regelmatig kwam. Een toegewijde gast, een gulle gast, een gewaardeerde gast, maar ook een gast die zijn sporen had achtergelaten. Sinds vele jaren kon hij zijn favoriete brandewijn uit zijn eigen borrelglas van kristal drinken, waarvan hij er een stuk of twaalf had laten bezorgen. Daarbij genietend van verschillende Italiaanse varianten van klassieke Zweedse gerechten als *gubbröra*, een mengsel van vis, ei en ui, aardappelkoekjes en gewone gebakken Oostzeeharing.

'Je ziet er patent uit, Lars. Ik geloof warempel dat je een paar kilotjes kwijt bent,' zei Jarnebring zodra ze elkaar hadden begroet en aan hun oude vertrouwde tafeltje in een aparte hoek van het restaurant waren gaan zitten, waar ze naar goed politioneel gebruik ongestoord konden praten en tegelijkertijd in de gaten konden houden wie er in en uit liepen.

'Nou ja, een paar...' zei Johansson met slecht verborgen trots. 'Volgens de badkamerweegschaal praten we over een getal met dubbele cijfers.'

'Je bent toch niet ziek? Ik maakte me laatst een beetje ongerust toen ik de krant opensloeg en zag dat je een nieuw onderzoek naar Palme had opgestart. Ik dacht dat je een beetje last van Alzheimer had gekregen.'

'Ik ben zo gezond als een vis. Als je me op tv hebt gezien...'

'Knap gedaan,' zei Jarnebring met een brede grijns. 'Ik heb het gezien. Je bent niks veranderd. Zo heer en meester over de situatie dat het een lieve lust is. Laat het me weten als je een echte baan wilt, dan zal ik een goed woordje voor je doen bij de regiorecherche.'

'Wie dan leeft, wie dan zorgt,' zei Johansson met een zweem van weemoed in zijn stem.

Johansson had het onderwerp gelaten voor wat het was en begon in plaats daarvan over wezenlijker zaken. Het menu dat hij samen met zijn Italiaanse restaurateur had samengesteld, ter ere van deze avond.

'Omdat we elkaar de hele zomer niet hebben gesproken, dacht ik dat we het er goed van moesten nemen,' zei Johansson. 'We werken het hele programma af en ik betaal. Daar heb je toch niks op tegen?'

'Is de paus een moslim?' vroeg Jarnebring.

Het hele programma. Eerst hadden twee handige kelners een klein Zweeds buffet geserveerd, een *smörgåsbord*, een noodzakelijke voorwaarde om zowel bier als brandewijn te kunnen drinken. Een sterk verwaarloosd onderdeel van de verder zo vooraanstaande Italiaanse eetcultuur, maar in deze eettent had Johansson daar al jaren geleden iets aan gedaan, op zijn eigen vooruitziende wijze.

'Niets bijzonders, zo'n beetje van alles wat,' verklaarde Johansson met een afwerend handgebaar. 'Die kleine minipizzaatjes op die schaal daar...'

'Die niet groter zijn dan mijn duimnagel,' onderbrak Jarnebring hem. 'Maar dan zonder rouwrandje.'

'Precies. Pizzaatjes met gewone Zweedse ansjovis, gesnipperde bieslook en gegratineerd met Parmezaanse kaas.'

'Is de paus katholiek,' zei Jarnebring begerig.

'Dan hebben we gemarineerde sardientjes, in een marinade van knoflook, mosterd, kappertjes en olie.'

'Schijt een beer in het bos...'

'Die ham daar, die is Zweeds noch Italiaans. Die is namelijk Spaans. Wordt *pata negra* of Iberische ham genoemd. In het wild levende varkens die eikels eten tot ze worden doodgeslagen, waarna ze licht worden gepekeld en aan de lucht worden gedroogd. Het lekkerste varkensvlees ter wereld, als je het mij vraagt.'

Geurend naar de groene bergen van de Sierra Madrona, dacht Johansson vol verlangen terwijl hij de geur met zijn lange neus opsnoof. Hij peinsde er niet over om die gedachte uit te spreken. Er waren dingen die echte politiemensen niet tegen elkaar zeiden en wie was hij om zijn beste vriend onnodig ongerust te maken.

'Verrukkelijk varkensvlees, als je het mij vraagt,' herhaalde Johansson en hij hief zijn tot de rand gevulde borrelglas.

'Proost, kerel,' zei Jarnebring. 'Zullen we drinken of zullen we praten?'

Toen Johansson na de tweede borrel het hoofdgerecht aankondigde, had Jarnebring een zekere twijfel geuit. Overigens de enige keer die avond, en voornamelijk als een oude reflex, naar het scheen.

'Ik had gedacht aan pasta als hoofdgerecht,' zei Johansson.

'Pasta,' zei Jarnebring. Slaapt Dolly Parton plotseling op haar buik, dacht hij.

'Met gebraden ossenhaas, in blokjes gesneden, cantharellen en een saus van room en cognac,' zei Johansson verleidelijk.

'Klinkt interessant,' gaf Jarnebring toe. Dolly slaapt waarschijnlijk zoals ze dat altijd heeft gedaan, dacht hij.

Drie uur later hadden ze het normale programma afgehandeld. Eerst hadden ze gesproken over hun gezinnen, vrienden en dierbaren. Meestal was dat een kwestie van zo'n vijf minuten, zodat ze vervolgens de rest van de avond de tijd hadden om grofweg alle niet-aanwezige idioten de revue te laten passeren, of het nu ging om collega's, schurken of gewone burgers. Maar deze keer liep het anders, omdat Jarnebring plotseling over zijn jongste zoon begon te praten en over hoe het voelde om na je vijftigste weer vader te worden, nadat je al lang geleden had besloten om geen kinderen meer te willen. Maar dat dit toch de grootste gebeurtenis in zijn leven was. Ondanks al die schurken die hij door de jaren heen heeft gegrepen.

Dat moet die lekkere pasta zijn, dacht Johansson. Dat die goeie ouwe Bo een nieuwe, zachtere kant van zichzelf liet zien.

'Dus ineens sta je daar met twee van die kleine rakkers. Die jongen dan. En ja, het meisje natuurlijk.' Jarnebring schudde bedachtzaam zijn hoofd. 'Die jongen heeft heel wat in zijn mars. Let op mijn woorden, Lars.'

'En zijn zus?' vroeg Johansson om hem af te leiden. 'Hoe gaat het met haar?'

'Linaatje, bedoel je?' vroeg Jarnebring verbaasd. 'Precies haar moeder, als je het mij vraagt.'

Linaatje, dacht Johansson. Lina moest inmiddels toch ook al vijftien zijn. Pia en hij hadden nooit kinderen gekregen. Het was er niet van gekomen, dacht hij. Om verschillende redenen waar hij niet over wilde praten, waarna hij van gespreksonderwerp veranderde.

'Over geschifte collega's gesproken,' zei Johansson, 'laatst liep ik die leuke vrouwelijke hoofdcommissaris van jou tegen het lijf.'

Na een tijdje hadden ze het restaurant verlaten en slenterden ze naar Johanssons woning voor het gebruikelijke afzakkertje. Halverwege kwamen ze vier jongemannen tegen die hun met verwachtingsvolle ogen en breed uitzwermend over het trottoir tegemoet liepen. Jarnebring bleef stilstaan. Hij keek begerig naar de grootste en toen hij zag dat die hem herkende, was de rest slechts een routinekwestie geweest.

'Hoe is het, Marek?' vroeg Jarnebring. 'Ben je van plan een eind aan je leven te maken?'

'Respect, baas,' zei Marek met een schuwe oogopslag, waarna hij voor zijn vrienden uit verder liep.

'Pas goed op julliezelf, meiden,' bromde Jarnebring.

Hier zijn we te oud voor, dacht Johansson toen hij de sleutel in zijn eigen toegangsdeur tot de vreedzaamheid en veiligheid aan de andere kant stak. Fout, dacht hij. Jíj bent daar altijd te oud voor geweest. Bo is zoals hij is, en hij zal nooit veranderen.

'Vertel eens over Palme,' zei Johansson tien minuten later, toen ze in zijn grote werkkamer allebei hadden plaatsgenomen in een fauteuil. Jarnebring met een flinke longdrink met whisky en de fles op een aangename afstand. Hijzelf met een glas rode wijn en een fles mineraalwater. Op zijn leeftijd moest hij om zijn gezondheid denken, en afgezien van de verplichte borrel vooraf, want die zou hij zeker tot het einde van zijn leven blijven nemen, stemde hij zich tegenwoordig tevreden met bier, wijn en water. Plus zo nu en dan een cognacje, vanwege de spijsvertering. Maar Jarnebring hield zich daar natuurlijk niet aan. Hij was nu eenmaal zoals hij was, met een fysieke gesteldheid die het menselijk verstand te boven ging en waarop alcohol geen invloed leek te hebben.

Ik vraag me af waarom hij eigenlijk drinkt, dacht Johansson.

'Vertel eens over Palme,' herhaalde hij. 'Jij was er immers bij toen het gebeurde.'

'Wil je tips over hoe je al die mappen in de boekenkast moet zetten? Zelf zet ik ze altijd met de rug naar voren. Dan plak ik er stickertjes op waarop staat wat erin zit,' zei Jarnebring plagerig.

'Laat die mappen nou maar zitten.'

'Wat maakt het uit,' zei Jarnebring. 'Als we het hadden aangepakt zoals altijd, hadden we die klootzak natuurlijk gevonden. Als wij, degenen die dit soort zaken altijd afhandelden, gewoon onze gang hadden mogen gaan,' verduidelijkte hij. 'Als we niet van die achterlijke juristen hadden die ons vertelden wat we moesten doen. Jij zou hem vast en zeker hebben gevonden als je er vanaf het begin bij was geweest. Je had vast niet meer dan een maand nodig gehad. Maar je had het natuurlijk druk met al die mappen van je, zoals altijd.'

'Wie heeft het dan gedaan?'

'Joost mag het weten.' Jarnebring schudde zijn hoofd. 'Maar het was niet Christer Pettersson. Die kende ik namelijk. Ik weet niet hoe vaak ik die hufter in de lik heb gezet in al die jaren. Laat de doden met rust.' Jarnebring hief breed grijnzend zijn glas.

'Hij leek er anders gek genoeg voor,' bracht Johansson ertegen in.

'Christer Pettersson was gek, tot op zekere hoogte. Bijvoorbeeld nooit zo gek dat hij mij te lijf probeerde te gaan als ik hem te pakken kreeg. Hij wist namelijk dat hij er dan niet genadig van af zou komen, zo idioot was ie niet. Hij zoop, zat onder de dope, was geen lieverdje en maakte er over het algemeen een zooitje van. Kon als een beest tekeergaan en op de vuist gaan met zijn vrienden die nog kleiner en zatter waren dan hij, en met zijn vrouwen. Maar daar bleef het dan ook bij, en van vuurwapens had hij geen verstand. Bovendien denk ik dat hij types als Palme wel mocht. Hij had een hekel aan types als wij.'

'De moordenaar van Palme was een goeie schutter,' zei Johansson. Vraag me af wat Palme van Christer Pettersson had gevonden, dacht hij plotseling. Een sociale outcast? Iemand die gewoon buiten de samenleving is komen te staan? Buiten zijn schuld of toedoen?

'Dat was hij zeker,' beaamde Jarnebring. 'Hij was net zo'n scherpschutter als jij en ik. Laat al die collega's maar kletsen die beweren dat het geen kunst is om iemand van zo'n twintig, dertig centimeter neer te schieten, en hoe had hij Lisbeth Palme anders kunnen missen? Laat al die lui maar kletsen die nog nooit op iemand hebben geschoten in een penibele situatie. Op het moment dat de pleuris uitbreekt en iedereen als een kip zonder kop begint rond te rennen.'

'Ik begrijp wat je bedoelt,' stemde Johansson in.

'De kogel waardoor Lisbeth Palme werd geraakt ging links bij haar naar binnen, passeerde tussen haar huid en haar blouse, helemaal langs haar rug en verdween ter hoogte van haar schouderbladen weer naar buiten. Als je op die manier iemand weet te missen, ben je een verdomd goeie schutter. Als ze haar bovenlichaam maar een fractie van een seconde later had gedraaid, zou hij haar rug hebben doorboord. Dus reken maar dat hij overal op kon schieten. Ik ben er honderd procent zeker van dat hij ervan overtuigd was dat hij haar door haar long had geschoten, en omdat hij ook wist dat dat meer dan voldoende moest zijn, kon hij de benen nemen.'

'Ze knielde naast haar echtgenoot neer,' zei Johansson.

'Juist,' zei Jarnebring met klem. 'Eerst schiet hij Palme neer. Hij raakt hem van achteren tijdens het lopen, waarop hij prompt neervalt. Hij krijgt een blauwe plek zo groot als een munt van twee kroon midden op zijn voorhoofd. Het moment daarop richt hij op Lisbeth, op het midden van haar rug, maar net als hij afvuurt draait ze haar lichaam weg om te zien wat er met haar man is gebeurd, die plotseling vlak voor haar voeten voorover is gevallen. De schutter achter haar heeft ze niet eens gezien.'

'Dus die geschiedenis met Pettersson kun je wel vergeten. Proost, trouwens,' zei Jarnebring met een brede grijns. 'We zitten veel te veel te ouwehoeren, als je het mij vraagt.'

Christer Pettersson is het zeker niet. Het verkeerde type, volgens Jarnebring. Net zo verkeerd als die nonsens over die Koerden. Die gasten moesten zo'n figuur als Palme op handen hebben gedragen, net zoals die drieëndertigjarige man, wat dat aangaat.

'Gewoon zo'n verdraaide fantast,' vatte Jarnebring het samen.

'Maar wie heeft het dan gedaan?'

'Uitstekende kennis van de omgeving, fysiek sterk, geoefende schutter, tegenwoordigheid van geest, zelfverzekerd, volledige controle over de situatie, enorme scherpte en het vermogen om geweld te gebruiken als het eenmaal zover is. Een koelbloedige hufter. Absoluut niet iemand als Pettersson, want die liep altijd eerst een tijdje herrie te schoppen voordat hij zijn armen gebruikte, wat hij overigens alleen deed als zijn tegenstander klein en ongevaarlijk genoeg was. Als hij Palme om zeep had geholpen, zou hij eerst een oorlogsdans hebben uitgevoerd, dan de wave hebben gedaan en vervolgens zijn middelvinger naar hem hebben opgestoken. Maar deze dader deed dat niet. Hij deed wat hij moest doen. Kalm en rustig, en daarna ging hij er gewoon vandoor.'

'Ik begrijp het,' stemde Johansson in. 'Een koelbloedige hufter die alleen maar de trekker hoeft over te halen om een ander van achteren dood te kunnen schieten. Hij lijkt totaal niet op Christer Pettersson.'

'Ik zou het kunnen zijn. Degene die Palme om zeep heeft geholpen dus,' grijnsde Jarnebring.

'Nee, dat geloof ik niet, al geloof ik wel in de rest.'

'Iemand zoals ik dan,' hield Jarnebring vol.

Jij niet, dacht Johansson. Niet zo iemand die alleen maar groter en sterker is dan alle anderen en nog nooit een gevecht verloren heeft. Iemand van een ander kaliber, die alleen maar de trekker hoeft over te halen om ineens van een mens in een beul te veranderen, dacht hij.

Maar dat had hij eigenlijk al die tijd al geweten, en daarom hadden ze verder niet meer over de zaak gesproken.

Woensdag 10 oktober. In de baai voor Puerto Pollensa op Noord-Mallorca.

Nauwelijks tien minuten onderweg, twee zeemijl van de haven en ter hoogte van de landtong bij La Fortaleza, had de Esperanza haar koers twintig graden naar bakboord gewijzigd, in de richting van Cap de Formentor op het schiereiland. Aan bakboord- en stuurboordzijde is land, de steil oprijzende bergen van Noord-Mallorca, zo goed als onmogelijk om vanuit de zee te beklimmen. Recht vooruit is alleen maar zee. Dezelfde zee die na een rustige nacht is ontwaakt en ademt met een langzaam opkomende deining. De zee. De Esperanza. De zon die snel aan de bleekblauwe hemelboog omhoogklimt. De ochtendnevel die oplost. En de zee onder de Esperanza. Net zo diep als de puntige bergtoppen in het spiegelende water. De kiel, de schroef, de planken van de romp en de kleine halve meter daartussen, die haar over de diepte onder haar dragen. Eenzaam op zee. Esperanza, een mooie boot met een mooie naam.

11

Zeven weken eerder, woensdag 22 augustus.
Het hoofdkwartier van de rijksrecherche in Kungsholmen, Stockholm.

'Collega Flykt heeft een geldig excuus,' zei Johansson met een vriendelijke glimlach tegen Holt, Lewin en Mattei. 'Hij heeft plotseling een hoop tips binnengekregen die hij moet verwerken.'

'Ik had gedacht met jou te beginnen, Jan,' vervolgde hij. 'Vertel eens aan ons onwetenden wat er op die noodlottige vrijdagavond van 28 februari 1986 gebeurde.'

'Ik heb een korte memo geschreven over deze zaak,' zei Lewin met zijn plichtmatige, voorzichtige kuchje. 'Dat heb ik naar jullie gemaild. Jullie hebben er ook een voor je liggen. Ik stel voor dat we tien minuten de tijd nemen om alles rustig te kunnen doorlezen.'

'Uitstekend,' zei Johansson, terwijl hij opstond. 'Dan ga ik koffie voor ons halen en kan ik gelijk even mijn benen strekken.'

Johansson ziet er tevreden uit, dacht Holt. Opmerkelijk tevreden, dacht ze en ze haalde Lewins memo uit het plastic hoesje dat voor haar lag. Wat zullen we nu krijgen, dacht ze. Twintig pagina's tekst met een soort register aan het eind. Het register omvatte bijna tweehonderd personen, met naam en toenaam en persoonsnummer, waarbij aan elke naam een variërend aantal dossiernummers was toegevoegd.

'De getuigen die over de verschillende onderdelen in mijn memo zijn gehoord,' verklaarde Lewin, die haar verwondering kennelijk had opgemerkt. 'De dossiernummers verwijzen naar de verhoren in het Palme-materiaal, waarin de verschillende gegevens staan vermeld.'

'Ik begrijp het,' knikte Holt. Wat is er met Jan aan de hand, dacht ze. Hij is anders niet het type dat zichzelf wil profileren. Kom op nu, Anna, dacht ze en ze begon te lezen.

'Minister-president Olof Palme (in het vervolg aangeduid als OP) verliet op vrijdag 28 februari 1986 om ca. 18.15 uur zijn werkplek in het regeringsgebouw Rosenbad (adres Rosenbad 4). Voor zover bekend, in het onderzoek wordt in elk geval geen melding gemaakt van enige gegevens van andere strekking, heeft hij te voet de kortste weg naar huis genomen, naar zijn woning aan de Västerlånggatan 31 in Gamla Stan.

OP gaat door de hoofdingang van Rosenbad naar buiten, loopt ca. vijftig meter naar links in de richting van de Strömgatan, slaat dan linksaf en volgt de Strömgatan ca. zestig meter tot aan de brug Riksbron. Vervolgens is OP rechtsaf geslagen en is hij de Riksbron, de Riksgatan en de brug over het kanaal Stallkanalen gepasseerd, tot aan het plein Mynttorget, totaal ca. 200 meter. Vanaf Mynttorget is OP in zuidelijke richting verdergegaan door de Västerlånggatan, ca. 250 meter. Rond 18.30 uur komt hij aan bij zijn woning, of kort daarvoor. De totale wandelroute van nauwelijks zeshonderd meter komt overeen met een wandeling van tien minuten in een normaal tempo en deze tijdsduur is dientengevolge goed verenigbaar met de tijdstippen en omstandigheden zoals hierboven aangegeven.

OP is alleen naar huis gegaan en schijnt tijdens zijn wandeling met niemand te hebben gesproken of andere vormen van contact te hebben gehad. Diezelfde dag had hij even voor 12.00 uur aan zijn lijfwachten kenbaar gemaakt ze die vrijdag niet meer nodig te hebben. Zijn twee lijfwachten hebben tijdens hun verhoor verklaard dat OP hun had gezegd dat hij de middag op zijn werkplek zou doorbrengen en de avond en nacht in zijn woning, samen met zijn echtgenote Lisbeth Palme (in het vervolg aangeduid als LP) en dat hij hen daarom niet meer nodig zou hebben die vrijdag.

Een van de twee lijfwachten had vervolgens telefonisch contact opgenomen met zijn directe chef van de bewakingsafdeling van de veiligheidsdienst, die tijdens het verhoor verklaarde dat hij, "tegen de achtergrond van wat het bewakingsobject zelf had verklaard, hun had bevolen om de bewaking voor de rest van de dag op te heffen".'

Lewin ten voeten uit, dacht Lisa Mattei. Jan Lewin – in het vervolg aangeduid als JL – dacht ze en voor de zekerheid had ze een peinzende houding aangenomen door haar rechterhand voor haar kin en mond te houden, voordat ze het blaadje omdraaide en verder las.

Lewin had niets gemerkt. Hij leek volledig in zijn eigen tekst op te gaan.

'...De tijd tussen ca. 18.30 en even na 20.30 uur bracht OP door in zijn woning, samen met zijn echtgenote LP. In die tijdspanne waren er geen andere aanwezigen en kreeg het echtpaar geen bezoek. OP heeft met drie personen telefonisch gesproken, partijsecretaris Bo Toresson, ex-minister Sven Aspling en zijn zoon Mårten Palme (in het vervolg aangeduid als MP), en gedineerd met zijn echtgenote LP. In dezelfde tijdspanne besluit het echtpaar P ook om diezelfde avond naar de bioscoop te gaan. Na het gesprek met MP hebben zij besloten om samen met MP en zijn toenmalige vriendin (nadien zijn vrouw) de film *De gebroeders Mozart* (geregisseerd door Suzanne Osten) te gaan zien in bioscoop Grand aan de Sveavägen, ca. 330 meter ten noordwesten van de plaats delict op de hoek Sveavägen-Tunnelgatan gelegen. Dit besluit werd ca. 20.00 uur definitief genomen, zoals uit de verhoren met LP en MP naar voren is gekomen.

Even na 20.30 uur verlaten OP en LP hun woning aan de Västerlånggatan om zich te voet naar het metrostation in Gamla Stan te begeven. OP en LP gaan linksaf de Västerlånggatan op en slaan vervolgens rechtsaf de Yxmedsgränd in. De totale loopafstand tussen de woning en de ingang van het metrostation is ca. 250 meter en de geschatte tijdsduur ca. 3-4 minuten...'

Het moet angst zijn, dacht Holt. Alleen een sterke innerlijke onrust kan deze manische interesse voor details verklaren. Ze moest de tekst voor zichzelf herformuleren. Een bladzijde vol tekst, en dan is ons slachtoffer nog steeds de metro in Gamla Stan niet ingestapt, Jan Lewin kan doodvallen, dacht ze. Daarna had ze in zes korte zinnen ruim twee pagina's van Jan Lewin samengevat en het echtpaar Palme op hun bioscoopstoelen van de Grand geplaatst.

'Stapt in Gamla Stan op de metro ca. 20.40 uur. Rijdt langs drie stations en stapt uit op de Rådmansgatan ca. 20.50 uur. Gaat even voor 21.00 uur de bioscoop in. Praat met zijn zoon en diens vriendin. OP koopt kaartjes voor LP en zichzelf. Hebben ca. 21.10 uur hun plaatsen in de bioscoopzaal ingenomen', noteerde Holt op de achterkant van een van Lewins blaadjes papier.

De voorstelling is kort na elf uur 's avonds afgelopen en eenmaal weer op straat spreken de minister-president en zijn vrouw enkele minuten met hun zoon en zijn vriendin. Daarna nemen ze afscheid en gaan ze ieder huns weegs. Het echtpaar Palme loopt zuidwaarts richting het centrum aan de westkant van de Sveavägen, rond kwart over elf 's avonds. Het vriest zes graden, de wind heeft een snelheid van zes, zeven meter per seconde en er lopen veel mensen op straat. Een aantal getuigen heeft de minister-president en zijn vrouw waargenomen. Ze lopen stevig door, zij aan zij, hij aan haar linkerzijde, aan de straatkant. Bij de Adolf Fredriks Kyrkogata, de dwarsstraat voor de Tunnelgatan, steken ze de Sveavägen over. Ze blijven even staan voor een etalage en vervolgen dan hun weg in de richting van het centrum. Aan deze kant van de straat lopen vrijwel geen mensen.

Als ze de kruising met de Tunnelgatan passeren, met nog maar enkele meters te gaan naar de ingang van het metrostation, duikt plotseling de dader achter hun rug op. Hij heft zijn wapen en met slechts enkele decimeters tussen het uiteinde van de loop en het slachtoffer lost hij het eerste schot op Olof Palme. Het treft hem midden in zijn rug, ter hoogte van zijn schouderbladen, waarna de premier prompt voorover valt op het trottoir. Zijn vrouw ziet hem daar plotseling liggen, kijkt naar hem en de moordenaar vuurt het tweede schot op haar af, op hetzelfde moment dat ze haar lichaam buigt en naast haar man neerknielt.

Het is nu eenentwintig minuten en dertig seconden over elf uur 's avonds. Met zo'n tien seconden speling, want exacter is niet mogelijk, en met het oog op het gebeurde sowieso een feit van ondergeschikt belang. De moordenaar observeert de twee op het trottoir een paar seconden. Hij draait zich om en verdwijnt in de duisternis van de Tunnelgatan.

En van het toneel, dacht Anna Holt. De enige voor de hand liggende verklaring is dat hij hen is gevolgd zodra ze de bioscoop uitkwamen. Toen ze de Sveavägen overstaken bij de Adolf Fredriks Kyrkogata, de dwarsstraat voor de Tunnelgatan, is hij voor hen gaan lopen, de straat overgestoken, heeft hij hen ingehaald en bij de volgende hoek staan opwachten. Een groter complot dan dat is het niet, dacht ze. Al die pagina's à la Jan Lewin met al zijn mogelijke veronderstellingen, reserves en alternatieven ten spijt.

Waar komt die angst toch vandaan, dacht ze ineens. Een knappe vent, slank, goed getraind, weliswaar de vijftig gepasseerd maar hij oogt minstens tien jaar jonger, en ten opzichte van ons gedraagt hij zich volkomen normaal. Beleefd, misschien iets te gereserveerd, maar volkomen normaal vergeleken met onze geliefde baas, het Genie van Näsåker, dacht Anna Holt. Een aantrekkelijke man met een grote innerlijke onrust. Waarom eigenlijk, dacht ze.

12

Johansson was twintig minuten later teruggekomen, maar wat hij al die tijd had uitgevoerd, was niet duidelijk. De koffie kon hij niet zelf hebben gehaald, omdat zijn secretaresse die kort daarvoor had binnengebracht. Het was nogal merkwaardig. Zodra Holt klaar was met lezen en de papieren van zich af had geschoven, was hij plotseling binnengekomen en op zijn plek gaan zitten. Net zo opgewekt als toen hij hen alleen liet, aan zijn gezicht te zien. Hij kan vast de hoek om kijken, dacht ze. Vanaf de bank in zijn werkkamer waarop hij al die tijd moet hebben gelegen.

'Oké,' zei Johansson. 'Bedankt, Jan. Bewonderenswaardig helder en duidelijk,' voegde hij eraan toe. En veel te godsgruwelijk lang, dacht hij.

'Ik heb een en ander te vragen, dus het zou mooi zijn als jij, Lisa, wat aantekeningen voor ons zou kunnen maken. En geef de koffie even door alsjeblieft,' vervolgde hij met een knikje naar Holt. 'Waar was ik?'

'Je wilde wat vragen,' hielp Holt hem herinneren. Hoe komt het toch dat ik mezelf ineens herken, dacht ze.

'Precies. Dat bioscoopbezoek. Wanneer nam hij eigenlijk dat besluit, en wie wisten ervan dat hij uitgerekend op vrijdagavond zo nodig de stad in moest, aan het einde van de werkweek, tussen alle dronkenlappen, onderkruipsels en ander gespuis? Op mij komt hij bijna over als iemand met zelfmoordneigingen. Wat vind jij, Lewin?'

'Tja.' Lewin schoof onrustig heen en weer. 'Ik had de indruk dat hij zich terdege bewust was van zijn veiligheid, veel meer dan men over het algemeen dacht, en volgens de verhoren is het besluit zeer laat genomen. Pas rond acht uur 's avonds. Volgens de verhoren met Palmes echtgenote en zijn zoon moet het in elk geval zo zijn gegaan,' herhaalde hij.

'En onze collega's van de Säpo dan?' hield Johansson vol. 'Heeft hij iets tegen hen gezegd?'

'Volgens de verhoren niet,' antwoordde Lewin. 'Volgens de verhoren laat hij weten dat hij de rest van de dag op zijn werkplek en de avond in zijn woning zal doorbrengen, samen met zijn vrouw. Er staat niets vermeld over een bioscoopbezoek of over andere plannen om de stad in te gaan.'

'Is die vraag aan hen voorgelegd?' vroeg Johansson.

'Dat blijkt niet uit de verhoren,' zei Lewin. 'Dat kan natuurlijk het gevolg zijn van het feit dat dit samenvattingen zijn en men er niet aan gedacht heeft om die gegevens mee te nemen in het verslag.' Ik zou die vraag in elk geval wel hebben gesteld naar aanleiding van wat er gebeurd was, dacht hij, maar dat had hij natuurlijk niet gedaan. Niet twintig jaar na dato, en met de gedachte dat zijn collega's destijds hopelijk net zo dachten als hij.

'Maar zo werkt het toch niet, als iemand als hij naar de bioscoop gaat,' hield Johansson vol. 'Denk eens na. Zijn vrouw en hij zullen dat toch wel eerder hebben besproken? Ik bedoel, iemand als hij heeft natuurlijk verschrikkelijk veel aan zijn hoofd en een bioscoopbezoek is dan niet iets wat je zomaar even bedenkt vlak voordat het tijd is om te vertrekken.'

'Ik begrijp niet helemaal waar je op doelt,' zei Holt. Misschien ligt het aan je mensbeeld, dacht ze. Aan jouw eigen kleine wereldje vol dronkenlappen, onderkruipsels en ander gespuis.

'Ik bedoel alleen maar het volgende,' zei Johansson. 'Stel dat hij zoiets heeft gezegd. Dat hij met zijn vrouw misschien even de stad in wilde en met hun zoon wilde afspreken, maar dat hij voor deze ene keer met rust gelaten wilde worden. Zonder dat al die collega's van de Säpo over zijn schouder mee gluren. Stel dat hij zoiets heeft gezegd – of alleen maar de suggestie heeft gewekt, of die mogelijkheid open heeft gehouden – lijkt het dan erg waarschijnlijk, met het oog op wat er gebeurde bedoel ik, dat degenen die verantwoordelijk voor hem waren een detail als dit tijdens een verhoor zouden toegeven? Begrijp je waar ik heen wil, Anna? Iemand als hij heeft toch alle reden om zich niet alleen druk te maken over dronkenlappen, onderkruipsels en ander gespuis?'

'Je bedoelt dat iemand van de Säpo zijn mond voorbij heeft gepraat en dat het bij de verkeerde persoon terecht is gekomen?' vroeg Holt. Soms ben je echt een beetje akelig, dacht ze.

'Het hoeft niet eens daarvandaan te komen,' zei Johansson schouderophalend. 'Hij had vast een heleboel collega's met wie hij voortdurend sprak. Die bijzonder deskundige die hij als knecht had, bijvoorbeeld. Die op dezelfde afdeling werkte in Rosenbad als hij en zich volgens mij vooral bezighield met allerlei veiligheidskwesties. Alle vrienden op zijn werk. Wat hebben jullie voor plannen dit weekend? We denken erover om naar de bioscoop te gaan. Misschien een hapje eten in de stad. O, leuk. Ja, jullie weten wel hoe dat gaat. Zo zitten we nu eenmaal in elkaar, wij mensen. Kletsen voortdurend over allerlei zaken. Ik heb Palme nooit ontmoet, maar ik kan me voorstellen dat hij ook zo was als hij het naar zijn zin had en zich goed voelde. Een vrolijke vriend die over van alles en nog wat babbelde met mensen die hij vertrouwde.'

Vermoedelijk heeft hij helemaal gelijk, dacht Lisa Mattei. Maar hoe kom ik daar na twintig jaar achter.

'Je bedoelt dus dat deze informatie vrij laat bij de verkeerde persoon terecht kan zijn gekomen, dat die niet bijzonder gedetailleerd was en dat de moord ook als zodanig is gepland,' concludeerde Mattei.

'Precies,' zei Johansson. Dat sprietje kan heel ver komen, dacht hij. Ze is nog een vrouw ook, dus krijgt ze dertig procent korting op de koop toe.

'Een enigszins spontane, bescheiden complottheorie,' zei Holt, die kattiger klonk dan ze bedoelde.

'Inderdaad,' zei Johansson die zich er kennelijk niets van aantrok. 'Je moet weten, Anna, dat ik niets tegen complottheorieën als zodanig heb. Het probleem met de meeste daarvan is alleen dat ze zo allejezus vergezocht zijn, om niet te zeggen volslagen krankzinnig, omdat de bedenkers ervan ze zelden op een rijtje hebben. Dat neemt niet weg dat wanneer iemand als Palme vermoord wordt, en dan heb ik het niet over bekende figuren als John Lennon en zo, er in de meeste gevallen sprake is van een complot in zijn directe omgeving. Zelden iets bijzonders. Maar wel degelijk een complot met meer dan één betrokkene, die veel van het slachtoffer afweten. De eenzame gek is slechts de op een na gebruikelijkste verklaring. Weliswaar komt die bijna net zo vaak voor, maar als we deze twee verklaringen wegnemen, blijft er haast niets over. Niet alle complottheorieën zijn idioot. Er zijn er genoeg die zowel redelijk, logisch en volkomen rationeel zijn, wat hun praktische uitvoering betreft.'

'Geen van de gehoorde getuigen zegt iets te hebben waargenomen wat erop zou duiden dat het echtpaar Palme zou zijn gevolgd toen ze 's avonds hun woning verlieten,' zei Lewin. 'Tijdens en na het bioscoopbezoek echter wel. Er zijn verschillende getuigen die zeggen dat ze ten minste één mysterieuze man hebben gezien die zich in de buurt van bioscoop Grand ophield en het echtpaar Palme kan hebben gevolgd. Maar ik begrijp wat je bedoelt,' voegde hij er snel aan toe. 'Ervan uitgaande dat zijn achtervolger voldoende competent was, kan die er zeker voor hebben gezorgd dat hij onopgemerkt bleef.'

'Precies.' Johansson benadrukte dit met een tevreden knikje. 'Toen ik een eeuwigheid geleden bij moordzaken in Stockholm werkte, hadden we een lijfspreuk...'

'Zien maar niet gezien worden,' onderbrak Holt hem, die ook bij de Stockholmse recherche had gewerkt. Zelfs samen met de levende legende Bo Jarnebring, Johanssons beste vriend.

'Daar weet je dus van, Anna,' zei Johansson. 'Denk daar maar eens goed over na,' voegde hij er plotseling aan toe. 'Er was nog iets...'

'Wacht eens even,' viel Holt hem in de rede. 'Stel dat het waar is wat je zegt. Waarom had hij ze dan niet eerder neergeschoten? In een donker steegje in Gamla Stan? Oké, misschien niet in de metro, want die zat vast vol met mensen en het is vrijwel onmogelijk om daar weg te komen.'

'Misschien kreeg hij daar geen gelegenheid voor,' zei Johansson. 'Als er in een dwarsstraat een surveillancewagen voorbijrijdt, is dat genoeg om hem van plan te doen veranderen. Of als er iemand langsloopt. Of als hij er simpelweg niet genoeg tijd voor heeft.'

'Ik denk dat hij hen toevallig zag op het moment dat ze de bioscoop in liepen, of misschien zelfs toen ze er uitkwamen,' zei Holt.

'Zelf geloof ik niet in toeval.' Johansson schudde zijn hoofd. 'Ik geloof er niets van dat hij ze pas zou hebben gezien nadat ze de bioscoop uitkwamen. Een of andere geschifte idioot die een buitengewone hekel aan Palme heeft en toevallig rondloopt met een gigantische, geladen revolver in zijn binnenzak. Dat juist zo iemand zo'n uitgelezen kans krijgt, daar geloof ik niet in.'

'Als hij hen voor de voorstelling zag, had hij twee uur de tijd om dat detail met dat wapen voor elkaar te krijgen,' volhardde Holt, die niet van plan was toe te geven. 'Er zijn verscheidene getuigenverklaringen die op die manier geïnterpreteerd kunnen worden. Dat op zijn minst één mysterieus figuur zich in de buurt van bioscoop Grand ophoudt, terwijl het echtpaar Palme daarbinnen zit.'

'Dat zou kunnen.' Johansson haalde zijn schouders op. 'Al hecht ik niet veel waarde aan die getuigen met hun mysterieuze man. Ook al hebben ze Christer Pettersson of een van zijn broeders in het kwaad gezien.'

'Oké.' Holt maakte een afwerend gebaar door haar handen op te heffen. Een laatste poging, dacht ze.

'Als we er nu van uitgaan dat het waar is wat je zegt,' vervolgde ze. 'Een heel andere, competentere figuur dan iemand als Christer Pettersson, geen eenzame gek dus, heeft te horen gekregen dat het slachtoffer en zijn vrouw hun woning zullen verlaten om naar de bioscoop te gaan...'

'Ja, of om gewoon de stad in te gaan,' viel Johansson in.

'Hij volgt ze vanaf hun woning in Gamla Stan, krijgt om diverse redenen niet de kans voordat ze in de bioscoop zijn, en omdat het daar stikt van de mensen, kan hij niet veel uitrichten. In plaats daarvan staat hij hen op te wachten als ze naar buiten komen. Hij achtervolgt ze, ziet zijn kans schoon om ze in te halen als ze de Sveavägen oversteken, stelt zich verdekt op en schiet ze neer op de kruising met de Tunnelgatan.'

'Ik had het zelf niet beter kunnen zeggen,' zei Johansson.

'Maar waarom kiest hij in hemelsnaam zo'n achterlijke plek uit?'

'De beste plek die er bestaat, als je het mij vraagt,' zei Johansson. 'Anders zouden we hier niet zitten. Die klootzak verdween immers in het niets.'

'Ik begrijp het,' zei Holt. Ik vraag me af hoe vaak al die collega's van ons over deze zaak hebben zitten hakketakken, dacht ze.

'Mooi,' zei Johansson. 'Dat brengt ons natuurlijk bij de volgende vraag: waar ging hij heen? Dat hij niet in het niets is verdwenen, moge duidelijk zijn.'

13

De dader was niet 'in het niets verdwenen'.

Hij was 'half hollend', 'op een sukkeldrafje' of 'joggend' de Tunnelgatan ingegaan, in de richting van de trappen naar de Malmskillnadsgatan. De woordkeuze in de verschillende getuigenverklaringen varieerde, maar over de wezenlijke betekenis ervan was de meerderheid het in elk geval eens. In totaal waren er bijna dertig ooggetuigen die de dader, het hele voorval, een deel van het voorval of een deel van de daaropvolgende gebeurtenissen hadden gezien.

Hoe de dader de Tunnelgatan in rent. Vanaf de Sveavägen gezien aan de linkerkant van het straatje. Hoe hij 'wijdbeens' langs de stoeprand tussen het trottoir en de straat rent. Hoe hij tijdens het rennen het wapen in de rechterzak van zijn jack, of jas, stopt.

Een andere keuze had hij niet. Aan de rechterkant van de Tunnelgatan staan bouwsteigers, dus daar kan hij niet langs. De Sveavägen aflopen is geen optie, omdat het daar wemelt van de mensen en auto's en er geen mogelijkheden zijn om weg te komen. Dus de Tunnelgatan in, waar zo te zien geen mensen lopen, in elk geval niemand die hem kan bedreigen, de duisternis in, de trappen op en verder. Dit weet hij allemaal al en hij weet ook dat er geen betere vluchtweg is dan deze.

'Hoeveel tijd kost het, Lewin,' vroeg Johansson, 'om in een rustig tempo van de plaats van het misdrijf door de Tunnelgatan via de trappen naar de Malmskillnadsgatan te rennen? In een rustig tempo?'

'Dat kun je teruglezen op pagina zeventien van mijn memo,' zei Lewin en hij begon in zijn papieren te bladeren.

'Fris dat slechte geheugen van me even op,' zei Johansson. Het liefst vandaag nog, dacht hij.

Ruim zestig meter van de plaats delict naar de trappen. Vervolgens vijftig meter de trap op naar de Malmskillnadsgatan. In totaal ruim honderd meter met een niveauverschil van vijftien meter. In een rustig looptempo doe je daar, volgens de reconstructies, tussen de vijftig en zestig seconden over.

Iemand als ik wel, vooropgesteld dat ik zo hard ren als ik kan, dacht Johansson, die bij voorkeur wandelde als hij aan lichaamsbeweging deed.

'En als je zo hard rent als je kunt?'

'Hooguit dertig seconden voor een goed getrainde man,' antwoordde Lewin. 'Volgens onze ooggetuigen rent hij eerst niet zo snel, maar hoe hard hij loopt als hij de trap op gaat, weten we niet zo goed. Daar hebben we maar één getuige van en zijn getuigenverklaring is niet helemaal eenduidig. Het is ook niet helemaal duidelijk hoeveel de getuigen eigenlijk gezien kunnen hebben. Behalve het feit dat hij de trap op is gerend, want daar lijkt onze hoofdgetuige tamelijk zeker van te zijn.'

'Wellicht moet ik hieraan toevoegen,' opperde Lewin, met een voorzichtige blik op zijn baas, 'dat we geen technische observaties hebben. Weliswaar ligt er hier en daar wat sneeuw en ijs op het trottoir, de stoeprand en de straat, maar er zijn geen voetafdrukken of andere sporen veiliggesteld die ons een indicatie kunnen geven van zijn paslengte.'

'Nee, dat deden ze niet,' zei Johansson, terwijl hij achteroverleunde en zijn handen over zijn buik vouwde.

'Het hoofd van de afdeling Forensische Opsporing en een paar van zijn medewerkers waren weliswaar ruim een uur na de moord ter plaatse, maar gezien de omstandigheden rond de plaats delict besloot men van dergelijke maatregelen af te zien. Die beschouwden ze als zinloos.'

'Dus in plaats daarvan gingen ze naar huis. Terug naar moeder de vrouw en de warme kachel, want het was tenslotte vrijdagavond,' constateerde Johansson. Stelletje luie lapzwansen, dacht hij.

'Ja, zo is het helaas gegaan. Dat de dader wijdbeens liep, een beetje in een sukkeldrafje, is door drie verschillende ooggetuigen zo beschreven.'

'Inderdaad,' zei Johansson.

'Ik denk dat hij dat deed om niet uit te glijden,' zei Lewin. 'Maar we hebben dus geen sporen veiliggesteld om dat te bewijzen.'

Volslagen onbegrijpelijk, dacht hij. Om een plaats delict zomaar te laten voor wat het is. Maar wie was hij om zijn collega's van Forensische Opsporing iets te verwijten? Aangezien hij zelf thuis in zijn bed lag en zoals altijd pas rond een uur of twee 's nachts in slaap kon komen. Totdat hij voor zes uur 's morgens alweer werd gewekt doordat zijn directe chef hem belde met de mededeling dat de minister-president de vorige avond was vermoord, dat het er nu op aankwam je te schikken naar de situatie en onmiddellijk naar de afdeling te komen.

'En wat gebeurt er dan?' vroeg Johansson.

Volgens Lewin was het volgende gebeurd.

De dader rent schuin de heuvel Brunkebergsåsen over en neemt een omweg om eventuele achtervolgers te misleiden.

'Dit is onder collega's de overheersende opvatting over de vluchtweg van de dader,' zei Lewin. 'Al vrij snel wordt er voor deze mogelijkheid gekozen. Na de minister-president te hebben neergeschoten rent hij de Tunnelgatan in en de trappen op naar de Malmskillnadsgatan, steekt de Malmkillnadsgatan over en loopt rechtdoor via de David Bagares gata. Na ongeveer honderd meter slaat hij linksaf de Regeringsgatan in en verdwijnt vervolgens in noordelijke richting. Waar hij vervolgens heen gaat, is minder duidelijk, maar volgens de overheersende opvatting zou hij, na nog eens honderd meter in looppas te hebben afgelegd in de Regeringsgatan, rechtsaf zijn geslagen en via de Snickarbacken door de Smala gränd zijn gelopen. Vervolgens komt hij uit in de Birger Jarlsgatan, op de hoek van het park, van Humlegården dus. Dat ligt ongeveer vijfhonderd meter van de plaats delict en in zijn looptempo moet hij daar ongeveer drie minuten over hebben gedaan.'

'Hoe weten we dat?'

'We hebben vijf verschillende ooggetuigen. In een soort getuigenketen, om het zo maar te zeggen. Hoewel je bij sommige schakels wel een vraagteken kunt zetten. Hoe het ook zij, binnen een week was er al besloten dat dit de vluchtweg moest zijn, en de collega's die het daderprofiel en de reconstructie van het misdrijf maakten, hebben die mogelijkheid blijkbaar overgenomen. Binnen een straal van vijfhonderd meter van de plaats delict zijn er natuurlijk talloze alternatieven. Maar ja...' Lewin haalde zijn schouders op.

Een getuigenketen met vijf schakels, die net als alle andere ketens net zo sterk is als de zwakste schakel ervan.

Eerst waren er verschillende getuigen die zagen dat de dader in de Tunnelgatan verdween. Hier waren ze het allemaal roerend over eens, bovendien was deze vluchtweg gezien de omstandigheden de enige denkbare. Na slechts vijftig meter was hij al uit hun gezichtsveld verdwenen en restte alleen nog de keten met de vijf schakels.

De eerste getuige in de keten, een man van in de dertig, is de enige die heeft gezegd dat hij de dader de trap naar de Malmskillnadsgatan op heeft zien rennen. Hij heeft ook begrepen dat hij de dader moet hebben gezien, omdat hij de twee schoten heeft gehoord en een deel van de gebeurtenissen heeft opgevangen.

De dader rent de trappen op, met twee treden tegelijk. Boven aan de trap, bij de Malmkillnadsgatan, blijft hij een ogenblik staan. Om zich te oriënteren, uit te blazen of om te kijken of hij gevolgd wordt, gaf de getuige zelf als mogelijkheden op tijdens het inleidende verhoor. Daarna is hij uit het gezichtsveld van deze getuige verdwenen.

Vervolgens is de getuige hem gevolgd. In het verhoor maakt hij er tevens geen geheim van dat hij behoorlijk onrustig was en niet veel haast maakte. Als hij zelf bij de Malmskillnadsgatan is aangekomen, komt hij de tweede getuige tegen, een vrouw, aan wie hij vraagt of ze iemand langs heeft zien rennen.

Dat heeft ze. Ze heeft een man gezien die de David Bagares gata in is gelopen, in de richting van de Birger Jarlsgatan. Veel meer heeft ze echter niet gezien, en als de eerste getuige in die richting kijkt, kan hij in elk geval niet de man ontdekken die de trappen op is gerend.

Als de dader op de David Bagares gata bij de Regeringsgatan de hoek omgaat, is hij volgens de derde en vierde getuige, een vrouw en een man, letterlijk de derde getuige tegen het lijf gelopen. De dader komt van achteren aanrennen, de vrouw hoort hem op haar af rennen, ze draait haar hoofd om en glijdt uit, de dader loopt tegen haar aan, ze slingert een paar scheldwoorden naar zijn hoofd, maar de dader trekt zich daar niets van aan en rent verder, waarna hij vrijwel onmiddellijk uit hun gezichtsveld verdwijnt.

De vijfde en laatste schakel van de keten had de meeste aandacht van het publiek getrokken en bij Lewin de meeste twijfel gezaaid. Een vrouw, die in de media 'de Tekenares' werd genoemd, had ongeveer een kwartier na de moord en nauwelijks vijfhonderd van de plaats delict in de Smala gränd een mysterieuze man waargenomen. De man loopt in elkaar gedoken met zijn handen in zijn broekzakken en als hij ontdekt dat de vijfde getuige naar hem kijkt – uiteraard had ze geen flauw benul van wat er met de minister-president was gebeurd – reageert hij 'verschrikt', draait zich om, versnelt zijn pas en verdwijnt in de richting van de Birger Jarlsgatan en de Humlegården.

Afgezien van alle twijfels omtrent de waarneming op zich had zij een diepe indruk gemaakt, niet alleen op de getuige maar ook op de onderzoeksleiders. Er werd een compositietekening van de dader gemaakt, die al een week na de moord in de media werd gepubliceerd en volgens de onderzoeksleiders een man voorstelde die 'mogelijk overeenkwam met de dader'.

'Al zal er nauwelijks nog iemand zijn die dat gelooft,' zuchtte Lewin. Ik van begin af aan niet, dacht hij.

'Een vraag uit nieuwsgierigheid,' zei Johansson met een onschuldig gezicht. 'Die vrouw tegen wie onze dader was opgelopen toen hij in de David Bageres gata de hoek omging en de Regeringsgatan inliep. Die vrouw die scheldwoorden naar zijn hoofd slingerde. Wat riep ze?'

'Kijk uit, vieze Marokkaan,' zei Lewin met een schuwe blik in de richting van Anna Holt.

'Marokkáán,' zei Johansson met opgetrokken wenkbrauwen. 'Waarom zei ze dat?'

Om een of andere reden scheen Lewin gegeneerd te zijn door de vraag.

'Ze is er absoluut zeker van, dat heeft ze tegen hem geroepen. Ze beweert dat dat haar exacte woorden waren en de aanleiding daarvoor was dat hij eruitzag als een... citaat... typische Marokkaan... einde citaat. Tja, ik heb in elk geval de indruk gekregen dat ze een bepaald beeld heeft van hoe zo iemand eruitziet. Haar verhaal wordt bovendien ondersteund door het verhoor met de man met wie ze samen was.'

'Ze heeft natuurlijk de foto's van Christer Pettersson moeten bekijken. Ons aller Palme-moordenaar.'

'Ja,' zei Lewin. 'Maar zoals je vast wel weet was dat pas in het najaar van 1988. Het duurt ruim twee jaar voordat Pettersson serieus naar voren wordt geschoven in het Palme-onderzoek.' Hij wil Anna een hak zetten, dacht Lewin.

'En?'

'Nee.' Lewin schudde zijn hoofd. 'Ze heeft Pettersson niet herkend.'

'Nu je dat zo zegt...' zei Johansson. 'Ik kan me nog vaag iets herinneren van dat verhoor. Was het niet zo, dat toen haar op de man af werd gevraagd of Christer Pettersson tegen haar aan liep, ze zoiets antwoordde als... dat ze in dat geval vast geen vieze Marokkaan naar hem had geroepen.'

'Ja,' zei Lewin. 'Iets dergelijks. Haar exacte woorden kan ik me niet meer herinneren. Maar die vraag wordt haar inderdaad gesteld. Er is zelfs een bandopname van. Al staat er niets over in het verslag, omdat er van dat deel van het verhoor alleen een samenvatting is gemaakt.'

'Wat had ze dan moeten zeggen,' onderbrak Holt hem terwijl ze Johansson aankeek. Slordig van me dat me dat verhoor is ontgaan, al kon Jan er in elk geval niets aan doen, dacht ze.

'Ze vond dat Pettersson eruitzag als een typische Zweedse zuiplap, een rasechte Zweedse boerenpummel. Absoluut niet als een Marokkaan,' constateerde Johansson tevreden.

'Wat ons vanzelf bij het volgende programmapunt brengt, namelijk Christer Pettersson, en over hem heb jij, Anna, een en ander te zeggen als ik het goed begrepen heb,' vervolgde hij met een onschuldig gezicht.

'Ja, dat klopt,' stemde Holt in, die besloten had om het spel mee te spelen en geen spier te vertrekken.

'Oké dan,' zei Johansson. 'Maar ik stel voor dat we eerst een kwartiertje uittrekken om de benen te strekken. Ik moet namelijk een paar telefoontjes plegen.'

14

Holt en Lewin waren in Lewins kamer gaan zitten om ongestoord te kunnen praten.

'Ik ben je mijn excuses verschuldigd, Anna,' zei Lewin.

'Waarvoor?' vroeg Holt. Je moet ophouden steeds je excuses aan te bieden Jan, dacht ze.

'Ik heb het materiaal over Pettersson dat je had meegenomen gezien. Het waren de gegevens die als basis dienden voor de aanklacht tegen hem, en de getuige tegen wie de dader aanbotste, de vrouw die hem iets nariep, zit er niet bij.'

'Dat is echt niet jouw fout,' vond Holt. 'Maar waar ik nieuwsgierig naar ben: zijn er meer getuigen die erbuiten werden gehouden toen ze Pettersson aanklaagden?'

'Ze gingen denk ik zoals altijd te werk. Ze namen de gegevens mee die de aanklacht ondersteunden en misschien hadden ze ervoor gekozen de rest te negeren. Het is echt een regelrechte farce.' Lewin keek haar somber aan. 'Zodra de verdenkingen jegens Pettersson in de media terechtkomen en hij een landelijke bekendheid wordt, komen er plotseling heel veel tips over hem binnen. Hij is ineens op alle mogelijke plekken in de buurt gesignaleerd. Soms kreeg ik het idee dat er in deze zaak voor ongeveer alles en iedereen getuigen zijn. Die in alle denkbare en ondenkbare richtingen wijzen.'

'Maar in het begin dan,' zei Holt. 'Als we ons beperken tot Christer Pettersson.'

'In het begin.' Lewin knikte nadenkend. 'Tja, geen van de ooggetuigen van de moord had hem als zodanig herkend. Niet zo vreemd misschien, als je bedenkt dat de meesten van hen gewone fatsoenlijke mensen zijn die niet omgaan met mensen als hij. Zoals ik al zei, laten ze de eerste foto's van hem pas in het najaar van 1988 aan de getuigen zien, tweeënhalf jaar na het misdrijf. Sommigen van hen zeggen een zekere gelijkenis met Pettersson te zien, maar meer dan dat is het niet. Toen niet. In verband met het verzoek tot herziening komen er nog meer getuigen bij die beweren dat ze Pettersson hebben gezien, mensen die in dezelfde situatie verkeren als hij, mensen die hem kennen, waarop sommigen van de eerdere getuigen kennelijk tot de conclusie komen dat ze waarschijnlijk toch Christer Pettersson hadden gezien. Op één uitzondering na. De enige die hem aanwees zodra ze hem de eerste keer te zien kreeg, was Lisbeth Palme. Dat was tijdens die beroemde, of zal ik zeggen beruchte, videoconfrontatie op 14 december 1988.' Lewin glimlachte flauw en schudde zijn hoofd.

'Die kun je je vast nog wel herinneren,' zei Lewin.

'Ja, inderdaad,' zei Holt. 'Maar ik luister graag. Wat is jouw mening daarover?'

'Tja, eerst zegt ze, Lisbeth Palme dus, dat je duidelijk kunt zien wie van hen de alcoholist is. Die rampzalige aanklager van toen had vóór de confrontatie al aan haar verteld dat de verdachte een alcoholist was. Daarna zegt ze: "Ja, het is nummer acht, hij voldoet aan mijn beschrijving, zijn gezichtsvorm, zijn ogen en zijn weerzinwekkende uiterlijk." Christer Pettersson was nummer acht in de line-up, zoals je weet.'

'Weet je hoe zeker ze daarvan was?'

'Tja. Ik weet het niet. Het begint al met die ongelukkige uitspraak van de aanklager. En dan die confrontatievideo. Die is op zijn minst opmerkelijk. Pettersson steekt enorm bij de rest af. Vergeleken met de anderen ziet hij er werkelijk weerzinwekkend uit. Helaas. Ik zou het niet weten.'

'Geen sterke aanwijzing.'

'Dat had zeker beter gekund.'

'Ik heb nog een vraag,' zei Holt. 'Als je het niet erg vindt?'

'Natuurlijk niet,' glimlachte Lewin en hij knikte.

'Waarom duurde het zo lang voordat ze interesse kregen voor Pettersson? Daar deden ze immers langer dan twee jaar over. Hoewel hij al twee dagen na de moord op de lijst met interessante personen stond en er in het voorjaar van 1986 een aantal tips over hem binnenkwam. Ik heb gezien dat ze eind mei 1986 een routineverhoor met hem afnamen. Ze vroegen hem wat hij op de avond van de moord had gedaan. Maar dat was alles. Pas twee jaar later kwam de zaak serieus op gang.'

'Goeie vraag,' stemde Lewin in. 'Maar ik ben bang dat daar geen goed antwoord op te geven is. De rechercheurs hadden die eerste twee jaar andere interesses,' zei Lewin met een scheef lachje.

'Wat denk je zelf?' vroeg Holt.

'In het ergste geval om de simpele reden dat hij daar zelf voor heeft gezorgd.'

'Hoezo, leg eens uit?'

'Tja, vreemd genoeg lijkt het aan de media voorbij te zijn gegaan, maar feitelijk is het zo dat er al een paar maanden na het misdrijf tips binnenkomen over Christer Pettersson, dat hij in de stad loopt rond te bazuinen of de suggestie wekt, of allebei, dat hij Olof Palme zou hebben doodgeschoten. Die tips komen van verschillende mensen uit zijn omgeving, en het worden er steeds meer naarmate de beloning hoger wordt.'

'Maar deden ze daar dan niks mee?'

'Nee,' antwoordde Lewin. 'Ze hadden vast hun handen vol aan dingen die ze belangrijker vonden. Bovendien is hij niet de enige die loopt op te scheppen dat hij Olof Palme heeft doodgeschoten. Er zijn er meer met dezelfde achtergrond die dat deden. Ze nemen hem pas serieus in de zomer van 1988. Dan trekken ze pas na wat hij die avond deed. Ze ontdekken dat hij op de avond van de moord in een illegale goktent in de buurt van de plaats van het misdrijf was. Dat zijn dealer een appartement in de Tegnérgatan vlak bij bioscoop Grand had. Het ene leidt tot het andere en ineens gaat het alleen nog maar om hem. Het is een merkwaardige geschiedenis.'

'Wat zegt hij daar dan over in het verhoor? Dat hij dat zelf rondbazuinde?' vroeg Holt.

'Hij ontkent categorisch, glashard,' zei Lewin. 'Onze collega's maken er ook niet veel ophef van. Vooral vanwege hun tipgevers, die van hetzelfde soort zijn als Pettersson. Het is trouwens tijd om terug te gaan naar onze geliefde chef,' zei Lewin op zijn horloge kijkend.

'Nou ja, geliefd,' zei Holt.

'Ja ja,' zei Johansson, terwijl hij Holt vol verwachting aankeek zodra ze op haar plek was gaan zitten. 'Nu krijgen we de waarheid over Christer Pettersson te horen.'

'Dat kan ik je niet beloven,' zei Holt. 'Maar ik beloof je dat ik zal zeggen wat ik vind.' Ik zal je toch nog wat te denken geven, dacht ze.

'Ik luister aandachtig.' Johansson leunde achterover in zijn stoel, met zijn handen over zijn buik gevouwen.

'Christer Pettersson was de moordenaar van Olof Palme,' zei Anna Holt.

'Zo, die zit.'

'Jazeker,' zei Holt. Zeg wat je wilt, dacht ze.

'Zou je niet een beetje, hoe zal ik het zeggen... een beetje concreter willen zijn?' Johansson liet zich nog een paar centimeter onderuitzakken.

'Vanzelfsprekend. Ik heb er zelfs een memootje over geschreven.' Ze haalde een plastic hoesje uit haar map en pakte er een paar A4'tjes uit die ze ronddeelde. Eerst aan Johansson, daarna aan Lewin en ten slotte aan Mattei. Een blaadje met vijf punten, en onder elk punt minder dan een regel geschreven tekst.

'Voorbeeldig kort,' zei Johansson nadat hij een snelle blik op het blaadje had geworpen. 'Vertel,' zei hij met een knikje naar Holt. Ik moet Holt hebben overschat, of ze wil me alleen maar een hak zetten, dacht hij.

15

Het eerste punt van Holts lijstje droeg de titel 'Het signalement van de dader'.

Volgens ooggetuigen zou de dader op zijn minst een meter tachtig lang en tussen de dertig en vijfendertig jaar zijn geweest. Hij droeg een donkere jas, iets langer dan een jack en korter dan een trenchcoat, tot halverwege zijn dijbeen. Zijn manier van bewegen werd omschreven als 'lomp', 'hinkend', 'zwoegend', 'als een olifant'.

'Dit is redelijk goed van toepassing op Pettersson, als je het mij vraagt,' vatte Holt samen.

'Ja, dit is echt een geweldig signalement,' zei Johansson met een onschuldig gezicht. 'Wat vind je trouwens van die getuigen die de dader beschrijven als soepel als een grote beer, als iemand met krachtige, beheerste bewegingen, die een lenige, sterke indruk maakte toen hij wegrende, die twee treden tegelijk nam toen hij de trap naar de Malmskillnadsgatan oprende. Om maar niet te spreken van onze Marokkaan-getuige. De enige getuige die lichaamscontact met de dader heeft gehad. Of al die mensen die bij de Grand een zonderling met een doordringende blik hebben gezien. Of dat fijn gebouwde kunstenaarstype dat onze zogenaamde tekenares bij de Birger Jarlsgatan heeft gezien. De man op die compositietekening. Die vrouw die zelf ook een of andere kunstenares scheen te zijn. Zal ik verdergaan?'

'Het is goed zo,' zei Holt met een vriendelijke glimlach. 'Sommige van deze tips zijn vast ook van toepassing op Pettersson.'

'Het gezicht en het haar, dan?' Johansson ging er nog onschuldiger uitzien.

'Afgezien van Lisbeth Palme heeft geen van de getuigen daar informatie over kunnen verstrekken,' antwoordde Holt.

'Nee, precies,' zei Johansson. 'Soms heeft onze moordenaar een muts op, soms niet en gezien de tijdstippen allebei tegelijk. Wat Lisbeth betreft, denk ik dat het zelfs zo slecht gesteld is dat ze de dader nooit heeft gezien. Ik denk dat hij in haar dode hoek stond, als ik me deze uitdrukking mag permitteren. Schuin achter haar.'

'Later kom ik terug op Lisbeth Palme,' zei Holt. 'Nu wil ik graag het volgende punt behandelen. Punt twee.'

'Vertel,' zei Johansson.

Rond het tijdstip van de moord bevond Christer Pettersson zich in de nabije omgeving van de plaats van het misdrijf. Zoals hijzelf had toegegeven was hij bij de illegale gokhal Oxen in de Malmskillnadsgatan geweest.

'Dus daar is hij in elk geval geweest,' zei Holt. 'Verder hebben we andere getuigen die hem bij bioscoop Grand hebben gezien. Waar hij overigens een dealer heeft zitten, die een appartement in de Tegnérgatan heeft.'

'Ons aller dealer van die tijd, Sigge Cedergren,' zei Johansson. 'Nu niet langer onder ons en net als al die andere drugsverslaafde warhoofden van de Grand werd hij steeds zekerder van zijn zaak naarmate de jaren verstreken. Want vlak na de moord hadden ze niet veel te vertellen.'

'Dat geef ik toe,' zei Holt. 'Maar daar zit een zekere logica in. De kans is vrij groot dat hij Olof Palme zuiver toevallig tegen het lijf is gelopen. Hij bevond zich vaak in die contreien, en hij was daar niet om in de bioscoop *De gebroeders Mozart* te zien.

'Op dat laatste punt ben ik het helemaal met je eens,' stelde Johansson vast. 'Al denk ik zelf dat de dader bij bioscoop Grand en later bij de plaats delict terechtkwam omdat zijn slachtoffer hem erheen leidde. Ik denk dat hij hem vanuit Gamla Stan is gevolgd, toevalliger dan dat was het niet.'

'Ik begrijp het,' zei Holt. 'Mijn derde punt,' vervolgde ze en ze hield haar blaadje omhoog. 'Er zijn verscheidene tips waaruit blijkt dat Christer Pettersson in elk geval tijdelijk over een revolver zou hebben beschikt, van hetzelfde type als het moordwapen. Sigge Cedergren kwam daar onder andere mee, hij zou een dergelijk wapen aan hem hebben uitgeleend.'

'Waar hij en al die andere vriendjes van Pettersson zo'n tien jaar na de moord ineens aan denken. Wat ze eerst hebben ontkend, daarna hebben bekend en vervolgens weer terugnemen. In die context zijn me twee heel andere dingen opgevallen,' zei Johansson.

'Zoals wat?'

'Dat er geen greintje bewijs is dat hij in zijn twintigjarige criminele loopbaan vóór de moord een vuurwapen zou hebben gebruikt. Daarna evenmin. Het enige dat we hebben, zijn de herinneringen van Cedergren en consorten van tien jaar na de moord op Palme.'

'En dat tweede punt?' vroeg Holt. 'Wat was je nog meer opgevallen?'

'Dat ik er voor de volle honderd procent van overtuigd ben dat onze dader geroutineerd en behendig om kon gaan met zogeheten eenhandswapens, dat wil zeggen pistolen en revolvers. Pettersson kon dat niet. Hij kon nauwelijks de voorkant van de achterkant onderscheiden.'

'Was de dader een geoefende schutter? Hoewel hij Lisbeth Palme van een meter afstand heeft gemist?'

'Geloof me maar,' zei Johansson. Zinloos om daarover met een vrouw te bakkeleien, dacht hij.

'Ik begrijp het,' zei Holt. 'Maar ik geloof het dus niet.' Ik kan ook schieten, dacht ze.

'Ik krijg het vermoeden dat we het hier niet over eens worden,' concludeerde Johansson. 'En dat vierde punt? Dat Pettersson door Lisbeth Palme zou zijn aangewezen? Ik vermoed dat je weet hoe dat ging?'

'Ja,' zei Holt. 'Ik vind toch dat het een goede confrontatie was.'

'Waarom in hemelsnaam,' zei Johansson verhit. 'Eerst is er die idioot van een aanklager die raaskalt dat de dader een alcoholist is. Dan heb je die zogenaamde confrontatievideo, een regelrecht circus, ware het niet dat een van hen erin rondhuppelt met een stoppelbaard, gymschoenen en een smerige oude trui.'

Holt had zich vastgehouden aan twee andere omstandigheden. Dat Lisbeth Palme merkbaar onaangenaam getroffen was toen ze Christer Pettersson zag.

'Ze was gestrest, ronduit bang,' zei Holt.

'Wat had je anders verwacht,' snoof Johansson. 'Zoals hij eruitzag op die video.'

'Vervolgens geeft ze min of meer spontaan aan dat de dader geen snor had. Dat had Pettersson op de video wel, maar volgens het onderzoek niet rond de tijd van de moord.'

'Allejezus, denk je dat zo'n type als Christer Pettersson zich elke dag scheert? Hij had vast en zeker om de week een snor, als je het mij vraagt.'

'Er is nog iets waar ik over heb nagedacht. Dat wat jij net aangaf, was onder meer de reden waarom het gerechtshof Lisbeth Palmes getuigenverklaring afwijst. Al die fouten die in verband met de confrontatie zijn gemaakt.'

'Uiteraard,' zei Johansson. 'Dat zou me anders wat moois zijn.'

'Stel je nu eens voor dat Lisbeth degene was die vermoord zou zijn en dat Olof Palme de aanslag had overleefd. Dat hij degene zou zijn geweest die had moeten getuigen en dezelfde waardeloze confrontatie had moeten ondergaan als zij. Stel dat hij Christer Pettersson had aangewezen, op dezelfde manier als Lisbeth had gedaan. Hoe zou het vonnis dan hebben geluid?'

'Dan zou Pettersson vermoedelijk veroordeeld zijn. Ook bij het gerechtshof maken ze fouten.'

'Je hebt hier geen andere ideeën over?' vroeg Holt.

'Nee,' antwoordde Johansson. Misschien is het zelfs zo erg dat Holt en die kleine Mattei onder één hoedje spelen vanwege een of ander vervloekt sekseperspectief, dacht Johansson. Hoewel ze er onschuldig genoeg uitziet, dacht hij en hij gluurde nors in de richting van Mattei.

Als vijfde en laatste argument voerde Holt aan dat Christer Pettersson uitstekend voldeed aan het daderprofiel dat hun collega's van de rijksrecherche hadden opgesteld in samenwerking met de experts van de FBI.

'In het profiel wordt de dader als volgt beschreven,' begon Holt.

'Het gaat om een eenzame dader met voornamelijk chaotische en psychopathische karaktereigenschappen. Een intolerante, onloyale, meedogenloze man die wordt gestuurd door impulsen, plotselinge ingevingen en bevliegingen. Een gestoorde persoonlijkheid die moeite heeft om normale relaties met andere mensen in stand te houden. Die aan de oppervlakte weliswaar zelfverzekerd kan overkomen, maar zich tegelijkertijd opgeblazen, onecht gedraagt. Een mens zonder innerlijk kompas. Hij is niet geïnteresseerd in politiek maar koestert waarschijnlijk intense haatgevoelens jegens de samenleving en haar vertegenwoordigers. Een eenzame man die een mislukt leven leidt. Die sinds zijn jeugd slechte contacten onderhoudt met zijn familie. Dat hij zou hebben deelgenomen aan een complot, in groot of klein verband, wordt geheel uitgesloten.'

'Stel je voor,' snoof Johansson.

'Ja, stel je voor,' herhaalde Holt. 'Hij is dus ongeveer één meter tachtig lang en tamelijk stevig gebouwd. Hij is rechtshandig en niet bijzonder goed getraind. Waarschijnlijk is hij in de jaren veertig geboren en heeft hij enige ervaring met vuurwapens. Hij woont en leeft alleen, heeft slechts sporadisch contact met vrouwen en heeft vermoedelijk geen kinderen. Hij is waarschijnlijk laagopgeleid en heeft geen baan. Als hij al heeft gewerkt, dan moet dat ongekwalificeerd werk zijn geweest, gedurende korte perioden. Hij staat er financieel slecht voor, heeft een goedkope huurwoning met een laag woningpeil. Hij is waarschijnlijk bekend bij de politie voor eerder gepleegde misdrijven van minder ernstige aard. Hij woont, werkt of verkeert vaak om andere redenen in de omgeving van de plaats delict en van bioscoop Grand.'

Holt sloeg haar ogen op van haar blaadje en keek naar Johansson.

'Dezelfde man die volgens hetzelfde profiel, verbeter me als ik het mis heb, niet in contact zou zijn geweest met de psychiatrische zorg. Die niet zwaar verslaafd zou zijn aan alcohol of narcotica,' zei Johansson. 'Dus dan kan onze dader in elk geval niet Sigge Cedergren, Petterssons persoonlijke tapkraan en hofleverancier, hebben bezocht om stuff te kopen. Misschien was hij toch van plan naar de bioscoop te gaan?'

'Ik begrijp het,' zei Holt. 'Maar voor negentig procent gaat het toch over Christer Pettersson, ondanks...'

'Negentig procent? Dat vraag ik me ten zeerste af,' onderbrak Johansson haar. 'Iemand die zich volgens het profiel mogelijk aan kleinere vermogensdelicten schuldig zou hebben gemaakt, maar nooit iemand heeft doodgestoken met een bajonet, nooit een overval heeft gepleegd of allerlei mensen heeft bedreigd. Alleen al om die reden heeft Pettersson meer dan tien jaar in de bak of in het gesticht moeten doorbrengen. Om maar niet te spreken van al die jaren die hij heeft moeten zitten voor drugsdelicten en al die andere shit waar hij zich mee inliet. Plus het feit dat hij zo goed als dagelijks zoop en snoof sinds hij een kleine jongen was.'

'Denk je soms dat dat in zijn voordeel spreekt?' vroeg Holt met een onschuldig gezicht.

'In dit geval denk ik dat inderdaad,' antwoordde Johansson. 'Wil je weten hoe ik over de dader denk?'

'Graag,' zei Holt. Dat wil ik ook, dacht ze.

'Om te beginnen denk ik dat hij hulp kreeg. Geen bijzondere hulp misschien, maar ik denk dat hij wel een of meer vormen van contact moet hebben gehad. Voordat hij tot zijn daad overging.'

'Oké,' zei Holt.

'De dader is geordend en scherpzinnig. Hij is goed getraind. Sterk. Hij is nooit veroordeeld en niet verslaafd aan drugs. Hij heeft autoriteit en tegenwoordigheid van geest, en grijpt zijn kans als de gelegenheid zich voordoet. Hij heeft een aanzienlijke ervaring opgebouwd met betrekking tot het gebruik van geweld en hij is een zeer geoefende, rechtshandige schutter. Het wapen dat hij gebruikt, is waarschijnlijk van hemzelf en hij heeft het in elk geval niet gekocht op het Sergels torg. Hij heeft een uitstekende kennis van de omgeving, een rijbewijs, een auto, goede huisvesting en voldoende financiële en andere middelen. Hij beschikt kortom over alle eigenschappen die nodig zijn om spoorloos te kunnen verdwijnen, hoewel dat eigenlijk onmogelijk had moeten zijn, gezien de wijze waarop hij het deed.'

'Hij is dus het tegenbeeld van het gegeven daderprofiel,' vatte Holt samen.

'Nee,' zei Johansson hoofdschuddend. 'Dat hij een hekel had aan Palme, daar ga ik in mee. Dat psychologische gezeik over hem en over zijn jeugd laat me koud. Het is een slecht mens. Natuurlijk. Normale mensen schieten een figuur als Palme niet van achteren neer, ongeacht hun stemgedrag.'

'Daar zijn we het dan over eens,' zei Holt met een flauwe glimlach.

'Laat de rest toch zitten. Zo'n man als hij zou niet vrij rond mogen lopen. Hij moet levenslang krijgen en als het aan mij ligt, maak ik gehakt van die klootzak.'

'Dat laatste onderschrijf ik niet, maar verder zijn we het eens,' zei Holt.

'Mooi,' zei Johansson en met een ruk stond hij op. 'We spreken elkaar over een week weer. Dezelfde tijd, dezelfde plaats. Dan wil ik zijn naam hebben.'

'Deze zaak lijkt onze chef enorm aan het hart te gaan,' zei Lewin toen hij samen met Holt het overleg had verlaten.

'Ik twijfel geen moment aan zijn persoonlijke betrokkenheid,' glimlachte Holt.

'Ik begrijp wat je bedoelt,' zei Lewin instemmend. 'Het probleem met deze zaak is denk ik dat het absoluut onmogelijk is om de waarheid uit het materiaal te halen. Zoals ik al zei. Wat je er ook van vindt en hoe je er ook over denkt, er is altijd wel een getuigenverklaring te vinden die je ondersteunt.'

'Je denkt aan die vrouwelijke getuige die de dader voor een vieze Marokkaan uitmaakte,' zei Holt. 'Slordig van mij dat ik die heb gemist.'

'Nee. Ik dacht eigenlijk aan een heel andere getuige. Al is zij uit het onderzoek verdwenen. Haar getuigenverklaring werd niet interessant genoeg bevonden. Ik heb er een kopie van bewaard. Die ligt op mijn kamer, mocht je interesse hebben. Ik heb er nooit iets mee gedaan. Het kwam er niet van,' constateerde Lewin met een zucht.

'Ik wil het graag lezen,' zei Holt.

'Natuurlijk, je krijgt het van me. Al moet ik je van tevoren waarschuwen. Het is bepaald geen probleemloze getuige.'

'Heeft ze van die problemen die een getuige niet mag hebben? Zo'n getuige die door onze chef altijd wordt uitgemaakt voor warhoofd, onderkruipsel of toverkol?' Holt keek Lewin vragend aan.

'Absoluut,' antwoordde Lewin. 'Maar in dit geval is dat het probleem niet.'

'Wat is er dan?'

'Het wordt pas echt problematisch als je ervan uitgaat dat haar uitspraken kloppen,' zei Lewin, terwijl hij de deur van zijn kamer voor Holt openhield en achter hen dichtdeed.

'Wat bedoel je daarmee?' herhaalde Holt.

'Het is te hopen dat ze zich vergist heeft,' zei Lewin. 'Hier is het trouwens.'

Lewin opende een map die hij uit zijn keurig geordende boekenkast haalde, nam er een dun plastic hoesje met wat papieren uit en gaf het aan Holt.

'Alsjeblieft Anna, succes ermee. Je bent vast een stuk moediger dan ik.'

‘Wat gaat er dan gebeuren als het klopt wat ze zegt?’ vroeg Anna, terwijl ze het dunne hoesje in haar hand woog.

‘Dan krijgen we problemen.’ Lewin keek haar ernstig aan. ‘Grote problemen,’ zei hij en hij knikte bedachtzaam.

16

De dag na het tweede overleg had Lisa Mattei haar sociologische onderzoekje afgesloten. Ze had dertien oude Palme-rechercheurs geïnterviewd, uiteraard allemaal mannen, van wie er zes met pensioen waren gegaan, drie nog altijd in het Palme-team werkzaam waren en vier het team hadden verlaten om andere taken binnen het ambt te vervullen. Bij elkaar genomen hadden haar dertien oudere collega's nagenoeg honderd jaar van hun werkzame leven gewijd aan het zoeken naar de man die ruim twintig jaar geleden de toenmalige minister-president had vermoord.

Geen van hen leek enige problemen te hebben met de reden waarom ze met hen wilde praten. Integendeel, ze vonden het bijna allemaal een uitstekend idee. Het werd hoog tijd dat er iets aan die berg papier werd gedaan die nu vooral stof stond te verzamelen. Een aantal van hen wist al direct waarvoor ze kwam, zonder dat ze een vraag had hoeven stellen.

'Een uitstekend idee. Ik heb je baas Johansson op tv gezien, toen hij die journalisten eventjes de les las. Dat is pas een echte politieagent. Niet zo'n boekenwurm met een juristendiploma. We kennen elkaar van onze tijd bij de recherche in Stockholm, en als er iemand was die gevoel voor het werk had, was het Lars Martin wel. Ook al was hij in die tijd nog een jonge vent. Zeg hem maar dat hij alles wat niet met Christer Pettersson te maken heeft in de kelder kan zetten en dat het nog simpeler zou zijn om alles te verbranden. Dat mag je hem trouwens ook wel zeggen. Want laf is hij nooit geweest. En ik kan het weten...'

'De Koerden. De Koerden hebben Palme doodgeschoten. Die terroristen binnen die revolutionaire arbeiderspartij van ze, de PKK. Dat heb ik, en vele collega's met mij, vanaf het begin al begrepen, dus het is echt niet onze fout dat het team later al die stapels papier heeft verzameld, al vrees ik dat het nu te laat is om die fout te herstellen. Het grootste schandaal was toch wel dat we de zaak niet mochten afronden. De politici en de journalisten hebben de zaak om doodeenvoudige politieke redenen van ons afgenomen. De journalisten voerden de druk op, het OM zwichtte en de politici liepen er als gewoonlijk achter aan. Hoewel Palme een sociaaldemocraat was en we een socialistische regering hadden. En zoals ze Hans Holmér hebben behandeld, hij was hoofdcommissaris van politie in de regio Stockholm zoals je vast wel weet, en dat zeg ik vooral omdat het vóór jouw tijd was. Dat was ronduit schandalig als je het mij vraagt. Hij werd alleen maar ontslagen omdat hij weigerde een stelletje politici en krantenlui de dienst te laten uitmaken...'

'Lijkt me een uitstekend voorstel. Haal om te beginnen alles eruit wat met die Koerden te maken heeft. Die hadden niks met de moord op Palme te maken. Dankzij hem konden dat soort lieden hierheen komen. Palme had het beste voor met immigranten en op zich heb ik daar niet zoveel over te zeggen. Mensen die zich aan hem ergerden, deden dat volgens mij vooral vanwege zijn persoonlijkheid. Dat zo'n type als Christer Pettersson het gedaan zou hebben, geloof ik niet. Hij was simpelweg te chaotisch om zoiets te kunnen. Volgens mij wist hij niet eens wie Palme was. Bovendien is hij al een paar jaar dood, dat is al reden genoeg hem uit de Palme-zaak te halen. En dan al die politieke speculaties over Iran en Irak, India en de Bofors-affaire, Zuid-Afrika en noem maar op. Al zou er iets van waar zijn, dan kunnen wij daar als politie toch niets aan doen? Bovendien geloof ik er niets van. Ik denk dat de verklaring heel eenvoudig is. Dat een gewone burger genoeg had van Palme en zijn politiek en misschien zelfs dacht dat hij spioneerde voor de Russen. Er waren er heel wat die dat destijds dachten, moet je weten. Iemand die simpelweg het recht in eigen handen nam toen hij Palme toevallig op de Sveavägen bij bioscoop Grand tegen het lijf liep...'

Er zat een steeds terugkerend patroon in de antwoorden die Mattei had gekregen. Een verwacht patroon. Ze geloofden in datgene waaraan ze hadden gewerkt, of in elk geval waaraan ze het meest hadden gewerkt. En ze geloofden zelden in de theorie waarnaar ze geen onderzoek hadden gedaan. Op één punt, bij wijze van een hoogst verbazingwekkende uitzondering, waren ze het echter allemaal eens.

Alle geïnterviewden, op één na, hadden categorisch het politiespoor afgewezen, en degene die daar het minst in geloofde, was de rechercheur die bij elkaar genomen ruim vijf jaar van zijn politieloopbaan had geprobeerd uit te vinden wat zijn collega's eigenlijk deden ten tijde van de moord op Palme.

'Ik kan het je beloven en verzekeren,' zei hij terwijl hij ernstig naar zijn bezoekster knikte. 'Al die tips die de media al die jaren hebben opgeblazen. Als je eenmaal gaat uitzoeken wat die tips eigenlijk om het lijf hebben, is het in het beste geval je reinste flauwekul. Ik zeg in het beste geval, want maar al te vaak was er boze opzet in het spel, van een stelletje betweters en criminelen die onze collega's wilden beschuldigen.'

Er gaat toch nog iets stelligs uit van onze oude moordrechercheurs, dacht Mattei toen ze in haar dienstauto plaatsnam om het roodgeschilderde Sörmlandse boerderijtje te verlaten, waar haar laatste interviewslachtoffer van zijn welverdiende plattelandsrust genoot en haar zowel op koffie met zoete broodjes als vruchtensap met koekjes had getrakteerd. Vooral van die gepensioneerden, dacht ze. Hun pensioen maakte hun tongen los en gaf hun zowel tijd als zin om te vertellen hoe het eigenlijk allemaal in elkaar stak. Vooral nu ze het aan een jonge vrouwelijke collega mochten vertellen, die 'slim en bescheiden' leek te zijn.

Ze moesten eens weten, dacht Mattei en ze giechelde. Al waren ze over het algemeen tamelijk onschuldig en waren de meesten van hen tenminste goede vertellers. Ze had slechts bij een van hen tegen een ontmoeting opgezien. Tijdens hun gesprek, terwijl haar kleine taperecorder draaide en de geïnterviewde uitvoerig sprak over Olof Palme en allerlei andere uiteenlopende zaken, had ze zich vooral zitten verbijten.

Hoofdinspecteur Evert Bäckström, 'legendarisch moordrechercheur, dertig jaar in het vak en door velen beschouwd als de meest vooraanstaande speurder van allemaal', volgens de anonieme bron die in het allerlaatste artikel over het wanbestuur bij de rijksrecherche ijverig werd geciteerd. Geheel in overeenstemming met de Zweedse Afgunst was dit dan ook, volgens dezelfde bron, de enige verklaring voor het feit dat het hoofd van de rijksrecherche ruim een jaar geleden diezelfde Bäckström van Rijksmoordzaken naar de afdeling Opsporing Vermiste Goederen van de politie Stockholm had verbannen.

'Dus die slimmerik uit de Lapse wildernis heeft hulp nodig om dat gedoe rond Palme op te lossen,' zei Bäckström, terwijl hij achterover zakte in zijn stoel en door de grootste opening van zijn hawaïshirt, dat strak over zijn buik gespannen zat, aan zijn navel krabbelde.

'Nee, het gaat om iets anders,' zei Mattei. 'We hebben de opdracht gekregen de registratie van het materiaal van het Palme-onderzoek door te lichten, en hij was geïnteresseerd in jouw standpunten. Welke prioriteit je aan de verschillende onderdelen van het materiaal moet geven.'

'Ja ja, oké, en dat moet ik geloven,' zei Bäckström met een sluwe blik vanachter zijn halfgesloten oogleden. 'Stel je voor, de registratie doorlichten.'

'Ik heb begrepen dat je er in de beginfase bij was en dat jij onder andere die drieëndertigjarige hebt opgespoord, Åke Victor Gunnarsson.'

'Dat klopt inderdaad,' zei Bäckström. 'Ik was degene die dat stuk braakmiddel heeft gevonden en als ik die zaak in handen had mogen houden, had ik er tenminste voor kunnen zorgen dat die tot op de bodem werd uitgezocht. Maar in plaats daarvan kwam er een of andere oudere, zogenaamde collega om het over te nemen. Zo eentje die zijn tong bruin heeft gelikt bij die zogenaamde politieleiding. Als jullie antwoord willen hebben op al die vraagtekens rond Gunnarsson, dan moet je bij hem zijn. Niet bij mij.'

'Is er een bepaald spoor dat volgens jou prioriteit moet krijgen?' vroeg Mattei om hem af te leiden.

'Papier en pen,' zei Bäckström met een dwingend knikje. 'Dan heb je iets om aantekeningen mee te maken,' verklaarde hij terwijl hij zijn eigen balpen in zijn rechteroor stak om irriterende oorsmeerafzettingen te verwijderen.

'Er is heel wat materiaal dat je in de kelder kunt zetten,' vond Bäckström, die het resultaat van zijn hygiënische actie bekeek en zijn pen aan zijn bureauonderlegger afveegde. 'Haal om te beginnen al die wijven eruit. Alle motieven, modus operandi en alle mogelijke daders die op een wijf lijken, of ze nu een broek dragen of niet. Ik zal verder niet ingaan op wat ik van het zogenaamde slachtoffer vind, maar een wijf was het nooit gelukt om Palme op die manier te villen. Zelfs een wijf als Palme niet,' verduidelijkte hij. 'Hij was competent, die rotzak die de trekker overhaalde.'

Vervolgens had Bäckström bijna een uur gesproken zonder zich te laten onderbreken. Over mogelijke daders, motieven en werkwijzen.

Zo goed als iedereen, dat wil zeggen alle volkomen normale Zweedse mannen zoals hijzelf, hadden volgens hoofdinspecteur Bäckström een motief om de premier te vermoorden. De drijfveer om het te doen – naar zijn onbetwistbare, beroepsmatig gevormde ervaring – zou sterker moeten zijn naarmate men meer met het slachtoffer te maken had. Het mooie daarvan was tegelijkertijd dat juist het aandeel wijven, of ze nu een broek of een rok droegen, buitengewoon groot was rond zo'n figuur als Palme, wat op zijn beurt grote mogelijkheden bood om al die stapels papier eens behoorlijk uit te dunnen.

'Zeg me met wie je omgaat, dan kan ik zeggen wie je bent,' vatte Bäckström samen. 'In onze oude Bijbel staan heel wat teksten die het overdenken waard zijn.'

'Ik begrijp daaruit dat je niet gelooft in die vaak opgeworpen hypothese over een eenzame gek die zuiver toevallig Olof Palme bij bioscoop Grand in het vizier kreeg,' onderbrak Mattei hem alert.

'Een en al flauwekul,' volgens Bäckström. 'Ten eerste hoefde je niet gek te zijn om Palme neer te willen schieten. Daar stond tegenover, ten tweede, dat je "enorm veel pit in je donder" moest hebben, en het zou natuurlijk optimaal zijn geweest, ten derde, als je van tevoren een beetje wist wat Palme van plan was.'

'Vergeet alles wat met Christer Pettersson en al die andere dronken torren te maken heeft,' snoof Bäckström. 'Allochtonen, dronkenlappen en ander gespuis. Waarom zouden die Palme iets willen doen? Hij was juist iemand die hun een hand boven het hoofd hield. We hebben het in dit geval over een kerel die alles goed onder controle heeft, met een prima kennis van de omgeving, die handig is met een blaffer en een hele hoop ijs in zijn aderen heeft.'

'Zoals bijvoorbeeld een politieman, een militair of iemand met een dergelijke achtergrond,' vroeg Mattei.

'Ja, of een oude schutter of jager. Of misschien zelfs die Gilljo. De enige schrijver in dit land die die titel waardig is, als je het mij vraagt. Hij staat bovendien op een van de onderzoekslijsten van mogelijke verdachten. We kregen een enorme berg tips over hem. Dus ga eens bij Janne Gilljo kijken als je niks beters te doen hebt. Ik geloof meer in een type als hij, of een militair, dan in een collega,' vatte Bäckström samen terwijl hij knikte. 'Ik bedoel, mijn collega's en ik hadden altijd nog de hoop dat we de kans zouden krijgen om Palme te snappen als hij bezopen was,' verduidelijkte hij. 'Een schrale troost is ook een troost, zelfs als de algehele misère op zijn grootst is. Zoals het was in de tijd toen Palme nog leefde.'

'Palme betrappen op dronkenschap?' vroeg Mattei, die voor de zekerheid naar haar taperecorder gluurde.

'De meest voorkomende natte droom onder mijn collega's in die tijd,' grijnsde Bäckström, die op zijn horloge keek. 'Neem me niet kwalijk, Mattei, maar ik heb nog een en ander te doen.'

'Natuurlijk,' zei Mattei en zo snel als ze kon, stond ze op. 'Ik wil je oprecht bedanken voor je medewerking.'

'Nog een paar dingen, voor de goede orde. Ik beschouw dit als een vertrouwelijk gesprek en ga ervan uit dat alles wat ik heb gezegd, onder ons blijft.'

'Zoals ik in het begin al zei, blijven alle geïnterviewden anoniem.'

'Moet ik dat geloven?' Bäckström grijnsde.

'Je wilde nog iets zeggen,' hielp Mattei hem herinneren terwijl ze haar taperecorder, papier en pen in haar tas stopte en voor de zekerheid de rits dichttrok.

'Je hoeft die boerenpummel niet de groeten van me te doen.'

'Dat beloof ik, je hoeft je niet ongerust te maken.'

'Ik maak me nooit ongerust,' zei Bäckström. 'Dat is niet mijn ding.'

Lisa Matteis onderzoekje had vijf dagen gekost, maar de conclusie had ze al getrokken voordat ze was begonnen. Het materiaal in de Palme-kamer was het resultaat van het werk van haar collega's, en op twee uitzonderingen na geloofde men in wat het eigen werk had opgeleverd.

De steun voor het politiespoor beperkte zich tot Bäckströms algemene overpeinzingen en het materiaal dat men erover had verzameld, was niet bijzonder omvangrijk.

De grote uitzondering hierop vormde het zogeheten Koerdenspoor, dat dankzij het speurwerk van de politie zelfs meer papier had gegenereerd dan het onderzoek naar Christer Pettersson. Afgerond had dat in één jaar tijd geresulteerd in tweehonderd arbeidsjaren en een enorme hoeveelheid dossiermappen. Uiteindelijk bleef er van de dertien rechercheurs één man over die geloofde wat daarin stond, en van al die honderden met wie ze geen contact had opgenomen, zouden het er niet veel meer zijn.

Na het laatste interview had ze tot laat in de avond op haar werk gezeten om een memo te schrijven over haar bevindingen. In tegenstelling tot de vijfentwintig pagina's van Lewin waren het er slechts twee. Vervolgens had ze deze naar Johansson gemaild. Alleen naar Johansson, omdat ze vond dat het zijn zaak was te beslissen of anderen haar memo mochten lezen.

En wat nu, dacht Mattei terwijl ze haar computer afsloot. Tijd voor iets heel concreets en voor een gesprek met mams, besloot ze.

17

Johansson was zoals gewoonlijk als eerste op zijn werk aangekomen. Het uur voordat zijn secretaresse opdook, gebruikte hij om in alle rust een extra kop koffie te drinken, zijn mail te lezen en alle andere dingen te doen waar hij anders de rest van de dag niet aan toe zou komen.

Voorbeeldig kort en goed geschreven, dacht Johansson toen hij het memo had gelezen dat Mattei naar hem had gemaild. IJverig is ze ook, dat sprietje, dacht hij. Volgens zijn weblog was haar memo de vorige avond even voor elven zijn mailbox binnengekomen.

Al is er weinig opwindends aan, want wat erin staat, wist ik al, dacht hij. Wat dat betrof was alle hoop vervlogen dat een van die ouwe rotten met een nieuw, spannend en voldoende concreet opsporingsidee zou komen.

Zijn enige troost was dat in elk geval een van zijn oudere collega's dezelfde gedachtegang scheen te hebben gevolgd als hij. Een bescheiden complot in de omgeving van het slachtoffer en een zeer capabele dader die het praktische gedeelte afhandelde.

Dat moet Melander zijn geweest. De mentor van Jarnebring en hemzelf toen ze meer dan dertig jaar geleden bij de dienst Centrale Recherche in Stockholm waren begonnen. Ik vraag me af hoe het gaat met die ouwe rakker, dacht hij terwijl op datzelfde moment Anna Holt door zijn openstaande deur naar binnen kwam, op de deurpost klopte en met witte tanden glimlachte.

'Klop, klop,' zei Holt. 'Dat zeg jij toch altijd als je bij iemand komt binnenvallen?'

'Ga zitten, Anna.' Johansson knikte in de richting van zijn bank. 'Wat doe je hier op dit tijdstip?' Het is eigenlijk een bijzonder knap vrouwtje, dacht hij. Wat aan de magere kant, misschien, en ze kan soms behoorlijk zeuren, maar toch...

'Ik moet er direct weer vandoor,' zei Holt, terwijl ze haar hoofd schudde. 'Een korte vraag alleen.'

'*Shoot.*'

'Als jij Palme had neergeschoten, de Tunnelgatan in was gerend en de trappen naar de Malmskillnadsgatan op was gelopen, welke kant zou je dan op zijn gegaan?'

Oei, dacht Johansson.

'Ik heb drie keuzemogelijkheden,' antwoordde hij. 'Ik kan linksaf de Malmkillnadsgatan ingaan, in de richting van het park bij de Johanneskerk, ik kan de straat oversteken en rechtdoor lopen, zoals de dader dat naar men zegt heeft gedaan, over de heuvel Brunkebergsåsen heen dus. Of ik kan rechtsaf de Malmskillnadsgatan inlopen in de richting van de Kungsgatan.'

'Welke kant zou jij op zijn gegaan?'

'Naar rechts,' zei hij en hij knikte om zijn woorden kracht bij te zetten, 'de trap naar de Kungsgatan af, me mengen onder de mensen en daarna in de metro verdwijnen.'

'Waarom?' vroeg Holt.

'Omdat dat de beste optie is.'

'Dank je,' zei Holt. Ze knikte, glimlachte, draaide zich om en verdween.

Ik vraag me af waar ze op uit is, dacht Johansson, en ook al zeiden ze dat hij om de hoek kon kijken, hij had niet het geringste vermoeden dat Holt sinds een dag geleden zijn gedachten deelde. Ik vraag me af of de kleine Mattei er al is. Hij keek op zijn horloge. Ik kan het proberen, dacht hij, en hij toetste haar nummer in.

'Ga zitten, Lisa,' zei Johansson en hij wees naar de stoel aan de andere kant van zijn bureau.

'Dank je,' zei Mattei en ze deed wat haar werd gezegd. Opletten, Lisa, dacht ze.

'Bedankt voor je mailtje,' zei Johansson. 'Voorbeeldig kort. En goed geschreven.'

'Dank je,' zei Mattei. 'Al ben ik bang dat het geen nieuwe ideeën heeft opgeleverd.'

'Nee,' zei Johansson. 'Maar dat hadden we dan ook geen van beiden verwacht. Over nieuwe ideeën gesproken, ik hoopte dat jij er wellicht een zou hebben.'

Nu is het buigen of barsten, dacht Mattei, en als de boel barstte en alles misliep, zou ze toch nog scoren, als Johansson er van tevoren van op de hoogte was.

'Ik heb inderdaad een idee,' begon Mattei. 'Ik weet het niet, maar...'

'Ga door.' Johansson knikte bemoedigend.

'Ik heb nagedacht over wat je eergisteren zei tijdens het overleg. Over Palmes bioscoopbezoek. Ik ben het eens met jouw opvatting. Volgens mij is het heel goed mogelijk dat hij van tevoren over de kwestie heeft gesproken, dat zijn plannen bekend waren bij zijn collega's en dat ze onze collega's van de Säpo ook ter ore zijn gekomen.'

'Dus nu denk je erover om je moeder jou en een inmiddels gepensioneerde chef Koninklijke en Diplomatieke Bewaking te laten uitnodigen voor een etentje en het eten en de drank de rest te laten doen,' constateerde Johansson. Die meid kan het net zover schoppen als ik, dacht hij.

'Zoiets, ja,' zei Mattei. Hij kan de hoek om kijken, maar dat wist ik natuurlijk al, dacht ze.

'Hoe lang zit ze nu al bij de Säpo? Je moeder, bedoel ik,' verduidelijkte Johansson.

'Sinds ik naar de crèche ging,' antwoordde Mattei. 'Al bijna dertig jaar. Nu werkt ze als intendant bij de afdeling Grondwetsbescherming. Ze gaat volgend jaar met pensioen.'

'Al mag je dat eigenlijk niet zeggen,' zei Johansson die zelf uitvoerend chef was bij de veiligheidsdienst voordat hij bij de rijksrecherche terechtkwam. 'Had ze ook niet bij de Koninklijke en Diplomatieke Bewaking gezeten?'

'In de jaren tachtig, inderdaad. Ze heeft daar een aantal jaar gewerkt, ook in de tijd dat Palme werd vermoord. Ze was verantwoordelijk voor de koningin en de kinderen van het koninklijk paar,' zei Mattei. 'Als ik dat zeggen mag.' Wat moet je anders met vrouwen op die plek, dacht ze.

'Tegen mij kun je zeggen wat je maar wilt,' zei Johansson met een autoritaire blik. 'Het blijft tussen deze vier muren, namelijk.'

'Hoofdinspecteur Söderberg kent ze dus goed. Zoals je vast nog wel weet was hij verantwoordelijk voor de regering en voor Palme. Hij heeft altijd een oogje op mijn moeder gehad.' Wie had dat niet in die tijd, dacht ze.

'Maar natuurlijk,' zei Johansson. 'Wie had dat niet? Je moeder is een mooie vrouw. Maar na de moord op Palme is Söderberg nooit meer helemaal de oude geworden,' voegde hij eraan toe. Het zou raar zijn als dat wel zo was, dacht hij.

'Hij schijnt het zich enorm te hebben aangetrokken in het begin, hoewel hij de laatste keer dat ik hem zag, toen mijn moeder een etentje gaf ter ere van haar zestigste verjaardag, een gezonde, stralende indruk maakte. Dus hij zal zich zeker nog tot in de details de gebeurtenissen rond de moord op Palme kunnen herinneren.'

'Klinkt goed, dan doen we het zo,' zei hij met een hoofdknik. 'Zeg het me als je praktische hulp nodig hebt.'

'O ja, er was nog iets,' zei Johansson, bij wie plotseling iets te binnen schoot. 'Wie van die oude Palme-speurders had hetzelfde goede idee als ik?'

'Dat kan ik niet zeggen.' Mattei schudde opmerkelijk gedecideerd haar blonde hoofd. Mijn hemel, dacht ze.

'Ik luister nog steeds,' zei Johansson.

'Zelfs niet aan jou,' hield Mattei vol. 'Ik heb iedereen volledige anonimiteit beloofd. Je kunt een lijst met namen krijgen van de geïnterviewden, maar ik kan niet ingaan op wat deze of gene heeft gezegd.'

'Ik begrijp het,' zei Johansson. 'Hoe was het trouwens met Melander,' voegde hij er met een onschuldig gezicht aan toe. 'We hebben een eeuwigheid geleden samengewerkt bij Opsporing.'

'Goed,' antwoordde Mattei. 'Ik moest trouwens de groeten doen.' Deze hoek was te moeilijk voor je, dacht ze.

'Natuurlijk,' zei Johansson tevreden.

18

'Wat bedoelt hij eigenlijk?' dacht Holt, toen ze zich de dag daarvoor had teruggetrokken in haar kamer om de papieren te lezen die Lewin haar had gegeven.

Het waren bij elkaar tien pagina's en bovenop lag een aangifteformulier dat al op zaterdag 1 maart 1986, de dag na de moord, was opgesteld. Het was toen een jonge vrouw gelukt om door de overbelaste telefooncentrale van de Stockholmse politie heen te komen, en blijkbaar had ze zo'n sterke indruk gemaakt op de collega die haar te woord stond, dat hij haar had gevraagd om naar Kungsholmen te komen, zodat ze haar konden verhoren.

Het verhoor met die jonge vrouw, Madeleine Nilsson, geboren in 1964, had zaterdagavond laat plaatsgevonden bij de Dienst Centrale Recherche in Kungsholmen. Van het verhoor was een samenvatting gemaakt die niet meer dan een A4'tje in beslag nam en was afgenomen door een voor Holt onbekende collega met de naam Andersson, die het had doorgestuurd naar de afdeling Geweldsdelicten voor een eventueel vervolg of verdere maatregelen.

'Samenvattend heeft Nilsson het volgende te melden. Vrijdagavond bevond ze zich in een bar in de Vasagatan, waar ze met bekenden had afgesproken om een biertje te drinken. Nilsson kan zich de naam van de bar niet herinneren, maar ze zegt dat die schuin tegenover het Centraal Station ligt, in de richting van de Kungsgatan. Nadat ze rond 23.00 uur afscheid had genomen van haar gezelschap, begaf ze zich te voet op weg naar haar woning aan de Döbelnsgatan 31. Ze volgde de Kungsgatan in oostelijke richting, stak de Sveavägen over en nam vervolgens de trappen aan de linkerkant van de Kungsgatan, naar de Malmskillnadsgatan. Vervolgens liep ze door de Malmskillnadsgatan en de Döbelnsgatan in noordelijke richting verder naar haar woning, waar ze circa 23.30 uur aankwam.

Ongeveer halverwege de trap van de Kungsgatan naar de Malmskillnadsgatan kwam ze een eenzame man tegen die in een rap tempo de trappen afliep naar de Kungsgatan. Nilsson is niet helemaal zeker van het tijdstip, maar ze denkt dat het toen ongeveer 23.20 uur moet zijn geweest.

De man was circa een meter tachtig lang, breedgeschouderd en had een normaal postuur. Hij maakte een goed getrainde indruk en leek niet onder invloed te zijn van een of ander middel. Hij had donker, kortgeknipt haar en Nilsson schat zijn leeftijd tussen de vijfendertig en veertig jaar. De man droeg geen hoofddeksel, was gekleed in een halflange, donkere jas of een lang jack met opgestoken kraag en een lange, donkere broek (echter geen jeans). Gegevens over zijn schoeisel ontbreken. Nilsson kan zich evenmin nader uitspreken over zijn verdere uiterlijke kenmerken, aangezien de man zijn hand voor zijn gezicht hield, alsof hij zijn neus wilde snuiten, toen hij haar passeerde. Haar algemene indruk is echter dat hij er goed uitzag, met regelmatige gelaatstrekken en donkere ogen.

Tijdens de wandeling van de kruising Sveavägen-Kungsgatan naar haar woning aan de Döbelnsgatan heeft ze verder niets interessants waargenomen. Ten slotte is Nilsson beslist van mening dat het rustig was in de stad. Ze heeft slechts een paar mensen gezien tijdens haar wandeling door de Döbelnsgatan en niemand van hen gedroeg zich merkwaardig. Toen ze door de Döbelnsgatan liep, kwam ze een politiebusje tegen dat in de richting van de Malmskillnadsgatan reed. Het busje reed langzaam, zonder zwaailicht en sirenes. Ze kan zich dit herinneren omdat ze naar haar knipperden met hun groot licht.'

Oké, dacht Holt, tot zover alles goed en wel, afgezien van het feit dat de getuigenketen al bij de tweede schakel zomaar breekt. Als het inderdaad klopt, dacht ze.

Woensdag 5 maart, een week na de moord, was Madeleine Nilsson op de afdeling Geweldsdelicten in Stockholm opnieuw verhoord. Het verslag telde zeven pagina's. Ook deze verhoorder heette Andersson, geen bekende van Holt. Naar zijn voornaam te oordelen was dit een andere Andersson dan de man die de getuige een paar dagen eerder bij de recherchedienst had gesproken, en had hij een heel andere houding ten aanzien van haar.

Eerst had ze hetzelfde verhaal moeten vertellen als enkele dagen daarvoor. Vervolgens werd haar gevraagd of ze namen kon opgeven van de personen met wie ze in de bar aan de Vasagatan had gezeten. Dat wilde ze niet en ze wilde ook niet vertellen waarom.

De vragen die daarop volgden, wonden er geen doekjes om en boden geen enkele ruimte voor twijfel over de wending die het verhoor had genomen.

Wat had ze eigenlijk op vrijdagavond 28 februari in het stadsdeel City te zoeken?

Ze had al verteld wat ze had gedaan. Niet meer, niet minder.

Was het niet zo dat ze eigenlijk in de buurt van de Malmskillnadsgatan rondliep om 'een klant op te pikken'?

Of 'wat softdrugs te kopen'? Of misschien zelfs een beetje 'harddrugs'?

Daar wilde ze niet eens op ingaan. Ze had gedaan wat ze had gedaan. Niet meer, niet minder. Ze had de politie gebeld omdat ze wilde helpen. Als het zo ging wilde ze niet meer meewerken.

Na nog een paar vragen rond hetzelfde thema werd het verhoor beëindigd en de handgeschreven aantekeningen die haar verhoorder op het verslag had gemaakt, betekende tevens het einde voor getuige Madeleine Nilsson.

'Getuige Nilsson niet geloofwaardig. Komt voor in vijf verschillende onderdelen van het strafregister (diefstal, oplichterij, kruimeldiefstal, drugsdelicten, enz.). Staat bekend als drugsverslaafde en prostituee.'

De hoofdinspecteur van de afdeling Geweldsdelicten die de verschillende getuigenverklaringen onderzocht op waarnemingen van de dader, had omtrent het belang van haar verklaring in elk geval dezelfde conclusie getrokken. Volgens de fotokopie van zijn besluit om de verklaring te verwerpen, was het verhaal van de getuige 'niet relevant'. 'De getuige heeft zeer waarschijnlijk de beschreven plek vóór de moord op OP gepasseerd.'

Zijn handtekening was duidelijk leesbaar en Holt wist maar al te goed wie hij was. Toen ze, enkele jaren na de moord op Palme, bij de recherche van Stockholm begon te werken, was ze hem bij verschillende gelegenheden tegen het lijf gelopen. Een van de oude legendarische figuren bij Geweldsdelicten, hoofdcommissaris Fylking. Tegenwoordig zowel gepensioneerd als overleden.

Wat bedoelt hij eigenlijk, vroeg Holt zich af, en ze dacht daarbij aan haar collega Jan Lewin, die het laatste vel papier van het dunne stapeltje had geschreven. Uitgetypt en keurig netjes, zoals alles wat van Lewin kwam, opgesteld op 30 maart 1986, precies vier weken na de moord. Verbazingwekkend kort voor zijn doen. Slechts zes punten op een normaal A4'tje. Ondertekend door toenmalig inspecteur bij de afdeling Geweldsdelicten in Stockholm Jan Lewin. Hij leek toen hoofdzakelijk dezelfde man te zijn als nu.

Wat hij had geschreven was in wezen zo onbetwistbaar als het maar zijn kon. De kwintessens van wat de politie feitelijk van de gebeurtenis afwist. Het probleem zat hem in Lewins nauwkeurigheid. Al die plaatsen waar alle deelnemers zich bevonden, het liefst op de vierkante meter exact aangegeven. Al die tijdstippen waarop ze zich ergens bevonden, op de seconde nauwkeurig genoteerd als dat mogelijk was. Alle verplaatsingen en overige menselijke zaken waar de dader en de getuigen zich in de tussentijd mee bezighielden. Vanzelfsprekend berekend in meters en seconden. De pedagogische waarde ervan was nihil, het leesplezier zo goed als niet aanwezig en het had Holt meer dan een kwartier gekost voordat ze erin geslaagd was door Lewins woordenbrij heen te dringen en eindelijk begreep wat er stond.

Het eerste punt van zijn memo was nog te begrijpen. Van de vier die daarop volgden, groeide de moeilijkheidsgraad exponentieel, al was de eerste aanzet nog het meest veelzeggend.

'1) De Zweedse minister-president Olof Palme werd op 28 februari 1986, ca. 23.21.30 uur op de hoek van de Sveavägen en de Tunnelgatan vermoord.'

Jaja, oké, dacht Holt toen ze ruim een kwartier later eindelijk bij de tweede bladzijde was aangekomen. Lewin heeft de klok afgesteld op Getuige Een. Hij is degene die de film mag starten als de dader op de vlucht slaat, en daarmee kun je alle andere klokken die daarop voor- of achterlopen wel vergeten.

Getuige Een loopt door de Tunnelgatan in de richting van de plaats van het misdrijf als hij het eerste schot hoort en zich tegelijkertijd realiseert wat er dertig meter verderop in de straat gebeurt. Dan verstopt hij zich – beschermd door de duisternis, de bouwsteigers, hopen bouwmateriaal en al het andere puin dat aan de rechterkant van de straat ligt opgestapeld – terwijl de dader aan zijn linkerkant op slechts een paar meter afstand 'voorbij jogt'. Pas als de dader gepasseerd is en zich voor een moment aan het gezichtsveld van de getuige onttrekt, gluurt hij vanuit zijn schuilplaats naar buiten en ziet hij hoe de dader de trappen naar de Malmskillnadsgatan oprent, boven aan de trap even blijft staan en daarna uit het zicht verdwijnt.

Getuige Een verklaarde in het eerste verhoor, het eerste van een reeks verhoren die de politie vlak daarna met hem zou afnemen, dat hij vervolgens 'ongeveer een minuut' had gewacht voordat hij zijn betrekkelijk veilige positie verliet om de dader te achtervolgen. Voorzichtig, voorzichtig, eerst door de Tunnelgatan tot aan de trappen en vervolgens de trappen op naar de Malmskillnadsgatan. Volgens Lewin had deze verplaatsing hem 'nog eens ca. zestig seconden' gekost.

De conclusie was helder. Getuige Een verschijnt op dezelfde plaats waar hij de dader heeft zien verdwijnen, 'circa twee minuten na de dader'. De dader is dan ook foetsie. De enige die Getuige Een ziet is Getuige Twee, en hij stelt haar de vraag of ze 'een man in een donkere jas voorbij heeft zien rennen'. Dat bevestigt ze. Ze heeft 'zojuist' gezien hoe 'een donkergeklede vent' de Malmskillnadsgatan overstak en de David Bagares gata in rende.

Het probleem is alleen dat ze hem niet gezien kon hebben, als hij twee minuten eerder die plek was gepasseerd.

In Lewins bewoordingen: 'Rekening houdend met de positie van Getuige Twee op het moment dat ze deze man observeert, met het feit dat ze tijdens het verhoor verklaart dat ze de hele tijd in noordelijke richting heeft gelopen – dat wil zeggen de brug over de Kungsgatan over, in de richting van de trappen naar de Tunnelgatan – en met de zuiver fysieke mogelijkheid om deze observatie te kunnen doen, kan deze dientengevolge op zijn vroegst gedaan zijn dertig seconden voordat Getuige Twee verderop in de Malmskillnadsgatan Getuige Een tegenkomt, oftewel circa anderhalve minuut nadat de dader de desbetreffende plek heeft verlaten.'

Hetzelfde gold voor getuige Nilsson, volgens Lewin. Nauwelijks een minuut voordat Getuige Twee de Malmskillnadsgatan in loopt, is Nilsson de trap naar de Tunnelgatan gepasseerd en uit het zicht verdwenen, met een bocht naar links de Döbelnsgatan in, op weg naar haar woning aan de Döbelnsgatan 31.

En de dader? Die is allang verdwenen. Nog een minuut daarvoor zou getuige Nilsson hem namelijk op de trappen van de Malmskillnadsgatan naar de Kungsgatan zijn tegengekomen. Ongeveer zestig meter rechts van de trappen die van de Tunnelgatan naar de Malmskillnadsgatan leiden, en in een heel andere richting dan iedereen behalve Lewin scheen te geloven.

Onder het zesde en laatste punt van zijn memo had Lewin zijn conclusies genoteerd. In elk geval op een redelijke, begrijpelijke wijze, vergeleken met de argumentatie die hij nodig had om tot die conclusies te komen.

'...het kan niet worden uitgesloten dat de man die getuige Nilsson op de trap naar de Kungsgatan tegenkomt, de dader is. Dit sluit evenwel uit dat de man die Getuige Twee de David Bagares gata in heeft zien gaan, identiek is aan de dader. Dat Getuige Twee een man heeft gezien die deze straat is ingelopen, lijkt echter zeer waarschijnlijk, gezien de getuigenverklaringen van Getuige Drie, die circa vijftig meter verder in dezelfde straat omver is gelopen door een man, en van Getuige Vier, de man die in het gezelschap van Getuige Drie verkeerde en de gegevens uit het verhoor van Getuige Drie bevestigt. Dat de man die door de getuigen Twee, Drie en Vier is geobserveerd, tevens de dader is, lijkt minder waarschijnlijk, aangezien hij anderhalve minuut te laat ter plaatse is.'

Eindelijk, dacht Holt.

'Ga zitten, Anna,' zei Jan Lewin vijf minuten later. Hij glimlachte en knikte naar de lege stoel die voor zijn bureau stond. 'Iets minder dan een uur,' zei hij op zijn horloge kijkend. '*Long time no see*, zoals de Engelsen zeggen.'

'Ik ben altijd wat langzaam geweest,' zei Holt. 'Wij meisjes zijn wat langzaam van begrip, zoals je weet.'

'Dat heb ik nooit geloofd, en voor jou en Lisa geldt toch wel dat jullie sneller van begrip zijn dan de meesten van ons.'

'Nou ja, met behulp van jouw betoog heb ik de clou in elk geval begrepen. Wat ik daarentegen niet begrijp, is waarom je getuige Nilsson de voorkeur geeft boven de getuigenketen van onze oude collega's. Zou het niet zo simpel kunnen zijn als Fylking dacht? Dat Nilsson weliswaar iemand op de trap naar de Kungsgatan kan zijn tegengekomen, maar dat die ontmoeting plaatsvond voordat Palme werd neergeschoten?'

'Jazeker, dat zou heel goed kunnen. Alleen blijven we dan met het tweede probleem zitten.'

'Wil je het nog een keer uitleggen? Ik denk dat ik het begrijp, maar toch. Ik ben een beetje traag, zoals je weet,' zei Holt.

'Het probleem met de getuigenverklaring van Getuige Twee is dat ze de man die ze zag, te laat de David Bagares gata in heeft zien rennen. Ik weet niet meer precies wat ik had uitgerekend, maar ik dacht dat het om zo'n anderhalve minuut ging. Als het inderdaad de dader was, had ze hem anderhalve minuut eerder moeten zien, en als je bedenkt waar ze zich toen bevond, een flink eind van de trappen bij de Tunnelgatan, kan ze hem niet hebben gezien. Het is uitgesloten dat ze de dader de Malmskillnadsgatan heeft zien oversteken. Dat is het hele punt. Of het grote manco in de redenering van onze collega's, als je het zo wilt noemen.'

'Dan snap ik het,' zei Holt. 'Ik begrijp je redenering.'

'In een gebied van die beperkte omvang kan er veel gebeuren in anderhalve minuut,' zei Lewin met een bedachtzame blik. 'Als je flink doorloopt, kun je in anderhalve minuut honderdvijftig meter afleggen. Als je in een sukkeldrafje loopt of rent, kan dat op zijn minst tweehonderd meter of meer zijn.'

'Oké,' zei Holt. 'Even alles op een rijtje. Toen Getuige Een in de Tunnelgatan liep, wie zag hij toen?'

'De dader,' antwoordde Lewin. 'Daar twijfel ik geen moment aan. Heb ik nooit aan getwijfeld.'

'Getuige Twee dan, wie heeft zij de Malmskillnadsgatan zien oversteken en de David Bagares gata in zien gaan?'

'Iemand anders dan de dader,' constateerde Lewin. 'Iemand die in ons tijdschema anderhalve minuut later is dan de dader.'

'Maar wacht eens even,' zei Holt. 'Als hij de dader niet is, waarom gedraagt hij zich dan zo vreemd? Volgens Getuige Twee probeert hij zijn gezicht te verbergen als hij haar passeert. Je hebt zelf geschreven dat het dezelfde man is die in de David Bagares gata tegen Getuige Drie aanloopt.'

'Dat is absoluut waar,' knikte Lewin. 'In deze buurt – en dan heb ik het over de wijken boven de plaats delict, rond de Malmskillnadsgatan, de David Bagares gata, de Regeringsgatan, oftewel de dichtstbijzijnde wijken – waren er, volgens onze eigen bevindingen, op het tijdstip dat Palme wordt neergeschoten meer dan honderd man op straat. En hoeveel van hen wilden, gezien het tijdstip en de locatie, koste wat het kost vermijden om met types als jou en mij te praten? Dat zijn er veel te veel, als je het mij vraagt. Laten we niet vergeten dat dit de klassieke prostitutiewijk van Stockholm was en dat er ook talloze gewone criminelen en drugsverslaafden rondhingen.'

'Een andere schurk,' zei Holt met een glimlach. 'Die Palme weliswaar niet heeft neergeschoten, maar toch ook heeft begrepen dat er bij de Sveavägen ter hoogte van de Tunnelgatan iets vervelends is gebeurd, waar hij niet bij betrokken wil raken.'

'Zoiets, ja.' Lewin knikte. 'Misschien kun je je van het verhoor met Getuige Twee nog herinneren dat ze zegt dat hij niet alleen zijn gezicht probeerde te verbergen...'

'Dat weet ik nog,' onderbrak Holt hem. 'Ze had gezien dat hij iets in een polstasje propte en dat tasje in zijn jaszak probeerde te stoppen.'

'Precies,' zei Lewin. 'Dat heeft een diepe indruk gemaakt op veel collega's. Ze dachten namelijk dat het een wapenetui of een wapentas kon zijn en dat hij zodoende bezig was om zijn wapen weg te moffelen.'

'Klinkt niet onwaarschijnlijk.'

'Ik vind van wel,' zei Lewin met een flauwe glimlach.

'Waarom?'

'Om drie redenen. Ten eerste is er sprake van een revolver. Een grote revolver. Bijna vijfendertig centimeter, van de achterkant van de kolf tot aan het uiteinde van de loop. Zo een die nauwelijks in een jaszak past. Als je hem bovendien in een rechthoekig etui stopt, dan moet je wel hele grote zakken hebben, om het voorzichtig uit te drukken.'

'Ten tweede,' vervolgde hij, 'is het, vermoedelijk om dezelfde reden, bijzonder ongebruikelijk om een tasje of op een tas lijkend etui voor een revolver te hebben. Dat geldt niet voor pistolen. Daarvoor bestaan tasjes om ze in te stoppen. Onder andere voor onze dienstwapens in die tijd, onze Walther-pistolen.'

'Dat weet ik nog,' zei Holt met een glimlach. 'Ik heb namelijk ook met zo'n tasje rondgelopen.' Zelfs tijdens een of ander koninklijk diner, dacht ze.

'Ik heb zo'n vermoeden waarom,' zei Lewin en hij moest ook glimlachen. 'Dan weet je vast wel dat jouw wapen de helft minder ruimte innam dan die revolver met een loop van vijftien centimeter die vrijwel zeker werd gebruikt om Palme neer te schieten.'

Ik begrijp je gedachtegang, dacht Holt.

'En ten derde? Je derde reden?'

'Het moment waarop hij dat deed. Als ze de dader inderdaad had gezien, zou hij nog maar honderd meter van de plaats delict verwijderd zijn, en dan heeft hij toch nauwelijks de gelegenheid gehad om zijn revolver in een tasje te stoppen? Een tasje dat hem belemmert om direct zijn wapen te gebruiken, mocht hij het nodig hebben, twee keer zoveel ruimte in zijn jaszak inneemt en er bovendien voor zorgt dat zijn wapen nog gemakkelijker wordt ontdekt als hij aangehouden en gefouilleerd wordt. Al geloof ik wel dat er een tasje was,' zei Lewin met een glimlach. 'Getuigen verzinnen dat soort waarnemingen hoogstzelden.'

'Waarom had hij er dan een?'

'Het kwam op mij over als zo'n handtasje waar veel drugsverslaafden hun spullen in bewaren. Zoals hun spuiten, om het risico te vermijden dat ze zich prikken, wat gemakkelijk gebeurt als je ze gewoon in je zak stopt, een gebogen lepel waarop ze de drugs mengen en verwarmen, een kaarsstomp, een plastic flesje met water om het spul te verdunnen, een lucifersdoosje of aansteker, eventueel een postzegelzakje voor overgebleven drugs. Nou ja, je weet wel wat ik bedoel.'

'Ik begrijp precies wat je bedoelt,' stemde Holt in. Iemand die alleen maar stiekem een shot wilde nemen op verreweg de slechtste plek van de stad, dacht ze.

'Denk je niet dat het een medeplichtige kan zijn geweest?' vervolgde ze. 'De man die Getuige Twee had gezien toen hij de Malmskillnadsgatan overstak? Iemand die op de achtergrond stond af te wachten om de aftocht van de schutter te dekken, wellicht?'

Lewin ging rechtop zitten.

'Die gedachte is bij me opgekomen,' zei hij. 'Maar ik denk het niet.'

'Waarom niet?'

'Als hij verderop in de Tunnelgatan zogezegd op de achtergrond stond, zou Getuige Een hem geobserveerd moeten hebben toen hij door de Tunnelgatan liep. Maar oké, het is misschien vooral een gevoel als ik zeg dat hij niets met de zaak te maken kan hebben. Iemand die gewoon op de verkeerde tijd op de verkeerde plek is. Dat is wat ik denk.'

'Laten we nog even terugkomen op de tijden,' zei Holt.

'Prima,' vond Lewin.

'Een andere mogelijkheid is natuurlijk dat onze eerste getuige, Getuige Een van de getuigenketen, beduidend sneller is dan jij denkt,' opperde Holt. 'Misschien staat hij slechts twintig seconden in plaats van een minuut te wachten, nadat hij de dader bij de Malmskillnadsgatan heeft zien verdwijnen. Misschien heeft hij helemaal geen minuut nodig om de trappen op te rennen. Misschien loopt hij net zo snel als de dader. Misschien is hij een minuut na de dader al bij de Malmskillnadsgatan. Hij is twee keer zo snel als jij denkt, Jan.'

'In dat geval vertoont hij een grote mate van valse bescheidenheid in de verhoren die met hem zijn gehouden,' constateerde Lewin met een aanzet tot een glimlach. 'Maar ook al is hij twee keer zo snel, het probleem is daarmee nog niet opgelost. Dan is hij nog altijd een halve minuut te laat bij de Malmskillnadsgatan.'

'Willen de tijden kloppen, dan moet hij dus zo hard als hij kan achter de dader aanrennen zodra hij hem bij de Malmskillnadsgatan uit het oog verliest,' vervolgde hij. 'Hij mag geen seconde afwachten om te zien of hij veilig is. Razendsnel door de Tunnelgatan en de trappen op. Dat kan hij in dertig seconden. In dat geval komt zijn verhaal nagenoeg overeen met de vermeende waarnemingen van Getuige Twee.'

'Maar niet met zijn eigen getuigenverklaring, want die heb ik namelijk gelezen.' Holt schudde haar hoofd. 'Nog afgezien van het feit dat het van zijn kant bezien een pure zelfmoordpoging zou zijn geweest.'

'Nee, hij probeerde bepaald niet de held uit te hangen als je hem hoorde spreken. Hij maakte zowel een geloofwaardige als een sympathieke indruk op mij.' Lewin knikte instemmend.

'Tot nu toe zijn we er alleen nog maar in geslaagd om de getuigenketen volledig om zeep te helpen,' constateerde Holt. 'Zelfs zonder uit te gaan van het verhaal van de getuige Madeleine Nilsson. Het is nog altijd mogelijk dat ze vóór de moord voorbij is gelopen en dat degene die ze tegenkwam, ook niets met de zaak te maken had.'

'Zeker, maar ik stond vanaf het begin al sceptisch tegenover de reconstructie van de vluchtweg van de dader. De tijden klopten niet, zoals je begrijpt.'

'Heb je daar met collega's over gesproken?' vroeg Holt.

'Nee. Ik had genoeg andere dingen aan mijn hoofd. Al die parkeerboetes en oude zelfdodingen zoals je misschien nog wel weet,' antwoordde Lewin met een voorzichtig kuchje.

'Al vier weken na de moord heb je een memo over de zaak geschreven. Dan moet je daar van tevoren al een flinke tijd over hebben nagedacht.'

'Ongeveer twee weken daarvoor,' zei Lewin. 'Madeleine Nilsson had een week nadat ze voor de tweede keer was verhoord, contact met me opgenomen. We maakten een afspraak en spraken met elkaar. Daarna heb ik geprobeerd een nieuwe reconstructie te maken van de vluchtweg die onze collega's hadden gemaakt en die toen al voor de ware doorging.'

'Je hebt Nilsson verhoord,' constateerde Holt.

'Nou ja, verhoord.' Lewin haalde zijn schouders op. 'Ze wilde met me praten, dus dronken we samen een kop koffie om de gebeurtenissen te bespreken.'

'Maar waarom wilde ze met je praten,' vroeg Holt. Dit wordt steeds gekker, dacht ze. Uitgerekend Lewin gaat in de stad koffiedrinken met een bekende drugsverslaafde prostituee.

'Ik kende haar,' zei Lewin. 'Ze was een goed mens dat een tragisch leven leidde.'

'Je kende haar? Hoe dan?'

'Ik heb haar een paar jaar voor de moord op Palme leren kennen, in verband met een onderzoek dat ik leidde. Een vrouw die Madeleine kende en in dezelfde omstandigheden verkeerde als Madeleine, had een zogenaamde vriend die haar bont en blauw had geslagen en aan het einde van het liedje had geprobeerd haar keel door te snijden. Ze bracht het er gelukkig levend van af, maar ze was doodsbang en weigerde met ons te praten. Maar Madeleine deed dat wel. Ze was niet alleen bereid om tegen de vriend van haar vriendin te getuigen, ze was er ook in geslaagd haar tot rede te brengen, dus voor deze ene keer konden we de zaak tot een goed einde brengen. Hij kreeg zes jaar gevangenisstraf voor poging tot doodslag, souteneurschap en meer van dat soort dingen, en werd uitgewezen nadat hij zijn straf had uitgezeten.'

'Denk jij dat Nilsson de dader op de trap naar de Kungsgatan inderdaad is tegengekomen?'

'Ja,' zei Lewin. 'Zeer waarschijnlijk wel. Ik zie wat de tijd betreft geen problemen, en ze was absoluut niet het type dat loog of zich interessant probeerde voor te doen. Ze was een goed mens, eerlijk, getalenteerd, aardig, stond altijd klaar voor een ander. Gezien het leven dat ze leidde, denk ik bovendien dat ze heel alert was op dat soort zaken.'

Een goed mens dat een tragisch leven leidde, dacht Holt.

'Heb je dit niet met collega's besproken? Nadat je dat gesprek met haar had gehad, bedoel ik,' zei ze.

'Ik heb er met Fylking over gesproken,' zei Lewin. 'Enerzijds omdat het zijn terrein was, anderzijds omdat hij mijn directe chef was. Zowel in het Palme-onderzoek als in andere gevallen.'

'Wat vond hij ervan?'

'Hij deelde mijn mening niet,' zei Lewin en hij glimlachte opnieuw. 'Tegelijkertijd was hij zo vriendelijk om me erop te wijzen, en dat was voor zijn doen zeer uitzonderlijk, dat het bovendien volkomen oninteressant was wie van ons gelijk had, aangezien de hoge heren van de onderzoeksleiding, die uitdrukking kwam van hemzelf, al een beslissing hadden genomen.'

'Leeft ze nog?' vroeg Holt. 'Heeft het zin om haar opnieuw te verhoren?'

'Dat was zeker zinvol geweest,' zei Lewin. 'Zoals ik al zei was ze een bijzonder mens. Niet veel langer dan een jaar na de moord op Palme bezweek ze aan een overdosis. In september van het jaar daarop, als ik me niet vergis.'

'Oké,' zei Holt met een lichte zucht. 'Dus onze getuigenketen breekt al tussen de eerste en tweede schakel. In plaats daarvan hebben we de getuige Madeleine Nilsson, die voor de zekerheid al twintig jaar dood is.'

'Ja,' stemde Lewin in. 'Maar als we Christer Pettersson in gedachten hebben, ben ik bang dat onze getuigenketen nog eerder breekt.'

'Bij Getuige Een?' riep Holt verbaasd uit. 'Die man die zo verstandig leek? Wat mankeerde er dan aan hem?'

'Aan hem mankeerde denk ik niet zoveel, misschien zijn onze geliefde collega's gewoon vergeten om de verplichte inleidende vraag aan hem te stellen.'

'De verplichte vraag?' vroeg Holt verbaasd. 'Je bedoelt of hij de dader kende of heeft herkend?'

'Precies. Maar dat schijnt men niet te hebben gedaan. In plaats daarvan ging men direct over tot het signalement van de dader. Ze hebben hem nooit gevraagd of de dader iemand was die hij kende of herkende.'

'Dus daarmee wil je zeggen dat Getuige Een Christer Pettersson zou hebben gekend?' Wat zegt hij nu eigenlijk, dacht Holt.

'Getuige Een kende Christer Pettersson niet persoonlijk,' verduidelijkte Lewin. 'Daar staat tegenover dat hij heel goed wist wie hij was. Vooral wat zijn uiterlijk betrof, want ze hadden in dezelfde wijk in Sollentuna gewoond. Hij had Christer Pettersson de laatste jaren verscheidene keren gezien, soms meermalen per week. Pettersson was zo iemand waar iedereen uit de omgeving met een boog omheen liep.'

'Wanneer vertelde hij dat dan?' Dit wordt steeds gekker, dacht Holt.

'Tegen het einde van de zomer van 1988. Ruim twee jaar na de moord. Wanneer onze collega's van het onderzoek interesse krijgen voor Christer Pettersson. Dan horen ze Getuige Een opnieuw. Pas dan laten ze onder andere een foto van Christer Pettersson aan hem zien.'

'Wat zei hij toen?'

'Dan vertelt hij dat hij Christer Pettersson kent. Vooral van uiterlijk.'

'En?'

'Nee.' Lewin schudde zijn hoofd. 'Er ging geen belletje rinkelen. Hij had Christer Pettersson niet in de dader herkend toen die tien seconden na de moord in de Tunnelgatan langs hem heen rende. Al die keren dat hij Christer Pettersson in die twee jaar daarna in zijn woonwijk had gezien, was het bekende kwartje ook niet gevallen. En hij vond dat dat wel had moeten gebeuren. Als Pettersson degene was die Palme had neergeschoten.'

'Hoe verklaart hij dat dan?' vroeg Holt.

'Dat de dader en Pettersson niet echt op elkaar lijken,' antwoordde Lewin. 'Hij denkt namelijk dat het hem dan was opgevallen en in dat geval zou hij natuurlijk contact met de politie hebben opgenomen. Getuige Een is een doodnormaal, fatsoenlijk mens. Niets op aan te merken, als je het mij vraagt.'

'Hoeveel mensen weten hiervan?'

'Een enkeling van degenen die ertoe doen,' zei Lewin schouderophalend. 'Jij hoort daar nu ook bij,' zei hij met een flauwe glimlach. 'Om redenen die je bekend zullen zijn, wordt er over dit soort dingen niet veel gesproken. Door collega's onderling.'

'Collega's onderling,' herhaalde Holt, en om een of andere reden zag ze Johansson voor zich.

'Collega's onderling,' bevestigde Lewin, en voor de zekerheid had hij discreet gekucht.

19

Zodra Lisa Mattei Johansson alleen had gelaten, had ze haar moeder, Linda Mattei, opgebeld. Zij werkte als intendant bij de afdeling Grondwetsbescherming van de Säpo. Ze zat in het gebouw naast dat van haar dochter – 'het geheime huis' – in het grote politiehoofdkwartier in de wijk Kronoberg, en was twee keer zo oud als zij. Behalve dat ze beiden blondines waren hadden ze niet veel uiterlijke overeenkomsten. Linda Mattei was een grote, rondborstige blondine. Als jonge, vrouwelijke agente sloeg ze destijds in als een 'bom' onder haar mannelijke collega's. Tegenwoordig, bijna twintig jaar later, was ze volgens dezelfde zegsman 'nog altijd een zeer fraaie dame'.

Haar dochter Lisa was een kleine, magere, bleke blondine. Volgens Johansson leek ze vooral op de vriendelijke, zorgzame Spaar in zijn zorgvuldig gearchiveerde exemplaren van een kindertijdschrift. Op haar blonde haar na had ze het uiterlijk van haar vader geërfd.

Haar vader Claus Peter Mattei was eind jaren zestig als jonge chemiestudent naar de Technische Hogeschool van Stockholm gekomen. Hij was klein, mager en radicaal, met donker haar en doordringende, bruine ogen en nagenoeg een politieke vluchteling toen hij München had verlaten, omdat het voor een jongeling met zijn standpunten niet meer mogelijk was om daar te leven. Zoals vaker gebeurt in onze wonderlijke wereld waren Linda en hij hopeloos verliefd geworden, hadden ze elkaar op de klassieke wijze hoop gegeven, een dochter gekregen die ze de naam Lisa gaven, en waren ze een aantal jaren later weer gescheiden toen de verschillen tussen hen te groot waren geworden om te kunnen worden gecompenseerd door een liefde die langzaam verdween.

Alleen Lisa bleef over, maar sind haar vader was weggegaan, zag ze hem zelden. Dezelfde vader die al jarenlang een ander mens was dan de man die Lisa en Zweden had verlaten. Nog altijd klein, donker en mager. Tegenwoordig met de melancholische blik van een man die wijzer is geworden, zoals elke Duitse investeerder dat van een doctor in de chemie en hoofd research bij een van Bayerns grote ondernemingen mag verwachten. Teruggekeerd naar het München van zijn jeugd, als humanist en conservatieve liberaal, vanzelfsprekend tevens operaliefhebber, wijnkenner en filantroop.

Mama Linda en dochter Lisa hadden samen geluncht. In een restaurant op aangename loopafstand van het grote politiebureau, een idee van Lisa. Iets te duur om ook hun collega's te lokken en daarom discreet genoeg om ongestoord te kunnen praten. Tartaar met ui voor Linda, zeevruchtensalade voor Lisa, allebei mineraalwater en het inleidende moeder-dochtergesprek. Zodra ze begonnen te eten, had Lisa het voorstel ter sprake gebracht dat ze eerder aan Johansson had voorgelegd en omdat Linda haar moeder was, had Lisa zelfs verteld waarom.

'Johansson,' zei Linda Mattei met een gefronst voorhoofd. 'Je moet een beetje oppassen voor die man. Hebben jullie dit samen bekokstoofd?'

'Het was mijn idee, maar hij hapte direct toe,' legde Lisa Mattei uit. 'De beste chef die ik ooit heb gehad. De beste politieman die ik ken. Weet je dat hij om de hoek kan kijken?' Bijna altijd, dacht ze.

'Ja, dat heb ik gehoord. Tot vervelens toe,' zei Linda Mattei, die niet bijzonder verheugd leek. 'Je hebt toch geen oogje op hem?'

'Maar mam.' Lisa schudde haar hoofd. 'Hij is twee keer zo oud als ik, bijna dan. Bovendien is hij getrouwd.'

'Dat zijn ze altijd,' constateerde Linda Mattei. 'En dat houdt ze zelden tegen.'

Al is Lisa waarschijnlijk niet echt Johanssons type, dacht Linda Mattei. Ook al ben ik haar moeder.

'Daar is geen sprake van,' zei Lisa Mattei. 'Maar wat vind je van het idee?' Ik vraag me af of die twee ooit iets met elkaar hebben gehad. Johansson en mama.

'Ik beloof dat ik Söderberg zal bellen,' zei Linda Mattei, en daarna werd er niet meer over de zaak gesproken.

Na haar tweede ontmoeting met Lewin was Holt aan de slag gegaan met de getuigen van de plaats delict. Ze had alle verhoren van de dertig mensen die getuige waren van de moord of fragmenten daarvan, helemaal uitgespeld. En van de stuk of vijf getuigen die hadden gezien hoe de dader wegvluchtte. En van het tiental mensen dat zich jaren later herinnerde dat ze Christer Pettersson toch vlak voor of vlak na de moord hadden gezien. En van de stuk of honderd anderen die de politie terzijde had geschoven.

Zoals Madeleine Nilsson, die om een of andere reden op dezelfde datalijst terecht was gekomen als die twee tienermeisjes die al tijdens het tweede verhoor, een week na de moord, toegaven dat ze alles hadden verzonnen. Ze waren weliswaar naar de bioscoop aan de Kungsgatan geweest, maar toen de voorstelling was afgelopen, bezochten ze een danstent aan het Stureplan en liepen ze niet langs de Sveavägen toen Olof Palme net was neergeschoten.

'Vervloekte meiden,' dacht Holt plotseling geïrriteerd, want het had haar bijna een dag gekost om die stapel papier door te lezen. Ze had geen antwoorden gekregen, alleen maar nieuwe vraagtekens. En het grote vraagteken, dat Lewin haar in handen had gegeven, was nog net zo groot als eerst.

Met Lewins berekeningen viel op zich wel te leven. Misschien was de dader onverwacht iets overkomen toen hij daarboven bij de Malmskillnadsgatan stond en niemand hem zag. Misschien had hij daar een minuut staan wachten voordat hij eindelijk zijn krachten had verzameld om verder te rennen door de David Bagares gata, toen hij zag dat Getuige Twee hem tegemoet kwam lopen. Als het zo was gegaan, klopten de tijden ineens wel en zaten er geen gebroken schakels in de getuigenketen. Maar rekening houdend met wat Getuige Een van Pettersson wist, of met Getuige Drie en haar 'vieze Marokkaan' die haar nota bene omver had gelopen, kon het nauwelijks Christer Pettersson zijn geweest die daar zijn krachten had staan verzamelen voordat hij tegen de volgende schakel oprende.

Dacht Anna Holt en ze slaakte een diepe zucht.

Met de intuïtieve uitspraken van Johansson – zelfverzekerd en verbazingwekkend trefzeker – viel ook wel te leven. Johansson had weliswaar bijna altijd gelijk, maar zo nu en dan zat hij er ook naast en een enkele keer had hij het zelfs faliekant mis. Die paar keer dat Holt hem daarop had gewezen, had hij grijnzend zijn schouders opgehaald. Als je met wijze uitspraken wilt komen, is het soms noodzakelijk dat je af en toe iets doms zegt, en als je er op de juiste manier mee omgaat, is het een niet te evenaren manier om iets nieuws te leren, volgens Johansson.

Het probleem was de onwaarschijnlijke alliantie tussen Lewins monomane berekeningen, zijn ongetwijfeld uit angst voortgekomen precisie en Johanssons blijmoedig ongehinderde intuïtie. Een angstige cijferaar die zich inlaat met een mannelijke toverkol. Ze kunnen wat mij betreft allebei de pot op, dacht Holt. Lewin kan de pot op, omdat hij bijna altijd gelijk heeft maar niet mans genoeg was om op zijn strepen te gaan staan toen hij twintig jaar geleden de kans had. Johansson kan de pot op, omdat hij bijna altijd gelijk heeft ondanks zijn grote ego, zijn egocentrisme en al zijn maniertjes. Maar als ze allebei hetzelfde geloven, moet het helaas wel waar zijn, dacht Holt. En wat nu, dacht ze. Schouders ophalen, doen alsof je neus bloedt en verdergaan met je leven?

Linda Mattei had haar dochter binnen een uur nadat ze hadden geluncht, opgebeld.

'Vanavond om zeven uur,' zei Linda Mattei. Björn zou het komende weekend gaan vissen. Hij was van plan om een ex-collega in Strömstad op te zoeken en daar de hele week te blijven. Maar omdat Johansson hierachter zat, zou het wel haast hebben, en hij had er niets op tegen om vanavond al te komen.

Snelle move, dacht Lisa.

'Hij zal wel een oogje op je hebben, mam,' plaagde ze. 'Zodra jij belt, komt hij halsoverkop aanvliegen.'

'Dat zal best,' zei Linda Mattei. Wie eigenlijk niet, dacht ze. Het probleem was alleen dat ze allemaal zoveel ouder waren dan zij.

'Wat gaan we eten?' vroeg Lisa.

'Geen salade in elk geval,' antwoordde haar moeder. 'Zorg er trouwens voor dat je op tijd komt.'

Ongeveer op hetzelfde moment dat de twee gasten van Linda Mattei aan haar keurig gedekte keukentafel gingen zitten, had Anna Holt besloten om door de zure appel heen te bijten en een meer dan twintig jaar oude plaats delict op te zoeken. Om zich gewoon te schikken naar de situatie. En wat was eigenlijk het alternatief, dacht Holt, toen ze met een taxi op weg was naar de stad. Het was een heel gewone avond, niets op tv, geen film die ze wilde zien, geen vrienden en zelfs geen bekenden die van zich hadden laten horen om met haar af te spreken. Zeker geen mannen, hoewel ze er verschillende zou kunnen kiezen en geen van hen reden had tot klagen. Niet eens haar enige kind, haar zoon Nicke. Slechts de voicemail van zijn mobiel, waarop hij met een jeugdige vanzelfsprekendheid meedeelde dat hij op dit moment geen tijd had maar dat het later gerust nog eens viel te proberen. Hij heeft niet eens meer geld nodig, dacht Holt met een zucht.

Holt had ruim twee uur in de wijk rond de plaats delict doorgebracht. Ze had het spoor van de dader gevolgd, zelfs aan de hand van de verschillende loopstijlen die de getuigen hadden beschreven. Ze had haar stapeltje oude foto's van de plaats delict doorgebladerd, stappen geteld, haar stopwatch ingedrukt, gewandeld, gejogd en voluit gerend, alles wat de dader en de getuigen naar verluidt gedaan zouden hebben. Uiteindelijk had ze de verschillende alternatieven in overweging genomen en daar twee conclusies uit gedestilleerd.

Lewin had vermoedelijk gelijk. Als Getuige Twee de dader had gezien, zou dat veel te laat zijn geweest. De enige mogelijkheid die in dat geval overbleef – al leek dat hoogst onwaarschijnlijk – was dat hij in de Malmskillnadsgatan boven aan de trap van de Tunnelgatan ongeveer anderhalve minuut was blijven staan. Waarom zou hij in vredesnaam zo gek zijn geweest om dat te doen?

Johansson had zeker gelijk. Tegen zijn hypothetische redenering was niets in te brengen. Behalve dat die hypothetisch was, natuurlijk. De vluchtweg die hij had voorgesteld, was beslist de beste, als je je ongezien uit de voeten wilde maken. Vanuit de Tunnelgatan de trappen op naar de Malmskillnadsgatan, dan rechtsaf, zestig meter flink doorlopen, en daarna vanuit dezelfde straat weer de trap af. De trap die vanaf de Malmskillnadsgatan in de Kungsgatan uitkwam.

De Kungsgatan op vrijdagavond, de laatste werkdag, waar al die mensen liepen, niet op de hoogte van wat er slechts een paar honderd meter daarvandaan was gebeurd. Met al die restaurants, cafés, bioscopen en metrostations. Veiliger kon het haast niet zijn voor een crimineel die zojuist een minister-president op straat had neergeschoten. Als je je in de menigte wilde verbergen, maakte het niet uit of je op Times Square, Piccadilly of in de Kungsgatan in Stockholm liep, dacht Holt. Een onderkoelde ziel met een uitstekende kennis van de omgeving, zonder mededogen of kriebels in zijn buik. Ik vraag me af of Johansson het verhoor met getuige Nilsson heeft gelezen, dacht ze.

Ex-hoofdcommissaris bij de afdeling Koninklijke en Diplomatieke Bewaking van de veiligheidsdienst, Björn Söderström, had zich sinds lange tijd niet zo goed gevoeld, en aangezien het eigenlijk een heel normale dag had moeten zijn, was dat volkomen onbegrijpelijk. Eerst die onverwachte uitnodiging voor een etentje bij een nog altijd zeer fraaie dame, die hij al bijna dertig jaar kende en insloeg als een bom toen ze bij de politie kwam.

Toen die achttien jaar oude maltwhisky die ze hem aanbood zodra hij over de drempel stapte. Tot zover leek het een uitgemaakte zaak te zijn. Op haar dochter na dan, natuurlijk. Op zich maakte ze een slimme, welopgevoede indruk, maar toch was haar aanwezigheid een verrassing, omdat haar moeder geen woord over haar had gezegd toen ze hem een paar uur daarvoor belde om hem uit te nodigen.

'Proost, welkom Björn,' zei Linda Mattei en ze hief haar glas. Wat je al niet doet voor je enige kind, dacht ze.

'Ik moet jou bedanken,' zei Söderström. 'Een verstokte vrijgezel als ik krijgt niet elke dag zo'n aanbod.' Haar dochter is hier vast alleen maar om haar te helpen, dacht hij hoopvol.

'Leuk je te zien, Björn,' zei Lisa Mattei instemmend. 'Ik weet niet of je het nog weet, maar wij zijn eigenlijk ook ex-collega's.'

'Natuurlijk weet ik dat nog,' zei Söderström hartelijk. 'Jij was vast een van al die jongelui die met Johansson meekwamen toen hij uitvoerend chef werd bij ons. Jij, Holt en nog een paar, als ik me niet vergis. Nu heeft hij jullie op Palme gezet, als ik het goed heb begrepen. Zoiets las ik laatst in de krant.'

'Hij heeft ons gevraagd om de registratie van het materiaal door te lichten,' zei Lisa Mattei.

'Hoog tijd dat er iets gebeurt,' constateerde Söderström. 'Ik kan je verzekeren Lisa, dat je de juiste man voor je hebt, want alles wat ik niet van Palme weet, is niet de moeite waard om te weten.'

Wat zeg je als je een meisje bent en je opzet voor de helft geslaagd is, dacht Lisa Mattei. Niets, dacht ze.

Je glimlacht verlegen en knikt.

Het is al tien uur, dacht Anna Holt en ze keek op haar horloge. De hoogste tijd om naar huis te gaan voor een schoonheidsslaapje, besloot ze. Daarna liep ze de trappen van de Malmskillnadsgatan naar de Tunnelgatan af en ging de Sveavägen op. Daar reden voortdurend taxi's langs, en aangezien er weinig verkeer op de weg was, zou ze binnen twintig minuten al in haar appartement aan de Jungfrudansen in Solna haar tanden kunnen staan poetsen, dacht ze.

Het was nog sneller gegaan. Holt had nauwelijks een voet op het trottoir van de Sveavägen gezet – twee meter van de plaats waar een Zweedse minister-president, nadat hij in zijn rug was geschoten, ineens op straat neerviel – of een surveillancewagen van de politie Västerort minderde vaart en kwam naast haar tot stilstand. De oudere collega die naast de bestuurder zat, had zijn raampje al opengedraaid en gaf een hoofdknikje naar de achterbank.

'Als onze politiecommissaris naar huis wil, kan ze van ons een lift krijgen,' zei hij.

'Vriendelijk van jullie,' zei Holt. Ze opende het achterste portier en ging achter de bestuurder zitten. Een kleine wereld, dacht ze, omdat ze hem zo goed als onmiddellijk had herkend.

'We zijn op weg naar het politiebureau,' verklaarde hij. 'We komen net van een melding bij het Grand Hotel. En jij woont ergens in Jungfrudansen, als ik me niet vergis.'

Ze waren nog geen vijftig meter van 's lands bekendste plaats delict aller tijden verwijderd of hij begon te vertellen.

'Ik was erbij, toen,' zei hij. 'Ik zat bij de ME, afdeling Södermalm, en we waren de tweede patrouille ter plaatse. Volgens een van die bemoeizuchtige commissies waren we drie minuten nadat hij was neergeschoten uit de bus gesprongen. Het slachtoffer, Palme dus, lag er nog en eerst wist ik niet wie het was, maar ik kon wel zien dat het ernstig was. De mensen schreeuwden en wezen, dus rende ik samen met drie collega's de Tunnelgatan in en de trappen op, waar nog een paar mensen in de richting van de David Bagares gata stonden te zwaaien en te wijzen. Ik rende zó hard dat ik een bloedsmaak in mijn mond kreeg, en je moet weten, Holt, dat ik er toen niet zo uitzag als vandaag.'

'Daarna stroomden de collega's toe. De ME van Norrmalm, een aantal surveillancewagens, op zijn minst twee patrouilles van Opsporing en een van Narcotica.'

'Na tien minuten liepen we met zo'n twintig collega's de buurt rond de Malmskillnadsgatan te doorzoeken. Om te proberen wat orde in de chaos te scheppen. Maar hadden we daar eigenlijk wel iets te zoeken? Want de schutter moest tegen die tijd wel bijna op de maan hebben gezeten.'

'Ik dacht dat Christer Pettersson ergens ten noorden van de stad woonde?' zei Holt met een glimlach.

'Pettersson,' reageerde haar collega hoofdschuddend. 'Als het zo eenvoudig was... Nee, dit was toch wel een kerel van een heel ander kaliber, als je het mij vraagt.'

'Denk je er zo over,' zei Holt. Het lijkt wel of Johansson er een eigen fanclubje op nahoudt, dacht ze.

Ex-hoofdcommissaris Björn Söderström had zich lange tijd niet zo goed gevoeld. Eerst die onverwachte uitnodiging van een zeer fraaie ex-collega, die bovendien de goede smaak had om haar jonge dochter uit te nodigen. Ook zij was een ex-collega, maar vooral een bijzonder innemende jonge vrouw. Vervolgens de maltwhisky toen hij arriveerde, gevolgd door al dat lekkere eten. Eten waarmee een verstokte vrijgezel als hij bepaald niet dagelijks verwend werd. Eerst kreeg hij maatjesharing met stukjes ei, fijngesneden dille, jus en aardappelen voorgeschoteld, met een koud biertje en een nog koudere borrel. De beslagen karaf op de tafel impliceerde bovendien de belofte dat hij meer kon nemen als hij wilde.

'Ja, dat moet ik zeggen,' zei Söderström en hij hief zijn glas. 'Zoiets overkomt een verstokte vrijgezel als ik niet dagelijks. Dat mogen de dames best weten.'

'Heel fijn dat je kon komen, Björn.' Lisa Mattei glimlachte beleefd. De weg naar de hersens van de man gaat door zijn maag, dacht ze. Net als bij alle andere dieren.

'Proost, Björn,' zei haar moeder, haar glas geheven tot aan het bovenste knoopje van het décolleté dat haar veertig jaar geleden binnen het politiekorps al beroemd maakte. Wat je al niet doet voor je dochter, dacht ze.

Een kwartier later hadden haar collega's haar voor haar huis afgezet. Haar oudere collega, die er destijds bij was geweest, had haar tot aan de portiek gevolgd.

'Volgens mij heeft het korps nooit zo onder vuur gelegen als na de moord op Palme. Het Poltava van de Zweedse politie,' vatte hij samen toen hij de toegangsdeur voor haar openhield. 'Stel je voor hoeveel ellende we ons hadden bespaard als onze collega's van Geweld de zaak in handen hadden gekregen. Ik kan er trouwens over meepraten. Die eikels van de tv hebben ik weet niet hoeveel jaren zitten doorzeuren over dat politiespoor van ze en al die tijd beweerd dat mijn collega's van de ME en ik achter de moord op de premier zaten.'

'Ja, dat heb ik gezien,' zei Holt hoofdschuddend. 'Bedankt voor de lift.' Ze stak haar hand uit en glimlachte vriendelijk.

En dat is ook zo, dacht ze toen ze een minuut later in de hal van haar appartement stond. Als ze niet verkeerd had geteld, lagen er minstens een stuk of twintig onderzoeksrapporten over hem en zijn naaste collega's van de Stockholmse ME tussen het Palme-materiaal.

Van alle doodnormale dagen in mijn leven moet dit de allerbeste zijn. Of in elk geval zo lang ik me kan heugen, dacht ex-hoofdcommissaris Björn Söderström toen hij zijn tanden zette in een van zijn absolute favorieten, een flinke gegrilde entrecote met kruidenboter, een wortelgerecht uit de oven en daarbovenop nog een goede rioja. Kruipbramen met slagroom en vanille-ijs toe. De port had hij afgeslagen, te zoet naar zijn smaak, maar dat was om het even, want hij zat sinds een halfuur in een comfortabele fauteuil in de woonkamer van collega Mattei, met een kop koffie en een uitstekend glas cognac. Sowieso de beste dag sinds jaren, besloot hij. Het was alleen een beetje merkwaardig dat hij al een kwartier achtereen aan het praten was over de ongetwijfeld zwartste vrijdag van zijn leven, vrijdag 28 februari 1986. Hoe kwamen we daar toch op, dacht Söderström, terwijl hij bedachtzaam zijn neus in het grote cognacglas stopte.

Ik vraag me af waar hij heen ging, dacht Holt toen ze onder de douche vandaan stapte. Hij verdween eerst de Kungsgatan in, maar daarna? Als hij zo gehaaid is als Johansson deed geloven, zal hij een veilig heenkomen hebben gezocht, dacht ze. Om zich te wassen, zich te ontdoen van zijn kleren, belastende kruitsporen weg te werken en zijn wapen te verbergen. Een veilig heenkomen, want dat willen we allemaal wel, of we nu een willekeurige idioot of een professionele moordenaar zijn, dacht ze. Een willekeurig iemand of een willekeurige idioot zou vast en zeker naar huis gaan. Maar zo'n figuur als hij? Waar gaat zo iemand heen? Naar een hotelkamer of een tijdelijk gehuurd appartement? Dat kan ik het beste maar aan Johansson vragen, dacht ze, grijnzend naar haar spiegelbeeld. Daarna had ze haar tanden gepoetst en was ze onder de wol gekropen.

'De ergste dag van mijn leven,' zei Söderström met een zucht. 'Die kan ik me dus feilloos herinneren.'

'Zelf was ik nog maar elf toen het gebeurde,' zei Lisa Mattei, 'dus ik kan me er eigenlijk niets van herinneren. Maar uit de documenten die ik onlangs heb gelezen, maakte ik op dat veel mensen zich afvroegen hoe het mogelijk was dat Palme die avond niet bewaakt werd.'

'Tja.' Söderström slaakte een nog diepere zucht. 'Dat heb ik me ook verscheidene keren afgevraagd. Waarschijnlijk was hijzelf de enige die daar antwoord op had kunnen geven. Hij was zeker geen gemakkelijk bewakingsobject, maar hij was een zeer begaafde, aardige kerel. Hij wilde bijna altijd dezelfde collega's als lijfwacht, dat waren toen Larsson en Fasth. Soms werden Svahn, Gillberg of Kjellin opgeroepen als Larsson en Fasth verhinderd waren. Die jongens hadden hem hoog zitten. Ik durf te beweren dat geen van hen een seconde had getwijfeld om voor hem een kogel te riskeren, mocht dat nodig zijn.' Söderström knikte plechtig en nam een discreet slokje, zich bewust van de ernst van het moment.

'Ik had begrepen dat hij een lastig bewakingsobject was,' probeerde Mattei het gesprek te sturen en ze hield voor de zekerheid haar blonde hoofd een beetje schuin.

'Hij had zo zijn nukken, zoals gezegd,' zei Söderström. 'Als hij had mogen kiezen, had hij ons volgens mij niet willen hebben. Hij was zogezegd enorm gesteld op zijn privéleven.'

'En die bewuste vrijdag...'

'En die bewuste vrijdag,' vervolgde Söderström zonder zich te laten onderbreken, 'had hij Larsson en Fasth gezegd dat ze voor de lunch al konden stoppen. Hij zou nog enige tijd blijven doorwerken en daarna direct naar zijn huis in Gamla Stan gaan om met zijn vrouw te eten. Een rustig avondje thuis, om het zo maar te zeggen. Dus ze hoefden zich over hem geen zorgen te maken. Al had collega Larsson, hij kende zo zijn pappenheimers, er een geintje van gemaakt door hem te vragen... kunnen we daar werkelijk van op aan, baas... of iets in die geest... Palme nam dat soort dingen niet verkeerd op. Ze hadden elkaar zoals ik al zei hoog zitten. Daar kan ik mijn hand voor in het vuur steken.'

'Een rustig avondje thuis,' verduidelijkte Mattei.

'Inderdaad, maar toen Larsson dat geintje met hem maakte, zei hij dat hij in elk geval geen avontuurlijke plannen had. Zo zei hij het precies. Dat hij in elk geval geen avontuurlijke plannen had. Hij had het er met zijn vrouw over gehad om naar de bioscoop te gaan, maar dat stond nog niet vast en ze hadden het er ook over gehad om in het weekend met een van hun zonen af te spreken. Dat moest Mårten wel zijn, als ik me niet vergis, want hun jongste zoon zat volgens mij in Frankrijk toen het gebeurde en waar hun andere zoon zat, weet ik eerlijk gezegd niet meer. Hun zoon Mårten en zijn verloofde, zo was het. Maar dat stond ook nog niet vast.'

'Maar hij had gezegd dat hij misschien met zijn vrouw naar de bioscoop zou gaan?'

'Hij sloot het in elk geval niet uit, om precies te zijn. Maar het zag ernaar uit dat hij met zijn vrouw de hele avond thuis zou blijven,' zei Söderström, waarop hij een wat flinkere slok nam. 'Toen hij dat zei, had Larsson trouwens gekscherend gezegd dat hij moest beloven dat hij hen onmiddellijk zou bellen als hij zich mocht bedenken. Dus dat beloofde hij. Hij was goedgehumeurd, dat was hij trouwens bijna altijd, en er was toen geen sprake van enige bedreiging, maar hij zei in elk geval dat hij contact met hen zou opnemen zodra hij van plannen zou veranderen. Hij had een speciaal nummer van onze bewakingsdienst, zoals je vast wel weet. Die vierentwintig uur per dag bereikbaar was, mocht hij ons nodig hebben.'

'Maar dat heeft hij niet gedaan,' zei Lisa Mattei.

'Nee, dat heeft hij niet gedaan. Een bioscoopbezoek, op het laatste moment besloten... Hij vond het vast niet de moeite waard. In dat opzicht was hij nooit moeilijk om mee te werken.'

'Maar je wist dat hij in elk geval met die plannen rondliep,' zei Mattei.

'Jazeker, Larsson had me kort daarop gebeld om het te vertellen. Zoals het was. Dat Fasth en hij verlof hadden gekregen om naar huis te gaan zogezegd, en dat het bewakingsobject 's avonds thuis zou zijn. Dat hij wellicht met zijn vrouw naar de bioscoop zou gaan of met zijn zoon zou afspreken, maar dat er nog niets vaststond.'

'Wat deed je toen?' vroeg Mattei.

'Ik ging naar Berg, mijn hoogste baas,' antwoordde Söderström, 'om te vertellen wat er was gezegd. Ik moet zeggen dat ik er vanuit professioneel oogpunt niet zo gelukkig mee was.'

'Hoe bedoel je dat?'

'Als ik het had mogen zeggen, zou Palme permanent bewaakt zijn geweest.'

'En Berg? Hoe reageerde hij?'

'Hij was er ook niet blij mee,' zei Söderström. 'Hij maakte zich enorm veel zorgen over Palmes... ja... over zijn bohemienachtige kant. Hij zei dat hij zijn contactpersoon in Rosenbad zou bellen – die Nilsson, die zich daar als bijzonder deskundige met veiligheidskwesties bezighield, en als ik me niet vergis doet hij dat nog steeds – om nog eens na te gaan of we niet wat meer informatie konden krijgen. Zo is het gegaan,' verduidelijkte Söderström. 'Berg zou naar het regeringsgebouw bellen voor nadere informatie. Mocht blijken dat de plannen waren veranderd, dan zou Berg contact met me opnemen, zodat ik een nieuw werkschema zou kunnen opstellen.'

'Wat gebeurde er toen?' vroeg Mattei.

'Hij heeft niet meer gebeld.' Söderström schudde zijn hoofd.

'Berg heeft niet meer gebeld?'

'Nee,' zei Söderström, die plotseling nogal aangedaan leek. 'Hij heeft niet meer gebeld. Iets voor twaalven, rond middernacht dus, belde de collega die avonddienst had me op om te vertellen wat er gebeurd was. Dat was zonder meer het ergste moment van mijn leven.'

Kort voordat Holt in slaap was gevallen, in die paar seconden tussen waken en slapen, was het haar te binnen geschoten. Plotseling klaarwakker was ze rechtop in bed gaan zitten. Zo was het natuurlijk gegaan, dacht ze.

20

Vrijdagavond had Holt al een e-mail naar Lars Martin Johansson gestuurd, met in een bijlage de verhoren van Madeleine Nilsson, het memo van haar collega Lewin en een schriftelijke samenvatting van hetzelfde onderwerp. Waar ging de moordenaar heen toen hij Palme had neergeschoten?

Ze had taal noch teken van Johansson vernomen. Na het weekend was ze hem toevallig in de kantine van het politiebureau tegen het lijf gelopen, had hen beiden veilig naar het verst verwijderde tafeltje geloodst en zonder omhaal gevraagd wat hij van haar stukken vond.

Vergeleken met zijn eerdere uitspraken leek Johansson opvallend ongeïnteresseerd. Hij had Holts stukken gelezen. Het verhoor van Nilsson was nieuw voor hem. Wat moest hij daar twintig jaar na dato nog mee? In wezen was hij het natuurlijk met haar eens. Wat wilde hij daar twintig jaar na dato nog aan doen?

'Wat ik ook heb gelezen,' zei Johansson, 'is dat je denkt dat onze dader via de Kungsgatan naar het Stureplan is gelopen en daarvandaan de metro oostwaarts nam. Door het chique Östermalm richting Gärdet, waar eenvoudige schurken als Christer Pettersson alleen in hun dromen konden rondlopen.'

'Zoiets, ja,' zei Holt.

Met de voorgeschiedenis in gedachten dat de dader zijn slachtoffer zou hebben gevolgd, had hij nergens een auto neer kunnen zetten. Hij wist niet waar hij terecht zou komen. Het leek evenmin erg waarschijnlijk dat hij door een handlanger was opgepikt, aangezien de gebeurtenissen voor het mobiele telefoontijdperk hadden plaatsgevonden. Hij had doodeenvoudig zichzelf moeten zien te redden, en logisch en rationeel als hij was, was hij de verkeerde kant opgegaan. De juiste richting voor hem, maar de verkeerde voor degenen die naar hem op zoek waren. Hij had het stadsdeel City vermeden, aangezien het daar in de metro en op straat moest wemelen van de politieagenten vlak na de moord.

'Het probleem was nu juist dat dat niet het geval was,' verzuchtte Johansson. 'De paar agenten die er waren, renden als kippen zonder kop rond in de omgeving van de Malmskillnadsgatan.'

'Maar daar wist hij niets van,' bracht Holt ertegen in. 'En laten we wel wezen: ze hadden in City moeten rondlopen.'

'Toen ik laatst in bed lag, moest ik ineens denken aan wat Mijailo Mijailovic deed toen hij de minister van Buitenlandse Zaken Anna Lindh had vermoord,' verklaarde Holt.

'In plaats van de kant van City op te gaan met het risico om onze collega's daar tegen het lijf te lopen, wandelde hij rustig en kalm langs de Strandvägen en Östermalm,' knikte Johansson.

'Daar nam hij een taxi, die hem helemaal naar de voorsteden in het zuiden bracht, waar mensen zoals hij meestal wonen,' constateerde Holt. 'Hij deed precies het goede. Ook al was hij nog zo gek.'

'In dit geval geloof ik niet in een taxi,' zei Johansson hoofdschuddend. 'Al die normale taxichauffeurs hebben ze gecheckt en als hij een zwarte taxi had genomen, was de bestuurder ervan door de beloning vast en zeker uit zijn tent gelokt.'

'Zo denk ik er ook over, bovendien denk ik dat hij terugkeerde naar Östermalm of Gärdet omdat hij daarvandaan was gekomen,' zei ze. 'Het is in elk geval het proberen waard,' voegde ze eraan toe.

'Zeker,' zei Johansson met een zucht. 'Het krioelt vast van de hete tips als je ernaar op zoek gaat.'

Wat is er aan de hand, dacht Holt. Wat is er met Johansson aan de hand?

'Lars,' zei Holt. 'Ik herken je niet meer. We zouden ons toch schikken naar de situatie?'

'Dat is min of meer jouw schuld, Anna,' antwoordde Johansson en plotseling leek hij weer de oude te zijn.

'Vertel.'

'Die getuige Madeleine Nilsson,' legde Johansson uit. 'Ik raakte zo allemachtig gedeprimeerd toen ik las wat zij had gezegd. Ze heeft het tijdens de eerste vierentwintig uur van 's lands grootste moordonderzoek aller tijden gezegd, en nu is het eenentwintig jaar en zes maanden later. Ik kan er natuurlijk geen gif op innemen dat ze de schutter inderdaad heeft gezien, maar ik had haar in elk geval niet zo afgepoeierd als die halve gare collega van ons deed. Stel je voor dat naar voren was gekomen dat het waar was wat ze zei?' Johansson gaf Holt een taxerende blik.

'Ik luister nog steeds.' Holt knikte.

'Ik wil mezelf niet op de borst kloppen,' zei Johansson, 'maar je kan er in elk geval donder op zeggen dat Bo Jarnebring en ik, en alle andere collega's uit die tijd die wisten hoe het moest, die het al die keren daarvoor ook hadden gedaan, dat wij die rotzak te pakken hadden gekregen.'

'Ik begrijp wat je bedoelt.'

'Die vervloekte Lewin ook,' zei Johansson die zich plotseling opwond en met een ruk ging staan. 'Verdomd ijverig, nauwkeurig op het pietluttige af en met verdraaid slimme harses. Waar heeft hij die eigenlijk voor nodig, als hij te laf is om ze te gebruiken? Waarom gaat zo iemand in godsnaam bij de politie?'

'Wind je niet zo op, Lars,' zei Holt vriendelijk glimlachend. Ik begrijp wat je bedoelt, je hebt niet veel met Lewin gemeen. Gelukkig voor hem dat hij je nu niet hoort, dacht ze.

'Ik doe mijn best,' bromde Johansson. 'Ik zie je woensdag weer. Dan wil ik de naam van die rotzak.'

Voor commissaris Anna Holt, 47 jaar, stond het hele weekend in het teken van de sport en nadat ze zondag, na twee uur te hebben getraind, was teruggekeerd naar haar appartement, wachtte haar hetzelfde alternatiefloze bestaan als in die hele lange zomer daarvoor. Mankeert er iets aan mijn badkamerspiegel? Mankeert er iets aan mij? Of mankeert er iets aan al die kerels, dacht Holt.

In de tijd dat ze flink van leer trok op het sportterrein rond de politieschool, was de meest opzienbarende gebeurtenis geweest dat haar zoon Nicke, 24 jaar, een bericht op haar antwoordapparaat had achtergelaten.

Sinds een week bevond Nicke zich ergens aan de scherenkust, met 'de heftigste vrouw van de hele joeniveurs'. Zijn leven was op dit moment 'vet' en 'keigaaf' en daar kwam nog bij dat de ouders van de heftigste vrouw van het hele universum ook nog in het bezit waren van de 'coolste' plek van de hele scherenkust. 'Hoezo zwembad? Ma, hier hebben we het over een pooool!'

Bovendien hadden haar 'peren', 'parents dus', de goede smaak gehad om zo goed als direct naar de stad te rijden zodra hun enige dochter met haar nieuwe vriend opdook. Toffe gasten, volgens Nicke. Goeie lui. 'Helemaal koosjer, dus', zowel die 'toffe lui' als hun 'optrekje', om nog te zwijgen van hun dochter. 'Ik heb er gewoon geen woorden voor,' zei Nicke.

Peren, toffe gasten en koosjer. Ik vraag me af of dat meisje een naam heeft, dacht Anna Holt, waarop ze het volgende bericht afluisterde.

'Ze heet trouwens Sara,' zei Nicke, en dat was alles.

In elk geval iemand die het naar zijn zin heeft, dacht Holt, en zonder dat ze het echt besefte, had ze het nummer van Jan Lewin ingetoetst en hem gevraagd of hij met haar wilde dineren. Zomaar in een opwelling. Afgedwongen door het gefoeter van Johansson, of alleen maar omdat ze niets beters te doen had?

'Dineren?' vroeg Lewin met een vragend kuchje, toen hij eindelijk had opgenomen nadat de telefoon zes keer was overgegaan.

'Een dinertje bij mij thuis,' zei Holt. 'Dan kunnen we eens rustig praten,' verduidelijkte ze. Je weet wel, het diner is de maaltijd die je nuttigt voordat je naar bed gaat, maar als ik dat zeg krijg je vast ter plekke een hartstilstand, dacht ze.

'Klinkt goed,' zei Lewin. 'Zal ik iets meenemen?'

'Jezelf is voldoende. Ik heb alles wel in huis.'

En dat is ook zo, dacht ze een uur later, toen ze garnalen en jakobsschelpen stond te bakken voor de salade die ze van plan was te maken.

Ik vraag me af of ze een oogje op me heeft, dacht Jan Lewin op het moment dat hij in Huvudsta uit de metro stapte, zonder dat zijn gastvrouw het geringste vermoeden had wat er zich in zijn hoofd afspeelde.

'Ik heb ergens over nagedacht, Jan,' zei Anna Holt drie uur later. Een betere kans dan nu krijg je niet, dacht ze. De eerste lege wijnfles lag al in de vuilniszak in de keuken. De tweede stond halfleeg tussen hen in op tafel. Ze had zichzelf op de bank genesteld en Jan Lewin zat in haar favoriete fauteuil, waar hij een opvallend kalme, tevreden indruk maakte.

'Ja,' zei Lewin.

Niet dat gebruikelijke kuchje, dacht Holt. Alleen een flauw glimlachje en een nieuwsgierige blik in zijn ogen. Zo zou hij vaker moeten kijken. Als hij ook nog die angst eruit zou kunnen halen, zou ik direct op mijn rug gaan liggen, dacht ze.

'Over al die details waar je altijd zo op let,' zei Holt. Nu is het eindelijk eens gezegd, dacht ze.

'Je bent niet de eerste die zich dat afvraagt.' Ook deze keer geen kuchje, alleen diezelfde flauwe glimlach. Dezelfde bruine ogen, maar nu zonder angst, zonder waakzaamheid.

'Ja,' zei Holt.

'Een jaar geleden ben ik zelfs naar een psychiater gegaan. Dat was de eerste keer van mijn leven, maar ik voelde me zo slecht dat ik geen keuze had.'

'Het blijft onder ons,' zei Holt.

'Die arts was echt geweldig. Een bijzonder aardig en vakkundig mens, bovendien heb ik van haar heel veel over mezelf geleerd. Onder andere over die nauwkeurigheid van me. Die uit angst voortkomende nauwkeurigheid, waar alle collega's zich zo aan ergeren,' zei Lewin.

'Ik niet,' reageerde Holt. 'Ik erger me er niet aan. Maar ik heb me er wel over verbaasd.' Wis en waarachtig, het zou gek zijn als dat niet zo was, dacht ze.

'Dat weet ik,' zei Lewin ernstig. 'Ik weet dat je je er niet aan ergert.' Anders was ik niet naar je toe gekomen, dacht hij.

'Hoe komt dat dan?' vroeg Holt.

'Wil je de lange of de korte versie?'

'De lange,' antwoordde Holt. 'Als dat niet te moeilijk voor je is, natuurlijk.'

'Het is moeilijk en dat geldt zowel voor de korte als de lange versie, maar ik kan erover praten. Al heb ik dat nooit eerder gedaan.' Nooit met een collega, dacht hij. 'Dan krijg je de lange versie,' zei Lewin.

Vervolgens deed hij zijn verhaal.

De zomer waarin Jan Lewin zeven jaar was geworden en net zijn eerste fiets had gekregen, was zijn vader gestorven aan kanker. Eerst had hij Jan leren fietsen en toen dat eenmaal was gelukt, had hij alles losgelaten en was hij overleden.

'Het was alsof alle vaste grond onder mijn voeten verdween,' vertelde Lewin. 'Mijn vader had al mijn zelfvertrouwen meegenomen toen hij heenging.'

Jan en zijn moeder bleven achter. Hij had geen broers of zussen. En omdat zijn moeder ook geen vaste grond meer onder de voeten had, draaide haar hele leven om Jan.

'Het is niet eenvoudig om een moeder te hebben die alles voor je overheeft. Dat is de beste manier om ten opzichte van alles en iedereen een slecht geweten te krijgen,' constateerde Lewin.

Waarschijnlijk was dat ook de reden waarom hij zich vooral opgelucht voelde toen ook zij aan kanker overleed. Ja, zo was het in feite. Vooral opluchting. Het slechte geweten over haar dood was later pas gekomen.

Jan Lewin was inmiddels in de twintig en zojuist begonnen aan de politieschool, toen Holt vond dat het tijd was voor haar eerste vraag. Waarom koos hij ervoor om bij de politie te gaan?

Dat was niet helemaal duidelijk, volgens Lewin. Zijn vader had een neef die politieagent was. Het was geen plaatsvervangend vaderfiguur, absoluut niet, maar hij liet regelmatig van zich horen en als er werkelijk problemen waren, stond hij altijd voor ze klaar. Het was een geschikte kerel, vatte Lewin samen.

Maar hij pleitte er vooral voor dat Jan ook politieagent zou worden. Het beroep bij uitstek voor elke fatsoenlijke, rechtschapen kerel die zich bekommerde om rechtvaardigheid en het lot van andere mensen. Fatsoenlijke, rechtschapen kerels die niet willen dat een ander iets naars overkomt. Mensen als hijzelf, als Jans vader en moeder en als Jan. Daarbovenop kwam de onderlinge kameraadschap. Politiemensen kwamen altijd voor elkaar op. Net zoals alle dierbare bloedverwanten in een grote, gelukkige familie.

'De politie telde destijds nauwelijks de helft van het aantal mensen dat we nu hebben, maar dat argument slikte ik als zoete koek. Dat ik plotseling zevenduizend familieleden zou hebben die voor elkaar door roeien en ruiten gingen. Dat argument ging er bij iemand als ik blindelings in,' constateerde Lewin.

'En toen ontdekte je dat niet iedereen van die familie zo leuk was,' viel Holt glimlachend in.

'Zoals in alle families en dat ontdekte ik de eerste dag al,' zei Lewin. 'Ten eerste ontdekte ik dat bijna die hele familie uit mannen bestond, jonge mannen, dat niet iedereen zo leuk was om mee om te gaan en dat bijna niemand was zoals ik.'

'Maar je bleef wel,' zei Holt. Waarom ben je er niet mee gestopt, dacht ze.

'Ja,' zei Lewin. 'Ik was toen immers dezelfde als nu, dus koos ik er natuurlijk voor om te blijven. Om er zomaar mee op te houden en hun te zeggen dat ze konden opvliegen, zo zit ik niet in elkaar.'

Jan Lewin was gebleven. Anders dan anderen, maar goed genoeg in sport om daar niet om de gebruikelijke redenen op die plaats en in die tijd te worden gepest. Bovendien handig om in de buurt te hebben als er een juridisch of ander theoretisch examen voor de deur stond.

'Eigenlijk was ik een heel behoorlijke loper en een zeer acceptabele schutter in die tijd,' zei Lewin, 'geloof het of niet.'

'Maar je was nog beter in de theoretische vakken,' constateerde Holt.

'Ja, er was dan ook niet bepaald sprake van moordende concurrentie. Niet eind jaren zestig op de politieschool in Solna,' zei hij en hij keek ineens nogal vrolijk.

'Ik lag goed bij onze criminologiedocent,' vervolgde hij. 'Al na de eerste cursus kwam hij naar me toe om te zeggen dat hij al sinds jaren niet zo'n goede leerling had gehad. Heb je trouwens enig idee wie die andere goede leerling was?'

'Johansson,' antwoordde Holt. 'Maar volgens de verhalen die in de wandelgangen de ronde doen, was jij beter.'

'Nauwkeuriger.' Lewin knikte. 'Het enige dat onze oude docent op Lars Martin Johansson had aan te merken, was dat hij bohemienachtige trekjes had. Dat hij niet bescheiden genoeg was en hem zelfs durfde tegen te spreken. Maar wat gaf dat, als je was zoals hij?'

De jaren na de politieschool waren ongemerkt voorbijgegaan en Jan Lewin had zich aangepast en zich geschikt in zijn lot. Zijn oude leraar van school was hem niet vergeten. Zodra Lewin de verplichte jaren bij de ordepolitie had volbracht, had zijn mentor van zich laten horen en hem een betrekking bij de afdeling Geweldsdelicten in Stockholm aangeboden, en Lewin had zich niet veel beters kunnen wensen.

'Het was geen toeval dat Geweldsdelicten in die tijd de eerste afdeling werd genoemd, en dat de commissie van de eerste afdeling die moordonderzoek voor haar rekening nam, OC één heette, onderzoekscommissie één,' verduidelijkte Lewin.

'Dat waren de gelukkigste jaren van mijn leven,' zei Lewin. 'We hadden een chef bij Geweld die in die tijd net zo'n levende legende was als onze Johansson.'

'Dahlgren,' zei Holt.

'Dahlgren,' bevestigde Lewin met een hoofdknik. 'Toen hij me verwelkomde en we een persoonlijk onderhoud hadden, vertelde hij dat hij van de afdeling de enige was die zijn middelbare school had afgemaakt, aan het Hvitfeldtska-lyceum in Gotenburg nota bene, en dat hij moest constateren dat we nu met zijn tweeën waren. En ook al kon het Södra Latin-lyceum in Stockholm niet tippen aan het Hvitfeldtska, werd er toch meer van types als hij en ik verwacht dan van onze gewone, wat eenvoudigere collega's. Dahlgren was een goeie kerel. Hij was erudiet en humoristisch en stond bekend als een zeer bijzondere agent, zelfs bij Geweld dat toch al de crème de la crème van het korps bevatte.'

Toch maakte hij een eind aan zijn leven, dacht Holt. Al was ze niet van plan dat te zeggen.

'Toch maakte hij een eind aan zijn leven,' zei Lewin plotseling, 'maar dat wist je misschien al.'

'Ja, ik hoorde dat hij ziek werd, invalide raakte, en dat hij zelfmoord pleegde zodra hij weer thuis was.'

'Het was zijn hart. Hij kon zich niet voorstellen zo door het leven te gaan,' verduidelijkte Lewin. 'Het was voor hem ondenkbaar anderen tot last te zijn.'

Dus kon hij zich beter voor zijn kop schieten. Hij was en bleef een typische kerel, ook al was hij nog zo erudiet en humoristisch, dacht Holt. Hoe onnozel kun je zijn?

'Daarna kreeg ik mijn eerste grote zaak,' ging Lewin verder. 'Dat weet ik nog. Net zo goed als die zomer waarin mijn vader overleed.'

Nu ziet hij er weer uit zoals ik hem ken, dacht Holt.

'Dat was in 1978, in het najaar. Ik was nauwelijks dertig en het was tamelijk ongewoon dat een rechercheur op zo'n jonge leeftijd de leiding kreeg over een moordonderzoek, maar juist die zomer was het razend druk. Daarom mocht ik het doen. Dahlgren bepaalde dat en mocht ik problemen hebben, dan kon ik altijd naar hem toe komen.'

'En problemen kreeg ik,' vervolgde Lewin met een zucht. 'Maar niet de problemen die ik verwachtte, uiteraard.'

Een jonge, in Polen geboren prostituee was vermoord in haar peeskamer in de wijk Vasastan gevonden. Een spraakmakende moord in die tijd, voorpaginanieuws in de sensatiekranten, nooit opgehelderd en verdwenen in de archieven nadat de hoofdverdachte zelfmoord had gepleegd.

'De Kataryna-moord,' zei Lewin. 'Het slachtoffer heette Kataryna Rosenbaum. Misschien heb je er ooit van gehoord. De dader had haar enorm toegetakeld. Een zeer ernstig vergrijp.'

'Ik heb erover gelezen,' zei Holt. En erover gehoord, dacht ze. Dat Jan Lewin door deze zaak zijn politionele onschuld verloor.

'De man die uiteindelijk werd gearresteerd, hij had een paar maanden vastgezeten en volgens de boulevardpers had hij het natuurlijk gedaan, was een man die haar kende. Ze hadden elkaar in een restaurant ontmoet en kregen een verhouding, maar hij wist niet dat ze in het leven zat. Volgens hem had ze gezegd dat ze een tekstbureau had. Hij was een doodnormale kerel. Weliswaar gescheiden, maar dat was bijna iedereen in die tijd. Hij had een kind met zijn ex-vrouw, een dochtertje, woonde alleen in een groot appartement buiten Stockholm, in Vällingby, was ingenieur, had zijn zaakjes op orde en had geen schulden.'

'Uit het kleine beetje dat ik erover had gelezen, maakte ik op dat hij het vrijwel zeker gedaan moest hebben,' zei Holt.

'Ja, daar ben ik ook van overtuigd,' beaamde Lewin. 'Toen hem duidelijk was geworden dat zijn nieuwe vriendin prostituee was, knapte er iets bij hem en sloeg hij haar dood. Volgens mijn bevindingen, althans.'

'Maar er was onvoldoende bewijs, waarop de officier van justitie hem liet gaan.'

'Inderdaad, voordat mijn collega's en ik nieuwe bewijzen konden verzamelen, pleegde hij zelfmoord. Op kerstavond nog wel,' zei Lewin.

'Maar dat kun je jezelf toch nauwelijks verwijten,' bracht Holt ertegen in. 'Als je een redelijk normaal mens bent en iemand hebt vermoord, is dat al reden genoeg. Om zelfmoord te plegen, bedoel ik.'

'Hij vindt zelf van niet,' zei Lewin met een grimas.

'Pardon?' zei Holt. Wat zegt hij nu, dacht ze.

'Niet als hij me in mijn dromen komt opzoeken.'

'Wat zegt hij dan?' vroeg Holt.

'Dat hij onschuldig was, dat het mijn schuld was dat hij zichzelf ombracht. Dat ik hem vermoord heb.'

'Ik kan me zo voorstellen wat je psychiater daarover te zeggen had.'

'Ja,' zei Lewin. 'Ze was daar heel duidelijk over. Het ging niet eens over hem. Het ging over mij.'

'Dat ben ik met haar eens.'

'Ik weet het niet,' zei Lewin. 'Maar het hielp in elk geval om erover te praten.'

'Dus het heeft geholpen?'

'Ja, het is alweer een flinke tijd geleden dat hij in mijn dromen is verschenen. Wat dacht je trouwens van een stevige wandeling? Zo'n therapie vergt nogal wat. Mijn benen slapen.'

'Prima,' antwoordde Holt. 'Die daar drinken we wel op als we terug zijn,' zei ze met een hoofdknikje naar de wijnfles op tafel. Hij lacht weer. Misschien zou je een ander beroep moeten kiezen, Anna, dacht ze.

Woensdag 10 oktober. De baai voor Puerto Pollensa op Noord-Mallorca.

Nauwelijks een uur onderweg, en de Volvo-Penta-scheepsmotor, het hart van de Esperanza, heeft haar twaalf zeemijl de baai in gevoerd. Voorbij Platja de Formentor, Cala Murta en de uitstekende visstekjes buiten El Bancal, waar je vrijwel het hele jaar zowel zeebaars, inktvis als rog kunt vangen. Nauwelijks een zeemijl te gaan naar de punt van het schiereiland bij Cap de Formentor, recht op de diepe vaargeul af richting het Canal de Menorca. Een flinke deining met schuim op de golven, die aanzienlijk dieper was onder haar kiel en gepareerd werd door het roer. Bijna tijd om het definitieve besluit te nemen en de koers te wijzigen. De zon als een vlammende vuurbol halverwege het zenit. Hoog genoeg om de ochtendnevel te verdrijven en de schaduw dertig graden te schenken. Een warme dag, zelfs voor deze plek, waar het normaal tot ver in het najaar twintig graden is. Andere boten in zicht, de Esperanza is niet meer eenzaam op zee.

21

Zes weken eerder, woensdag 29 augustus. Het hoofdkwartier van de rijksrecherche in Kungsholmen, Stockholm.

'Flykt is niet langer een van ons,' zei Johansson. 'De tips blijven binnenstromen, dus het Palme-team heeft de handen vol. We zullen ons zo goed en zo kwaad als het gaat zonder hem moeten redden, en ik dacht met jou te beginnen, Lisa,' zei Johansson met een hoofdknikje naar Mattei.

'Oké,' zei Lisa Mattei. 'Zoals ik al aan de chef heb verteld, heb ik Söderström vorige week gesproken. Jullie weten vast wel dat hij chef Koninklijke en Diplomatieke Bewaking was toen Palme werd vermoord.'

'Ga verder,' zei Johansson plechtig. Hij vouwde zijn handen over zijn buik en zakte onderuit in zijn eigen stoel. Die twee keer zo groot was als de andere stoelen die rond de tafel in zijn werkkamer stonden. Die beschikte over een hoofdsteun, armleuningen, een opvouwbare voetensteun en ingebouwde massagefunctie.

Vervolgens had Mattei verteld wat Söderström had gezegd. Dat de minister-president de dag waarop hij werd vermoord, had verteld dat hij plannen had om eventueel naar de bioscoop te gaan, of misschien buiten de deur iets af te spreken met zijn zoon. 'Plannen dus,' benadrukte Mattei. 'Het besluit om naar de bioscoop te gaan en twee vliegen in één klap te slaan door tegelijkertijd met zijn zoon Mårten en diens verloofde af te spreken, werd daarentegen pas genomen ruim een halfuur voordat Olof Palme en zijn vrouw de woning verlieten.'

'Juist, ja,' zei Johansson. 'Hoeveel collega's van de Säpo wisten van zijn plannen voordat hij dat besluit nam?'

'Ik wil er graag nog iets aan toevoegen voordat ik daarop inga,' zei Lisa Mattei en schonk haar hoogste baas voor de zekerheid een voorzichtige blik.

'Maar natuurlijk,' reageerde Johansson met een royaal handgebaar.

'Ik heb de verhoren van zowel Palmes echtgenote als zijn zoon gelezen. Het besluit om naar de bioscoop te gaan, werd genomen op de avond waarop hij vermoord werd. Het gesprek dat hij rond acht uur 's avonds met zijn zoon voerde, gaf de doorslag. Hij had echter al eerder die dag gesproken over de eventuele plannen die hij had.'

'Welke collega's van de Säpo wisten ervan, van die plannen dus?' vroeg Holt.

'Ten eerste de twee collega's die hem die dag moesten bewaken,' antwoordde Mattei. 'Dat waren zijn gebruikelijke lijfwachten. Die twee die in de kranten destijds Bill en Bull werden genoemd,' zei Mattei. 'Inspecteur Kjell Larsson en rechercheassistent Orvar Fasth. Toen de minister-president hun rond een uur of twaalf had gezegd dat hij ze niet meer nodig had, belde Larsson Söderström op om de situatie aan hem voor te leggen. Söderström was onmiddellijk naar zijn hoogste chef gegaan, bureauchef Berg, om hem te informeren. Tot dusver zijn er vier man van de Säpo die al rond twaalf uur 's middags op de dag van de moord van de plannen op de hoogte waren.'

'En vervolgens?' vroeg Lewin.

'Vervolgens wordt het lastiger. Aangezien Söderström eventueel een nieuw werkschema zou moeten opstellen en over twee vervangers voor Larsson en Fasth moest beschikken, heeft hij de collega opgebeld die die avond oproepdienst had. Die had op zijn beurt, dacht Söderström althans, gesproken met de zes collega's van Koninklijke en Diplomatieke Bewaking die weekenddienst hadden. Dat zijn nog eens zeven collega's, en dat brengt het totale aantal op elf,' vatte Mattei samen.

'Wat minstens zoveel betekent dat de hele recherchedienst tegen die tijd op de hoogte kan zijn geweest,' constateerde Lewin met een discreet kuchje.

'Nee, niet iedereen,' wierp Mattei tegen. 'Dat is tenminste niet zoals ik erover denk.'

'Waarom niet,' vroeg Holt. 'Toen ik daar werkte was er ook al een koffiekamer.'

'Het zijn er hoe dan ook meer dan elf.' Mattei knikte. 'Iemand van hen zal zeker iets tegen een ander hebben gezegd. Maar laten we wel wezen, zo'n enorme sensatie was het nu ook weer niet. Het slachtoffer had in het verleden vaker zo gehandeld, kun je wel zeggen. Soms wilde hij domweg met rust worden gelaten.' Wie wil dat niet, dacht ze.

'Twintig,' stelde Johansson voor, zachtjes wuivend met zijn rechterhand. 'Ongeveer twintig collega's van Koninklijke en Diplomatieke Bewaking wisten dat de minister-president vage plannen had om op stap te gaan.'

'Dat zou heel goed kunnen,' zei Mattei. 'Destijds werkten er in totaal achtendertig collega's bij die dienst.'

'Oké,' zei Johansson. 'Hoeveel collega's van het slachtoffer wisten ervan?'

'Geen idee,' zei Mattei hoofdschuddend. 'Mijn contacten in het regeringsgebouw zijn nog steeds minimaal, of beter gezegd verwaarloosbaar. Ik heb de verhoren gelezen met degenen die daar werkten.'

'En wat zeggen zij?' vroeg Johansson.

'Hun werd überhaupt niets gevraagd over een eventueel bioscoopbezoek.'

'Wat is dat nu voor onzin,' riep Johansson uit. 'Natuurlijk moeten ze daarnaar hebben gevraagd.'

'Nee,' hield Mattei vol. Sommigen kregen de vraag of de minister-president aangaf dat hij zijn huis die avond zou verlaten. Dat is immers niet helemaal hetzelfde.'

Waarachtig niet, dacht Johansson.

'De ondervraagden gaven alle drie als antwoord dat hij dat niet had gedaan,' zei Mattei. 'Over eventuele plannen werd hun daarentegen niets gevraagd.'

'Het geval wil dat ik iemand ken die in het regeringsgebouw werkt,' merkte Johansson op. 'Hij zat er toen ook al. Ik denk dat ik maar eens met hem ga praten, dan kom ik daar later op terug.'

'De bijzonder deskundige, tegenwoordig bijzonder staatssecretaris, de grijze eminentie van de regering, de man zonder naam, de Zweedse kardinaal Richelieu,' zei Mattei, die met moeite haar geestdrift wist te verbergen.

'Nou ja,' zei Johansson. 'Zo bijzonder is hij nou ook weer niet. Hij heet gewoon Nilsson.' Dus je weet in elk geval wie hij is, dacht hij.

'Hij is zelfs verhoord,' zei Mattei.

'Wat zei hij dan?' vroeg Johansson.

'Niets, in feite helemaal niets. Hij had doodeenvoudig niets te zeggen. Zo zei hij dat ook. En dat is min of meer het enige dat hij zei. In verband met de staatsveiligheid kon hij niets zeggen. In verband met de staatsveiligheid kon hij evenmin uitleggen waarom hij niets kon zeggen. Het is echt ongelooflijk. Als hij om te beginnen de routinevraag krijgt voorgelegd of hij wil bevestigen dat zijn naam, adres, persoonsnummer enzovoort kloppen, dan zegt hij tegen de verhoorder dat hij moet ophouden met die onzin. "Hou toch op met die onzin, volgende vraag, brigadier". Dat waren zijn letterlijke woorden.'

'Wat zei die collega die het verhoor afnam daarop?' vroeg Johansson.

'Hij bood zijn excuses aan. Hij deed het vermoedelijk in zijn broek,' zei Mattei geamuseerd.

'Ik ga met hem praten,' zei Johansson met een autoritaire blik. 'Dan kom ik er later op terug, zoals ik al zei.'

'Ongeveer twintig man van de Säpo, een onbekend aantal collega's, maar op zijn minst één...'

'Wie dan?' onderbrak Johansson haar.

'De bijzonder deskundige,' zei Mattei. 'Dat heeft chef de bureau Berg namelijk bevestigd in zijn memoires van de dag van de moord, die deel uitmaken van het onderzoeksmateriaal. Volgens Bergs aantekeningen heeft hij rond drie uur 's middags verschillende veiligheidskwesties met hem besproken, waaronder de persoonlijke beveiliging van de minister-president. In concreto werd er volgens Söderström gesproken over de plannen van de minister-president om 's avonds eventueel naar de bioscoop gaan.'

'Maar onze collega moet Nilsson toch zeker wel naar zijn gesprek met Berg hebben gevraagd?' vroeg Johansson.

'Dat deed hij inderdaad. Maar in verband met de staatsveiligheid blablabla, volgende vraag, alsjeblieft. Echt een geweldig verhoor was dat.'

'Resten de gezinsleden van het slachtoffer,' vervolgde ze. 'Zijn vrouw, zijn zoon Mårten en diens toenmalige vriendin. Dat zijn er drie, en volgens de verhoren heeft geen van hen met anderen gesproken. Zowel zijn vrouw als zijn zoon wekt overigens de indruk dat ze zich redelijk bewust waren van hun veiligheid, kan ik wel zeggen.'

'Vrienden en bekenden dan?' hield Johansson vol.

'Volgens het verhoor met ex-minister Sven Aspling en de toenmalige partijsecretaris Bo Toresson, naast zijn zoon de enigen met wie hij die avond vanuit zijn woning had gebeld, heeft hij daar niets over gezegd.'

'Maar die vraag is ze in elk geval wel gesteld,' constateerde Johansson.

'Ja,' zei Mattei.

'Dus zo'n vijf, zes uur voordat hij zelf de uiteindelijke beslissing nam, kon praktisch de hele wereld al op de hoogte zijn geweest van zijn plannen,' zuchtte Johansson.

'Maximaal zo'n vijftig personen, als je het mij vraagt. Twintig bij de Säpo, mogelijk evenveel collega's van zijn werk, en tien om een veilige marge in te bouwen. Dat zijn er hooguit vijftig,' zei Mattei.

Altijd iets, dacht Johansson. De datum en het tijdstip van het gemaskerde bal in de Opera van Stockholm in maart 1792 waren maanden daarvoor bij honderden mensen bekend. Ongeveer honderd van hen hadden twee maanden van tevoren een schriftelijke uitnodiging gekregen, en minstens tien van de aanwezigen waren uiteindelijk betrokken geweest bij de moord op Gustav III.

'Het wordt tijd om even de benen te strekken,' zei Johansson en met een ruk stond hij op.

22

Nadat ze de benen hadden gestrekt, verkondigde Holt dat ze niet meer geloofde in Christer Pettersson als de mogelijke dader en ook niet in de vluchtweg waarvoor de Palme-rechercheurs in een vroeg stadium hadden gekozen. Daarentegen was ze gaan geloven in de getuigenis van Madeleine Nilsson en zelfs in Johanssons beschrijving van de dader.

'Je hebt dus eindelijk het licht gezien,' zei Johansson.

'Noem het zoals je wilt. Ik ben gewoon van mening veranderd,' antwoordde Holt.

'Al heeft dat wel even geduurd, Anna,' plaagde Johansson.

In plaats daarvan leek haar twijfel te zijn overgenomen door Mattei. Met alle respect voor Holt en Lewins berekeningen stond ze in het algemeen sceptisch tegenover getuigenverklaringen. Feitelijk hadden ze alleen bereikt dat ze een van de thesen uit het eerdere onderzoek in twijfel hadden getrokken en er een nieuwe hypothese voor in de plaats hadden gezet. Niet eens een antithese, slechts een hypothese.

'Maar veel schieten jullie er niet mee op,' zei Mattei. 'Een dramatische, chaotische situatie waarin met seconden heen en weer wordt geschoven, dat is niets voor mij,' constateerde ze en ze schudde haar blonde hoofd.

'Zie je er wel heil in om hem te testen, onze hypothese bedoel ik?' vroeg Johansson.

'Uiteraard,' antwoordde Mattei. 'Het is het enige dat we hebben. We hoeven niet eens prioriteiten te stellen. Al zal het niet gemakkelijk worden om in het onderzoeksmateriaal naar onze alternatieve dader te zoeken. Ervan uitgaande dat hij ertussen zit. Dat kan ik je verzekeren.'

'Zo hopeloos lijkt het me nu ook weer niet,' wierp Johansson tegen. 'Een meer gekwalificeerde dader tussen de vijfendertig en vijfenveertig jaar, een militair, politieman of iemand anders die van dit soort dingen verstand heeft, zonder strafblad, met toegang tot wapens, met voldoende financiële middelen, goede woonruimte, enzovoort, met insidercontacten in het regeringsgebouw, bij de Säpo of in Palmes gezin. Mij klinkt het niet in de oren als een onmogelijke taak. Vooral als je bedenkt dat hij de metro naar Östermalm of Gärdet moet hebben genomen toen hij zijn opdracht had vervuld.' Hij glimlachte naar Holt.

'Het probleem is dat hij op die manier niet valt op te zoeken,' zei Mattei. 'Je kunt niet zoals op internet een aantal zoektermen invoeren om het aantal alternatieven in te perken. Het materiaal van het Palme-onderzoek is op een heel andere manier gerangschikt. Volgens heel andere principes, om precies te zijn.'

'Wat zijn dat dan voor principes?' vroeg Johansson, die Mattei achterdochtig aankeek.

'Dat is volkomen onduidelijk, ik denk dat ze dat zelf niet eens weten. Ze zeggen dat het materiaal is gerangschikt naar onderzoeksdossier, maar het valt niet te doorzoeken op de manier die jij voor ogen hebt.'

'Onderzoeksdossier?' vroeg Johansson verwonderd. Iedereen weet toch wel wat dat is, dacht hij.

'Ja, en daarmee worden heel uiteenlopende zaken bedoeld,' zei Mattei. 'Het meest voorkomende dossier betreft een tip die doorgaans inhoudt dat een tipgever iemand als mogelijke dader aanwijst. Daar zijn er duizenden van. Het op een na meest voorkomende betreft maatregelen die het onderzoeksteam zelf heeft geïnitieerd, zoals een verhoor, een doorlichting, een oordeel van een expert, van alles en nog wat. Zelfs voor zaken die door de eerste onderzoeksleider in de massamedia als spoor werden aangeduid bestaat een onderzoeksdossier. De meeste gegevens lijken uit pure vermoeidheid zomaar ergens te zijn ondergebracht. Het is allemaal zo chaotisch en onoverzichtelijk, dat ze niet weten in welke map ze iets moeten stoppen als er iets nieuws opduikt. Dus maken ze een nieuwe map aan. Letterlijk dus. Wil je daar een voorbeeld van?'

'Graag,' zei Johansson. Een doodsteek meer of minder maakt toch geen verschil, dacht hij.

'Laatst ontdekte ik bijvoorbeeld, puur toevallig, dat een en dezelfde tip van een en dezelfde tipgever, iemand die een bepaald persoon als de moordenaar van Palme had aangewezen, in drie verschillende onderzoeksdossiers was geregistreerd. Rekening houdend met het feit dat deze tipgever bijzonder ijverig was, wil ik niet uitsluiten dat er nog meer zijn.'

'Maar waarom, in hemelsnaam?' riep Johansson uit.

'Ze zijn op verschillende tijdstippen binnengekomen, door verschillende collega's geregistreerd, en vanwege de oude registratiemethode konden de gegevens niet worden samengevoegd met de eerdere tips,' zei Mattei schouderophalend.

'Wat vind jij daarvan, Lewin?' vroeg Johansson. Het is werkelijk niet te geloven, dacht hij.

'Ik ben wel geneigd het met Lisa eens te zijn,' zei Lewin instemmend met een discreet kuchje. 'Als je niet weet in welk dossier je moet zoeken, wordt het moeilijk. Het helpt dus niet dat je weet waarnaar je zoekt. Je moet ook weten waar je moet zoeken. Enkele uitzonderingen daargelaten.'

'Zoals wat?' vroeg Johansson. Dit druist immers tegen alle onderzoekswetten in, dacht hij.

'Het politiespoor is denk ik het beste voorbeeld. Toen het onderzoek van start ging, kreeg de Säpo de opdracht alle gegevens te onderzoeken die betrekking hadden op politiemensen. Nagenoeg alle collega's van wie werd beweerd dat zij bij de moord betrokken zouden zijn geweest, werkten in Stockholm. En aangezien bijna het hele rechercheteam in Stockholm was geworven, was men van mening dat zij niet geschikt waren om zichzelf te onderzoeken, zogezegd. Daarom werd de Säpo ingeschakeld, wat in elk geval als voordeel had dat het materiaal op één plek werd verzameld, het meeste althans. Of dat ook opgaat voor de gegevens die de jaren daarna zijn binnengekomen, weet ik eerlijk gezegd niet.'

'Oké,' zei Johansson. 'Ik begrijp jullie punt. Er zit niets anders op dan ons uiterste best te doen. Naar vermogen, simpelweg.' Wat moeten we verdomme anders, dacht hij.

'Dat weet je best, Lars,' zei Holt met een vriendelijke glimlach.

'Wat weet ik?'

'Dat we altijd ons uiterste best doen,' zei Holt.

'Uitstekend,' zei Johansson kortaf. 'Dezelfde tijd, dezelfde plaats, over een week.'

'Dan wil je de naam van de dader,' zei Holt met een onschuldig gezicht. 'Rotzak, heette hij toch?'

'Pas op, jij,' zei Johansson.

23

Na hun overleg had Johansson Lewin apart genomen. Wat voor keuze had hij eigenlijk? Wat veertien dagen geleden nog een uitstekend, of in elk geval een verfrissend idee had geleken, had tot dusver niet meer dan vijf verschillende resultaten opgeleverd.

Ruim vierhonderd werkuren voor Holt, Lewin en Mattei, die zowaar geen gebrek hadden aan andere werkzaamheden. Verspilling van politionele middelen. Dat was één.

De media leken ook de notoire tipgevers vaart te hebben gegeven: ze versjteerden continu de voortgang van het onderzoek. Flykt en zijn collega's konden er niet om lachen. Dat was twee.

Johansson zelf was blijkbaar op de zwarte lijst van de redactie van 's Lands Grootste Ochtendkrant beland. Dagelijks werd een regen van pijlen op zijn ontblote borst afgevuurd. Nieuwsartikelen over uiteenlopende misstanden bij de rijksrecherche, redactioneel commentaar over het gebrek aan efficiency bij de politie en onlangs een spotprent van hemzelf, met daarboven de kop 'Speurend naar het verleden'. Een moddervette Johansson, die met zijn ene hand een aangelijnde herdershond vasthield, terwijl hij met een zaklamp iets bescheen wat verdacht veel op een gewone hoop hondenstront leek. Johansson kon er niet om lachen. Dat was drie.

Restte de zaak in kwestie.

Het besef dat het materiaal al grotendeels verloren was gegaan. Het oude politionele dogma dat de dader die men niet heeft weten te vinden zich toch tussen het onderzoeksmateriaal bevindt, kon heel goed kloppen. Het probleem was alleen dat er in dit geval zoveel slecht gesorteerde papieren rompslomp was, dat de kans om hem te kunnen vinden, nagenoeg verkeken was. Dat was vier.

Ten slotte het vijfde punt. Er waren inmiddels veertien dagen verstreken, en wat hadden de drie rechercheurs die tot de besten van het land behoorden nu eigenlijk bereikt? Op basis van redelijk goede argumenten hadden ze de gangbare opvatting over de vluchtweg van de dader in twijfel getrokken. En er een nieuw vraagteken voor in de plaats gezet als troost.

Getuige Madeleine Nilsson, die op de trap naar de Kungsgatan een naamloze, gezichtsloze, voor iedereen onbekende man was tegengekomen. Voor of na de moord? Waar of niet waar? Een getuige die zekerheidshalve al bijna twintig jaar dood was.

Lewin was een behoedzame generaal. Als alle generalen op Lewin leken, zou er nooit oorlog zijn geweest. Daarbij was Lewin een uitstekende politieman. Een van de allerbesten. Oké, dacht Johansson. Vraag het hem recht op de man af. Als Lewin, op zijn eigen speciale wijze, ook maar enigszins aangeeft dat dit nergens toe leidt, stop je ermee.

'Wat denk je, Jan,' vroeg Johansson, 'heeft dit allemaal nog zin?'

'Ik weet het niet,' antwoordde Lewin. 'Het is niet gemakkelijk.'

'Moeten we ermee ophouden en door de zure appel heen bijten?'

'Geef het nog een week, dan krijgen we tenminste een eerlijke kans,' zei Lewin. Dat komt vast door Anna, dacht hij. Ze zit nog steeds in mijn hoofd.

'Oké,' zei Johansson. Wat is er verdorie met Lewin aan de hand, dacht hij. Het lijkt wel of die man een complete persoonsverandering heeft ondergaan.

'Soms kan het zo zijn dat je een goede reden hebt om iets te doen, zonder dat je die reden precies kent,' zei Lewin bedachtzaam.

'Dat is aardig van je, Jan, maar deze keer zit er misschien alleen maar ijdelheid achter.'

'Geef ons nog een week.' Lewin stond op, knikte vriendelijk en vertrok.

Niet alleen ijdelheid, dacht Johansson toen zijn collega de deur achter zich dichtdeed. Natuurlijk had hij zo zijn persoonlijke redenen, die waren er altijd wel, maar in dit geval was hij eerder uit op revanche dan dat er sprake was van ijdelheid.

De week voordat hij met vakantie ging, had hij een internationale politieconferentie bezocht in het hoofdkwartier van Interpol in Lyon, regelmatig terugkerende bijeenkomsten bedoeld voor mensen zoals hij, of ze nu uit Engeland, Saudi-Arabië, Oostenrijk of Sri

Lanka kwamen. Gezellige samenkomsten, dat zeker, met voldoende tijd voor wat informele activiteiten. Al de eerste avond, na het officiële diner, had hij samen met zijn vertrouwde collega's van over de hele wereld afgesproken in de bar die op loopafstand van hun hotel lag en al jarenlang werd beschouwd als hun stamkroeg in Lyon. Daar hadden ze de klassieke heldenverhalen aangehoord. Iedereen had het zijne bijgedragen door te geven en te nemen, en uiteraard had Johansson de gebruikelijke steken onder water moeten incasseren, om dezelfde, steeds terugkerende reden. De ruim twintig jaar oude, onopgehelderde moord op de minister-president van zijn eigen land, wat gezien de status van het slachtoffer de grootste mislukking was in de mondiale politiegeschiedenis. Wat men ook dacht van de rol die Lee Harvey Oswald had gespeeld bij de moord op Kennedy in november 1963.

Deze keer was het een van zijn beste vrienden, het hoofd recherche van de Metropolitan Police London, die de eerste scherpe steen in de richting van Johanssons glazen dak gooide. Vergezeld van een onschuldige oogopslag, een vriendelijke glimlach en het nasale stemgeluid, de woordkeuze en de lichaamstaal die mensen als hij op het landgoed van zijn ouders met de paplepel kregen ingegoten.

'*How about the Olof Palme assassination? Any new leads?* Kunnen we nog een doorbraak verwachten in je ongetwijfeld onvermoeibare speurwerkzaamheden? Om onze nieuwsgierigheid te bevredigen, Lars? Verlicht de duisternis van onze beroepsmatige onwetendheid. Verdrijf onze onrust.'

Natuurlijk werd er zoals gebruikelijk vrolijk gegrinnikt en geproost, en een kameraadschappelijk knikje gegeven om de angel uit de geplaatste opmerkingen te halen – *no harm intended of course... comrades in arms...* enzovoort, enzovoort – wat Johansson weinig troost bracht, omdat de mislukking van de Palme-zaak hem een doorn in het oog was.

Daarom kregen ze hetzelfde antwoord als altijd.

Met het Palme-onderzoek van de Zweedse politie was het helaas zo slecht gesteld dat al geruime tijd duidelijk was dat dit grote moordonderzoek vanaf het begin gedoemd was te mislukken. Omdat men er niet in was geslaagd de dader op de plaats delict te grijpen of hem in de directe omgeving te omsingelen. Waarmee men normaal gesproken bijna nooit de mist inging, als er sprake was van een moord op zo iemand als de Zweedse minister-president.

In plaats daarvan verdween er een onbekende moordenaar in de duisternis van de nacht. Politionele procedures en beroepsmatige vanzelfsprekendheden leken plotseling te zijn weggevaagd, terwijl men elkaar voor de voeten bleef lopen. Een toenemende wildgroei aan hypothesen en zuiver giswerk kwamen in de plaats voor het volhardende, doordringende, langetermijnspeurwerk, dat het fundament voor iedere rasechte politieagent was. Hen simpelweg staande hield. Zowel de individuele politieman als het korps dat hij diende.

Maar zijn Zweedse collega's en hij hadden zeker hun lesje geleerd, en als ze hem niet geloofden: ze hadden allemaal deel uitgemaakt van de succesvolle jacht die de Zweedse recherche een paar jaar geleden op de moordenaar van de Zweedse minister van Buitenlandse Zaken had gemaakt.

'*A good piece of old time coppery, if you ask me*,' constateerde Johansson in zijn inmiddels vlekkeloze politie-Engels. '*We learned our lesson. We did it the hard way. But we did it well.*'

Zijn Engelse vriend en collega had instemmend geknikt en zijn goedkeuring laten blijken door zijn glas met barnsteenkleurige maltwhisky te heffen. Toch gaf hij zich niet gewonnen, want als hij zich niet vergiste was het onderzoek nog steeds gaande. Ondanks Johanssons uitspraken van daarnet en ondanks meer dan twintig jaar mislukkingen. Kon hij er niet beter voor zorgen dat die collega's iets zinvollers te doen kregen?

'Het gaat erom dat je je schikt naar de situatie,' zei Johansson grimmig. 'Zo lang de zaak nog niet verjaard is, zullen we eraan blijven werken.' Over het feit dat zijn speurders zich al jarenlang voornamelijk met andere zaken bezighielden, had hij geen woord gezegd.

'Een vanzelfsprekende vorm van beleefdheid jegens een hooggeplaatst politicus die vermoord is,' zei zijn Engelse kameraad instemmend, iets anders was natuurlijk ondenkbaar volgens het geldende decorum, als hij het voor het zeggen had. Daarbij was het een noodzakelijk goed om de politieke stabiliteit in elke rechtsstaat en democratie te kunnen handhaven. Ondanks het feit dat de politie eigenlijk boven dat politieke gedoe verheven was.

Zou kunnen, knikte Johansson. Hij had hier zelf niet bij stilgestaan, aangezien ondeskundig politiek geouwehoer hem koud liet. Hij was pas veel later bij het onderzoek betrokken geraakt, toen hij als deskundige van de regering in verschillende commissies had plaatsgenomen. Tegelijkertijd wilde hij benadrukken dat hij een belangrijke constatering had gedaan, nu hij toch bezig was het falen van de politie te verklaren, en uit de veranderde lichaamstaal van zijn toehoorder viel op te maken dat dit het juiste moment was.

Zijn welgemanierde plaaggeest was natuurlijk in de val gelopen door in Johanssons schootsveld te gaan staan, met de brede kant naar de schutter. Buitengewoon interessant, daar wilde hij onmiddellijk meer van weten.

'Dat het absoluut noodzakelijk is dat gecompliceerde politieonderzoeken door echte politiemensen worden uitgevoerd,' zei Johansson, terwijl hij net zo vriendelijk glimlachte als zijn collega, zich naar voren boog en zijn tegenstander een schouderklopje gaf.

Volgens Johansson was het volstrekt levensgevaarlijk, nagenoeg de garantie voor een totaal fiasco, om zoiets aan al die juristen en gewone bureaucraten over te laten die tegenwoordig de bovenste etages van de meeste moderne, westerse politieorganisaties bevolkten. Zoals helaas het geval was toen zijn eigen minister-president werd vermoord.

'Touché, Lars,' antwoordde zijn collega van New Scotland Yard en hij leek zich er bijna nog meer over te vermaken dan al die vrolijke gezichten om hem heen. Het was inderdaad geen geheim dat hij zich niet had opgewerkt binnen het korps waar hij nu leiding aan gaf. Pas toen hij de vijftig al was gepasseerd, had hij als rechter zijn hoge zetel bij het gerechtshof Old Bailey verlaten om zich te nestelen in de managerssuite van Victoria Street. Toen kon de rechtersstoel die hij voor de politie had verruild, ook in de nieuwe situatie een rol spelen. In het bijzonder omdat hij zich vooral bezighield met financiële zaken en personeelskwesties, en er 'niet aan moest denken om mijn lange neus in een moordonderzoek te steken'.

'Jij begon,' bromde Johansson.

Vervolgens verliep de avond op de gebruikelijke manier, wat deze keer betekende dat de plaatsvervangend hoofdcommissaris van de politie Parijs vertelde over de problemen die de stad had met 'al die standbeelden van belangrijke Fransen, de talrijke duiven en niet te vergeten het feit dat de duiven in Parijs zo verschrikkelijk veel poepen'.

Volgens Johanssons Franse collega was het Zweedse Palme-onderzoek een uitstekend voorbeeld van vrijwel de enige manier waarop de politie had kunnen handelen. Of ze nu gefaald hadden of niet. Eigenlijk hadden Johansson en zijn Palme-rechercheurs dezelfde beslissende rol gespeeld voor het in stand houden van het Respect voor de Zweedse Overheid als de circa vijftig medewerkers van de gemeentelijke reinigingsdienst van Parijs, die probeerden de standbeelden van de stad te zuiveren van duivenpoep.

'Het respect voor een grote natie valt of staat met het respect voor haar grote leider.' Hij wilde van de gelegenheid gebruikmaken om een toast op zijn Zweedse collega uit te brengen, die met onuitputtelijke ijver en zelfopoffering, zonder een moment aan zijn eigen gerief te denken, deze taak op zich had genomen.

De hoogste tijd om op te stappen, dacht Lars Martin Johansson zodra de lachsalvo's waren geluwd. Twee uur later, toen hij in zijn hotelkamer in bed lag, had hij zijn besluit genomen. Daarna was hij gaan slapen. Net zoals hij dat thuis deed. Plat op zijn rug, met zijn handen over zijn borst gevouwen. Terwijl hij aan zijn vrouw dacht en aan het feit dat hij haar veel te vaak alleen liet, voor dingen die eigenlijk onbelangrijk waren en slechts hun leven van hen afnam, was hij als een blok in slaap gevallen.

24

'Is er nog iets gebeurd?' vroeg Johansson aan zijn secretaresse zodra Lewin hem had verlaten.

'Hier gebeurt altijd wel wat,' antwoordde ze.

'Heeft er iemand gebeld?'

Zoals altijd was de telefoon voortdurend gegaan. Niet dat de hele wereld met haar baas wilde praten, maar een flink deel van hen die zich interesseerden voor de donkere kanten ervan, leken de sterke behoefte te hebben om uitgerekend met hem in contact te willen komen. Zoals altijd had ze deze gesprekken zelf afgehandeld door degene die belde te geven wat hij of zij nodig had, zonder dat ze Johansson daarmee hoefde lastig te vallen. Al telde deze late woensdagochtend tot nu toe twee uitzonderingen.

'Die geheimzinnige figuur van Rosenbad heeft gebeld, die man die nooit wil zeggen hoe hij heet.'

'Wat wilde hij?' De persoonlijke, bijzonder deskundige van onze minister-president, onze eigen kardinaal Richelieu, dacht Johansson.

'Hou je me soms voor de gek, Lars,' antwoordde ze. 'Hij wilde niet eens loslaten of hij zelf terug zou bellen of dat jij hem terug moest bellen.'

'Ik ga met hem praten,' zei Johansson. 'Wie was die andere?'

'Die was vast niet belangrijk.' Zijn secretaresse schudde haar hoofd.

'Heeft hij ook geen naam?'

'Jawel, hij heeft verschillende keren gebeld. Afgelopen vrijdag eigenlijk al, maar omdat ik je weekend niet wilde bederven, vond ik dat het kon wachten.'

'Zijn naam,' zei Johansson, terwijl hij met zijn vingers knipte.

'Bäckström,' zei zijn secretaresse met een zucht. 'Afgelopen vrijdag belde hij voor het eerst en daarna heeft hij het nog een stuk of vijf keer geprobeerd. Vanmorgen voor het laatst.'

'Bäckström,' herhaalde Johansson ongelovig. 'Hebben we het nu over die kleine vetzak die ik Rijksmoordzaken uitgeknikkerd heb? Dat kan toch niet waar zijn.' Dat is nog maar een jaar geleden, dacht hij.

'Ik ben bang van wel. Hoofdinspecteur Evert Bäckström. Hij stond erop jou persoonlijk te spreken. Het was bijzonder belangrijk en lag buitengewoon gevoelig.'

'Waar ging het om?'

'Dat wilde hij verder niet zeggen.'

'Zeg tegen Lewin dat hij hem moet bellen.'

'Natuurlijk,' zei Johanssons secretaresse. Arme, arme Jan Lewin, dacht ze.

Johanssons secretaresse had Lewin benaderd door hem een e-mail te sturen via GroupWise, waar de politie een eigen variant van had die zelfs voor getalenteerde hackers moeilijk te kraken was. Aangezien Johanssons secretaresse, in menselijk opzicht, niet in het minst op haar baas leek, was het een beleefde, heldere mededeling geworden. Uiteraard in de vorm van een verzoek. Zou Lewin zo vriendelijk willen zijn contact op te nemen met hoofdcommissaris Evert Bäckström, tegenwoordig werkzaam bij de afdeling Opsporing Vermiste Goederen van de politie Stockholm, om te informeren wat hij wil? Dit op verzoek van hun gezamenlijke chef, Lars Martin Johansson, CRKP, chef van de Zweedse rijksrecherche, *Rikskriminalpolisen*, in de wandelgangen erkapé genoemd.

Waar ben ik eigenlijk in verzeild geraakt, dacht Lewin. Nog maar een uur geleden, toen zijn hoogste baas door een moment van zwakte werd getroffen, had hij zelf de beslissing in handen gehad en een redelijke kans gemaakt om aan deze schijnvertoning een einde te maken. Nu was het te laat. Alles was weer als vanouds en waarschijnlijk nog erger. Nadat hij drie keer diep had ademgehaald, belde hij Bäckström op, en zoals hij al vreesde, was ook die als vanouds.

'*Bäckström speaking*,' antwoordde Bäckström.

'Ja hallo, Bäckström,' zei Lewin. 'Dit is Jan Lewin. Alles goed, hoop ik? Ik heb een vraag.'

'Janne,' zei Bäckström luid en duidelijk, omdat hij wist dat Jan Lewin er een hekel aan had om Janne te worden genoemd. 'Dat is een tijd geleden, Janne, waar kan ik je mee van dienst zijn?'

Lewin had zich van tevoren schrap gezet. Hij deed werkelijk zijn best om zowel beleefd, correct als bondig te zijn. Hij belde in opdracht van erkapé. Erkapé vroeg zich af wat Bäckström wilde en had Jan Lewin verzocht daarnaar te informeren.

'Als hij daar zo vreselijk op geilt, stel ik voor dat hij zelf belt,' zei Bäckström.

'Pardon?' zei Lewin.

'Luister eens even, Janne,' legde Bäckström uit, die zijn meest pedagogische toon had aangeslagen. 'Als ik jou was,' vervolgde hij, 'zou ik hem dringend adviseren mij te bellen. Ik denk dat dat in zijn eigen belang is, om het zo maar te zeggen. Met het oog op waar hij mee bezig is,' verduidelijkte hij.

'Ik begrijp daaruit dat je niet met mij wilt praten,' constateerde Lewin.

'Zoals gezegd, als ik Johansson was, zou ik zelf hoofdcommissaris Bäckström opbellen. Niet iemand als jou erop afsturen, Janne.'

'Ik zal het doorgeven,' zei Lewin. 'Heb je nog meer te zeggen?'

'Als hij die Palme-zaak echt wil oplossen, kan hij me bellen, maar nu moet ik ophangen. Ik heb namelijk nog meer te doen.'

Wat een ongehoord primitieve collega, dacht Jan Lewin.

Hoe men ook over de persoonlijke, bijzonder deskundige van de minister-president dacht, híj was in elk geval niet primitief te noemen. Eerder gecultiveerd, tot ver over de grenzen van het gewone menselijke verstand. Johansson had hem op zijn geheimste telefoonnummer gebeld en hij had onmiddellijk opgenomen. Uiteraard zonder zich voor te stellen, omdat dat nu eenmaal in de aard van zijn opdracht en roeping besloten lag.

'Jaa?' zei de bijzonder deskundige met een vragende uithaal aan het eind.

'Johansson,' zei Johansson. 'Ik hoorde dat je gebeld had en ik vroeg me natuurlijk af of ik je ergens mee van dienst kon zijn. Hoe gaat het trouwens met je?'

'Fijn om iets van je te horen, Johansson,' zei de bijzonder deskundige met hoorbare warmte in zijn stem.

Eigenlijk wilde hij niets speciaals. Slechts een praatje met een goede vriend in de trant van 'hoe gaat het tegenwoordig met je', omdat hij veel te weinig van zich had laten horen. Hij was net teruggekeerd van een welverdiende vakantie en zodra hij weer voet op Zweedse aardbodem had gezet, overviel hem de gedachte dat hij zijn goeie ouwe vriend Lars Martin Johansson weer eens moest bellen.

'Een bijna freudiaanse symboliek,' constateerde de bijzonder deskundige, die al een uur daarvoor, toen hij in het regeringsvliegtuig op weg was van Londen naar Arlanda, vage voorgevoelens over Johansson had, maar dat de stukjes pas op hun plek vielen toen hij eenmaal voet had gezet 'op de geboortegrond die ons beiden heeft gevormd'.

'Vriendelijk van je dat je aan me dacht,' zei Johansson. Hij praat maar en hij praat maar, dacht hij.

Verder voelde de bijzonder deskundige zich 'uitstekend, niet onverdiend moet ik zeggen, fijn dat je ernaar vraagt'. Johanssons vriendelijke aanbod om hem in het algemeen van dienst te willen zijn, was hem natuurlijk niet ontgaan, maar de werkelijke reden waarom hij belde, was dat hij Johansson voor een etentje wilde uitnodigen. Om bij te praten onder het genot van een hapje en een drankje.

'Wat vind je daarvan?' vroeg de bijzonder deskundige.

'Klinkt goed,' zei Johansson. 'Ik kom graag.'

'Wat had je gedacht van morgenavond al?'

'Lijkt me uitstekend.'

Die alertheid, die bereidwilligheid, die natuurlijke aanleg... los van alle fasen des levens... om maar niet te spreken van alle onvoorziene, spontane uitnodigingen.

'...ik benijd je, Lars,' verzuchtte de bijzonder deskundige. 'Was ik ook maar zo prettig in de omgang. Zullen we zeggen half acht bij mijn eenvoudige stulpje vlak bij Uppsala?'

'Ik kijk ernaar uit,' zei Johansson. Ik vraag me af wat hij van me wil, dacht hij. Bovendien had hij zelf ook een vraag waar hij graag antwoord op wilde.

'Wat wilde Bäckström?' vroeg Johansson zodra hij het gesprek had beëindigd en zijn secretaresse te pakken kreeg.

'Hij wilde in elk geval niet met Jan Lewin praten,' antwoordde ze. 'Hij wilde jou spreken. Lewin kreeg het vermoeden dat hij een tip over de Palme-moord had. Vijf minuten geleden heeft Bäckström overigens opnieuw gebeld.'

'In dat geval moet hij Flykt hebben,' bromde Johansson.

'Dat heb ik hem ook voorgesteld,' zei zijn secretaresse. 'Ik zei tegen hem dat hij Flykt moest bellen als het met de Palme-moord te maken had.'

'Wat zei hij toen?'

'Hij stond erop met jou te praten,' zuchtte ze.

'Wat een enorme druiloor,' zei Johansson, die zijn bloeddruk voelde stijgen. 'Bel Flykt om hem te zeggen dat hij die klootzak stil moet krijgen. Nu!'

'Ik zal contact met hem opnemen,' zei Johanssons secretaresse. Arme, arme Yngve Flykt, dacht ze.

Flykt had geen e-mail naar Bäckström gestuurd, dat gedoe met IT, computers en netwerken en al die andere elektronische hocus pocus waar die jonge collega's zich mee bezighielden, was niets voor hem. Zwaar overschat allemaal, vond hij, bovendien was hij hoe dan ook te oud om dat soort dingen te leren.

Wat was er mis met een gewone telefoon? Dat klassieke politionele hulpmiddel waarmee je met anderen in contact kon komen, dacht Flykt, terwijl hij het nummer van Bäckström intoetste, die bovendien al opnam een seconde nadat het toestel de eerste keer was overgegaan.

'Dag Henning,' siste Bäckström. 'Waar waren we toen we werden afgebroken?'

'Ik ben op zoek naar hoofdcommissaris Bäckström, Evert Bäckström,' verduidelijkte Flykt. 'Heb ik het juiste...'

'*Bäckström speaking*,' zei Bäckström, die weer als vanouds klonk.

'Mooi,' zei Flykt. 'Dan heb ik het juiste nummer. Je spreekt met Yngve. Yngve Flykt van het Palme-team. Ik hoop dat alles goed met je is, Bäckström. Ik hoorde dat je iets over Palme had te melden? Ik ben een en al oor.'

'Heb je pen en papier?' vroeg Bäckström.

'Uiteraard,' antwoordde Flykt hartelijk, aangezien hij voordat hij belde al de bandopnameknop had ingedrukt. 'Ik noteer,' loog hij.

Dit gaat als een speer, dacht hij.

'Dan kun je aan die zogenaamde baas van je doorgeven dat hij mij kan bellen,' zei Bäckström.

'Ik begrijp het, maar hij heeft me zelf gevraagd om met jou contact op te nemen. Dit is immers mijn afdeling, van mij en mijn collega's, zoals je wel begrijpt.'

'Ja, het is om te janken. Dus je mag hem vertellen dat ik niet met jou wil praten.'

'Nu vind ik dat je onredelijk bent, Evert,' zei Flykt. 'Als je iets hebt bij te dragen, is het in feite je plicht als collega...'

'Zeg, Flykt,' onderbrak Bäckström hem, 'met jou wil ik niet praten. Dan kan ik net zo goed gelijk de krant bellen. Ik wil Johansson spreken.'

'En waarom dan?'

'Vraag maar aan Johansson, vraag maar aan Johansson of hij daar ideeën over heeft.'

'Hij leek compleet uit balans, als je het mij vraagt,' zei Flykt vijf minuten later.

'Heb je het gesprek opgenomen?' vroeg Johansson.

'Uiteraard,' zei Flykt. 'Eerst kreeg ik de indruk dat hij dacht dat ik iemand anders was, een zekere Henning... Denk je dat hij met die oude steradvocaat contact heeft opgenomen? Met die Henning Sjöström?'

'Dat kan ik me niet voorstellen,' zei Johansson. 'Sjöström is een uitstekende kerel. Verdedigt alleen gewone pedofielen, brandstichters en massamoordenaars. Zo'n type als Bäckström zou hij nog niet eens met een tang willen vastpakken.'

'Komt wel goed,' vervolgde hij en hij haalde zijn schouders op. 'Mail het gesprek maar naar me.'

'Natuurlijk,' zei Flykt. Hoe moet dat eigenlijk? Kan ik het beste maar aan een van die jonge talenten vragen, dacht hij.

'Nu doen we als volgt,' zei Lars Martin Johansson een kwartier later, terwijl hij zijn secretaresse grimmig aankeek.

'Vertel.'

'Stel een overzicht samen van alle telefoontjes van Bäckström die tot nu toe zijn binnengekomen. Vanaf nu wil ik alles gedocumenteerd hebben als hij weer van zich laat horen. Als hij vijf keer heeft gebeld, wil ik dat je dat onmiddellijk aan me doorgeeft.'

'Begrepen,' zei zijn secretaresse. Arme, arme Evert Bäckström, dacht ze.

25

Na het overleg met Johansson voelde Holt de behoefte om haar bureau, slechts een van een paar duizend in het grote politiebureau in Kungsholmen, te laten voor wat het was. Ze moest gewoon even bewegen, door op dezelfde manier te werken als toen ze nog een echte agent was. Door te praten met iemand die erbij was geweest en iets te vertellen had.

Lisa Mattei had haar twijfels geuit over haar en Lewins theorieën over de dader en zijn vluchtweg, en dat was voor haar voldoende reden om dat nog eens te controleren. Twee vliegen in één klap, en met wie kon ze in dat geval beter praten dan met die oude collega van de ordepolitie, die haar enkele dagen geleden van de plaats delict een lift naar huis had gegeven.

Die collega heette Berg en werkte tegenwoordig bij de ordepolitie Västerort. Hij had meer dan veertig jaar bij de politie gewerkt, zou binnenkort met pensioen gaan, maar was nog altijd brigadier. Dat had niet gelegen aan het gebrek aan contacten binnen het korps. Zijn vader was politieman en zijn oom, chef de bureau Berg, Johanssons voorganger als operationeel hoofd van de veiligheidsdienst, was een legendarische politieman geweest.

Hij had het aan zichzelf te wijten. In een tijdsbestek van ruim tien jaar, van eind jaren zeventig tot begin jaren negentig, was hij een van de meest onderzochte agenten van het land geweest. De afdeling Interne Zaken van de politie Stockholm had hem zo'n dertig keer moeten onderzoeken vanwege beschuldigingen van mishandeling en overige gewelddadigheden onder diensttijd. Lars Martin Johansson had Berg en zijn collega's ruim twintig jaar geleden zelfs achter de tralies gekregen. Die keer betrof het een zware mishandeling van een gepensioneerde man, wat bovendien in het arrestantenlokaal van de politiepost Norrmalm zou hebben plaatsgevonden. De uitkomst was echter mager. Telkens werden Berg en zijn collega's op vrije voeten gesteld.

Degene die zijn carrière had gedwarsboomd – de hoofdverantwoordelijke voor het uitblijven van zijn promotie tot commissaris – was zijn eigen oom. Het jaar voordat de minister-president werd vermoord, had hij de veiligheidsdienst de rechts-extremistische collega's bij de politie Stockholm in kaart laten brengen, en al vrij snel was hem duidelijk geworden dat zijn eigen oomzegger in dit verband een vooraanstaande rol innam. Toen de minister-president een halfjaar later werd vermoord en de media in het politiespoor begonnen te graven, was adjudant Berg de politieman die het meest voorkwam in de verschillende onderzoeksdossiers die de Palme-rechercheurs hadden aangelegd. Nooit veroordeeld. Eén keer aangeklaagd en vrijgesproken, maar meer was het nooit geworden, en voor de dagen waarop Holts eigen chef hem in hechtenis had laten nemen, had hij ondertussen een behoorlijke schadevergoeding weten te innen.

De nacht waarin de Zweedse premier werd vermoord, was hij de derde politieman geweest die zijn voet op de plaats delict had gezet.

Wat is de wereld toch klein. Met wie kan ik beter over de zaak praten dan met hem, dacht Anna Holt.

Toen Holt haar collega Berg aan de telefoon had gekregen, had hij haar voorgesteld in een lunchroom in de buurt van het politiebureau een kop koffie te drinken. Net als Holt woonde hij in Solna en omdat hij middagdienst had op het bureau, kwam hem dat het beste uit. Bovendien waren daar op dit tijdstip weinig mensen, hadden ze goede koffie en lekkere broodjes.

'Iraniërs,' verklaarde Berg. 'Maar heel fatsoenlijke mensen. Zij hebben immers dat deel van de dienstensector overgenomen.'

'Aardig van je dat je met me wilt praten,' zei Holt een halfuur later.

'Geen probleem,' zei haar collega met een glimlach. 'Ik had eerlijk gezegd niets beters te doen. Maar voordat we beginnen wil ik één ding zeggen.'

'Natuurlijk,' zei Holt.

Daarna had hij een uiteenzetting van vijf minuten over zichzelf gehouden – over zaken die Holt zeker al wist, zoals hij bij wijze van inleiding opmerkte – voordat hij zijn punt maakte. Hij had op geen enkele manier iets met de moord op Olof Palme te maken gehad.

Hij was net zo overrompeld geweest als iedereen. Net zo verbijsterd als iedereen, geloof het of niet, en hij had niets liever gezien dan dat hij samen met de collega's die erbij waren toen het gebeurde, erin geslaagd was de dader ter plaatse in te rekenen.

'Zodat we tijd kunnen besparen,' zei Berg en hij haalde zijn schouders op.

'Ik geloof je,' zei Holt. 'Die lui op tv met hun politiespoor heb ik nooit geloofd.' Dat ik de rest waarover ik heb gelezen wel grotendeels geloof, is op dit moment nauwelijks interessant, dacht ze.

'Goed om te horen,' zei Berg en hij keek alsof hij meende wat hij zei.

'Ik wilde iets heel anders met je bespreken,' vervolgde Holt. 'De reconstructie van het misdrijf die onze collega's destijds hebben gemaakt. Ik heb namelijk moeite om de tijden met elkaar in overeenstemming te brengen.'

Vervolgens had ze vijf minuten lang Lewins en haar eigen bevindingen uiteengezet over het feit dat Getuige Een minstens anderhalve minuut achterlag op de dader toen hij de trappen naar de Malmskillnadsgatan opgelopen was. En dat Getuige Twee alleen al om die reden niet kon hebben gezien dat de dader 'zojuist' de straat over was gestoken. Over getuige Madeleine Nilsson had ze daarentegen met geen woord gerept. Met haar wilde Holt nog even wachten.

'Als we er nu van uitgaan dat de moord op 23.21.30 uur is begaan,' zei Holt. 'Dat de dader een minuut nodig had om de Tunnelgatan in te rennen en de trappen naar de Malmskillnadsgatan op te rennen, dan staat hij daar dus om 23.22.30 uur.'

'Ik weet het,' zei Berg met gevoel. 'Die man die Palme heeft neergeschoten moet idioot veel geluk hebben gehad.'

Daarna vertelde hij Holt over zijn herinneringen, van dezelfde gebeurtenissen die haar eerder uren hadden gekost om door te lezen.

'Volgens onze collega's van de meldkamer en iedereen die het zogenaamd kan weten, kregen we de melding van de Sveavägen vrij exact vierentwintig minuten over elf door,' zei Berg. 'Dat kan kloppen, op die paar seconden na waarmee je ernaast kunt zitten, want dat hou je toch. 23.24.00 uur dus,' verduidelijkte hij. 'Op dat moment waren we bij het Brunkebergstorg, in de buurt van de Riksbank. We waren vanuit noordelijke richting de Malmskillnadsgatan door gereden, dus nog geen minuut eerder waren we de trappen naar de Tunnelgatan gepasseerd. We moeten de moordenaar met slechts dertig seconden hebben gemist. Palme ligt dood op de Sveavägen, honderd meter rechts van ons. Hij is slechts anderhalve minuut eerder neergeschoten, terwijl wij in alle rust voorbijrijden op de Malmskillnadsgatan en nog eens vierhonderd meter doorrijden voordat we het alarm doorkrijgen. Om krankzinnig van te worden.' Berg schudde zijn hoofd en zuchtte.

'Hoe snel reden jullie?' vroeg Holt.

'Langzaam,' antwoordde Berg. 'Zoals je doet als je vanuit een patrouillebusje zo veel mogelijk wilt zien. We reden met maximaal dertig kilometer per uur door de Malmskillnadsgatan. Het was overal rustig. Geen trammelant, geen opvallende incidenten, alleen normale mensen op straat. Het was ook koud en guur, kan ik me herinneren. Iedereen liep stevig door, met opgestoken kragen, handen in de zakken en opgetrokken schouders. Wij zaten op ons gemak in onze warme Dodge, totdat op onze radio de pleuris uitbrak.' Berg glimlachte en schudde zijn hoofd.

'Wat gebeurde er toen?'

'*Full speed* zodra we de oproep hadden beantwoord. Er was geschoten op de hoek van de Sveavägen en Tunnelgatan, dus meer hoefden we niet te weten. Zwaailicht, sirenes, eerste straat rechts vanaf het Brunkebergstorg naar de Sveavägen, dan vijfhonderd meter noordwaarts naar de plaats delict. Ik was de eerste die het busje uitkwam, toen was het volgens dezelfde klok ergens tussen 23.24.20 en 23.24.30 uur. Het moet ons ongeveer een halve minuut hebben gekost nadat we op de oproep hadden gereageerd, dus dat zal kloppen.'

Het patrouillebusje had anderhalve minuut na de moord door de Malmskillnadsgatan gereden, dertig tot veertig seconden nadat de moordenaar boven aan de trap stond, om zich heen keek en uit het gezichtsveld van Getuige Een verdween.

De collega's van de patrouilledienst Södermalm hadden de dader niet gezien en Getuige Een of Getuige Twee was ze evenmin opgevallen, wat tot zover allemaal klopte, want die hadden ze ook niet moeten zien, dacht Holt.

Getuige Een en Getuige Twee, dacht Holt, maar voordat ze een vraag had kunnen stellen was hij haar voor geweest.

'Ik begrijp wat je dwarszit, Holt,' zei Berg plotseling. 'Je hebt de indruk gekregen dat die vrouw van de Malmskillnadsgatan – Getuige Twee van die getuigenketen waar al die slimmeriken van de recherche over zeikten, die tegen Getuige Een zei, toen hij verscheen, dat de moordenaar de David Bagares gata in was gerend – dat die vrouw niet de dader had gezien, maar iemand anders.'

'Waarom denk je dat?'

'Zo dacht ik er tenminste zelf over toen ik het plaatje duidelijk voor me zag,' legde Berg uit. 'Hoe valt alles anders met elkaar te rijmen? Wat de tijden betreft, bedoel ik.'

'Maar je hebt er nooit iets over gezegd,' zei Holt.

'Hoe zou dat komen, denk je?' vroeg Berg met een scheef lachje. 'Stel je eens voor dat uitgerekend ik naar mijn voorname collega's van de recherchedienst aan de Kungsholmsgatan was gestapt om te zeggen dat ik dacht dat ze een vergissing hadden gemaakt. Van die orde van grootte, bedoel ik.'

'Ik denk niet dat ze hadden staan juichen,' zei Holt. 'Wat deed je toen je bij de plaats delict uit je busje stapte?'

'Zodra ik doorhad wat er aan de hand was, laten we zeggen na een seconde of tien, rende ik samen met drie collega's de Tunnelgatan in. Toen we de trappen naar de Malmskillnadsgatan hadden bereikt, stond er bovenaan een vrouw naar ons te schreeuwen en te gebaren, dus rende ik naar boven. Die vrouw was Getuige Twee, begreep ik later. Ik had er hooguit een minuut voor nodig om van de plaats delict naar de Malmskillnadsgatan te rennen. Zoals ik de vorige keer al zei toen ik je zag.'

'Dus nu klokken we 23.25.30 uur, vier minuten na de moord,' verduidelijkte Holt.

'Zoiets, ja,' beaamde Berg.

'En wat deed je toen?'

'Ik rende verder in de richting die Getuige Twee had aangewezen,' zei Berg glimlachend. 'De David Bagares gata in, naar de Regeringsgatan dus, en na zo'n vijftig meter liep ik Getuige Een tegen het lijf.'

'Wat zei hij?'

'Niet veel,' zei Berg. 'Het duurde een minuut voordat ik erachter kwam dat hij zelf niet had gezien welke kant de dader op ging. Hij gaf alleen weer wat Getuige Twee tegen hem had gezegd.'

'Als je het mij vraagt,' vervolgde hij, 'hapert er nogal wat aan dit deel van de beschrijving. Bijvoorbeeld dat het honderd procent zeker is dat ze dezelfde persoon voorbij hebben zien rennen.'

'Leg uit,' zei Holt.

Collega Berg had zowel met Getuige Een als met Getuige Twee gesproken. Hij was in feite de eerste politieman die dat gedaan had en voor deze ene keer was hem niet eens gevraagd om er ook maar een regel van op papier te zetten. De collega's van de recherche hadden dat deel voor hun rekening genomen zodra ze waren gearriveerd, en wat er met zijn beknopte handgeschreven notities was gebeurd zou hij werkelijk niet weten. Hij kon zich alleen nog vaag herinneren dat een collega van de recherchedienst het papiertje in zijn jaszak had gestopt.

Berg had geen verhoor afgenomen. Hij had alleen een rechtstreeks gesprek gevoerd met Getuige Een en Getuige Twee, om de voor de hand liggende reden dat hij zo snel mogelijk zo veel mogelijk wilde weten om zijn zoektocht naar de dader te kunnen beginnen.

'Als Getuige Een bij de Malmskillnadsgatan is aangekomen, loopt hij tegen Getuige Twee op. Dan vraagt hij haar of ze iemand met een donkere jas voorbij heeft zien komen. Zijn letterlijke woorden weet ik niet meer, maar ik meen me te herinneren dat Getuige Een aan haar vroeg of ze een kerel met een donkere jas voorbij heeft zien rennen. Ze antwoordt bevestigend. Ze had even daarvoor gezien hoe een man met een donkere jas de Malmskillnadsgatan overstak en de David Bagares gata in rende.'

'Even daarvoor?' vroeg Holt.

'Ik stelde haar dezelfde vraag zodra ik de kans kreeg. Dat moet ongeveer een kwartier later geweest zijn. Volgens haar ging het om een man met een donkere jas, die ze hooguit twintig seconden voordat Getuige Een haar die vraag stelde, de Malmskillnadsgatan had zien oversteken in de richting van de David Bagares gata. Verder had ze er niet veel aan toe te voegen. Ze wist niet meer over zijn kleding te vertellen dan dat ze dacht dat hij een tasje in zijn rechterhand had dat hij in zijn jaszak probeerde te stoppen. Zijn gezicht had ze niet gezien. Ze kreeg de indruk dat hij het tasje mogelijk voor haar probeerde te verbergen toen hij langs haar rende. Was hij lang of klein van stuk? Dun of dik? Stevig of tenger? Donker of blond? Jong of oud? Ook daar had ze geen idee van. Afgaande op haar waarnemingen moet hij er ongeveer zo hebben uitgezien als al die andere mannen die die avond over straat gingen. Behalve het feit dat hij zich verdacht gedroeg, natuurlijk. Daarvan leek ze steeds zekerder te worden naarmate het gesprek vorderde. Dat hij nerveus en gejaagd overkwam, zijn gezicht probeerde te verbergen en meer van die dingen. Maar lieve Jezus,' verzuchtte Berg, 'wat had ze anders moeten zeggen? Tegen die tijd stonden de collega's rijen dik om haar heen te dringen.'

'Getuige Een, dan. Wat had hij te zeggen?' vroeg Holt.

'Tijdens dat gesprek was hij er de hele tijd bij, en als het aan mij had gelegen, had ik de getuigen natuurlijk apart gehouden, maar omdat het zo'n verschrikkelijk chaotische toestand was, ging dat niet. Voordat de collega's van de recherche het overnamen, hebben ze wel zo'n halfuur met elkaar van gedachten staan wisselen. Getuige Een en Getuige Twee dus.'

'Merkte je verschillen in hun beschrijving van de dader?'

'Getuige Een was beduidend uitvoeriger, kan ik wel zeggen. Hij had het schot gehoord, de dader met het wapen gezien en daaruit opgemaakt wat er aan de hand was. Een man met een donker jack of een donkere jas, ofwel blootshoofds, dan wel met een gebreid mutsje op, zo een als Jack Nicholson in de film *One Flew Over the Cuckoo's Nest*, stevig gebouwd, een lomp sukkeldrafje tijdens het wegrennen, een beetje als een beer en hij beweerde dat hij de dader het wapen in de rechterzak van zijn jack of jas zag stoppen, maar hij zei niets over een tasje. Hij zag er grimmig uit, zo zei hij dat. Tussen de veertig en vijfenveertig jaar. Ouder dan de getuige zelf, in elk geval. Verder niets.'

'Oké,' knikte Holt. Het wordt tijd voor Madeleine Nilsson, maar hoe doe ik dat zonder hem de woorden in de mond te leggen, dacht ze.

'Als jullie door de Döbelnsgatan rijden, aan het begin van de Malmskillnadsgatan de trappen naar de Tunnelgatan passeren, de brug over de Kungsgatan overgaan en de Malmskillnadsgatan tot aan het Brinkebergstorg volgen, waar jullie die melding doorkregen...'

'Ja,' knikte Berg.

'Zijn jullie toen geen andere vage of verdachte types opgevallen?'

'Dan hadden we dat gezegd,' zei Berg hoofdschuddend. 'In elk geval niemand met een dampende revolver in zijn vuist,' zei hij met een glimlach.

'Ook geen andere mensen?'

'Vooral gewone mensen die het koud hadden. En een aantal hoeren natuurlijk, want we reden door hun werkgebied om het zo maar te zeggen, en rond dat tijdstip liepen er heel wat. Verder nog een paar normale raddraaiers en verslaafden, maar niemand die moeilijkheden veroorzaakte.'

'En als jullie zo iemand waren tegengekomen?'

'Dan waren we natuurlijk gestopt om hem of haar te fouilleren. Dat deden we altijd als we niks beters te doen hadden. Anders waarschuwden we hen altijd met lichtsignalen, en je moet weten dat we akelig veel mensenkennis hadden.'

'Lichtsignalen?'

'Met groot licht,' zei Berg met een glimlach. 'Al was het alleen maar om ze duidelijk te maken dat hun aanwezigheid was opgemerkt. Zodat ze begrepen dat we ze in de gaten hielden.'

'Maar je kunt je niemand in het bijzonder herinneren?'

'Nee, dan hadden we dat gezegd, zoals ik al zei. Het was nu niet direct een doorsnee avond.'

'Jammer dat je er niet vanaf het begin al bij was, Holt,' voegde hij eraan toe terwijl hij naar haar glimlachte. 'Ik wilde je trouwens nog iets zeggen. Als je naar me wilt luisteren, tenminste, en eigenlijk heeft het hier ook niets mee te maken. Bovendien wil ik dat het onder ons blijft.'

'Als het niets met deze zaak te maken heeft, blijft het onder ons,' zei Holt glimlachend.

'Nee,' zei Berg, 'het gaat over je chef.'

'Johansson,' zei Holt. 'Steek van wal.' Geen seconde te verliezen, dacht ze.

'Ik wil je slechts een goede raad geven,' zei Berg. 'Zoals je wel zult weten, hebben hij en ik een gemeenschappelijk verleden inzake een minder leuke kwestie, dus ik zou zeggen, doe ermee wat je wilt.'

'Ik weet dat hij je ruim twintig jaar geleden een week lang achter de tralies heeft gezet.' Niet helemaal zonder reden, dacht ze.

'Mijn collega's en ik,' knikte hij. 'Dan weet je ook wel dat we werden vrijgesproken en een schadevergoeding hebben gekregen voor de periode dat we hebben vastgezeten.'

'Ik weet er alles van,' zei Holt glimlachend. 'Ik weet bijvoorbeeld ook dat jij en een heleboel andere collega's van de ordepolitie hem de slachter van Ådalen noemden.'

'Dat deden we niet omdat hij ons opsloot, ik zal zelf ook wel eens een onschuldige pechvogel de bak in hebben gegooid. Die naam heeft hij gewoon eerlijk verdiend. Ik heb nog nooit zo'n ijskoude rotzak gezien als hij. Zo'n type dat er geen moment aan zal twijfelen om je dood te meppen, als hij dat nodig vindt. Zonder ook maar één keer met zijn ogen te knipperen of een verhoogde hartslag te krijgen. Dus pas op voor die man, Holt, bij alles wat je doet,' zei Berg huiverend.

'Dat moet je toch even aan me uitleggen,' zei Holt. Wat zegt hij nu, dacht ze.

'Ja, dat zal ik doen.'

Toen had hij het verhaal over zijn vader verteld.

De vader van Berg was ook politieman geweest, een gewone surveillant bij de ordepolitie in Stockholm. Toen Berg een jonge tiener was, was zijn vader tijdens zijn dienst overleden. Tijdens een achtervolging van een stel autodieven was hij een greppel in gereden. Dat was in de jaren zestig, toen er zelfs voor politiewagens geen gordelplicht gold. De vader van Berg was met zijn hoofd door de voorruit geschoten, had zijn nek gebroken en was op slag dood.

'Ik hield echt ontzettend veel van mijn vader,' zei Berg zacht. 'Ondanks zijn fouten en gebreken, want die had hij ook, daar waren mijn moeder en ik al snel achter. Om hem besloot ik politieman te worden. Zodra ik de kans kreeg vertelde ik iedereen over mijn vader, over wat hem was overkomen en waarom ik er zelf voor had gekozen om bij de politie te gaan. Ik vertelde wat ik gehoord had van al mijn familieleden die bij de politie zaten, en dat waren er niet weinig. Ik vertelde wat ik hoorde van zijn collega's. Dat mijn vader een held was. Dat hij in feite zijn leven had opgeofferd voor zijn werk bij de politie. Vijfentwintig jaar lang dacht ik dat het zo gegaan was.'

Degene die Berg uit de droom hielp, was Lars Martin Johansson. Berg en zijn collega's zaten voor de derde dag in voorlopige hechtenis. Johansson en zijn medewerkers verhoorden hen dagelijks. Johansson hield zich vooral bezig met Berg, die, zoals Johansson wist, de leider van het groepje was.

'Zo bijzonder gevoelig ben ik niet, maar je moet weten, Holt, dat het hard aankomt als je politieman bent en plotseling in het huis van bewaring van Kronoberg zit,' zei Berg. 'Op de derde dag zat ik er dus behoorlijk doorheen. Johansson was samen met een collega de hele dag tegen me tekeergegaan en als ik mijn schoenveters of broekriem had mogen houden, weet ik heel goed wat ik na hun vertrek zou hebben gedaan.'

'Wat gebeurde er toen?' vroeg Holt. Al heb ik zo'n vermoeden, dacht ze.

'Een paar uur later, na het avondeten, lag ik op mijn brits naar het plafond te staren en probeerde te bedenken hoe ik mezelf met de deken zou kunnen ophangen. Bijvoorbeeld door hem in stukjes te scheuren of zoiets, je wordt behoorlijk vindingrijk in dat soort situaties. Er zit geen haak aan het plafond waar je je zo aan op kunt hangen, zoals je wel weet. Ineens staat Johansson in de deuropening. Hij was alleen, los van die bewakers die zich in de gang verborgen hielden. Hij had zijn overjas aan. Ik kan me herinneren dat hij zei dat hij ergens een hapje zou gaan eten voordat hij naar huis ging. Verder had hij nog wat leeswerk voor me meegenomen. Hij had namelijk begrepen dat ik slecht sliep. Toen gooide hij zo'n oude dossiermap naar me toe. Zo eentje die we jaren geleden hadden, met van die groene kaften. Toen vertrok hij gewoon. Er werd verschrikkelijk met de sleutels en de sloten gerammeld voordat hij uiteindelijk met die bewakers wegliep.'

'Eerst dacht ik natuurlijk dat het een verhoor was met een van mijn collega's die daar ook zat, om ons op die manier tegen elkaar uit te spelen, maar dat was niet zo,' zei Berg.

Je voelt je niet op je gemak, dacht Holt. Op dit moment voel je je allerbelabberdst. Zo lijk je totaal niet op de Berg over wie ik een en ander heb gelezen, dacht ze.

'Het was het onderzoek naar de doodsoorzaak van mijn eigen vader,' vervolgde Berg. 'Met foto's en al. Van de plaats van het ongeval, de sectiefoto's, alles. Het was hetzelfde dossier dat de collega's van mijn vader diep hadden weggestopt en waar niemand van hen in al die jaren een woord over had gerept, zeker niet tegen mijn moeder en mij.'

Berg schudde zijn hoofd en pauzeerde even voordat hij verderging.

'Het was niet precies gegaan zoals ze aan mijn moeder en mij hadden verteld. Op een dag had mijn vader zijn uniform aangetrokken en een surveillancewagen geleend. Hij was geschorst omdat hij een week daarvoor 's avonds dronken op het bureau was verschenen, maar daar wisten mijn moeder en ik niets van. Hoe het ook zij, hij had die auto gepakt en was naar Vaxholm gereden. Onderweg had hij bijna anderhalve fles brandewijn naar binnen gegoten, bij elkaar meer dan een liter. Nadat hij in Vaxholm bij de aanlegplaats voor de veerboot was aangekomen, wachtte hij af tot de veerboot was vertrokken. Toen had hij plankgas gegeven en was hij de kade afgereden. De auto kwam twintig meter verderop in het water terecht, dus voordat hij verdronk, was hij inderdaad met zijn hoofd door de voorruit geschoten en had hij zijn nek gebroken.'

'Wat gebeurde er toen?' vroeg Holt.

'Ik ging compleet door het lint. Ze moesten me vastbinden en platspuiten. Het duurde twaalf uur voordat ik zodanig was bijgekomen dat ze me weer naar mijn gewone cel konden terugslepen. Het dossier was natuurlijk verdwenen.'

'Heb je dit ooit aan iemand verteld?' vroeg Holt.

'Aan een paar collega's,' antwoordde Berg. 'Zonder op de details in te gaan. Het is verleden tijd nu.' Berg keek Holt aan en knikte. 'Wees voorzichtig met die man, Holt. Hij laat zich niet altijd van zijn gemoedelijke Norrlandse kant zien. Als hij zo'n bui heeft. Hij kan ook zijn duistere kanten tevoorschijn halen als hij daar zin in heeft.'

26

Na het gesprek met Bäckström had Lewin de rust van de Palmekamer opgezocht. Mattei was er ook al en zo te zien had ze niet stilgezeten. Vóór haar op tafel lag een hoge stapel dossiermappen. Toen Lewin binnenkwam, was ze een daarvan met haar linkerhand aan het doorbladeren, terwijl ze met haar rechterhand ijverig op haar laptop aan het tikken was.

Een visueel geheugen in combinatie met een hoge simultaancapaciteit, dacht Lewin. Bovendien een charmante jonge vrouw.

'Hallo, Jan.' Mattei schonk hem een glimlach. 'Ik wist niet dat er zoveel gekwalificeerde idioten tussen zaten. Ik heb er al meer dan driehonderd gevonden, en omdat ik zeker de helft heb gemist, wordt het een behoorlijk aantal.'

'Al komen ze nu in elk geval in een register,' constateerde Lewin met een glimlach. Ik vraag me af hoeveel ongekwalificeerde idioten ertussen zitten. Dat moeten er toch heel wat meer zijn, dacht hij.

'Ziezo,' zei Mattei, haar tengere schouders ophalend. 'Nu hebben we tenminste een soort lijst.'

Fijn om te horen, dacht Lewin en bij gebrek aan beter had hij zijn oude doos met parkeerboetes tevoorschijn gehaald. Keurig gebundeld, op een vaste plek bewaard en waarschijnlijk totaal oninteressant. Als onze dader zo goed georganiseerd te werk ging als Anna Holt en Johansson schenen te geloven, zou hij redelijkerwijs geen parkeerboete hebben geriskeerd, dacht hij.

Op de dag van de moord werden er in Stockholm en omgeving meer dan tweeduizend parkeerboetes uitgeschreven. Een paar honderd daarvan werden uitgedeeld in de betere wijken van de stad, die langs de rode metrolijn lagen. In Gärdet, Östermalm en op Lidingö. Waarom hadden ze die lijn rood genoemd? Afgaande op het soort mensen dat daar woonde, hadden ze die lijn beter blauw kunnen noemen, filosofeerde Lewin, terwijl hij de bundeltjes kopieën doorbladerde en zich probeerde te herinneren waarnaar hij op zoek was.

In goede staat verkerende voertuigen, geen afgeragde autootjes die de uren voor en na de moord in de omgeving van de verschillende metrostations foutgeparkeerd stonden, dacht Lewin. Dat hield in dat twintig jaar later praktisch al die wagens al jarenlang op de schroothoop lagen, en dat alle gegevens van eigenaren en gebruikers uit alle denkbare registers waren verdwenen. Ook al had de moordenaar een splinternieuwe Mercedes toen hij Palme neerschoot, dacht Lewin en hij zuchtte.

Bij gebrek aan beter moest hij op zijn oude aantekeningen afgaan. Bijna iedereen met een parkeerboete had zijn auto in de buurt van zijn woning geparkeerd. Precies zoals te verwachten viel, bovendien schoot je er weinig mee op als je uitging van de hypothese die Holt had gelanceerd, dat de dader met eigen vervoer zijn weg zou hebben vervolgd.

Voordat Lewin naar huis ging, had hij ook zijn eigen bijdrage aan het politiespoor aan een inspectie onderworpen. Van de in totaal negentien parkeerbonnen die dienstwagens van verschillende agenten betroffen, waren er drie langs de rode metrolijn uitgeschreven. Een in Östermalm, een in Gärdet en een in Hjorthagen, bij het eindstation Ropsten. Bovendien nog eentje in Lidingö, precies aan de andere kant van de brug, vijfhonderd meter van het eindstation.

Daar was ook niets merkwaardigs mee, dacht Lewin toen hij de bundeltjes terugstopte in de doos. De auto van zijn collega die op Lidingö woonde, bijvoorbeeld, die werkzaam was bij de politie van Lidingö, stond het hele weekend foutgeparkeerd. Volgens zijn collega's omdat hij geveld was door de griep en van donderdagavond tot maandagmorgen ziek op bed had gelegen.

Daar was overigens ook niets vreemds aan. Toen Lewin twintig jaar geleden met een collega van deze zieke foutparkeerder sprak, wist deze zich te herinneren dat hij op vrijdag aan het einde van de ochtend al had gebeld om te vragen of een van zijn collega's zijn auto wilde verplaatsen. De sleutels konden in zijn appartement aan de Torsviksvägen worden opgehaald. Maar het was er nooit van gekomen. Plotseling hadden ze wel belangrijker dingen aan hun hoofd dan foutgeparkeerde voertuigen.

Er zat een duidelijk patroon in Matteis register van gekwalificeerde idioten. De gegevens waren bijna allemaal afkomstig van afzonderlijke tipgevers. Slechts een enkeling van de mogelijke Palme-moordenaars was erin terechtgekomen op basis van gegevens die de politie door eigen speurwerkzaamheden had verkregen. Ze waren in het Palme-onderzoek terechtgekomen om de alsmaar terugkerende reden dat ze allemaal een hekel hadden aan Palme, wat ze bovendien aan mensen in hun directe omgeving kenbaar hadden gemaakt. Die hadden op hun beurt contact opgenomen met de politie, over het algemeen vrij snel nadat de premier was vermoord, om te zeggen dat hun merkwaardige vriend, kennis, buurman, collega, ex-man, partner enzovoort hun had verzekerd dat hij Palme zou vermoorden. Opvallend genoeg vaak door hem neer te schieten met een wapen waar ze legaal over beschikten. Jagers, boogschutters, wapenverzamelaars of mensen van de burgerbescherming.

Hun kwalificatiegraad was evenmin indrukwekkend. Zware psychiatrische gevallen, bekende verslaafden en beroepscriminelen had Mattei er in het begin al uitgefilterd. Resteerden een paar honderd eigenaardige, alleenstaande mannen, vaak nogal eigenzinnig, bijna altijd met verbroken relaties, doorgaans niet bekend bij buurtbewoners. Bijna altijd mannen van Zweedse afkomst. Allochtonen – zoals die 'vieze Marokkaan' die haar volgens Getuige Drie omver had gelopen in de David Bagares gata – vormden een aanzienlijke minderheid. Het ging om Zweedse mannen. Van die types met wie je alleen sprak als het nodig was, om ze niet onnodig te irriteren.

'Ik ben er honderd procent zeker van dat Tore Andersson Olof Palme heeft vermoord. Hij heeft me diverse keren een zwarte attachékoffer met een revolver laten zien en daarbij gezegd dat hij Olof Palme wilde neerschieten. De laatste keer dat hij dat deed, was slechts een week voor de moord, en ik weet dat hij tijdens het weekend van de moord in Stockholm was, om een kennis te bezoeken die in Söder woont. Tore liep op zijn werk vaak op Palme te schelden. Hij kon bovendien bewijzen dat Palme voor de Russen spioneerde. Tore voldoet ook wat zijn uiterlijk betreft aan het signalement van de dader. Hij is stevig gebouwd, ongeveer één meter tachtig lang, heeft donker haar en is vierenveertig jaar oud. Tore is een beetje eenzelvig...'

‘Stefan Nilsson heeft Olof Palme omgebracht. Hij is onmiskenbaar rechts-radicaal georiënteerd en bijzonder excentriek en exhibitionistisch. Bovendien is hij een zogeheten einzelgänger, en zover ik weet heeft hij nog nooit iets met een vrouw gehad. Hij is eenenveertig. In de hal van zijn woning heeft hij een gewone kledingkast staan waar hij verschillende wapens in bewaart. Toen Palme ongeveer een jaar geleden hier was voor een conferentie, weet ik dat hij het hotel opzocht waar Palme logeerde, om uit te vogelen in welke kamer hij zat...’

‘Na veel wikken en wegen wil ik het volgende aan u meedelen. Ik heb een ex-vriend die na zijn bewakersopleiding naar Stockholm verhuisde en daar een baan kreeg bij een beveiligingsbedrijf. Hij schijnt sinds een paar jaar in Gamla Stan te wonen, vlak bij de straat waar Olof Palme woonde...’

Mattei had een eenvoudig profiel ontwikkeld waar ze deze gevallen mee vergeleek – circa veertig jaar oud, één meter tachtig lang, donker haar zonder blond of grijs erin, een vrij stevig postuur, goede kennis van de omgeving, vertrouwd met vuurwapens, kan legaal over wapens beschikken – en met een snelheid van tien gevallen per uur had ze ze vervolgens terzijde gelegd.

In negen van de tien gevallen bestonden de onderzoeksrapporten die haar collega’s hadden opgesteld uitsluitend uit de tip die ze hadden binnengekregen. Een brief, vaak anoniem, een telefoongesprek of zelfs een persoonlijk bezoek bij de politie. Vaak met behulp van een derde. De tipgever durfde vaak niet zelf naar voren te treden omdat de dader dan onmiddellijk zou begrijpen wie hem zou hebben verraden. In negen van de tien gevallen was het niet verder gekomen dan dat.

In een op de tien gevallen was er actie ondernomen. De politie had de persoon in kwestie in verschillende registers opgezocht en hem en een aantal bekenden van hem verhoord. In enkele gevallen hadden ze hem ook in de gaten gehouden. Waarom was niet duidelijk, aangezien deze mannen zich niet onderscheidden van vele anderen die ook getipt waren, maar waarbij ze alleen de tip in ontvangst hadden genomen, een nieuw dossiernummer en nieuw dossier hadden aangemaakt, het papierwerk in een map hadden gestopt en die in een archiefkast hadden weggezet.

Wat heeft dit allemaal voor zin, dacht Lisa en ze slaakte een zucht. De enige troost was dat deze mannen niet veel overeenkomsten vertoonden met de dader over wie Lars Martin Johansson en Anna Holt hadden gesproken. Er was geen sprake van scherpte, tegenwoordigheid van geest, kennis van de omgeving, interessante contacten of van een niets ontziend vermogen tot praktisch handelen. Restte slechts de kans op een toevallige ontmoeting met het slachtoffer, en die was zo klein dat die nauwelijks te berekenen was. Johansson en Holt hadden deze mogelijkheid al in een vroeg stadium van de hand gewezen. Waarom zou iemand die zijn hele leven in een gehucht in Noord-Värmland heeft doorgebracht in hemelsnaam zomaar de auto pakken, vijfhonderd kilometer naar Stockholm rijden en vervolgens een rondje door de stad lopen, om daar uitgerekend de man tegen het lijf te lopen aan wie hij de meeste hekel heeft?

Hij was dat weekend niet thuis en had van tevoren tegen niemand gezegd dat hij weg zou gaan. Toen hij zondagavond terugkwam, leek hij wel een ander mens. Hij had toespelingen gemaakt tegen mensen in zijn directe omgeving... Hij had een van hen zijn wapen laten zien...

Maar mij laat je koud, dacht Mattei, en ze zette hem terug in de archiefkast waar hij al die tijd had gestaan.

27

Donderdagmiddag was Bäckström de genade die Johansson hem had opgelegd al meer dan zat. Een activiteit die al snel escaleerde, waarbij Bäckström in elk nieuw telefoongesprek steeds meer als zichzelf ging klinken, totdat hij uiteindelijk wel heel onwelvoeglijk uit de hoek kwam. Je reinste telefoonterreur, zodat Johanssons secretaresse niet alleen schoon genoeg van Bäckström had, maar ook een grondige hekel aan hem had gekregen.

Nu zullen we eens zien, kleine dikkop, dacht ze toen ze bij Johansson op de deur klopte.

Nu zal ik je krijgen, kleine etterbuil, dacht Lars Martin Johansson vijf minuten later. Vervolgens had hij Holt gebeld om te zeggen dat hij haar onmiddellijk wilde spreken.

'Je wilt dus zeggen dat hij Helena heeft uitgemaakt voor zuurpruim?' vroeg Holt tien minuten later.

'Inderdaad,' zei Johansson. 'We hebben het op de band staan. Samen met al die andere onbeschoftheden die hij heeft uitgekraamd.'

'Als dat zo is moet hij per direct uit zijn functie worden ontheven,' vond Holt.

'Absoluut,' beaamde Johansson en hij haalde zijn schouders op. 'Neem contact op met onze jurist als je wilt. Doe wat je wilt met die rotzak. Maak gehakt van hem, voor mijn part. Als ik eerst maar weet wat hij wil zeggen en zodra ik dat weet, moet hij ophouden met bellen.'

'Ik zal ervoor zorgen, maar eerst wil ik je ergens anders over spreken.'

'Ik luister,' zei Johansson. 'Vol spanning,' voegde hij er glimlachend aan toe.

'Ik sprak een oude kennis van je. Collega Berg, die bij de ordepolitie in Västerort werkt.'

'Een kennis is te veel gezegd,' zei Johansson, die ineens niet meer zo geamuseerd leek. 'De enige Berg die ik ken is dood. Erik Berg, zijn oom. Mijn voorganger bij de Säpo, een uitstekende politieman. Lijkt in de verste verte niet op die nazi die helaas familie van hem was.'

'Ik heb het persoonsdossier van hem gelezen dat tussen het Palme-materiaal ligt,' zei Holt. 'Maar daar wilde ik het niet over hebben.'

'Je wilt het hebben over zijn versie van de gebeurtenissen die meer dan twintig jaar geleden in het huis van bewaring hebben plaatsgevonden.'

'Ja.'

'Dat is niet nodig,' zei Johansson, terwijl hij zijn schouders ophaalde. 'Daar heb ik links en rechts al wat over opgevangen. Maar ik kan je wel vertellen waarom ik toen zo heb gehandeld, als je geïnteresseerd bent.'

'Dat lijkt me goed,' zei Holt.

'Oké dan,' zei Johansson, die vervolgens vertelde waarom hij Berg meer dan twintig jaar geleden in zijn cel had opgezocht. Slechts een halfjaar voordat de minister-president werd neergeschoten, wat dat er ook mee te maken kon hebben.

Het was de derde dag dat Berg verhoord werd. Hij was geconfronteerd met een aantal ernstige verdenkingen tegen hem. Had geen zakelijke tegenargumenten. Zat met zijn nek in de strop, volgens Johansson.

'Kortom, die klootzak hing bijna, terwijl hij eerder die dag vooral had zitten opscheppen dat hij zo'n geweldige agent was, dat zijn vader zoveel voor hem betekend had en dat die nog wel tijdens de uitoefening van zijn functie zijn leven had gegeven, en meer van dat soort onzin. Ik heb zijn vader nooit ontmoet, maar naar verluidt leek hij sprekend op zijn zoon. Daarbij was het een enorme zuipschuit. Lui, ongeschikt, een bullebak, halve crimineel en dronkenlap die zijn vrouw sloeg... die ook nog politieagent was. Dat kan niet, Anna.'

'Maar waarom heb je zijn zoon dat sectierapport laten zien?' vroeg Holt.

'Dat zal ik je zeggen,' antwoordde Johansson. 'Om hem te laten zien dat hij ons zijn praatjes kon besparen. Om hem op zijn knieën te dwingen. Al was het geen nieuws voor hem. Hij wist waarschijnlijk allang hoe zijn vader er een eind aan had gemaakt.'

'Dan had het toch geen zin om dat nog een keer te vertellen,' bracht Holt ertegen in.

'Dat had het wel degelijk, ik wilde hem juist laten zien dat er meer waren die ervan wisten. En het werkte, als je het mij vraagt. Als hij had mogen kiezen, had hij vast en zeker een en ander toegegeven, om maar niet te hoeven horen dat ik de waarheid over zijn vader wist.'

'Ik blijf erbij dat ik het wreed en onnodig vind.'

'Ik begrijp het,' zei Johansson. 'Ik ben het niet met je eens. Zo iemand als Berg had nooit politieman mogen worden. Dat geldt ook voor zijn vader. Als ik iets beters had gehad om hem mee klem te zetten dan met die held van een vader, had ik dat natuurlijk gedaan.'

'Ben je nooit bang geweest dat hij zichzelf van kant zou maken?'

'Geen moment,' zei Johansson. 'Helaas. Daar is hij het type niet voor. Het is iemand die graag een ander van kant maakt. Alleen als het om hemzelf gaat, toont hij zich mild en begripvol.'

'Ik denk dat hij behoorlijk is veranderd. Ik ben er vrij zeker van dat hij tegenwoordig een ander, beter mens is dan toen.'

'Daar geloof ik niets van. Jij, daarentegen, bent een goed mens. Een voorbeeldige politieagent, aardig. Een beetje te aardig, en daarom te zwak voor figuren als Berg.'

'En jij dan,' zei Holt. 'Volgens Berg...'

'Ik weet het,' onderbrak Johansson haar. 'Als je het echt wilt weten: ja, ik ben een consequent mens. Goed voor degene die goed is, hard voor degene die hard is en slecht voor degene die slecht is. Ooit was ik ook een voorbeeldige politieagent, als ik me met dit soort zaken bezighield. In feite een van de besten. Maar als je je zo druk maakt over mijn karakter, begrijp ik niet dat je Lewin niet vraagt wat hij van Berg vindt.'

'Lewin?'

'Collega Lewin was er toen ook bij. Op de dag dat ik Berg 's avonds in zijn cel een bezoek bracht, had Lewin hem verhoord.'

'Maar die avond was hij er niet bij,' zei Holt.

'Nee, dat zou ik hem voor geen prijs willen aandoen, maar als je tegen die ontmoeting met die etterige Bäckström opziet, neem ik hem wel voor mijn rekening.'

'Nee,' reageerde Holt. 'Ik regel het wel.'

'Uitstekend,' zei Johansson. 'Probeer te achterhalen wat die rotzak wil en maak dan gehakt van hem. Zo'n type als Bäckström zou ook geen politieman mogen zijn.'

Wat is er eigenlijk aan de hand, dacht Bäckström. Probeer je een zooitje incapabele collega's te helpen door in die Palme-zaak eindelijk eens orde op zaken te stellen en dan sturen ze de politie op je af. En dan nog wel die niksnut van een chef van hem.

'Zoals ik al zei, Bäckström. Je moet je onmiddellijk melden bij commissaris Holt van de rijksrecherche,' zei Bäckströms chef van de dienst Opsporing Vermiste Goederen. De beste dag sinds tijden, dacht hij. Eindelijk een redelijke kans van die kleine criminele vetzak af te komen die zijn eigen baas hem had opgedrongen.

'Als ze met mij wil praten, moet ze maar hierheen komen,' zei Bäckström. Imbeciele pot, dacht hij.

'Zoals gezegd, Bäckström. Dit is geen algemeen verzoek van mijn kant. Dit is een bevel. Je moet je onmiddellijk melden bij commissaris Anna Holt van de rijksrecherche,' herhaalde Bäckströms chef. De beste dag van deze hele zomer. Ik vraag me af wat hij deze keer weer op zijn kerfstok heeft, dacht hij.

'Hallo,' zei Bäckström die met zijn opgeheven hand een afwerend gebaar maakte. 'Zij kan niet zomaar bevelen aan me uitdelen. Ik werk immers in Stockholm. Heeft de rijksrecherche het politiedistrict Stockholm soms overgenomen? Is er een militaire coup gepleegd?'

'Zoals gezegd, Bäckström. Dit bevel komt van mij. Ik werk hier ook, mocht je dat nog niet hebben begrepen. Dit is een dienstbevel. Je gaat je onmiddellijk melden bij commissaris Holt van de rijksrecherche.' Dit gaat de goede kant op, dacht hij.

'Ik zal erover nadenken, het spijt me, maar nu ga ik weer...'

'Als je nu niet doet wat ik zeg, ben ik bang dat je een nachtje in de cel moet doorbrengen, Bäckström,' zei zijn chef.

'Hou toch op. Waar is dat voor nodig?' Wat zegt die idioot eigenlijk, dacht hij.

'Johansson,' zei zijn chef. 'Holt belde in opdracht van erkapé.' De slachter van Ådalen, dacht hij. Dit was veruit zijn beste dag sinds hij Bäckström voor het eerst had ontmoet.

'Waarom zei je dat niet meteen.' Bäckström stond op. Eindelijk heeft die Lapse hufter het begrepen, dacht hij.

'Waar is Johansson?' vroeg Bäckström tien minuten later, zodra hij tegenover Holt was gaan zitten. Mager stuk vreten, dacht hij.

'Niet hier in elk geval,' antwoordde Holt. 'Je hebt een gesprek met mij.'

'Ik spreek liever met Johansson,' zei Bäckström.

'Dat heb ik begrepen,' zei Holt. 'Maar het zit zo, je kunt kiezen. Je praat met mij en vertelt me wat je wilt. Als je dat niet wilt, scheiden onze wegen en val je Johanssons secretaresse niet meer lastig. Vervolgens zullen we een aanklacht tegen je indienen wegens ongeoorloofde bedreiging, seksuele intimidatie en grove ambtsovertreding, dus ik vermoed dat je vandaag al zult worden verhoord.'

'Hou toch op, Holt,' zei Bäckström. Wat zit die pot nu te zwammen, dacht hij.

'We hebben al je gesprekken opgenomen. Onze afdelingsjurist heeft ernaar geluisterd. Volgens hem is het meer dan voldoende om je voor de rechter te dagen.'

'*What's in it for me*?' vroeg Bäckström. Wat krijgen we nu, stiekem afluisteren? Dat is verdomme crimineel, dacht hij.

'Niet veel, ben ik bang,' zei Holt. 'Er zal je verdenking van een misdrijf ten laste worden gelegd, je zult uit je functie worden ontheven en veroordeeld worden voor seksuele intimidatie, ongeoorloofde bedreiging en nog wat andere zaken. Geloof me, Bäckström. Ik heb de opnamen beluisterd. Vervolgens zal de overheid je ontslaan. Het alternatief is dat je Johanssons secretaresse niet meer belt en aan mij vertelt wat je op je hart hebt. Misschien kan ik Johansson er dan van overtuigen om die aanklacht niet in te dienen.'

'Oké, oké,' zei Bäckström. 'Het is namelijk zo, ik heb een tip van een van mijn informanten gekregen betreffende het wapen waar Palme mee is neergeschoten.'

'Dat lijkt me iets voor Flykt.'

'Tuurlijk, zodat we het morgen allemaal in de krant kunnen lezen.'

'Er zijn honderden tips binnengekomen over het Palme-wapen,' zei Holt. 'Dat weet jij trouwens net zo goed als ik. Wat maakt die tip van jou zo bijzonder?'

'Alles,' zei Bäckström met klem. 'De informant zelf, om te beginnen.'

'Wie is dat dan?'

'Vergeet het maar, Holt. Geen haar op mijn hoofd die eraan denkt om mijn informanten aan jullie kenbaar te maken. Dan zit ik nog liever in de bak. Daar kun je naar fluiten, Holt. Waar het om gaat is dat mijn informant de naam van de man van het wapen heeft.'

'Van de dader?'

'Van de man die over het wapen beschikte,' verduidelijkte Bäckström. 'De spin in het web, zogezegd.' Zet daar je tanden maar eens in, mager scharminkel, dacht hij.

'En zijn naam?'

'Vergeet het.' Bäckström schudde zijn hoofd. 'Je zou me toch niet geloven als ik het zei.'

'Probeer het maar, Bäckström,' zei Holt, terwijl ze op haar horloge keek.

'Oké dan. Zelf weten, Holt, maar zo liggen de zaken volgens mijn informant, en zijn naam kun je wel vergeten. Ik weet wie hij is. Het is een blanke man. En laat hem verder met rust.'

'Vertel,' zei Holt. 'Vertel me wat je anonieme informant tegen je heeft gezegd. Wat hij zei over het wapen, wie hij aanwijst en waar hij zijn informatie vandaan heeft.' Een blanke man, dacht Holt.

28

De bijzonder deskundige woonde in een paleisachtige villa in de Upplandse voorstad Djursholm, die van alle juweeltjes in de omgeving van de Koninklijke Hoofdstad het hoogste karaatgehalte had. Zo'n twintig kamers, zevenhonderd vierkante meter, natuursteen, smeedijzer, baksteen en koper. Een geasfalteerde oprijlaan van honderd meter, een gazon van één hectare en eiken die schaduw geven maar niet de kans krijgen om het uitzicht te bederven. Uiteraard zonder ordinaire strandligging, slechts voldoende hoog en fraai gelegen om morgenzon en vrij zicht over het water van de Stora Värtan en het platteland van Lidingö in het oosten te geven. De bijzonder deskundige moest er niet aan denken om een duik te nemen beneden in de Framnäsbaai, waar de IT-miljardairs en vastgoedzwendelaars hof hielden.

Officieel woonde hij niet eens waar hij woonde. De villa was het eigendom van zijn eerste vrouw – 'wijs als een uil en trouw als een hond' – die het vijfendertig jaar geleden had gekocht, slechts enkele maanden voordat ze ging scheiden van de man die er altijd had gewoond. Geen slechte deal voor een jonge vrouw die als secretaresse bij de generale staf van defensie in Gärdet werkte, destijds drieduizend kroon per maand verdiende en blijkbaar geen cent hoefde te lenen om deze deal te kunnen maken.

De deskundige zelf stond ingeschreven op een eenvoudige, gehuurde tweekamerwoning in Söder. Hij stond zelfs in de telefoongids. Iedereen die niet beter wist, kon daarheen bellen en een gesprek voeren met zijn antwoordapparaat, of een brief sturen die nooit werd beantwoord. De bijzonder deskundige gaf er de voorkeur aan een geheimzinnig leven te leiden. Samengesteld uit al die geheimzinnige elementen waar de daadwerkelijk ingewijden graag over spraken, en zelf droeg hij daar graag een steentje aan bij.

Het gerucht ging... dat de bijzonder deskundige puissant rijk was.

Terwijl hij geen getaxeerd vermogen bezat. Hij maakte geen aanspraak op aftrekposten en zijn belastingaangifte was tot op de cent nauwkeurig gelijk aan het loon dat hij al bijna dertig jaar van de regering kreeg overgemaakt. 'Ik begrijp niet waar iedereen het over heeft. Ik ben maar een gewone loontrekker. Spaarzaam ben ik altijd al geweest, maar daar word je niet rijk van.'

Volgens de geruchten... was de bijzonder deskundige in het bezit van een kunstcollectie die de bankier Thiel en prins Eugen groen van jaloezie zou maken. 'Ik hou wel van een beetje kleur op de muur. De meeste schilderijen heb ik trouwens mogen lenen van mijn eerste vrouw.' Dezelfde vrouw die dertig jaar geleden naar Zwitserland was geëmigreerd en net zo zwijgzaam was als een basenji. Ook zij was puissant rijk, volgens de officiële gegevens die de Zwitserse autoriteiten niet graag loslieten.

Het gerucht deed de ronde... dat de bijzonder deskundige een wijnkelder had die, afgezien van de inhoud, slechts kon worden vergeleken met Ali Baba's schatkamer. 'Ik hou van een goed glas wijn voor het weekend, vooral in het gezelschap van een paar goede vrienden. Aangezien ik uiterst matig ben, spreekt het voor zich dat ik door de jaren heen enkele flessen heb verzameld.'

De bijzonder deskundige was vanaf zijn zestiende al lid van de sociaaldemocratische partij. In zijn portefeuille zat nog altijd zijn eerste partijboekje, zonder foto, slechts met zijn naam, de partijafdeling waartoe hij behoorde en oude handgeschreven betaalbewijzen van de bijdragen die hij altijd stipt betaalde. 'Dat kenmerkt de ware sociaaldemocraat. Dat we zowel ons hart als onze portefeuille links dragen.' Hij liet zelf graag het bewijs zien, dat hij in zijn linkerbinnenzak bij zich droeg, en waarschijnlijk was er geen woord van gelogen.

Volgens de beknopte gegevens in *de Staatskalender*, *Wie is wie*, *de Zweedse encyclopedie* en *de Nationale encyclopedie* was hij geboren in 1945, was hij in 1970 aan de Universiteit van Stockholm gepromoveerd in de wiskunde en benoemd tot hoogleraar in 1974. Het jaar daarop begon hij als regeringsdeskundige, 'regeringsdeskundige 1975-1976', keerde tijdens het bewind van de rechtse coalitie van 1976 tot 1982 terug naar de universiteit en zijn professoraat, stond van 1982 tot 1991 opnieuw als 'bijzonder deskundige ter beschikking van de minister-president', wederom gevolgd door een onderbreking van drie jaar tijdens een rechtse regeringsperiode, waarin hij werkzaam was als bijzonder hoogleraar bij MIT, het Zweedse onderzoeksinstituut voor management en IT, en daarna van 1994 tot 2002 terugkeerde als 'bijzonder staatssecretaris'. Vervolgens had hij blijkbaar een stap terug gedaan, 'regeringsdeskundige sinds 2002'.

Ten slotte volgde er een korte opsomming van zijn belangrijkste academische verdiensten, 'Lid van het bestuur van de Koninklijke Academie voor de Wetenschap sinds 1990', 'Visiting professor aan de MIT van 1991 tot 1994', 'Honorary Fellow aan het Magdalen College van de Universiteit van Oxford sinds 1980'.

In het land waarin hij leefde, was hij uniek, dat zou hij althans moeten zijn, en al geruime tijd leefde hij in de mythe die hem omhulde. De bijzonder deskundige, de kardinaal Richelieu van Zweden, de hoogst verantwoordelijke voor de veiligheid van de minister-president, de verlengde arm van de macht, of wellicht de macht zelve, ronduit? In een van de weinige interviews die hij had gegeven, had hij zichzelf beschreven als 'een eenvoudige jongen van Söder die altijd goed kon rekenen'.

Ik vraag me af waar hij vanavond op trakteert, dacht Johansson toen de taxi stopte voor het huis waar hij niet woonde.

De bijzonder deskundige ontving hem onder de kristallen kroonluchter in de hal, op uiterst mediterrane wijze.

'Goed je weer te zien, Johansson,' zei hij, waarop hij op zijn tenen ging staan, zijn gast omhelsde en hem twee zoenen op zijn wang gaf. 'Laat me eens naar je kijken.' Nu deed hij een stap terug, maar zonder Johanssons hand los te laten. 'Je ziet eruit als de gezondheid zelve, Johansson.'

'Aardig van je,' zei Johansson met een glimlach, terwijl hij zijn hand uit de vochtige greep van de bijzonder deskundige probeerde los te wrikken. 'Het gaat met jou ook goed, hoop ik?' Al zie je er vreselijk uit, en wat heb je in hemelsnaam aangetrokken, dacht hij.

De lichaamslengte van de bijzonder deskundige zat net onder het gemiddelde. Op school was hij een mollig, klein jongetje geweest, dat om duistere redenen nooit gepest werd. Eenmaal volwassen was hij eerst corpulent, daarna dik en vervolgens moddervet. Een kogelrond lichaam, met de armen en benen van een spin, met daarbovenop een flink uitgedijd hoofd met dik grijs haar, dat rechtovereind stond en boven zijn grote oren naar buiten stak. Zijn gezicht was dieprood van kleur en bestond voornamelijk uit een voorhoofd, en een neus een conquistador waardig. Zijn ogen waren groot en helderblauw, met een doordringende, onderzoekende blik vanachter zware oogleden en opgezwollen wallen. Een ronde pruilmond met vochtige lippen, als van een klein kind, dan de natuurlijke overgang naar drie onderkinnen die achter de boord van zijn overhemd bescherming zochten. Bij elkaar genomen was hij onmiskenbaar een persoon met aanzienlijke innerlijke kwaliteiten.

Ter ere van deze dag ging hij gekleed in een weergaloos ensemble van groen fluweel. Een flodderige broek zonder vouw, een groen jasje met glimmende revers, bij elkaar gehouden met een dik, gevlochten zijden koord dat hij om zijn lichaam had geknoopt. Daarbij een smokingoverhemd met een zwart vlinderdasje en een paar fluwelen pantoffels met gouden stiksels.

'Ik voel me ronduit voortreffelijk, dank je,' zei de bijzonder deskundige, 'precies zoals ik verdiend heb. Als een parel gezet in goud. Maar jij, Johansson, hebt de laatste tijd het uiterlijk van een ware atleet gekregen. Je ziet er bijna uit als die Gunder Svan, je weet wel, die skiër of hoogspringer,' zei hij, licht wuivend met zijn linkerhand. 'Zullen we even gaan zitten met een kleine verfrissing terwijl mijn geliefde huishoudster de laatste puntjes op de i zet?'

Vervolgens had hij een uitnodigend gebaar gemaakt en was hij Johansson over de krakende parketvloer voorgegaan naar de grote salon, waar een klein buffet stond opgediend met diverse appetizers in vingerformaat, een gigantische wodkakaraf van geslepen kristal, champagne en mineraalwater in een ijsemmer.

Voornamelijk belugakaviaar, eendenlever en kwarteleitjes. Waarom zou je het in je korte leven met minder moeten doen? Hij kon nog altijd aan beluga komen via een van zijn contacten uit 'de foute oude tijd', die tegenwoordig een uitermate succesvolle onderneming in Kiev leidde. De kwarteleitjes kreeg hij van een bekende in Sörmland, 'een graaf en tevens landgoedeigenaar met interesse voor de jacht', die hem ook voorzag van fazanten, wilde eenden, sneeuwhoenders en patrijzen. Plus al het 'grote wild' natuurlijk. Zoals elandenfilet, hertenbiefstuk, wildzwijnkoteletten en reebout. De eendenlever kocht zijn huishoudster bij de delicatessenafdeling in de Östermalmshal. Met ganzenlever was hij echter gestopt. Die was tegenwoordig veel te vet om zonder risico te kunnen worden genuttigd. Bovendien was de wijze waarop die werd verkregen een zuivere vorm van dierenmishandeling. Bier dronk hij ook niet meer, was niet goed voor de maag en de lever, en nu ze beiden de gouden jaren van hun middelbare leeftijd hadden bereikt, moesten ze uitkijken met wat ze in hun lichaam stopten.

'Voorzichtigheid en een hoge mate van precisie zouden ook het vergankelijke moeten kenmerken,' vatte de bijzonder deskundige samen. 'Water, wodka, champagne met daarbij een kleine versnapering. Proost, trouwens,' zei hij en hij hief zijn tot de rand gevulde glas.

'Proost,' zei Johansson. Hij praat maar en hij praat maar, dacht hij.

Na twee flinke borrels, mineraalwater, een paar glazen champagne en ieder zo'n tien kleine appetizers was het moment aangebroken om aan tafel plaats te nemen en aan het echte werk te beginnen. 'Deze keer laat ik niets aan het toeval over,' zei de bijzonder deskundige, zijn roodgevlamde gezicht nadrukkelijk heen en weer schuddend. Met deze avond wilde hij de sobere maaltijden van voorheen compenseren door Johansson op een 'klassiek diner in de traditie van de gegoede burgerij' voor te schotelen. Zodra Johansson zijn uitnodiging had aangenomen had hij een aantal 'speciale versterkende maatregelen' genomen, om een geslaagd resultaat te garanderen. Het was weliswaar donderdag, maar Johansson hoefde niet bang te zijn voor erwtensoep met spek. Nog minder voor pannenkoeken met jam. De laatste keer dat de bijzonder deskundige zoiets had gegeten, was jaren geleden tijdens een lunch op het ministerie van Defensie. Onder stil protest, maar helaas was het onder werktijd, dus had hij geen keuze. Al tegen het einde van deze barbaarse toestand werd hij geplaagd door winderigheid en de dagen daarop moest hij bed houden, zwaar misselijk, koortsig en ellendig. En als zijn zorgzame huishoudster niet snel had gehandeld door een dieet op te stellen – rijkelijk voorzien van Fernet Branca, gekookte vis, lichte witte wijnen en mineraalwater zonder bubbels – had het slecht kunnen aflopen.

'Hoe kun je toestaan dat Defensie onze gewapende strijdkrachten op die manier voedert?' vroeg de bijzonder deskundige, die zijn gast verontwaardigd aankeek. Volgens hem was dit puur verraad, en ook al heerste er geen toestand van paraatheid, de direct verantwoordelijken moesten voor het krijgsgerecht worden gesleept, veroordeeld worden voor het plegen van een zwaar vergrijp en onmiddellijk de kogel krijgen. Als de deskundige het voor het zeggen had, althans. Of nog beter, onthoofd worden met een botte, verroeste bijl, als ze het in hun hoofd hadden gehaald om warme punch bij de erwtensoep te serveren. Alleen barbaren konden dit soort eten naar binnen krijgen, en volgens de bijzonder deskundige was het zeker geen toeval dat Hermann Göring bijzonder gesteld was op erwtensoep met spek en pannenkoeken met slagroom en jam. Om maar te zwijgen van de warme punch.

Hij praat maar en hij praat maar, dacht Johansson, en persoonlijk vind ik het erg lekker.

De versterkende maatregelen van zijn gastheer waren duidelijk waarneembaar toen Johansson de eetzaal betrad. De eetkamertafel van de deskundige bood plaats aan vierentwintig gasten, volgens zijn gastheer eveneens naar goed burgerlijk gebruik. Deze keer was er voor twee personen gedekt, aan het ene uiteinde van de tafel. De bijzonder deskundige aan het hoofdeinde en zijn gast rechts van hem. Op aangename afstand van elkaar om een gesprek te kunnen voeren, zonder het risico te lopen elkaar te bevuilen. Op de onderborden lag een kunstzinnig gevouwen servet van damast en een gedrukt menukaartje, met daaromheen een parade van diverse glazen van geslepen kristal en een onwaarschijnlijke hoeveelheid zilver bestek. Verder was de tafel volledig opgedekt met een oogverblindend wit tafelkleed, kandelaars, tafeldecoraties en bloemstukken.

Speciaal voor deze avond had de huishoudster van de bijzonder deskundige hulp gekregen van een ober in een zwart rokkostuum en een kok in complete uitrusting, die op de achtergrond klaarstonden.

'Mjammie, mjammie,' zei de bijzonder deskundige verrukt, terwijl hij in zijn dikke handen wreef en ging zitten zodra zijn versterkende maatregel de stoel voor hem had aangeschoven.

Johansson nam zelf plaats. Toen de huishoudster van zijn gastheer toesnelde om hem te helpen, had hij slechts afwerend met zijn hoofd geschud en was gaan zitten. Hij had snel de stoel naar zich toegetrokken en bij gebrek aan een strohalm zijn servet gegrepen. Ik ben maar een eenvoudige jongen van Näsåker, ik hoop niet dat ze het persoonlijk opvat, dacht Johansson. Het zou niet in het hoofd van zijn moeder Elna zijn opgekomen om de stoel van haar man of haar zeven kinderen aan te schuiven als ze eenmaal groot genoeg waren. Daarentegen had ze vaak achter het fornuis gestaan terwijl de rest zat te eten. Hier ging het er blijkbaar anders aan toe, dacht Johansson. De dag dat hij niet meer mans genoeg was om zelf te gaan zitten, was het vermoedelijk met het meeste wel gedaan, dacht hij.

Een diner van negen gangen, verschillende wijnen bij elk gerecht, en al tijdens de inleidende consommé van kreeft, gesnipperde lente-ui en petits pois was de bijzonder deskundige met de monoloog begonnen die zijn persoonlijke variant was van de onderhoudende conversatie die men tijdens een burgerlijk diner diende te voeren. Al had hij om te beginnen gemorst. Net als blije kinderen dat vaak doen en zonder het zelf te hebben opgemerkt.

'Ik zie dat je mijn smoking bewondert, Johansson,' zei de bijzonder deskundige met een tevreden zucht, terwijl hij zijn lepel liet zakken om aan zijn eerste uiteenzetting te beginnen.

Ondanks de kleur had die smoking uiteraard niets met de Franse academie te maken. Dergelijke gezelschapjes voor louter interne bewondering lieten de deskundige koud. Die academie was een doodgewone door de staat gefinancierde gaarkeuken voor literaire kunstliefhebbers die hun leven lang geen steek uitvoerden. Als wiskundige voelde hij zich daar ver boven verheven, en in zijn geval was dat maar beter ook. Dit was namelijk de bijzonder comfortabele smoking die de deskundige droeg als hij aanzat bij *The High Table* in de banketzaal van zijn Engelse Alma Mater, het Magdalen College aan de Universiteit van Oxford. Gesticht in de middeleeuwen, toen de meeste noorderlingen zich nauwelijks begrijpelijk konden uitdrukken, laat staan lezen, en uiteraard vernoemd naar Maria Magdalena, Jezus' vrouwelijke apostel van het eerste uur.

'Madlin, je spreekt het uit als Madlin, zonder die Engelse e op het einde,' verduidelijkte de bijzonder deskundige, terwijl hij wellustig zijn lippen tuitte.

Wat Johansson misschien nog niet wist, was dat hij al jarenlang erelid was van dit roemrijke college. *Honorary Fellow*, volwaardig lid van het docentencollege op basis van zijn wetenschappelijke verdiensten op het gebied van de wiskunde, maar tevens van de meer filosofisch gerichte wetenschapstheorie. Door de jaren heen hadden verscheidene vooraanstaande artsen, natuurkundigen, biologen en scheikundigen aan het Magdalen College gestudeerd, onder wie twee Nobelprijswinnaars. Allen hadden dankbaar gebruikgemaakt van de inzichten die de bijzonder deskundige grotendeels zelf had ontwikkeld naar aanleiding van de bouw van complexe theoretische modellen en het toetsen van breder samengestelde, empirische theorieën.

'Zeg het me als ik je verveel, Johansson,' zei de bijzonder deskundige.

'Geenszins,' zei Johansson. Liever dit dan dat je te veel drinkt, dacht hij. Zelf was hij van plan om zijn kans te grijpen zodra ze aan de koffie met cognac toe waren, omdat hij uit ervaring wist dat zijn gastheer zich dan in een contemplatiever stadium bevond.

Al bij de tweede gang – jakobsschelp met tomaat, asperges en avrugakaviaar – had zijn gastheer de wetenschapswereld verlaten en was hij een zijspoor ingeslagen. Het Magdalen College had namelijk een kwaliteit waarin het zich onderscheidde van de andere colleges, niet alleen in Oxford, maar wereldwijd. Een kwaliteit die een man als Johansson in het bijzonder moest aanspreken.

'We hebben een eigen hertenpark. De bijzonder deskundige schonk zijn gast een gelukzalige glimlach. 'Daar heb je niet van terug, Johansson. Als voormalig jager, bedoel ik.'

In het midden van de middeleeuwse hoofdstraat van de meest vooraanstaande universiteitsstad, net achter de hoofdgebouwen, ommuurd en gelegen langs de rivier de Cherwell, had een van Magdalens weldoeners meer dan driehonderd jaar geleden een hertenpark laten aanleggen.

'Volgens mij zijn het damherten,' merkte Johansson op.

'Als jij het zegt, Johansson,' zei de bijzonder deskundige met zijn gebruikelijke wuifhandje. 'Van die bruine gevallen met witte vlekken op de flanken. Een aantal van hen heeft ook een gewei,' verduidelijkte hij.

'Damherten, zonder twijfel.'

'*Whatever*,' antwoordde de bijzonder deskundige, het ging hier tenslotte niet om de herten zelf.

Waar het wel om ging, was pas echt interessant, en de bijzonder deskundige had er een hele klus aan om alle details te vertellen tijdens het nuttigen van de derde gang: gegrilde koningskrab met kalfsworst, aardappelkoekjes en een kruidenmoes.

'Waar was ik gebleven?' vroeg de bijzonder deskundige terwijl hij wat achtergebleven kruidenmoes van zijn mond veegde en naspoelde met een Elzasser pinot gris, die zowel verfrissend als mineraalrijk was.

'Het aantal herten in het hertenpark,' antwoordde Johansson, die tegen zijn zin in geïnteresseerd was geraakt in het onderwerp.

'Juist,' zei de bijzonder deskundige, die met zijn servet zijn gezicht depte. 'Zoals ik al aangaf...'

Het aantal herten moest volgens de wil van de donateur gelijk zijn aan het aantal volwaardige leden van het Magdalen College. Momenteel waren er zo'n zestig Fellows en Honorary Fellows, en in het park achter het hoofdgebouw liep dus precies hetzelfde aantal herten rond.

'Dus meneer heeft een eigen hert,' constateerde Johansson, terwijl hij zijn glas hief. Een klein, dik rakkertje met hartproblemen, een gigantisch hoofd, korte hoorntjes en zwakke benen. Zoals die dingen die zijn kinderen altijd maakten van lucifers, pijpenragers en dennenappels toen ze nog klein waren, dacht hij.

'Uiteraard,' zei de bijzonder deskundige nogal verwaand.

'Maar dat is nog niet alles,' vervolgde hij.

Het verhaal werd zelfs nog beter en voldeed volledig aan de oorspronkelijke statuten. Zodra men een nieuw lid tot het college toeliet, nam ook de hertenroedel met één hert toe. En als een van de leden doodging, trok de *proctor* – de persoonlijke vertegenwoordiger van de studenten – het park in om een hert te schieten, dat vervolgens werd opgediend tijdens het diner dat altijd werd gehouden ter nagedachtenis aan de Fellow die kort daarvoor het aardse bestaan had verlaten. De bijzonder deskundige beweerde zelfs dat hij de proctor op een vroege ochtend een keer had gezien tijdens de uitoefening van deze belangrijke taak. Anders werden de herten altijd met rust gelaten. Overgeleverd aan de pastorale vrede die onbeperkt heerste in het park van het Magdalen College en de zalen van de geleerden.

'In de vroege morgenstond en de nevel die het park vanaf de rivier met zijn witte sluier omhulde, doemde hij op: de proctor met zijn lange gewaad, zijn hoge zwarte hoed en het versleten geweer in zijn vastberaden hand. Probeer je het schot eens voor te stellen, Johansson, hoe het nagalmde over de River Cherwell en de High Street.' De bijzonder deskundige zuchtte net zo wellustig als de mannelijke hoofdpersoon in de romans van de gezusters Brontë.

Al was het diner zelf niet zo bijzonder, constateerde hij. Een gewoon, Engels herendiner slechts, met hertenbiefstuk, bruine saus en doorgekookte groenten. De wijnen waren daarentegen altijd prima in orde. Daar had een aantal andere weldoeners namelijk voor gezorgd. De wijnkelder van het Magdalen College behoorde tot een van de beste van Oxford. Weliswaar was die niet te vergelijken met de wijnkelder van het Christ Church College, waar al die Amerikaanse Coca Cola-kinderen, Arabische prinsen en kleine Russische oligarchen op zaten, maar toch prima in orde, volgens wijnkenners als hijzelf.

'De Engelse keuken heeft inderdaad weinig gemeen met deze exquise grietfilet,' stemde Johansson in, die stiekem op de menukaart had gekeken zodra ze de vierde etappe van deze burgerlijke maaltijd hadden bereikt. Grietfilet met artisjokken en gestoofde rivierkreeftstaartjes.

'Om maar niet te spreken over deze fenomenale meursault,' zei de bijzonder deskundige instemmend en hij hief zijn grote bokaal met bijna barnsteenkleurige wijn. Natuurlijk afkomstig uit zijn eigen kelder en afgezien van het aantal flessen van dezelfde klasse als de wijn die in het Christ Church College in Oxford werd geserveerd.

'Er is alleen één ding dat ik niet echt begrijp,' zei Johansson.

'Wat ben je toch bescheiden, Johansson,' zei de bijzonder deskundige.

'Hoe jullie het aantal herten gelijk kunnen houden aan het aantal leden van het college. Als jullie er alleen maar eentje afschieten als er iemand overleden is.'

'Hoe bedoel je? Leg eens uit,' reageerde de bijzonder deskundige.

Johanssons bedenkingen tegen het verhaal van de deskundige, zijn verklaringen, vragen en de tegenargumenten van zijn gastheer, de hele discussie had de rest van de maaltijd in beslag genomen, terwijl voortdurend nieuwe gerechten werden binnengebracht. De glazen werden bijgevuld, geheven en weer neergezet.

... sorbet van kruisbessen om het gehemelte te reinigen, noisettes van reeënvlees, in boter gebakken cantharellen, geroosterde bloemkool, cumberlandsky, kaassoufflé, truffelbrie met appelgelei, smeerkaas met ingemaakte pruimen, chocoladeterrine, de gebruikelijke gebakjes ter afsluiting. Alsmaar nieuwe wijnen... rode uit Bourgogne... witte uit Bordeaux... van de Rhône en de Loire... terwijl een onvermoeibare Johansson – als een cavalerieofficier uit de tijd van de Krimoorlog – ten strijde trok tegen het verhaal van de bijzonder deskundige over de herten in het park van Maria Magdalena's eigen College.

Volgens Johansson was het allemaal heel eenvoudig. Een roedel met zestig damherten zou redelijkerwijs op zijn minst zo'n twintig vruchtbare hindes moeten bevatten, wat betekende dat men elk jaar in de maanden juni en juli op zo'n twintig kalfjes kon rekenen. Als de roedel al driehonderd jaar bestond en men alleen een hert afschoot als een van de leden van het College overleed, zou het aantal leden inmiddels moeten zijn opgelopen tot ettelijke miljoenen, en de meer exacte berekeningen liet hij met alle plezier over aan zijn gastheer.

'Jullie moeten elke zomer enorme rekruteringsproblemen hebben. Al die nieuwe Fellows die plotseling gekozen moeten worden,' zei Johansson met een onschuldig gezicht.

Daar was absoluut geen sprake van, volgens de bijzonder deskundige. Hij had er eigenlijk nooit over nagedacht hoe men de nadere details had uitgewerkt. Dat de herten en hun geslachtsdrift de selectie van de Fellows zouden bepalen, was evenwel ondenkbaar.

'En als een van de herten doodgaat? Dat gebeurt regelmatig,' vroeg Johansson. Hoe werd dat dan opgelost? Door een van de Fellows de deur te wijzen, of misschien zelfs door de taken van de proctor met zijn geweer wat uit te breiden?

Ook dat was natuurlijk uitgesloten, volgens de bijzonder deskundige, die echter beloofde over de zaak na te zullen denken.

'Je bent een echte politieagent, Johansson,' constateerde hij.

'Natuurlijk,' reageerde Johansson. 'Nogmaals, denk er maar eens over na.'

Vervolgens had Johansson met enkele zorgvuldig gekozen woorden bedankt voor het eten, waarna ze van tafel gingen om in alle rust het gesprek in de bibliotheek te kunnen voortzetten, een kop koffie te drinken en misschien een glas of twee te nemen van de ronduit merkwaardige cognac die de bijzonder deskundige serveerde.

'Frapin 1900,' sprak zijn gastheer met een zelfvoldane zucht. 'Wat hebben wij rijken het toch goed, Johansson.'

29

Tijdens de koffie waren ze eindelijk ter zake gekomen en het was Johanssons gastheer die de kwestie ter sprake bracht. Waarom eigenlijk, dacht Johansson.

Tijdens zijn vakantie, waarvan hij overigens een week op Magdalen had doorgebracht om in alle rust te kunnen nadenken over de grotere vraagstukken, had de bijzonder deskundige uit de Zweedse kranten, die hij toch had gelezen, begrepen dat zijn gast blijkbaar nieuw leven geblazen had in het oude onderzoek over de moord op zijn eerste baas, minister-president Olof Palme. Waarom was hem echter niet duidelijk. Volgens zijn stellige overtuiging had Christer Pettersson Palme vermoord. Pettersson was inmiddels overleden. Dus hoe dan ook was het een gelopen zaak, tijd om er een punt achter te zetten, er een streep doorheen te halen, verder te gaan.

'*Let bygones be bygones*,' vatte hij samen.

Volgens Johansson moest je niet zomaar alles geloven wat er in de krant stond. Hij had slechts een paar medewerkers gevraagd de registratie van het onderzoeksmateriaal te willen doorlichten. Dat was alles, en het was trouwens hard nodig.

'Je denkt niet dat Christer Pettersson het gedaan heeft?' onderbrak zijn gastheer hem.

'Omdat jij het vraagt: nee,' zei Johansson. 'Dat heb ik nooit gedacht.'

'Maar waarom niet, in hemelsnaam?' wierp zijn gastheer tegen. 'Lisbeth heeft hem tenslotte aangewezen.'

'Zelfs de beste maakt fouten,' antwoordde Johansson.

'Neem me niet kwalijk, maar de logica ervan...'

'Mijn gevoel zegt me dat hij het niet is,' onderbrak Johansson hem, terwijl hij met zijn rechterwijsvinger over zijn rechterduim wreef. 'Als je details wilt, kan ik een van mijn medewerkers vragen een voordracht te houden.'

‘Mijn gevoel zegt me dat hij het wel degelijk is,’ zei de bijzonder deskundige. ‘Helaas,’ voegde hij eraan toe.

Volgens Johanssons gastheer was Christer Pettersson een schakel in een logische ontwikkeling. Weliswaar een zorgwekkende ontwikkeling, maar niettemin een logische. Om te beginnen een excentrieke edelman, met zekere radicale ideeën voor die tijd, die tijdens een gemaskerd bal voor de hogere stand Gustav III vermoordde. Vervolgens een jongen uit de middenklasse die verkeerd terecht was gekomen en uitgroeide tot een gedrogeerde geweldpleger die zijn eigen minister-president zomaar op straat doodschiet. Tussen alle gewone mensen in. En laatst een compleet gestoorde Serviër die op uiterst beestachtige wijze onze minister van Buitenlandse Zaken neerstak, toen ze aan het winkelen was in het grootste warenhuis van de stad. Tussen alle shoppende dames van de welgestelde middenklasse in.’

‘Wat kunnen we de volgende keer verwachten, Johansson?’ vroeg zijn gastheer met een zorgelijke uitdrukking op zijn gezicht. ‘De oude orang-oetang van de Rue de Morgue? Of wellicht de moerasslang uit Conan Doyles novelle over de bende van de bruinhuiden?’

‘Meer in de trant van de Operamaskerade, als je het mij vraagt,’ zei Johansson. ‘Voor apen en slangen is het nu niet de juiste tijd. Die zijn veel te onvoorspelbaar.’

‘Weer een eenzame gek, als je het mij vraagt,’ zei de bijzonder deskundige. ‘Ook eenzame gekken kunnen de wereld helaas veranderen. Dat doen ze voortdurend, in feite.’

Nu dit onderwerp toch ter sprake was gekomen, had Johansson zelf ook een vraag. Beter gezegd, een van zijn vele medewerkers had een vraag voor zijn gastheer.

‘Ze weet dat we elkaar kennen,’ legde Johansson uit. ‘Ze heeft met mij bij de Säpo gewerkt.’

‘Maar natuurlijk,’ zei de bijzonder deskundige. Het stond Johansson vrij om hem alles te vragen. In tegenstelling tot zijn collega’s, omdat hij zich te oud en te moe voelde om met hen te kunnen praten.

De plannen van de minister-president om die bewuste avond meer dan twintig jaar geleden naar de bioscoop te gaan; in hoeverre waren die op zijn werkplek in Rosenbad bekend?

'Die vraag is me al een keer gesteld. De bijzonder deskundige glimlachte geamuseerd.

'Dat weet ik,' zei Johansson, eveneens glimlachend. 'Ik heb het verhoor gelezen. Ik weet ook dat je met Berg over de zaak hebt gesproken, die middag voordat Palme werd neergeschoten. Dat stelde niet veel voor, als ik het zo mag zeggen.'

'Wat had je dan verwacht, Johansson? Stel dat iemand als ik vertrouwelijk zou worden met zo iemand als hij? Het is al erg genoeg dat die lui elkaar een en ander toevertrouwen, en het heeft me eerlijk gezegd verbaasd dat Berg, toch een man die zijn zaakjes behoorlijk op orde had voor een politieman, een inschattingsfout heeft gemaakt door een memo van ons vertrouwelijke gesprek aan het onderzoek toe te voegen. En hoe komt het dat me plotseling de zoete geur tegemoetkomt van een complot in de nabije omgeving van het slachtoffer?'

'Zo zijn wij politiemensen nu eenmaal,' zei Johansson. 'We denken na over een merkwaardige samenloop van omstandigheden, schuiven elkaar briefjes toe.'

'Ja, dat heb ik begrepen. Zelf houd ik dat liever voor me. In mijn hoofd.'

'Vertel eens,' zei Johansson. 'Jij hebt het slachtoffer gekend. Ik heb hem zelf nooit ontmoet. Wat was hij voor iemand? Als mens?'

Een getalenteerd mens. En tegelijkertijd een gevoelsmens. Een impulsief mens. Als hij goedgehumeurd was, kon hij zeer innemend, onderhoudend en attent zijn. Als hij slechtgehumeurd was, was hij een heel ander mens en in het ergste geval zijn eigen vijand.

'Ik heb begrepen dat hij zeer begaafd was,' zei Johansson.

'Ach,' zei de bijzonder deskundige. 'Hij beschikte over zo'n snelle, oppervlakkige, intuïtieve vorm van begaafdheid. Verbaal sterk, erudiet, de juiste achtergrond. Dat had hij allemaal in overvloed. Maar de echt moeilijke vraagstukken omzeilde hij liever. De vraagstukken waar geen eenduidig antwoord op te vinden is. Of, in het beste geval, verschillende antwoorden, waarvan het ene niet beter is dan het andere. De vraagstukken waar ik me, en ook jij, Johansson, toe aangetrokken voel. Zoals een nachtvlinder op een petroleumlamp afgaat. Maar eigenlijk wil je iets anders weten,' voegde hij eraan toe.

'Wat bedoel je?'

'Je vraagt je af of hij er een gewoonte van maakte om zijn medewerkers te vragen welke film hij zou moeten zien.'

'Deed hij dat dan?'

'Als hij daarvoor in de stemming was. Wanneer Olof vrolijk was en plotseling in de deuropening van je kamer stond om even een praatje te maken, werd je zelf ook vrolijk. Oprechte blijdschap was dat, misschien niet zo vreemd als je bedenkt wie hij was en wie je zelf was. Hij vroeg zelfs een keer aan *míj* of ik hem een film kon aanraden.'

'Wat zei je toen?' vroeg Johansson.

'Dat ik nooit naar de bioscoop ging,' antwoordde de bijzonder deskundige. 'Dat ik dat een overschatte vorm van vrijetijdsbesteding vond. De tempel van de levenvrezers. Noemde Harry Martinson het niet zo? Bovendien vond ik het uit zuivere veiligheidsoverwegingen ongepast. Als hij dan echt per se wilde, moest hij van mij wel ruim van tevoren de mensen inlichten die verantwoordelijk waren voor zijn veiligheid. De veiligheidsdienst, ikzelf en alle andere betrokkenen.'

'Wat zei hij toen?'

'Dat hij me een echte vrolijke frans vond,' zei de bijzonder deskundige. 'Hij was die dag in een goede bui.'

'En de dag waarop hij vermoord werd?'

'De enige keer dat hij me vroeg om een bioscooptip, heb ik zojuist verteld. Dat was lang voordat hij stierf. Volgens mij is hij later nooit op die vraag teruggekomen. Ik weet wel dat ik hem een buitenlands restaurant heb aangeraden. Maar natuurlijk, hij kan het iemand anders hebben gevraagd. Ik zou het niet weten. Op de dag van de moord wist ik niet eens van zijn plannen af. Ik weet nog dat Berg er iets over zei toen we 's middags telefonisch contact hadden.'

'Maar je hebt er niet met de minister-president over gesproken?'

'Nee,' zei de bijzonder deskundige. 'Dat was er simpelweg niet van gekomen, maar gezien de gebeurtenissen van die dag had ik dat misschien wel moeten doen.'

Ineens is hij helder als glas, dacht Johansson. Geen spoor van al die wijn die hij achterover heeft geslagen. Hij is plotseling een heel ander mens.

De rest van de avond had de bijzonder deskundige zijn vertrouwde aimabele ik – mits hij daarvoor in de stemming was – weer snel hervonden, en precies zoals verwacht was het diner op een zeer plezierige wijze ontaard, zoals dat in de tijd waarin burgerlijke etentjes werden gegeven, gebruikelijk scheen te zijn.

Eerst hadden ze gebiljart. Daar had de gastheer op aangedrongen. Hij stond erop dat hij Johansson zou leren biljarten. Als Johansson bleef weigeren, het was niet de eerste keer dat dit onderwerp ter sprake kwam, was het alternatief dat Johansson hem met een pistool leerde schieten, en dat bovendien op de schietbaan van de politie zelf.

'Geloof het of niet, Johansson, maar toen ik in dienst zat, was ik een uitstekende geweerschutter.'

Dit alternatief liet Johansson geen keuze. Hij had met de deskundige gebiljart, en hoewel het de tweede keer van zijn leven was, had Johansson hem behoorlijk klop gegeven. De bijzonder deskundige verontschuldigde zich door te verwijzen naar al die lekkere wijnen bij het eten en zich vaag uit te spreken over de verplichtingen van een goede gastheer.

Vervolgens hadden ze een licht nachtelijk maaltje gegeten in de laboratoriumachtige keuken van de bijzonder deskundige. Diverse soorten haring, rivierkreeft, een ovengerecht met ansjovis, gebakken worstjes, tartaartjes met spiegelei, een veelvoud aan drankjes en een onwaarschijnlijke selectie biersoorten. Natuurlijk alleen omwille van zijn gast, ondanks de gevaren voor hun gezondheid.

'Ik dacht dat je vast wel een pilsje wilde voor het slapengaan,' zei de bijzonder deskundige, terwijl hij zijn schuimende glas hief.

Toen Johansson met uitgestoken hand op de trap stond om afscheid te nemen van zijn gastheer, benaderde die hem op uiterst mediterrane wijze. Hij was op zijn tenen gaan staan, had zijn armen om Johanssons schouders gelegd en hem twee vochtige zoenen gegeven, op elke wang een. Toen de taxi wegreed, stond hij er nog steeds. Met opgeheven armen en de flodderige groene smokingbroek tot boven zijn middel opgehesen. Met zijn tere tenorstem had hij zijn gast een afsluitend loflied toegezongen. De inspiratie voor de muziekkeuze was vrijwel zeker voortgekomen uit het leerzame gesprek dat ze tijdens het diner hadden gevoerd.

'We 'll meet again, don't know where, don't know when, but I know we'll meet again... some sunny day...'

30

Wat Anna Holt voor plannen had, was niet duidelijk. Lewin en Mattei hadden daarentegen de hele week het onderzoeksmateriaal op gekwalificeerde daders zitten doorspitten. Maar tot dusver had geen van de onderzochte personen bijzonder veel indruk gemaakt, naar Johanssons maatstaven gemeten. Daarbij was het Mattei opgevallen dat het aantal verdachten van buitenlandse afkomst verrassend klein was. In dit soort gevallen was hun aandeel doorgaans aanzienlijk, bovendien speelde in haar achterhoofd ook de getuigenverklaring van Getuige Drie mee, die 'vieze Marokkaan' had geroepen.

Mattei wist vrijwel direct wat de oorzaak daarvan was. Zoals zo vaak bleek dat te maken te hebben met de manier waarop het onderzoeksmateriaal geregistreerd was. Het aandeel was hetzelfde als altijd, maar deze keer waren de daders met een buitenlandse achtergrond massaal in gemeenschappelijke onderzoeksdossiers gestopt, met titels als 'Duits terrorisme', 'PKK-spoor', 'Midden-Oosten inclusief Israël', 'Zuid-Afrika', Iran/Irak', 'Turkije' en 'India/Pakistan'. De meest voorkomende reden dat de verdachte op de ene stapel terechtkwam en niet op een andere, was zijn etnische achtergrond, of beter gezegd, het beeld dat de Zweedse politie had gekregen over zijn etnische achtergrond, al waren er talloze uitzonderingen en was de logica erachter verre van helder.

In het onderzoeksdossier dat over Duits terrorisme ging, kwamen verscheidene Zweden voor die de Säpo in de jaren zeventig en tachtig in kaart had gebracht in verband met het drama in de West-Duitse ambassade en de plannen om de Zweedse minister Anna-Greta Leijon te ontvoeren. Hierin stuitte Mattei tevens op de eerste mogelijke dader die voldeed aan Johanssons profiel. Een Zweedse voormalige parachutist uit Karlsborg die er in de jaren zeventig van verdacht werd samen met enkele leden van de Rote Armee Fraktion verscheidene banken in Duitsland te hebben beroofd. Wat er later van hem terecht was gekomen, was niet bekend. Waar hij was en of hij nog leefde evenmin.

Dat hij de belangstelling van de Palme-rechercheurs had gewekt, stond echter vast. Samen met zo'n dertig andere genoemde Zweedse militairen maakte hij deel uit van het 'militairenspoor'. Er stonden zelfs twee kruisverwijzingen in de documenten, zodat hij gemakkelijker te vinden zou zijn. Iets waar de ijverige Mattei tijdens het lezen niet bepaald mee verwend werd.

Waarom hij Palme zou hebben vermoord, bleef echter volkomen duister.

Wat moet ik nu met jou, ventje, verzuchtte Mattei, hoewel hij bijna twee keer zo oud was als zij, als hij nog leefde.

Serviërs en Kroaten, Bosniërs en Slovenen, christenen en moslims, allemaal door elkaar heen, en hoewel ze elkaar sinds mensenheugenis naar het leven stonden, had de Zweedse politie ze uiteindelijk allemaal verenigd in één gezamenlijk onderzoeksdossier: 'Mogelijke daders met Joegoslavische achtergrond'. De politieke logica latend voor wat het is, wat de Balkan en de rest van de wijde wereld buiten Zweden betrof.

Zo goed als iedere Joegoslavische gangster die in Zweden werkzaam was en voldoende haar op zijn borst had, stond op de onderzoekslijst van mogelijke of zelfs waarschijnlijke Palme-moordenaars. Het merendeel van hen bestond uit gewone, zware misdadigers die veroordeeld waren voor moord, roofovervallen, afpersing, huurlingen maffiapraktijken en alle andere zaken waarmee je redelijk in je eigen onderhoud kon voorzien zonder dat je hoefde terug te vallen op loonarbeid.

Als het ging om geweld jegens anderen, konden ze bogen op een imponerende staat van dienst. Grof instrumenteel geweld om zichzelf te verrijken. Hun motieven om tevens de minister-president van Zweden te vermoorden waren, naast de aangegeven zakelijke argumenten, doorgaans zwak of zo goed als verwaarloosbaar. Verschillende anonieme tipgevers, het klassieke middel voor schurken en bandieten om een concurrent uit te schakelen, oud politioneel zuurdesem dat uit de archieven wordt gehaald, waar het jarenlang ongekneed heeft gelegen.

De oudste bijdragen aan het 'Joegoslaven-spoor' kwamen van de Zweedse veiligheidsdienst en waren ten tijde van de moord op Palme al vijftien jaar oud. Drie terroristische acties uit het begin van de jaren zeventig: de bezetting van het Joegoslavische consulaat in Gotenburg in februari 1971, de ambassadebezetting en de moord op de ambassadeur in Stockholm twee maanden later, de vliegtuigkaping op de luchthaven Bulltofta in Malmö in september van het jaar daarop. De daders waren in al die gevallen Kroatische activisten die zich gestort hadden in het gewapende verzet tegen het Servische bewind van de Joegoslavische republiek.

In het uitgebreide onderzoek werden uiteenlopende redenen genoemd waarom ze Palme zouden hebben vermoord. Ze werden beschreven als 'fascisten', 'politieke extremisten', 'agressieve woestelingen' en als 'extreem gewelddadig'. Bovendien zouden ze haatgevoelens koesteren jegens de minister-president en de Zweedse regering, die hen vijftien jaar achter slot en tralies hadden gezet. Juridisch gezien was het bewijs verwaarloosbaar, waren de aanwijzingen zwak en tegenstrijdig en waren de uitkomsten van het onderzoek nihil.

Als ze Palme inderdaad zouden hebben vermoord, stond hun categorische ontkenning zowaar haaks op hun terroristische traditie, wereldbeeld en persoonlijkheid. 'Ik heb nog nooit zoiets belachelijks gehoord', zei een van hen, die in samenvattende bewoordingen de gemeenschappelijke instelling van de rest verwoordde, toen hem vlak voor het verhoor werd meegedeeld dat hij verdacht werd van medeplichtigheid aan de moord op de Zweedse minister-president.

Ik ben geneigd het met je eens te zijn, en aangezien je destijds in de Kumla-bunker zat, was jij in elk geval niet degene die in de David Bagares gata tegen Getuige Drie opbotste, dacht Lisa Mattei, die de map 'Iran/Irak' tevoorschijn haalde.

Met alle respect voor de geweldstradities op de Balkan, maar wat zou dit nu weer zijn, dacht ze.

Op 5 maart, nauwelijks een week na de moord, had een anonieme tipgever aan de Zweedse veiligheidsdienst telefonisch een tip doorgegeven. De dag daarvoor had hij in de Riksgatan, tussen de twee parlementsgebouwen in, 'een licht kalende man van rond de vijfendertig jaar, gekleed in een bruine jas, zwarte broek en zwarte lage schoenen' gesignaleerd. De man 'leek onder invloed te zijn van iets, gedroeg zich agressief en riep minstens drie keer Olof Palmes naam'. Volgens deze tipgever was hij 'een Iraniër of mogelijk een Irakees', die 'Yussef of Yussuf Ibrahim' heette en 'als afwasser bij restaurant

Operakällaren' werkte, slechts enkele huizenblokken van het parlementsgebouw verwijderd.

Het speurwerk van de veiligheidspolitie was resultaatloos gebleven. In de Operakällaren werkten 'zoveel afwassers en schoonmakers van buitenlandse afkomst, dat de gegeven tip wat de beschrijving betreft slechts beperkt bruikbaar was'. Een zekere 'Yussef, dan wel Yussuf, Ibrahim is dientengevolge niet in bovengenoemde eetgelegenheid gelokaliseerd'. Degene die nog het beste aan het signalement voldeed, was een Tunesiër die Ali heette, een alibi had voor de relevante tijdstippen en nog altijd in de map 'Iran/Irak' werd bewaard, ondanks zijn afkomst en ondanks het feit dat de veiligheidspolitie hem meer dan twintig jaar geleden van de verdachtenlijst had afgevoerd.

Ik vraag me af hoe de tipgever wist dat hij Yussef heette, dacht Mattei zuchtend. En pas nadat ze nog eens drie uur had zitten bladeren en lezen, was het moment aangebroken om nog een map uit de stapel te vissen.

Suleyman Özök, geboren op 28 februari 1949 en op de dag van de moord op de premier dus zevenendertig jaar, was in 1970 naar Zweden gekomen, had een monteursopleiding gevolgd via het arbeidsbureau en werkte rond het tijdstip van de moord als carrosseriereparateur bij Haga Plåt och Lack aan de Hagagatan in Stockholm. Volgens de tipgever 'op slechts een steenworp afstand van de plaats van de moord'.

De tipgever wilde slechts anoniem blijven ten opzichte van de dader, over wie hij wat informatie wilde doorgeven. Veertien dagen na de moord had hij de recherche aan de Kungsholmsgatan in Stockholm bezocht en verteld dat hij er honderdtwintig procent zeker van was 'dat Suleyman Özök de premier van Zweden had vermoord'.

Volgens de tipgever werkte Özök eigenlijk als geheim agent voor de Turkse militaire dictatuur en was zijn werk bij de garage slechts een dekmantel. In werkelijkheid was hij in Zweden om Koerdische vluchtelingen in de gaten te houden en voor zijn opdrachtgever 'smerige klusjes' uit te voeren, mocht dat nodig zijn.

Özök was een bijna notoire Palme-hater, omdat Palme en de Zweedse regering steun hadden verleend aan de Koerden die Turkije waren ontvlucht en hun heil in Zweden hadden gezocht. Özök beschikte minstens over 'één pistool en één revolver', die hij verschillende keren aan de tipgever had laten zien. Op de dinsdag van dezelfde week waarin de minister-president werd vermoord, had hij de revolver uit het handschoenenkastje van zijn auto gehaald en die aan de tipgever getoond, met de woorden dat hij in het weekend van plan was zijn verjaardag op een waardige wijze te vieren door 'dat zwijn van een Olof Palme neer te schieten'.

De avond van de moord was de tipgever 'zuiver toevallig' langs de Tegnérlund in Stockholm gelopen, 'op slechts een steenworp van bioscoop Grand', en hij ontdekte toen dat Özöks auto aan de noordkant van de Tegnérlund geparkeerd stond. Aangezien hij niet wist dat de minister-president 'juist op dat moment niet ver daarvandaan in de bioscoop zat', had hij er verder niet bij stilgestaan en de metro terug naar zijn appartement aan de Stigfinnargränd in Hagsätra genomen, waar hij de nacht had doorgebracht.

Toen hij de volgende ochtend de tv aanzette, was hij zo geschoqueerd, dat het veertien dagen duurde voordat hij voldoende moed had verzameld om contact met de politie op te nemen.

Blijkbaar had hij een diepe indruk op hen gemaakt. Özök werd onmiddellijk opgenomen in het onderzoeksdossier dat toen nog steeds 'Turkije/PKK' was getiteld. De onderzoeksleider had de zaak voor de rechter-commissaris gebracht, die besloot dat Özök zonder oproep vooraf verhoord moest worden en dat de politie gerechtelijk onderzoek moest verrichten in zijn woning in Skogås, zijn auto en op zijn werk.

De inspanningen waren aanzienlijk, het resultaat mager. Wapens had men niet gevonden. Een vishengel was het enige dat enigszins in de buurt kwam. Özök was een enthousiaste sportvisser, die regelmatig langs de scherenkust en bij een aantal binnenmeren in de omgeving van Stockholm te vinden was. Bovendien hield hij van voetbal en was hij al jaren een trouwe Hammarby-supporter. Maar op dat moment was hij vooral kwaad op de politie en hun tipgever.

Hij had nooit een vuurwapen gehad. En had er dus nooit een kunnen laten zien. Hij was een groot bewonderaar van Olof Palme, als mens en politicus. Hij had zich nooit kritisch over hem uitgelaten. Laat staan dat hij hem had bedreigd. Hij had juist tijdens een politieke discussie op zijn werk, bij Haga Plåt och Lack, diverse malen zijn kant gekozen. Hij was al jarenlang een Zweeds staatsburger. Hij wilde niet eens met vakantie naar Turkije. Turkije was een militaire dictatuur. Suleyman Özök was een democraat, een sociaaldemocraat om precies te zijn, en daar was hij trots op. Hij gaf er de voorkeur aan in het sociaaldemocratische Zweden te blijven, ook nu hij Palme tot zijn grote verdriet moest missen. Wat zijn vaderland betrof, had hij al jaren geleden alle hoop laten varen.

Ten slotte had hij een boodschap voor de anonieme tipgever. Als hij niet onmiddellijk ophield zijn nieuwe vriendin en hem het leven zuur te maken, zou Suleyman zelf in actie komen. Hij was echter niet van plan om aangifte te doen. Als carrosseriereparateur beschikte hij over middelen die concreter en mannelijker waren, mocht dat nodig zijn.

'Zeg hem maar dat ik hem persoonlijk een lasapparaat in zijn achterste zal steken, als hij nog één keer een vinger naar mijn meisje probeert uit te steken,' zei Suleyman Özök tegen de verhoorder, maar daar was het verder bij gebleven.

Uit de afsluitende aantekening in Özöks dossier bleek dat Suleyman Özök al enige tijd verloofd was met een voormalige vriendin van de tipgever. 'Özöks verloofde werkt als secretaresse bij de Universiteit van Stockholm en woont in een dienstwoning aan de Teknologgatan 2, in de buurt van de Tegnérlunden. Ze staat niet vermeld in het strafregister.'

Vrijdag laat in de middag namen Lewin en Mattei een lange koffiepauze in een Italiaans café in de buurt van het politiebureau om over hun bevindingen van de afgelopen week te discussiëren. Ze bestelden allebei een grote caffe latte en Mattei liet zich gaan door zichzelf te trakteren op tiramisu, terwijl de altijd voorzichtige Lewin genoegen nam met de biscotto met nootjes en amandelen die bij zijn koffie was inbegrepen. Ondanks het aanbreken van het weekend, het goede weer, de gezelligheid aan tafel en het adagium je altijd te schikken naar de situatie, hing er een sfeer van gelatenheid over het gesprek.

Samen hadden ze de bijna duizend verdachte mannen nagetrokken – op papier in elk geval – die in formele zin aan hun criteria van een meer gekwalificeerde dader voldeden. Bij nader inzien voldeed slechts een enkeling aan deze criteria, al hadden ze bij geen van deze mannen iets eenvoudigs en tastbaars gevonden waaruit bleek dat ze ruim twintig jaar geleden de minister-president van Zweden zouden hebben vermoord. Het aantal motieven was schaars, en ook al had de politie over voldoende middelen en mogelijkheden beschikt, dan nog hadden ze de motieven niet kunnen vinden, hoewel er in sommige gevallen honderden manuren aan was besteed.

Toch kon slechts een beperkt aantal verdachten met zekerheid worden afgevoerd. De meest gebruikelijke reden was dat ze rond de tijd van het misdrijf in een inrichting zaten, niet ontsnapt waren of verlof hadden of ongemerkt weg hadden kunnen sluipen. Of dat ze zich met zekerheid ergens anders bevonden, voldoende ver weg of met voldoende betrouwbare mensen, zodat de politie met hun alibi's kon leven. Samenvattend waren het onderzoekstechnisch bijna allemaal grote vraagtekens, die destijds al moeilijk te beantwoorden waren, laat staan dat je er vandaag de dag nog iets mee kon beginnen.

Een van de oorzaken daarvan was dat een opvallend groot deel van hen niet meer leefde. Toen de premier werd neergeschoten, was de gemiddelde leeftijd van de groep die Lewin en Mattei hadden onderzocht, boven de veertig jaar. Nu was die zestig plus, van de zestig procent die nog steeds in leven was.

Ongewone doodsoorzaken. Zo'n twintig van hen waren in de loop der jaren vermoord. Vergeleken met gewone, fatsoenlijke mensen was dat honderd keer meer dan het verwachte risico. Ongeveer honderd van hen hadden zelfmoord gepleegd. Vijfentwintig keer zoveel als het gemiddelde. Nog een paar honderd man waren overleden door een ongeval, verslavinggerelateerde ziekten of door 'onbekende' redenen. Tien keer meer dan normaal. Ten slotte waren er een stuk of vijftig van hen 'verdwenen', al was niet duidelijk waarheen en waarom.

'Ik kreeg vanmorgen een lijst van onze Criminele Inlichtingeneenheid,' vertelde Lewin, terwijl hij een snelle blik op een stukje papier wierp. 'Maar je leek zo op te gaan in je leeswerk, dat ik je niet wilde storen.'

'Meer dan een derde is overleden,' vatte Mattei samen. 'In plaats van de gemiddelde zeven procent van de doorsnee bevolking, bedoel ik.'

'Ik vraag me af hoe het precies zit met het overlijdingspercentage van onze tipgevers en getuigen,' zuchtte Lewin, die vooral hardop leek te denken.

Vergelijkbaar met degenen die de dader hadden aangewezen, dacht Mattei.

'Wat gaan we doen?' vroeg ze.

De zaak met Anna Holt bespreken, naar het militairen- en politiespoor kijken, aangezien ze toch ook al naar de rest hadden gekeken. Met Johansson praten. Hem uitleggen dat zijn plan over deze variant van intern onderzoek elke mogelijkheid tot succes ontbeerde. Dat het simpelweg te laat was. Dat het hoog tijd werd om er een streep onder te zetten. Dat er alleen nog hoop was op die ene doorslaggevende tip.

'Die we nooit zullen krijgen,' zei Lewin, terwijl hij een slokje van zijn koffie nam. 'Niet één minuut voor twaalf, in elk geval,' constateerde hij met een glimlach, terwijl hij zijn hoofd schudde.

'Nou ja,' bracht Mattei ertegen in. 'We hebben hoe dan ook nog drie jaar, zes maanden, zes dagen en ruim zes uur over,' zei ze, terwijl ze voor de zekerheid op haar horloge keek.

'Drie jaar, zes maanden, zes dagen, zes uur... en tweeëndertig minuten... als dat van mij gelijkloopt,' zei Lewin, terwijl hij op zijn eigen horloge keek.

'Ja, terwijl wij hier nu zitten te luieren,' giechelde Mattei. Je bent overwerkt, dacht ze.

'Ik was van plan om daar in het weekend mee door te gaan. Met luieren, dus,' zei Lewin.

Vervolgens hadden ze afscheid genomen. Lewin wandelde naar de metro om terug te gaan naar zijn appartement in Gärdet. Hij was van plan om onderweg boodschappen te doen. Mattei had geen vaste plannen, totdat ze ineens ontdekte dat ze voor de ingang van het grote politiebureau op Kungsholmen stond.

Je had toch niets beters te doen, dacht ze toen ze de bewaker in de receptie passeerde, haar politiebadge toonde en haar toegangspas door de kaartlezer in de entreesluis haalde.

Nog precies drie jaar, zes maanden en zes dagen te gaan, dacht ze ruim zes uur later, nadat ze een snelle blik op haar horloge had geworpen.

Daarna had ze het schutblad van het eerste persoonsdossier opengeslagen, van de eenendertig die in de drie mappen zaten waarin het 'militairenspoor' werd bewaard. Het dossier ging over een baron en schout-bij-nacht die onder aan de alfabetische lijst met kameraden was beland, omdat hij bij de 'v' van 'von' was ingedeeld, en niet bij zijn werkelijke achternaam. Die vijfenvijftig jaar was toen de minister-president werd vermoord en een jaar voor de moord in een debatartikel in *Svenska Dagbladet* het slachtoffer had bekritiseerd, omdat hij de Zweedse defensiemacht had verwaarloosd en veel te toegeeflijk was geweest ten opzichte van de oosterburen. Een officier en een gentleman, tevens van adel, politiek incorrect en, in de ogen van de Palme-rechercheurs, de mogelijke hoop op een eigentijdse Anckarström.

Aj, aj, aj, nu wordt het pas echt menens, dacht Lisa Mattei. Vervolgens had ze de slappe lach gekregen en moest ze een papieren zakdoekje uit haar handtas vissen om haar tranen te drogen en haar neus te snuiten.

31

Op vrijdag laat in de middag – ongeveer op hetzelfde moment dat Lewin en Mattei in een nabijgelegen Italiaans café koffie dronken – was inspecteur Anna Holt bij haar chef langsgegaan om verslag uit te brengen van haar werkzaamheden. De kamer van zijn secretaresse was leeg en de deur van Johanssons kamer stond wijd open. Haar chef lag op zijn tukjesbank een dik boek met een Engelse titel te lezen, over een onderwerp waar ze geen flauw benul van had en geschreven door een schrijver die ze niet kende. Hij leek een uitstekend humeur te hebben.

'Ga zitten, Anna,' zei Johansson, terwijl hij met zijn dikke boek naar de dichtstbijzijnde fauteuil zwaaide.

'Dank je,' zei Holt en ze ging zitten.

'Ja, ja,' zei Johansson, die van houding veranderde door half overeind te komen. 'Omdat Bäckström niet langer het leven van Helena zuur maakt, begrijp ik dat je die kleine dikzak goed te grazen hebt genomen. Is er iets wat ik voor jou kan doen?'

'Het zou fijn zijn als ik mijn normale werkzaamheden weer kan oppakken.'

'Alles op zijn tijd, Anna,' zei Johansson met een afwerend handgebaar. 'Vertel eens. Wat wilde hij ons deze keer voor onzin verkopen?'

'Hij kreeg een paar weken geleden een tip, op vrijdag 17 augustus. De dag na al die berichten dat we het Palme-onderzoek opnieuw zouden hebben opgestart.'

'Dat dacht ik wel,' grijnsde Johansson.

'Inderdaad,' zei Holt. 'Ik begrijp je gedachtegang. De tip komt van een van Bäckströms informanten. Hij schijnt Bäckström eerder van tips te hebben voorzien en volgens hem is die informant uiterst betrouwbaar en zeer goed ingelicht.'

'Dat ontbrak er nog maar aan,' zei Johansson. 'En verder wil hij natuurlijk anoniem blijven.'

'Uiteraard. Al weet Bäckström natuurlijk wie hij is. Ze kennen elkaar al jaren, volgens Bäckström, en hij is niet van plan zijn naam te geven. Verder lijkt hij niet veel te zijn veranderd.'

'Ja, misschien heeft hij eindelijk zijn levensdoel gevonden. De afdeling Gevonden Voorwerpen. Als hij niet zo verschrikkelijk veel stal, had ik een garageportier van hem gemaakt,' zei Johansson. 'Had hij nog iets bijzonders te melden?'

'Is nog niet duidelijk,' antwoordde Holt. 'Ik ben bezig een en ander na te trekken. Maar waarschijnlijk niet.'

'Surprise, surprise,' zei Johansson.

'Maar hij heeft ons wel een naam gegeven.'

'Een naam? Wat voor naam?'

'Van die rotzak over wie je de hele tijd loopt te zeuren,' zei Holt, die moest glimlachen.

'Hoe heet hij dan?' vroeg Johansson, die rechtop ging zitten en niet langer glimlachte.

'Het is niet de minste,' plaagde Holt. 'We mogen echt hopen dat het niet waar is.'

De Esperanza was niet alleen fraai om naar te kijken, met haar harmonische lijnen en goed afgestemde proporties. Ze was ook goedgebouwd; de kielbalk, beplanking en spanten waren van eikenhout dat van het vasteland kwam, waar de eiken langzamer groeiden dan hier en daarom beter hout opleverden. Geheel gemaakt van hout, met een blauwgeverfde romp als van een karveel, witgeschilderde reling en een dek van teak. Ze was achtentwintig voet lang en tien voet breed. Zachte rondingen in de achtersteven, met licht naar binnen gebogen flanken, een spits uitlopende voorsteven en plaats voor een kleine roef in het vooronder. Het dek was goed uitgerust, met voldoende ruimte voor visgerei en een duikersuitrusting. Bovendien had ze een flinke motor, een Volvo Penta viercilinderdieselmotor met een vermogen van tweehonderd pk, en een goed gevulde brandstoftank.

Een boot gemaakt voor alle weertypen en levensfasen. Om in de zonneschijn op een spiegelblanke zee het anker uit te gooien en samen met anderen te eten en te drinken. Om mee te vissen en vanaf te duiken. Om op te ontspannen of tegen de reling achterover te leunen, terwijl je je handen en armen in het spiegelende water koelt. Maar ook sterk en volhardend genoeg om je naar het Spaanse, Franse of Afrikaanse vasteland te brengen, zolang de wind geen orkaansterkte bereikte. Of misschien naar Corsica, waar de eigenaar van de boot in elk geval één vriend had op wie hij blindelings kon vertrouwen en waar meer mensen waren zoals hij. Naar Corsica, driehonderd zeemijl en dertig uur ten noordoosten van Puerto Pollensa, waar hij een veilige haven voor de rest van zijn leven kon vinden, mocht hij die nodig hebben.

32

Bäckström was klein, dik en primitief, maar op zijn tijd kon hij zowel listig als lastig zijn.

Van alle zeventienduizend Zweedse agenten had hij de grootste, beroepsmatig aangepaste woordenschat, met honderden lelijke woorden voor iedereen die hij niet mocht: allochtonen, homoseksuelen, criminelen en gewone Zweden, ongeacht hun geslacht. Kortom, iedereen die niet was als hij, en zoals hij waren er maar weinig. Bij elkaar genomen had dit hem binnen het korps dat hij al dertig jaar diende, berucht gemaakt. Hoofdinspecteur van de rijksrecherche Evert Bäckström was een 'legendarische moordrechercheur' die zich in tegenstelling tot de meeste andere legenden ook met andere zaakjes bezighield.

Ruim een jaar eerder was hij van zijn natuurlijke habitat bij Rijksmoordzaken verbannen naar de afdeling Opsporing Vermiste Goederen van de politie Stockholm. Of de afdeling Gevonden Voorwerpen, zoals alle echte agenten, inclusief Bäckström zelf, deze vergaarbak van gestolen fietsen, verloren portemonnees en verdwaalde politiezielen nog altijd noemden.

Bäckström was een slachtoffer. Van een ongelukkige samenloop van omstandigheden in het algemeen en van een boze samenzwering in het bijzonder. Maar vooral van de Koninklijke Zweedse Afgunst. Zijn vorige chef, Lars Martin Johansson, kon het gewoon niet hebben dat Bäckström een succesvolle strijd voerde tegen de voortdurend toenemende en steeds gewelddadiger criminaliteit. Toen Bäckström een bijzonder gecompliceerde moordzaak op een jonge vrouwelijke agente in opleiding uit Växjö had opgelost, had Johansson van alle kwaadsprekerij een touw gevlochten, een strop om Bäckströms nek gedaan en zelf de stoel onder zijn voeten weggetrapt door hem te ontslaan.

Ondanks zijn onwelwillende, niet-begrijpende en ronduit destructieve omgeving, probeerde Bäckström er het beste van te maken. Het werk als rechercheur Vermiste Goederen bood interessante mogelijkheden voor wie alert genoeg was om elke kans te grijpen die zich voordeed. Niet zoals zijn nieuwe collega's, een trieste verzameling fantasieloze vrijmetselaars die niet eens beseften dat ze de sleutelbos in handen hadden van een reusachtige schatkist, waarin 'gestolen', 'zoekgeraakte' of slechts 'verbeurdverklaarde' goederen waren opgeslagen. Wat Bäckström natuurlijk had ingezien zodra hij een voet over de drempel van zijn nieuwe werkplek had gezet.

De meest trieste figuur op zijn werk was een oude bekende uit de tijd dat Bäckström werkte bij Geweldsdelicten in Stockholm, inspecteur Göran Wiijnbladh. Wiijnbladh had tot 1990 bij de forensisch-technische afdeling van de politie Stockholm gewerkt, waarna hij gedeeltelijk met pensioen ging en werd overgeplaatst naar de toenmalige afdeling Gevonden Voorwerpen. Hij was een technicus van de oude stempel. Afgezien van zes jaar lagere school, nauwelijks een jaar op de oude politieschool en enkele weekcursussen voor technisch rechercheur, had hij alle theoretische omzwervingen zorgvuldig weten te ontwijken. Er vast van overtuigd dat de enige kennis die de moeite waard was, slechts door middel van praktijkervaring kon worden vergaard. Deze instelling zou hem fataal worden.

Wiijnbladhs grootste probleem in die tijd was zijn vrouw, die hem voortdurend bedroog. Het probleem was relatief eenvoudig, in die zin dat het ongeveer negenennegentig procent van zijn totale aantal problemen uitmaakte. Erger was dat ze het heel openlijk deed, wat gezien de aard van haar bezigheid streed met het uitgangspunt ervan. Maar het ergste was dat ze de voorkeur gaf aan andere politiemannen, en aangezien ze hier vanaf de dag na hun bruiloft mee begonnen was, liep er bij elke afdeling van de politie Stockholm minstens één collega rond die Wiijnbladh voor joker zette.

In het najaar van 1989 had Wiijnbladh besloten zijn vrouw met tallium te vergiftigen, dat hij op zijn werk had bemachtigd. Tijdens de voorbereidingen had hij echter per ongeluk zichzelf vergiftigd. Hij was op dezelfde manier met het tallium omgegaan als met het poeder waarmee vingerafdrukken werden genomen. Hij had microscopisch kleine hoeveelheden op zijn vingers en handen gekregen, werd acuut vergiftigd en had zelfs bijna het loodje gelegd. Toen hij een paar maanden later uit het ziekenhuis kwam, was hij nog maar een schim van zichzelf. Hoewel hij voor die tijd ook al weinig indruk maakte.

De hele zaak was door de politieleiding in de doofpot gestopt. Met behulp van de politievakbond werd het geval bestempeld als een tragisch ongeval op de werkvloer, wat de betrokken partijen vervolgens in goede harmonie hadden opgelost. Wiijnbladh was deels met pensioen gegaan en had een schappelijke eenmalige vergoeding gekregen, wegens onder diensttijd opgelopen letsel.

Bij Gevonden Voorwerpen hield hij zich inmiddels al meer dan vijftien jaar bezig met gestolen kunst en antiek. Niemand begreep waarom. Van dit onderwerp leek hij niets te weten, maar omdat men vond dat dat geen kwaad kon, hadden ze hem daar laten zitten. In het allerkleinste kamertje aan het einde van de gang zat Wiijnbladh in zijn mappen met gestolen en verbeurdverklaarde kunstwerken te bladeren. Zijn koffie dronk hij altijd in zijn eentje op zijn kamer, en eigenlijk wist geen enkele collega wanneer hij kwam of ging. Er was niemand die het iets kon schelen, bovendien zou hij binnenkort met pensioen gaan.

Heerlijk dat die flikker straks verdwenen is, dacht Bäckström op zijn eigen meelevende wijze, die enkele keer dat hij Wiijnbladh door de gang voorbij zag glippen.

Al had hij aanvankelijk een zeker profijt van hem gehad.

Ongeveer op hetzelfde moment dat Bäckström zich op zijn nieuwe werkplek installeerde, had de afdeling met een van de grootste zaken sinds jaren te maken gekregen. Een excentrieke Zweedse miljardair, die sinds mensenheugenis officieel in Genève woonde, had melding gemaakt van een inbraak in zijn 'pied-à-terre' in Stockholm, een eenvoudige tienkamerwoning aan de Strandvägen, waar hij volgens de gegevens die hij aan de Zweedse belastingdienst verstrekte, hooguit een paar weken per jaar verbleef. 'Meestal komt dat neer op een week rond kerst en nieuwjaar en misschien nog een week als ik in Zweden ben om midzomer te vieren of mijn kinderen te bezoeken.' Waarschijnlijk was dit ook de reden dat het bijna een maand duurde voordat de politie helderheid kreeg over de omvang van het misdrijf.

In het pinksterweekend op zaterdag 3 juni werd de meldkamer van de politie door Securitas gealarmeerd over een inbraak aan de Strandvägen. De reden dat men de hulp inriep van de overheidsgefinancierde concurrent, was dat hun eigen dienstauto in Östermalm een fietser had aangereden, ongeveer een kilometer van de plaats delict. Bovendien was er haast bij, want de akelig geavanceerde alarminstallatie die men enkele jaren eerder had aangelegd, was er geheel van overtuigd dat de dief – volgens diezelfde installatie scheen hij alleen te zijn – nog steeds op de plaats delict aanwezig was.

Dit soort buitenkansen om de particuliere concurrent een tik op de vingers te geven kreeg de politie zelden, maar in de algehele verwarring waren ze helaas vergeten het zwaailicht en de sirene van de patrouillewagen die als eerste ter plaatse was, uit te zetten op het moment dat de auto voor de toegangsdeur tot stilstand kwam. Ze hadden de dader verjaagd en toen ze eenmaal de woning waren binnengekomen, was er niemand. De dief was via de keukendeur en de binnenplaats ontsnapt naar de straat aan de andere kant van het blok. Er was dus niemand gepakt, maar het liep met een sisser af omdat het er niet naar uitzag dat de inbreker iets had kunnen meenemen uit het appartement, dat het beste kon worden omschreven als een 'kunstmuseum', volgens de opgeroepen technici en experts van Vermiste Goederen. Dit was ook de informatie die het beveiligingsbedrijf aan de klant had doorgegeven toen ze hem in Zwitserland hadden opgebeld.

Inbraak in de woning. De veiligheidsmaatregelen waren inmiddels verscherpt. De inbraak was verstoord. De dief had de woning verlaten en schijnbaar niets meegenomen. Er waren geen technische sporen veiliggesteld. De dader was onbekend. Pas drie weken later, toen de gedupeerde was gearriveerd om midzomer te vieren – 'om een harinkje en een paar glaasjes brandewijn te nemen, te luisteren naar Evert Taube en de zon achter die goede oude buitenplee te zien zakken' – had men de ware omvang van de gebeurtenis ingezien.

De advocaat van de gedupeerde had contact opgenomen met het beveiligingsbedrijf en de politie met de mededeling dat de dief niet met lege handen was weggekomen. Ondanks de sirenes was het hem gelukt een olieverfschilderijtje van Pieter Brueghel de Jonge mee te nemen, dat de eigenaar van de woning op zijn gastentoilet had hangen om de gasten te tarten die niet zo rijk waren als hij.

De gedupeerde was een introverte man, en noch zijn beveiligingsbedrijf noch de politie had er een heisa van gemaakt. In de kranten werd er met geen woord over gerept, hoewel het schilderij een verzekeringswaarde van dertig miljoen kroon had. In alle stilte was er een grootscheeps onderzoek gestart. Ook al ontbrak elk spoor en was het schilderij in principe onverkoopbaar.

Bäckström had het hele verhaal gehoord toen hij in de koffiekamer zat. Gestolen kunst was namelijk niet zijn afdeling. Geen schilderijen, geen antiek; om een of andere reden mocht zelfs een minuscuul zilveren kandelaartje niet eens zijn bureau passeren. Hem werden de grotere spullen toegewezen. Vanaf de eerste dag was hij volop bezig geweest met een Estische truck die onbemand op een parkeerplaats bij Norrtälje was achtergelaten en bij nader onderzoek bijna tweehonderd gestolen fietsen bleek te bevatten.

'Hier heb je wat om je tanden in te zetten, Bäckström,' zei zijn directe chef toen hij het onderzoeksrapport op zijn bureau legde.

'Wat moet ik verdomme met die rommel?' vroeg Bäckström terwijl hij chagrijnig naar de vele pagina's tellende lijst met gestolen goederen gluurde.

'Wat dacht je ervan om op zoek te gaan naar de rechtmatige eigenaars?' zei zijn chef met een spottend lachje. 'Welkom, trouwens,' voegde hij eraan toe.

Nu is het oorlog, dacht Bäckström, en hoe houd je in vredesnaam tweehonderd fietsen uit elkaar? Zelf kende hij niemand die een fiets nodig had. Alleen flikkers, potten, natuurfreaks en anorexiapatiënten namen de fiets. Zelfs een meerkoet pakt tegenwoordig de auto, dacht hij.

Je moet er het beste van zien te maken als je niet wilt omkomen van de honger, dacht Bäckström. En na een poosje te hebben nagedacht, wist hij zich een vrouw te herinneren die hij via internet had ontmoet. Ze werkte als tandartsassistente in Södertälje en kon vast en zeker een fiets gebruiken. Een foeilelijk exemplaar, dat altijd rondhuppelde in zelfgemaakte kleren en hem in de tijd dat ze met elkaar omgingen een gebatikt T-shirt had gegeven, dat ze zelf had geverfd. Als ze van dat soort flauwekul houdt, houdt ze ook van fietsen, dacht Bäckström. Wat kon zo'n natte doos anders doen dan op zo'n oud zadel heen en weer schuiven?

Meer dan hij dacht, zoals bleek toen hij haar aan de telefoon kreeg.

Ten eerste had haar nieuwe verloofde, die overigens als chef van de plaatselijke politie van Salem werkte, haar een auto gegeven. Ten tweede had ze al een fiets. Ten derde vond ze het op zijn zachtst gezegd merkwaardig dat Bäckström een fiets te koop aanbood. Zo goed als nieuw, en ook nog goedkoop. Ten vierde dacht ze er ernstig over na om Bäckströms chef op te bellen om hem hiervan op de hoogte te brengen.

'Wat zullen we nu krijgen?' vroeg Bäckström.

'Mijn vriend vertelde dat je een baan bij Gevonden Voorwerpen hebt gekregen,' antwoordde ze.

'Hallo zeg,' zei Bäckström. 'Je denkt toch niet dat ik zo idioot ben dat ik je een gestolen fiets probeer aan te smeren?' De aanval is de beste verdediging, dacht hij.

'Daar zie ik je inderdaad voor aan.' Daarna hing ze gewoon op.

Teringwijf. En wat nu, dacht Bäckström, maar omdat hij altijd wat lijntjes had uitstaan, diende de oplossing zich vanzelf aan. Al de volgende avond was hij een oude bekende tegen het lijf gelopen die hij in zijn eigen stamkroeg had leren kennen: Gustaf G:son Henning, een zeer succesvolle, gerespecteerde kunsthandelaar die Bäckström door de jaren heen het een en ander had aangeboden, in ruil voor wat vertrouwelijke politionele informatie. Inmiddels was hij de zeventig gepasseerd, slank en goed gekleed, met zilverwit haar, een grote woning aan het Norr Mälarstrand, een kantoor aan het Norrmalmstorg. En was hij een veel geziene gast bij kunst- en antiekprogramma's op tv. De mensen die hem kenden, noemden hem GeGurra. Het enige mysterieuze aan hem was dat hij regelmatig opdook in het eenvoudige eetcafeetje aan de verkeerde kant van Kungsholmen, dat Bäckström praktisch alle dagen van de week bezocht.

Toen GeGurra werd geboren, hadden zijn ouders hem Juha Valentin genoemd. De naam Juha was van zijn grootvader van moeders kant, die van Finse zigeuners afstamde en bijzonder succesvol was in de lompen- en schroothandel. Valentin was de naam van zijn opa van vaders kant, die werkzaam was geweest in de amusementswereld en onder andere de eigenaar was van een rondreizende kermis en twee pornoclubs in Bohuslän, in de tijd dat deze branche net opkwam en het wilde westen betekende voor wie het ervan wilde nemen. Juha Valentin Andersson Snygg, een naam met een rijke geschiedenis en verplichtingen, en absoluut een hindernis voor deze verwachtingsvolle jongeman, die een toekomst voor zichzelf zag weggelegd in de wat verfijndere handel van kunst en antiek.

Zodra Juha Valentin meerderjarig was, had hij zijn naam veranderd. Voor de zekerheid koos hij zowel een nieuwe voor- als achternaam, volgens de meest snobistische voorbeelden binnen de branche die hij tot de zijne wilde maken. Bovendien met een spannende toevoeging, als eerbetoon aan de voornaamste van hen allemaal. Juha Valentin Andersson Snygg was in het bevolkingsregister en voor de overheid veranderd in Gustaf G:son Henning, en voor vrienden en bekenden in GeGurra. Juha Valentin behoorde tot een lang vervlogen verleden.

Soms werd Gustaf G:son gevraagd waar G:son eigenlijk voor stond. Dan glimlachte hij altijd weemoedig voordat hij antwoord gaf.

'Die naam verwijst naar mijn oom Gregor. Maar die is al jaren dood, zoals je wel weet.'

En dat was waar. Zijn moeder Rosita had een broer die Gregor heette en al in de jaren vijftig onder tragische omstandigheden was omgekomen. Het destilleerapparaat in zijn woonwagen was geëxplodeerd, maar zo ver vroeg men nooit door.

Al een dag na de uitgebleven fietshandel was GeGurra op oude vertrouwde wijze in Bäckströms leven opgedoken.

'Leuk je weer eens te zien, hoofdinspecteur,' zei GeGurra, terwijl hij Bäckström een klap op zijn schouders gaf. 'Sta je hier aan die oude bar een beetje te filosoferen.'

'Dat genoegen is geheel wederzijds, Henning,' zei Bäckström, die ook formeel kon zijn als dat nodig was. Wat een geluk dat ik nog niet heb besteld, dacht hij.

'Dank je, allervriendelijkst van je,' antwoordde GeGurra. 'Heb je trouwens al gegeten?'

'Fijn dat je het vraagt, ik dacht er net over om wat te bestellen.' Vogelzaad en een glas water, als het aan jouw soort ligt, dacht hij.

'Weet je wat,' zei GeGurra, 'dan stel ik voor dat we een taxi naar de Teatergrillen nemen om daar ongestoord te kunnen praten. Dan is de rekening voor mij.'

'Ik heb begrepen dat je eindelijk met je neus in de boter bent gevallen,' constateerde GeGurra een kwartier later, waarop hij zijn glas hief. 'Proost, trouwens.'

'Ach,' zei Bäckström en schudde zijn hoofd. Twintig minuten geleden stond hij nog aan de bar van zijn vervallen stamkroeg. Nu zat hij in het meest afgezonderde hoekje van een van de meest luxueuze restaurants van de stad. Het personeel stond te knippen en te buigen vanaf het moment dat GeGurra in de deuropening verscheen. Een grote dry martini voor GeGurra, een maltwhisky en een glas bier voor Bäckström en allebei kregen ze een menukaart in hun handen gedrukt. Zodra ze waren gaan zitten en zonder dat Bäckströms gastheer ook maar iets hoefde te zeggen.

'Je kent zeker niemand die een fiets kan gebruiken,' voegde Bäckström er met een zucht aan toe.

'Als je vals spel speelt, moet je je niet laten kennen,' constateerde GeGurra. 'En ik kan het weten, als eenvoudige guppy die het aquarium deelt met haaien, piranha's en de gebruikelijke kwallen. Als ik je zo zie, Bäckström, krijg ik beslist het gevoel dat er aanzienlijk betere tijden voor je aanbreken.'

'Dat zeg jij,' zei Bäckström. Dat zeg jij, dacht hij.

'Ik heb namelijk een probleempje waar jij me bij zou kunnen helpen,' vervolgde GeGurra, die voorzichtig van zijn dry martini nipte.

'Vertel,' zei Bäckström.

GeGurra had een oude klant, die bovendien al jarenlang een goede vriend van hem was. Zo ging het vaak met kunstliefhebbers onder elkaar. Hij was een groot kunstverzamelaar en invloedrijk mecenas, die al jaren in het buitenland woonde. Enkele maanden geleden was er ingebroken in zijn woning in Stockholm. Er was een oud Vlaams schilderij gestolen, waar een behoorlijk prijskaartje aan hing. Het was weliswaar volledig verzekerd, maar wat had je daaraan als ware kunstliefhebber, die niets om geld gaf en bovendien meer bezat dan al zijn verwende erfgenamen de komende generaties zouden kunnen opmaken. Hij wilde zijn schilderij terug. Moeilijker dan dat was het niet en nu had hij GeGurra om hulp gevraagd.

'Wat denk je, Bäckström,' vroeg GeGurra. 'Hoe groot schat je de kans in dat jij en je collega's dit geval kunnen oplossen en ervoor kunnen zorgen dat hij zijn schilderij terugkrijgt?'

'Dat moet je mij niet vragen,' antwoordde Bäckström. 'Dat is niet mijn afdeling.'

'Jammer, heel jammer,' zei GeGurra met een zucht. 'Je denkt niet dat je collega's de zaak tot een goed einde kunnen brengen?'

'Vergeet het maar,' zei Bäckström. En als je me niet gelooft zal ik je met die Wiijnbladh laten kennismaken, dacht hij.

'Zou je niet kunnen kijken hoever ze ermee zijn?' vroeg GeGurra.

'Dat is niet zo gemakkelijk als je denkt. Er zit tegenwoordig heel veel geheimzinnigheid omheen. Je zou haast geloven dat je voor een geheime sekte werkt. Als het jouw pakkie-an niet is, duiken ze gelijk boven op je als iets probeert uit te vissen. Voorheen kochten verzekeringsmaatschappijen de gestolen schilderijen terug, maar toen kwamen er van die geheelonthouders en moraalridders bij ons die daaraan een einde maakten. Zodra een of andere behulpzame sukkel met een schilderij op de proppen komt, belandt hij regelrecht in de lik. Naar het tipgeld kan hij wel fluiten en de verzekeringsmaatschappijen willen er nauwelijks nog iets van weten.'

'Deze goede vriend van me heeft een Zwitserse verzekeringsmaatschappij,' zei GeGurra. 'Ik kan je verzekeren dat zij een heel andere, meer praktisch gerichte kijk op de zaak hebben.'

'Oké, zeg dat maar tegen die vent die dat ding moet terugbrengen. Dat hij de beloning bovendien kan vergeten en zo'n vier jaar moet zitten wegens heling.'

'Denk erover na,' zei GeGurra. 'We kunnen beter nadenken als we wat hebben gegeten en gedronken.'

'*What's in it for me*,' vroeg Bäckström. Laat ik het gelijk maar vragen, dacht hij.

'In mijn wereld gaat voor niets de zon op,' antwoordde GeGurra, die zijn goed geklede schouders ophaalde. 'Wat vind je er trouwens van als we beginnen met gemarineerde zalm?'

De dag daarop zag Bäckström zijn kans schoon zodra Wiijnbladh tegen drie uur 's middags moeizaam zijn kamer uit was gelopen. Het was rustig in de gang. Er liep geen levende ziel meer rond, aangezien de werkweek er weer op zat en het voor alle hardwerkende agenten de hoogste tijd was om langs de drankwinkel te gaan, naar moeder de vrouw terug te keren en de strijd tegen de misdaad een weekend te laten rusten.

Als eerste draaide Bäckström de bureauonderlegger van Wiijnbladh om. Het enige probleem daarbij was dat hij de post-it ondersteboven had geplakt. Acht cijfers en acht letters, met bibberende hand geschreven. Als persoonlijke code had hij Cerberus gekozen en waarschijnlijk was hij niet de enige in het gebouw. Ik vraag me af of hij van plan is een nieuw kunstgebit aan te schaffen, dacht Bäckström, terwijl hij de codes in zijn zakcomputer opsloeg.

Daarna logde hij in en maakte een uitdraai van het onderzoek naar de kunstroof aan de Strandvägen. Die stopte hij in zijn jaszak, waarna hij een verfrissende wandeling van zijn werkplek naar GeGurra's woning aan het Norr Mälarstrand maakte en de kopie in zijn brievenbus stopte.

De week daarop hadden GeGurra en hij een discrete ontmoeting met een Zweedse advocaat en een Engelssprekende vertegenwoordiger van de Zwitserse verzekeringsmaatschappij. Natuurlijk zou Bäckström het schilderij kunnen terugbezorgen, als hij zijn gang mocht gaan zoals echte politiemannen dat altijd al hadden gedaan. Geen enkel probleem, volgens de verzekeringsdirecteur en de advocaat. Ten slotte had Bäckström nog een wens.

'Deze ontmoeting heeft nooit plaatsgevonden en de heren en ik hebben elkaar nooit eerder gezien,' zei Bäckström.

Dat was evenmin een probleem. Maar wat nu, dacht Bäckström, toen hij een uur later naar zijn werk terugkeerde.

Een week later was ook dat opgelost. Hoewel het niet zijn afdeling was, had hoofdinspecteur Evert Bäckström telefonisch een anonieme tip gekregen. Een beleefde jongeman die zijn naam niet wilde noemen, vertelde dat er een pas gestolen auto voor de ingang van het grote politiebureau aan de Polhemsgatan geparkeerd stond. Slechts honderd meter van Bäckströms eigen kantoor, maar dat had hij er niet bij gezegd. In de kofferbak lag een gestolen schilderij en om het de politie gemakkelijk te maken, was het voertuig niet op slot.

Bäckström was naar zijn directe chef gegaan en had in een paar woorden uitgelegd wat er aan de hand was. Als zijn chef dat wilde, mocht hij natuurlijk meelopen om een kijkje te nemen.

'Wat ik alleen nog niet begrijp, is waarom die tipgever jou heeft gebeld, Bäckström,' siste zijn chef tien minuten later, toen ze de kofferbak hadden opengemaakt en naar het zojuist teruggevonden schilderij van Brueghel de Jonge stonden te kijken. 'Dit is namelijk niet jouw onderzoek.'

'Hij wilde vast met een echte politieman praten,' zei Bäckström, die zijn dikke schouders ophaalde. Zet daar je tanden maar eens in, kommaneukertje, dacht hij.

Een week later had Bäckströms chef hem een nieuwe zaak gegeven om zijn tanden in te zetten. De afdeling van de Instantie voor Economische Delicten die zich bezighield met milieudelicten, had hulp nodig bij het opsporen van de oorspronkelijke eigenaar van een stuk of vijftig vaten met bijzonder giftig afval, die de politie in Nacka in een leegstaande fabriekshal had aangetroffen.

Wat moet je daar nou weer mee, dacht Bäckström. En wat maakt het trouwens uit? Een paar dagen eerder had hij met GeGurra afgesproken, die hem had bedankt voor zijn hulp, een dinertje had aangeboden en de gebruikelijke bruine envelop zonder afzender had overhandigd, met de belofte dat er meer zouden volgen. Nu en dan een beetje, zoals de gewoonte was bij discrete vrienden onder elkaar.

Je bent een echte schurk, GeGurra, dacht Bäckström toen hij na een zeer voedzame maaltijd naar zijn gezellige vrijgezellenstulpje aan de Inedalsgatan was teruggekeerd, op slechts een steenworp afstand van het grote politiebureau. Zelfs die flikker van een Wiijnbladh had zijn steentje bijgedragen, zonder er zelf ook maar iets van af te weten.

Misschien zou ik een nieuw kunstgebit voor dat gifmengertje moeten kopen, dacht Bäckström, terwijl hij een flinke longdrink voor zichzelf maakte. Zo'n houten geval.

Hoofdinspecteur Evert Bäckström, legendarisch moordrechercheur, inmiddels verbannen naar de afdeling Gevonden Voorwerpen. Gustaf G:son Henning, succesvol kunsthandelaar en bekend van tv. Inspecteur Göran Wiijnbladh, een dolende politieridder van het tragische soort. Drie mensenlevens die weliswaar verschillend waren uitgevallen, maar binnen één jaar tijd met elkaar verenigd zouden worden, op een manier die geen van hen had kunnen voorzien.

33

Nauwelijks een jaar later, op donderdag 16 augustus, zat Bäckström in zijn appartement aan de Inedalsgatan van zijn slaapmutsje te genieten. Vruchtendrank met Estlandse wodka, die hij had gekocht van een collega die bij de waterpolitie werkte en wat adresjes aan de andere kant van de Oostzee had. Ondanks de maandelijkse bijdrage van die beste Henning moesten er heel wat gaten gedicht worden. Sinds hij een nieuwe breedbeeldplasma-tv had aangeschaft, was de maltwhisky, in elk geval tijdelijk, vervangen door wat eenvoudiger spul. Hopelijk was dit een probleem van voorbijgaande aard, dacht Bäckström, die tevreden zuchtte, zijn nieuwe aanwinst aanzette en vervolgens bijna stikte in zijn longdrink.

Die Lapse hufter, dacht hij, terwijl hij in het gezicht van Johansson staarde, die daar op typisch Norrlandse, lijzige wijze zat te liegen. Net als al die andere Lapse hufters die de gebruikelijke vlaag van verstandsverbijstering hadden gekregen.

Daarna was het afgelopen met Bäckströms avondrust. Hoewel hij zo goed als onmiddellijk van kanaal veranderde en het smeulende vuur vanbinnen probeerde te doven met nog een paar flinke borrels. Hij had niet eens de moeite kunnen opbrengen zijn mail te checken, om te zien of hij nog een bericht van dat idiote wijf had gekregen die de voorkeur gaf aan 'echte mannen in uniform' met 'vaste routines en een doortastend karakter', maar tegelijkertijd niet bang voor 'grensoverschrijdende activiteiten'.

Hoe wil dat mens dat voor elkaar krijgen, dacht Bäckström en het enige dat in hem opkwam, was die straalbezopen, bemoeizuchtige Italiaanse douanebeambte die hij een paar jaar eerder op een conferentie had ontmoet.

Ik maak gehakt van die Lapse hufter, dacht Bäckström, en met deze troostrijke gedachte in zijn ronde hoofd was hij vrijwel onmiddellijk in zijn pasgekochte bed van Hästens in slaap gevallen.

De dag daarop was zoals alle andere. Oude fietsen, septic tanks, en sinds een halve week een halve kantoorinhoud die een praktisch aangelegde ondernemer in een bosbeekje had gedumpt, op een oud adellijk landgoed, twintig kilometer ten noorden van Stockholm. Een hele hoop afgedankte computers, krakkemikkige bureaus en versleten bureaustoelen. Praktisch en goedkoop, als je niet de moeite wilde nemen om naar de vuilnisbelt te rijden. Maar wat had de politie daar in godsnaam mee te maken, dacht Bäckström.

Het was de verkeerde bosbeek, zo bleek. De voorname mensen die het landgoed bewoonden, waren buitengewoon geschokt en hadden direct de hoofdcommissaris terzijde genomen toen deze bij hun oude vriend, Zijne Majesteit de Koning, mocht komen dineren, waarop de zaak de volgende dag al op Bäckströms bureau lag. Een grove schending van het milieurecht, dat van de top van de politieleiding de hoogste prioriteit had gekregen en waarvoor medewerking was vereist van de geroutineerde speurneus van Gevonden Voorwerpen, oftewel van Bäckström.

'Je mag wel een dienstauto lenen, Bäckström, om ter plaatse wat speurwerk te doen. Ze zeggen dat er heel wat vruchtbare, technische sporen liggen, als ik juist geïnformeerd ben,' zei zijn directe chef toen die hem de opdracht gaf en het proces-verbaal op zijn bureau legde. 'Vergeet trouwens niet om een paar rubberlaarzen mee te nemen,' voegde hij er goedbedoeld aan toe. 'Het schijnt er nogal drassig te zijn rond deze tijd.'

Maar vervolgens was er geen schot in de zaak gekomen, hoewel Bäckström zijn best had gedaan om er vaart achter te zetten en door de gedupeerde zelfs was uitgenodigd voor een versterkende lunch, toen Bäckström hem vroeg naar het mogelijke tijdstip van het misdrijf. Volgens de klagende partij was dat niet te zeggen, omdat hij tegenwoordig vooral in zijn huis aan de Franse Rivièra verbleef, waar hij gelukkig geen bosbeekjes had om zich zorgen over te maken.

'Het is vast zo iemand die failliet is gegaan,' suggereerde de landgoedeigenaar, die zijn borrelglas ophief naar zijn gast. 'Tenzij de hoofdinspecteur daar andere ideeën over heeft.'

'Ik zit erover te denken al die rotzooi naar Forensische Opsporing te sturen,' zei Bäckström.

'Dat lijkt me een uitstekend idee,' constateerde zijn gastheer. 'Ik ga ervan uit dat de politie de kosten voor haar rekening neemt.'

'Vanzelfsprekend,' zei Bäckström.

Zijn chef reageerde minder enthousiast. Vooral na zijn gesprek met de chef van Forensische Opsporing, maar Bäckström had voet bij stuk gehouden, ook al zou dat oorlog betekenen.

'Dus nu moet ik die grove schending van het milieu plotseling aan mijn laars lappen,' zei Bäckström verontwaardigd. 'Terwijl vrouwen en kinderen het loodje leggen vanwege dat broeikaseffect. Je hebt zelf toch ook kinderen?' Met een foeilelijk wijf, dacht hij.

'Natuurlijk niet, Bäckström, natuurlijk niet,' verzekerde zijn chef met klem. 'Ik heb inderdaad drie kinderen, dus ik begrijp het precies. Ik wil alleen maar zeggen dat we niet kunnen verwachten dat Forensische Opsporing voorrang geeft aan deze zaak. Heb je zelf niet geprobeerd om achter de herkomst van die spullen te komen?'

'Boekenkast Billy, kantoorstoel Nisse en een heleboel oude kapotte computers die tien jaar geleden in een winkel zijn aangeschaft. Al heb ik ten minste twee harde schijven tussen die vieze bende gevonden en denk ik dat de klus geklaard is zodra die jongens van Forensische Opsporing er werk van maken,' zei Bäckström. Nu heb je iets om je tanden in te zetten, achterlijke mappendrager, dacht Bäckström.

Vervolgens had zijn oude weldoener GeGurra hem op zijn mobiel gebeld. Ineens was er weer hoop.

'Heb je volgende week tijd om samen te eten?' vroeg Gustav G:son Henning, zodra ze de gebruikelijke beleefdheden hadden afgehandeld. 'Ik heb iets heel interessants te melden, waarbij wij elkaar wederzijds van nut kunnen zijn, om het zo maar te zeggen. Helaas heb ik op dit moment nogal veel om handen, maar wat zeg je van Operakällaren, maandagavond zeven uur?'

'Vanzelfsprekend,' zei Bäckström. 'Heb je geen aanwijzing voor me?' Nu begint het weer ergens op te lijken, dacht hij. Die vervloekte kantoormeubels mochten de rouwende nabestaanden wat hem betrof in hun hol steken.

'Een zaak van betekenis, Bäckström,' antwoordde GeGurra. 'Niet geschikt om over de telefoon te bespreken, ben ik bang.'

Ik vraag me af of ze die oude Rembrandt van het Nationaal Museum hebben gejat, dacht Bäckström. Dat ding waarop al die bastaards met elkaar zitten te zuipen terwijl ze een of andere eed afleggen.

'Ik ben bang dat het nog erger is,' zei Gustaf G:son Henning, terwijl hij zijn gast ernstig aankeek, nadat ze in hun gebruikelijke afgezonderde hoekje waren gaan zitten, allebei iets verkwikkends hadden genomen en ondertussen de menukaart bestudeerden.

'Wat weet je van het wapen waarmee Olof Palme is neergeschoten?' vervolgde hij, terwijl hij voorzichtig op de olijf beet die de kelner op een bordje naast zijn dry martini had neergelegd.

Oei, dacht Bäckström. *And now we are talking.*

'Heel wat,' zei Bäckström, terwijl hij knikte met de gewichtigheid van iemand die destijds aan de zaak had gewerkt. Die Lapse hufter mag wel oppassen, dacht hij. Die prachtkerel van een Henning was zonder meer een man met dure handelswaar. Hij was niet zomaar een praatjesmaker.

'Vertel,' zei Bäckström.

'Ik zou je eerst een paar vragen willen stellen, als je het niet erg vindt,' zei zijn gastheer.

'Ga verder.'

'Er schijnt een beloning te zijn uitgeloofd?'

'Die socialisten van de regering hadden een prijs op het hoofd van die rotzak gezet. Vijftig miljoen kroon, belastingvrij, op voorwaarde dat hij in mobiele staat wordt afgeleverd.'

'Hoe bedoel je?'

'Zodat hij verder kan worden vervoerd naar de rechtbank en ons geliefde gevangeniswezen,' grijnsde Bäckström, die een slok nam van zijn verkwikkende, brandende maltwhisky.

'En als hij dood is?'

'Nog altijd vijftig miljoen, als je kunt bewijzen dat hij de dader is,' antwoordde Bäckström. 'Als je alleen maar het moordwapen kunt leveren, moet je je slechts tevredenstellen met tien miljoen. Omdat we de kogels van de plaats delict als vergelijkingsmateriaal hebben, is het betrekkelijk eenvoudig. Dat wil zeggen, als je het juiste wapen te pakken hebt.'

'Wat zou er gebeuren als jij met het wapen op de proppen kwam? Of aan je collega's zou vertellen waar ze het kunnen vinden?'

'Ik zou in elk geval geen geld krijgen,' zuchtte Bäckström. 'Ik ben immers politieman, van mij wordt verwacht dat ik zoiets gratis doe.' In plaats daarvan zou ik het gegarandeerd aan de stok krijgen met die Lapse hufter en vermoedelijk in de lik belanden omdat ik zijn shit heb opgelost, dacht hij.

'En als de tip van mij zou komen?' vroeg GeGurra.

'Dan breekt de hel los,' zei Bäckström met een nadrukkelijke hoofdknik.

'En anoniem? Stel dat ik ze een anonieme tip zou geven?'

'Vergeet het maar. We praten hier over de moord op Olof Palme, dus dat gedoe met die anonimiteit kun je wel vergeten. In de bak, daar kom je terecht! Min of meer automatisch.'

'Zelfs als ik kan bewijzen dat ik er op geen enkele manier bij betrokken ben?' hield zijn gastheer vol.

'Dan is het nog altijd onmogelijk anoniem te blijven. We hebben het niet over de hoofdprijs in een of andere loterij,' zei Bäckström. 'Sommige collega's zijn net zo gesloten als een theezeefje. Laten meer doorsijpelen dan jij erdoorheen giet, als je begrijpt wat ik bedoel.'

'Triest,' zei GeGurra met een zucht. 'Persoonlijk heb ik aanzienlijk grotere zaken gedaan dan deze, zonder een woord los te laten over de koper of verkoper.'

'Natuurlijk,' beaamde Bäckström. 'Aangezien ik de politieman van dit gezelschap ben, even iets heel anders.'

'Ja?'

'Wat zou je ervan vinden als ik de vragen stel en jij vertelt,' stelde Bäckström voor.

'Vanzelfsprekend,' zei GeGurra met een hoofdknik. 'Dan zal ik je vertellen wat een oude bekende van me zo'n vijftien jaar geleden tegen me zei.'

'Wacht even,' zei Bäckström met een afwerend gebaar. 'Vijftien jaar geleden? Waarom heb je daar eerder nooit iets over gezegd?'

'Het is er min of meer nooit van gekomen,' zei GeGurra, terwijl hij zijn hoofd schudde. 'Maar ongeveer een week geleden las ik in de krant dat het hoofd van de rijksrecherche blijkbaar een nieuw geheim onderzoek was begonnen. En aangezien dit misdrijf binnenkort zal verjaren, dacht ik dat het misschien tijd werd om mijn mond open te doen.'

'Oké, vertel,' zei Bäckström. Over risicovolle vertraging gesproken, dacht hij.

Bijna vijftien jaar geleden had een oude bekende, die bovendien 'in dezelfde branche werkte als Bäckström', Gustaf G:son Henning verteld over het wapen dat was gebruikt om Olof Palme te vermoorden. Aangezien GeGurra al jarenlang een dagboek bijhield, kon Bäckström natuurlijk de exacte datum van hun gesprek krijgen, als hij daar prijs op stelde.

'Waarom vertelde hij dat aan jou?' vroeg Bäckström. Een collega. Hoe is het mogelijk, dacht hij.

'Hij wilde weten wat het wapen zou opbrengen als hij het op de internationale kunst- en antiekmarkt zou verkopen,' verklaarde GeGurra. 'Mensen verzamelen de vreemdste dingen, moet je weten,' zei hij hoofdschuddend. 'Een paar jaar geleden verkocht ik een oude flanellen pyjama die van Heinrich Himmler was geweest, die zoals je weet aan het hoofd van de SS in nazi-Duitsland stond, voor driehonderdvijftigduizend kroon.'

'Wat gaf je hem als antwoord? Die bekende van je, bedoel ik.'

'Dat het heel moeilijk zou worden om een koper te vinden. Omdat de moord op de premier nog steeds niet was opgelost. Hooguit een miljoen, in die tijd. Maar dat het prijskaartje natuurlijk drastisch zou veranderen na verjaring van de moord, mits het wapen niet op illegale wijze verkregen was, uiteraard. De verjaringstermijn voor heling is enigszins gecompliceerd, zoals je wel weet. Hoe dan ook, zodra de verjaringstermijn is verstreken, praten we over ettelijke miljoenen.'

'Meer dan tien?'

'Absoluut,' knikte GeGurra. 'Ervan uitgaande dat je de juiste koper vindt en ik ken een paar mensen die redelijk ver zouden gaan om zo'n pronkstuk aan hun verzameling te kunnen toevoegen.'

'De vrienden van de Palme-haat,' grijnsde Bäckström.

'Ja, in elk geval een van hen.'

'Vertelde hij nog meer over het wapen?'

'Ja. Onder andere dat het niet om een revolver van het merk Smith & Wesson ging, zoals altijd in alle media werd verkondigd. In plaats daarvan zou het gaan om een andere revolver van Amerikaanse makelij, een Ruger. Het model heet Speed-six, en heeft dus een magazijn voor zes patronen. Verchroomd, zilverkleurig en met een lange loop, vijftien centimeter zei hij volgens mij, een kaliber .357 Magnum. Een kolf van walnotenhout en een gearceerde greep. In perfecte staat. Ik weet trouwens nog dat ik daarnaar vroeg. Dat soort informatie is belangrijk voor mensen als ik.'

'Zei hij nog meer?' vroeg Bäckström. 'Had hij een registratienummer van het wapen?' Het model zou best kunnen kloppen, dacht hij.

'Hij heeft het me in elk geval niet gegeven. Hij zei wel dat het wapen direct leverbaar was, mocht het tot een deal komen. Dat het jarenlang op een zeer veilige plek is bewaard.'

'Waar?'

'In het hol van de leeuw zelf,' zei GeGurra met een flauwe glimlach. 'Dat waren zijn eigen woorden. Dat het bewaard werd in het hol van de leeuw zelf.'

'Wat bedoelde hij daarmee?'

'Geen idee. Maar hij leek zich enorm te amuseren toen hij dat zei.'

'Zei hij nog meer?' vroeg Bäckström.

'Ja, hij zei er nog één ding over. Een nogal merkwaardig verhaal, eigenlijk. Hij beweerde dat het wapen ook nog bij twee andere moorden en een zelfmoord was gebruikt. Enkele jaren voordat de minister-president ermee werd neergeschoten. Ik weet zeker dat hij dat zei. Dat het wapen een geschiedenis had. Het was niet alleen gebruikt om een premier neer te schieten die voor de Russen spioneerde, maar ook om eenvoudiger geteisem aan te pakken. Zo drukte hij zich ongeveer uit.'

'Heeft hij een naam?'

'Wie?' vroeg GeGurra met een tactvol glimlachje.

'Je tipgever. Die in dezelfde branche werkt als ik. Heeft hij een naam?'

'Ja, maar het is niet direct een naam die ik hier openlijk kan noemen. Dus je moet nog een paar uur geduld hebben. Ik heb een van mijn medewerkers gevraagd een discrete envelop in je brievenbus te stoppen. De gebruikelijke maandelijkse bijdrage voor afgehandelde zaken en wat extra onkostenvergoeding in verband met wat we zojuist besproken hebben, en hopelijk ons volgende project kan worden. Plus een briefje met de naam van mijn oude bekende.'

'Klinkt goed,' zei Bäckström. 'Hoe heb je hem eigenlijk leren kennen?'

'Zoals de meesten, hij heeft een schilderij van mij gekocht. Een Zorn, om precies te zijn.'

'Tjonge,' zei Bäckström. Dat is geen kattenpis. Ik vraag me af wat die collega voor creatiefs heeft bedacht. Hij moet een betere plek hebben gevonden dan Gevonden Voorwerpen.

'Een vrij bijzondere Zorn,' zei GeGurra. 'Als de grote vrouwenschilder in een uitgelaten stemming verkeerde, waren zijn vrouwenstudies soms behoorlijk indringend, om het zo maar te zeggen. Niet alleen huid en haar. Een onbekende kant van Zorn, of eerder een kant waar kunsthistorici niet graag over spreken, maar die tegelijkertijd perfect aansloot bij de bijzondere smaak van mijn cliënt. Als een tweede huid, min of meer.'

'Hij had die doos van haar geschilderd,' constateerde Bäckström.

'De best geschilderde kut uit de Zweedse kunstgeschiedenis,' bevestigde GeGurra onverwacht nadrukkelijk. 'Wat dacht je trouwens van een flink stuk vlees, en een fles stevige rode wijn?'

Bäckström was langer in het restaurant gebleven dan zijn bedoeling was. Hij moest immers nog een ander project afhandelen. Bovendien lag er een envelop op zijn deurmat te wachten.

GeGurra is met recht een toffe oude kerel, dacht Bäckström toen hij thuis op de bank zijn maandelijkse bijdrage natelde, met daarbovenop de riant toegenomen projectsteun. Al zou hij zelf niet veel geld hebben ingezet op de naam van de tipgever die op het bijgevoegde briefje stond vermeld.

Hoezo collega? Het is verdomme toch ondenkbaar dat zo'n idioot als hij Palme heeft doodgeschoten. En hoe is het in hemelsnaam mogelijk dat hij zich een Zorn kan veroorloven, dacht Bäckström, terwijl hij zijn ronde hoofd schudde voordat hij naspoelde met een flinke hoeveelheid Estlandse wodka en vruchtendrank. Bovendien wist hij zeker dat hij iemand kende die altijd liep te oreren dat hij zo'n goede vriend van die vent was.

Wie was dat verdorie ook alweer, vroeg Bäckström zich af. Nou ja, het zou hem vast wel te binnen schieten. Dat kwam natuurlijk door die smerige Baltische wodka, dacht hij voordat hij in slaap viel. Pure stopverf voor zijn normaliter perfect functionerende hersens.

34

Tegen zijn gewoonte in was Bäckström op donderdag 23 augustus de hele dag ijverig aan het werk geweest, aangezien er grote dingen op stapel stonden. Deze keer geen fietsen, gifvaten of afgedankte kantoormeubels. Waarschijnlijk werd er nu in de wereld van de Zweedse recherche geschiedenis geschreven, omdat de zaak bij wijze van uitzondering in de juiste handen terecht was gekomen en niet bij een van zijn min of meer achterlijke collega's. Bovendien kon hij deze keer via zijn eigen computer over alle gegevens beschikken die hij nodig had, wat wel zo praktisch was. Zelfs de afdeling Gevonden Voorwerpen was namelijk ingeschakeld voor de jacht op de revolver waarmee de minister-president werd neergeschoten. Een jacht die net zo lang gaande was als de jacht op de moordenaar.

Al twee dagen na de moord, op zondag, had de toenmalige onderzoeksleider Hans Holmér zijn eerste persconferentie gehouden, waarbij het moordwapen alle mediale aandacht had getrokken. In de grote conferentiezaal van het politiebureau, honderden journalisten, stampvol met mensen, tv-camera's van over de hele wereld en een hoofdcommissaris die letterlijk vibreerde van wellust om zijn publiek te woord te kunnen staan. Gezeten achter zijn tafel op het hoge podium, steunend op zijn ellebogen, als een bokser met zijn bovenlichaam heen en weer wiegend, legde hij de toeschouwers met een handgebaar het zwijgen op en knikte hij ernstig maar toch glimlachend naar de zaal met aandachtige luisteraars.

Na een weloverwogen pauze had hij twee revolvers omhooggehouden, terwijl hem een ware cascade van flitslichten tegemoetkwam, de ene na de andere lichtgolf over hem heen spoelde en hij zich nog nooit zo sterk had gevoeld als toen.

Die dag had de onderzoeksleiding al besloten dat het 'zeer waarschijnlijk ging om een revolver met een lange loop van het merk Smith & Wesson, vervaardigd in de Verenigde Staten'. Enerzijds omdat het waar zou kunnen zijn, maar vooral omdat dit niet de juiste gelegenheid was om met twijfels en reserves aan te komen.

Hoe kon hij toch zo zeker van zijn zaak zijn, dacht Bäckström, die wel beter wist omdat hij een echte politieman was, in tegenstelling tot Holmér en al die andere onnozele juristen die nauwelijks wisten waar de trekker zat.

Dat het om een revolver ging en niet om een pistool, leek niettemin zeer waarschijnlijk. Het handjevol getuigen die het wapen in de rechterhand van de dader hadden gezien, hadden het precies zo beschreven. Als een 'typische revolver', 'zo'n westernwapen met een lange loop' of zelfs als 'een regelrecht Buffalo Bill-geval'.

Hun observaties werden bevestigd door de weinige technische sporen die men al dan niet op de plaats van het delict had veiliggesteld. Zo waren er geen patroonhulzen gevonden, en aangezien een pistool in tegenstelling tot een revolver na het schot de huls uitspuugt, wees dat op een revolver. De twee kogels die op de plaats van het delict waren teruggevonden waren van het kaliber .357 Magnum, en nagenoeg alle wapens van dat kaliber waren revolvers. Er waren uitzonderingen, zoals de Desert Eagle, het dienstpistool van het Israëlische leger dat hetzelfde kaliber had, maar die waren zeldzaam en niet te verenigen met de gevonden kogels. Die kogels waren namelijk nogal bijzonder en werden bovendien uitsluitend gemaakt voor revolvers.

De eerste kogel werd vroeg in de ochtend na de moord gevonden, op het trottoir aan de andere kant van de Sveavägen, circa veertig meter van de plaats delict. De tweede werd nog een dag later tegen lunchtijd gevonden en lag in schootsrichting, slechts vijf meter van de plek waar de minister-president was doodgeschoten.

De kogels konden worden herleid naar de fabrikant ervan. Ze waren van het type Winchester Western .357 Magnum, Metal Piercing. Loden kogels, voorzien van een extreem harde mantel, bestaande uit een legering van koper en zink, die daardoor ook door metaal heen konden dringen. Dergelijke kogels werden geproduceerd nadat de Amerikaanse verkeerspolitie – de Highway Patrol – uitdrukkelijk had verzocht om een kogel die hard en sterk genoeg was om bijvoorbeeld door het motorblok van een auto te kunnen schieten.

Het was niet duidelijk hoeveel er sindsdien waren gebruikt. Bovendien deed dat er niet veel toe, omdat de kogel al snel populair werd bij gewone magnumschutters. Met name bij lieden die zich bezighielden met *combat shooting*, nepvuurgevechten waarbij een bepaald type volwassen mannen met revolvers rondrende en op van alles en nog wat schoot, van kartonnen figuren tot lege benzinevaten.

Deze feiten waren overigens nauwelijks van enige waarde. Revolvers van het onderhavige kaliber waren al dertig jaar voordat de Zweedse premier werd vermoord verkrijgbaar. Er waren door de jaren heen miljoenen exemplaren van geproduceerd en verkocht, en hun eigenaren hadden honderden miljoenen schoten van hetzelfde kaliber afgevuurd. Hoeveel er daarvan door metaal heen konden dringen, was niet duidelijk, maar de grootste fabrikant, Winchester Western, had er in elk geval miljoenen van verkocht.

Daar kwam nog bij dat men vanaf het begin sterk twijfelde aan de gevonden kogels, aangezien ze niet door de politie waren gevonden, maar door twee leden van het Grote Speurderspubliek, die zo vriendelijk waren geweest om de kogels onmiddellijk aan de politie te overhandigen. Veel mensen en journalisten hadden daardoor het vermoeden gekregen dat deze kogels opzettelijk bij de plaats delict waren neergelegd om de rechercheurs op een dwaalspoor te brengen.

Omdat beide kogels volledig zichtbare sporen droegen van het materiaal dat ze hadden doorboord, dat wil zeggen van de kleding en het lichaam van Olof Palme en de kleding van Lisbeth Palme, had die kwestie vrijwel onmiddellijk opgelost kunnen worden, als men de normale technische procedures had gevolgd en de vezel- en weefselsporen had veiliggesteld voordat de kogels werden gereinigd om het kaliber vast te stellen.

Dat had men niet gedaan. Wiijnbladh en zijn collega's van Forensische Opsporing hadden de kogels in afzonderlijke plastic zakjes gestopt en ze naar het Forensisch Instituut in Linköping gestuurd om de kalibers vast te stellen. Dit was overigens het enige verzoek dat op het begeleidende formulier werd aangekruist.

Bij het FI was het verzoek van hun cliënt snel ingewilligd. De twee kogels werden in een schaaltje met alcohol gelegd, ontdaan van textielvezels, lichaamsweefsel en bloed, afgespoeld onder normaal kraanwater, de rest werd door de gootsteen gespoeld en het kaliber met een schroefmaat opgemeten.

Pas na een paar jaar hadden behulpzame natuurkundigen aan de Universiteit van Stockholm antwoord kunnen geven op de vraag die de politie zelf had veroorzaakt. Een vriendelijke professor in de vastestoffysica had contact opgenomen met de politie en verklaard dat wat voor normale mensen lood was, voor iemand met verstand van zaken iets heel anders kon zijn. De isotopensamenstelling van lood kon namelijk variëren. Bij de productie van kogels werd bijna altijd lood met een variërende isotopensamenstelling gemengd, zodat er kogels ontstonden met verschillende combinaties loodisotopen. De professor wilde daarom zo vrij zijn een eenvoudig wetenschappelijk onderzoek uit te voeren, namelijk door de isotopensamenstelling van de twee kogels te vergelijken met de loodsporen die uit de kleding van het slachtoffer konden worden veiliggesteld om vast te stellen of ze overeenkwamen.

Zo geschiedde, zodat het forensisch onderzoek tenminste weer een tikkeltje vooruit schreed. De twee gevonden kogels waren 'zeer waarschijnlijk' identiek aan de kogels die Olof Palme hadden gedood en zijn vrouw hadden geschampt, waarop het niet-aflatende gezeur over uitgezette dwaalsporen eindelijk terzijde kon worden geschoven. Maar dat was niet alles. Met behulp van de isotopensamenstelling van de kogels had men bovendien de oorspronkelijke partij lood – 'gegoten', 'gesmolten' of 'batch' – waarvan ze waren gemaakt kunnen achterhalen.

Die partij omvatte enkele honderdduizenden patronen, die fabrikant Winchester Western aan verschillende landen had geleverd, maar waarvan slechts zesduizend stuks bij Zweedse wapenhandelaren waren beland. Die leveranties hadden in1979 en 1980 plaatsgevonden, geruime tijd voor de moord op de minister-president. Het onderzoeksdossier leek hoopgevend genoeg, maar verder dan dat was men nooit gekomen.

Resteerde het wapen dat de politie nooit heeft kunnen vinden, maar waarover diverse experts toch waardevolle informatie konden verschaffen. De wapens met het onderhavige kaliber die verreweg het meeste voorkwamen, waren revolvers in verschillende uitvoeringen en looplengten van het merk Smith & Wesson. Vandaar dat de onderzoeksleiding als eerste de conclusie had getrokken dat het wapen 'zeer waarschijnlijk' een revolver van Smith & Wesson was.

Tegelijkertijd kon je om statistische en forensische redenen vraagtekens bij deze conclusie plaatsen. De sporen van de loop die op beide kogels waren veiliggesteld, kwamen weliswaar overeen met een Smith & Wesson, maar ook met een handvol revolvers van andere makelij, die tezamen ongeveer een vierde deel van het wereldwijde arsenaal aan revolvers van het onderhavige kaliber uitmaakten. De enige troost in dit verband was dat de ballistische sporen op de kogels niet overeenstemden met de op een na meest voorkomende magnumrevolver die gefabriceerd werd door Colt, de legendarische wapensmederij die Smith & Wessons grootste concurrent was op het gebied van magnumrevolvers.

Bäckström was verheugd over het feit dat de sporen op de kogels eveneens uitstekend overeenstemden met de revolvers van de derde Amerikaanse wapenfabrikant, Sturm, Ruger & Co uit Hartford, Connecticut. Zelfs de lengte van de loop van een decimeter of meer klopte met de conclusies van de wapenonderzoekers. Als de loop korter was geweest, hadden de kogels namelijk van achteren moeten 'opstropen', en dat was niet gebeurd.

Dit loopt verdorie als een trein, dacht Bäckström. Had hij maar van begin af aan de leiding over deze zaak had gehad, dan was die hoogstwaarschijnlijk meteen al opgehelderd.

Restte slechts de vraag of met voldoende zekerheid de kogels van de plaats delict in verband konden worden gebracht met de revolver waarmee de minister-president was doodgeschoten. Het forensisch rapport dat Bäckström op zijn computer had teruggevonden, dateerde van 1997, en de anonieme expert die het had opgesteld, koesterde grote twijfels. Beide kogels verkeerden 'in tamelijk slechte staat'. Ze konden worden gebruikt om diverse wapentypes met elkaar te vergelijken en ze waren goed genoeg geweest om de honderden verschillende wapentypes uit te sluiten waarmee men door de jaren heen had proefgeschoten. Maar daarmee was nog niet gezegd dat ze met zekerheid met het moordwapen in verband konden worden gebracht, mocht het gevonden worden.

Wat een zeikstraal, dacht Bäckström. De techniek ging immers met megasprongen vooruit! Dat had hij met eigen ogen kunnen zien, op de buis. Al die wonderen die zijn collega's van CSI continu verrichtten, door alleen maar een beetje op hun computer te pielen. Als er echt niets anders op zat, nam hij desnoods zelf het wapen mee, om een bezoekje te brengen aan een paar echte politiekerels, aan de andere kant van de oceaan.

Las Vegas of Miami, dacht Bäckström. Uiteindelijk is dat de grote vraag.

35

Nadat hij zijn kennis omtrent de wapensporen uit het Palme-onderzoek had opgefrist – het meeste wist hij al en de rest was niet moeilijk te voorspellen geweest – was Bäckström overgegaan tot wat actievere naspeuringen op zijn computer. Het resultaat was echter teleurstellend. Hij had in de registers met gestolen en vermiste goederen slechts twee magnumrevolvers van het merk Ruger gevonden.

De eerste was enkele jaren eerder gestolen tijdens een inbraak bij een of andere Fin die buiten Luleå woonde en blijkbaar zowel een schiet- als jachtvergunning had. Tijdens zijn vakantie hadden 'een of meer onbekende daders zich toegang verschaft tot de woning, zijn wapenkast geforceerd en drie jachtgeweren, een combiwapen, twee hagelgeweren en een revolver meegenomen'. Van de gestolen wapens was er niet een teruggevonden.

De revolver was een Ruger .357 Magnum, maar dat was dan ook het enige dat klopte. Het wapen was geblauwd, had een korte loop en een met rubber beklede kolf. Deze keer was het zelfs zo eenvoudig dat er een foto van beschikbaar was.

Lappen en Finnen, dacht Bäckström. Hoe was het in hemelsnaam mogelijk dat dat soort mensen wapens in handen kregen? Het was al erg genoeg dat ze de drankwinkel binnen mochten om al die brandewijn te kopen die ze alsmaar achteroversloegen.

De tweede zaak zag er hoopgevender uit. Twee jaar eerder had de politie Stockholm een huiszoeking in een appartement in Flemingsberg gedaan, waar de vriendin woonde van een bekende crimineel die verdacht werd van een overval op een waardetransport in Hägersten een paar maanden eerder. Achter de koelkast had men een magnumrevolver van het merk Ruger gevonden. Een groot raadsel, volgens de vriendin en de verdachte roofovervaller. Geen van beiden had de revolver eerder gezien, zodat de enige verklaring kon zijn dat de vorige eigenaar van het appartement hem was vergeten toen hij verhuisde. De eenvoudigste manier om daarachter te komen, was het hem zelf te vragen, al konden ze de politie daar helaas niet bij helpen, aangezien ze niet wisten hoe hij heette of waar hij woonde.

Het technisch onderzoek had evenmin iets opgeleverd. Het wapen kon niet gekoppeld worden aan een misdrijf en ook niet aan degenen die in het appartement woonden. Het was niet als gestolen aangemerkt en was ook niet opgenomen in het register van legale wapens. De officier van justitie had de zaak geseponeerd en de revolver was in beslag genomen. Die lag nu bij Forensische Opsporing, maar meer gegevens waren er niet over te vinden.

Het is een poging waard, dacht Bäckström, waarop hij naar Forensische Opsporing belde, de kwestie voorlegde aan de collega die opnam en hem vroeg zo snel mogelijk een foto van het betreffende wapen te mailen.

'Ben je van branche veranderd, Bäckström?' vroeg zijn collega, die nogal afgemeten klonk.

'Wat bedoel je daarmee?' vroeg Bäckström. Waar heeft die eikel het over, dacht hij.

'Ik dacht dat je je bezighield met afgedankte kantoormeubelen.'

'Dat doet er niet toe. Doe wat ik zeg.'

'Ik zal erover nadenken,' antwoordde zijn collega, waarna hij zonder pardon de hoorn erop legde.

Terwijl Bäckström wachtte tot zijn collega was uitgedacht, eindelijk uit zijn luie stoel vandaan kwam en hem de foto van de revolver toestuurde, had hij een en ander zitten overpeinzen.

Drie moorden en een zelfmoord, dacht Bäckström. Blijkbaar ging het om een soort afrekeningen binnen de hogere en lagere regionen van het criminele circuit. Misschien zijn het er zelfs meer, dacht hij hoopvol. Het wapen was immers al meer dan twintig jaar op drift en kon in die tussentijd voor van alles en nog wat zijn gebruikt. Wellicht door een geheime organisatie voor beroepsmoordenaars? Zoiets als die Braziliaanse collega's, die bij tijd en wijle behoorlijk huishielden tussen het gespuis in hun sloppenwijken.

Ook dat gegeven over het hol van de leeuw klonk interessant. Was het niet zo dat die kameelrijders, dadeltrappers en gewone zelfmoordactivisten uitgerekend de leeuw als symbool hadden gekozen voor hun geheime cellen en terroristische activiteiten? Had het slachtoffer niet geheuld met die kromme neuzen uit Arabië? Iedereen weet toch wel hoe het afloopt als je met dat soort lui omgaat? Dit kan echt heel ver gaan, dacht Bäckström. En hij zou vast nog beter kunnen nadenken in zijn eigen stulpje, dat slechts op een steenworp afstand van zijn versleten kantoortje lag.

Hij had nog steeds geen mail gekregen van die luiwammes van FO en aangezien het al bijna drie uur was, werd het hoog tijd voor het betere werk. Als een van zijn chefs zich afvroeg waar hij heen was gegaan, had hij een eigen plaats delict waar hij poolshoogte moest nemen, die bovendien in de buurt van een heus kroondomein lag waar voorname mensen woonden, hoewel ze blijkbaar dineerden met die onnozele hals die zijn baas scheen te zijn.

De plicht roept, dacht Bäckström. Hij drukte het tweede knopje van zijn telefoon in, met de mededeling afwezig wegens zakelijke verplichtingen, en verliet snel en discreet het kantoorgebouw voor zogeheten externe werkzaamheden. Op weg naar huis was hij langs de drankwinkel gegaan om zijn voorraad maltwhisky aan te vullen en kocht hij wat lekkere hapjes bij de dichtstbijzijnde delicatessenwinkel. Een kwartier later lag hij op de bank voor de tv, met een longdrink binnen handbereik. Al na de eerste slok had de goddelijke whisky de Baltische nevel weten te verdrijven.

Ineens wist hij weer wie die geschifte collega was die altijd liep op te scheppen over het feit dat hij die halve idioot kende, die blijkbaar het bekendste moordwapen uit de misdaadgeschiedenis aan zijn oude bekende GeGurra had aangeboden.

Dat was immers die verrekte Wijnbladh, dacht Bäckström, terwijl hij verwonderd zijn ronde hoofd schudde.

36

De dag daarop had Bäckström besloten dat het hoog tijd werd dat er schot in de zaak kwam. Daarom was hij geruime tijd voor de lunch op zijn werk.

Eerst had hij zijn computer aangezet om zijn mail door te lezen. Niets van die luiwammes van FO, terwijl het wel eens zo zou kunnen zijn dat nu het heetste spoor uit de Zweedse politiegeschiedenis bij Forensische Opsporing lag te bevriezen.

Hoe kan zo'n figuur ooit politieman zijn geworden, dacht Bäckström, die een mail stuurde.

Vervolgens had hij Johanssons secretaresse gebeld en gevraagd of hij haar baas kon spreken.

'Hoofdinspecteur Evert Bäckström. Ik wil erkapé spreken.'

'Hij is niet aanwezig,' antwoordde zijn secretaresse op afgemeten toon. 'Waar gaat het over?'

'Dat kan ik niet over de telefoon bespreken,' zei Bäckström kortaf. In elk geval niet met jou, zuurpruim, dacht hij.

'Dan stel ik voor dat je een mailtje stuurt en in een paar woorden vertelt waar het over gaat.'

'Dat kan ook niet,' zei Bäckström. 'Ik moet hem spreken.' Zelfs die kop van haar moet ondersteboven zitten, dacht hij.

'Ik zal de boodschap doorgeven en vragen of hij tijd heeft.'

'Doe dat,' zei Bäckström, die had opgehangen voordat zij dat had kunnen doen. Wat nu, dacht hij. Het was nog maar halftwaalf. Te vroeg om te lunchen, als je een echt biertje bij het eten wilde hebben. Het was zelfs te vroeg om ertussenuit te knijpen, aangezien zijn zogenaamde chef als een waakzame havik door de gang heen en weer liep en beslag legde op zijn kostbare tijd. Wiijnbladh, dacht hij plotseling. Het wordt tijd om die halve idioot eens uit te horen en te kijken wat hij te bieden heeft.

Niet veel, bleek. Wiijnbladh zat op handen en voeten onder zijn bureau en leek ergens naar te zoeken.

'Hoe is het, Wiijnbladh?' vroeg Bäckström. 'Controleer je soms of alles goed is schoongemaakt?'

Wiijnbladh draaide zich om, schudde zijn hoofd en gaf Bäckström een schuwe blik.

'Mijn tablet, ik heb mijn tablet laten vallen.'

'Een tablet?' Waar heeft hij het in vredesnaam over, dacht hij.

'Mijn medicijn,' verduidelijkte Wiijnbladh. 'Net toen ik het in mijn mond wilde stoppen, viel het op de grond en nu kan ik het niet vinden.'

'Heb je er niet aan gedacht om over te gaan op zetpillen,' stelde Bäckström voor. Als je verdomme maar in leven blijft totdat ik je gesproken heb, dacht hij.

Die flikker is knettergek, dacht Bäckström toen hij Wiijnbladhs kamer verliet.

Bij gebrek aan beter was hij naar zijn kamer teruggegaan. Eerst had hij overwogen een familielid te bellen die bij de politievakbond werkte en bijna alles wist van zijn zogenaamde collega's. Bij nader inzien had hij besloten dat toch maar niet te doen. Ondanks hun bloedband was zijn neef een beetje te nieuwsgierig en veel te onbetrouwbaar, zodat Bäckström het te riskant vond hem voor een gevoelige zaak als deze te benaderen.

Aangezien het inmiddels twaalf uur was, met wat speling voor een aangename wandeling van het politiebureau naar zijn vertrouwde lunchrestaurant dat een paar blokken verderop lag, was het de hoogste tijd om iets naar binnen te krijgen. Vooral nu die havik van hem blijkbaar van terrein was veranderd. Het lijkt me het beste om de honger zo ver mogelijk buiten de deur te houden, dacht Bäckström. Hij drukte de nul op zijn telefoon in – van lunchpauze – en verliet het gebouw met rasse schreden.

Het werd slechts een korte maaltijd. Al twee uur later was hij naar het kantoor teruggekeerd; onderweg had hij ook nog verfrissende mentholpastilles kunnen kopen. Maar nog steeds geen mail van die slome techneut en evenmin iets van die Lapse hufter.

Hij heeft het vast te druk met zijn kudde rendieren, dacht Bäckström.

Vervolgens had die beste Henning gebeld om te vragen hoe het ging. Omdat het er tegenwoordig vooral op aan kwam hem te vriend te houden, had hij een en ander aangedikt. Het zag er tamelijk veelbelovend uit, verzekerde Bäckström hem. Hij was volop bezig met een intern onderzoek naar man en wapen.

'Er zijn heel wat interessante ingangen, moet ik zeggen,' constateerde Bäckström.

'Kun je er nu over spreken?' vroeg GeGurra.

Helaas niet. Te gevoelig. Maar Bäckström had zelf ook een vraag.

'Je zei dat hij een Zorn van je had gekocht. Hoe kon hij dat betalen? Dat zijn geen dingen die bij politieagenten aan de muur hangen. Meestal hebben ze van die huilende jongetjes, als je het mij vraagt,' zei Bäckström. Hij had er zelf ook een, die hij in zijn wc had opgehangen. Vlak boven de wc-bril, zodat die kleine huilebalk zich tenminste kon opvrolijken met de aanblik van de Bäckströmse supersalami, die enkele keer dat ze elkaar zagen.

'Rijke ouders,' constateerde Gustaf G:son Henning. 'Zowel zijn vader als zijn moeder, al generaties lang. Het blijft een raadsel waarom hij voor het politieberoep heeft gekozen. Hij is gelukkig geen gewone politieman, maar toch.'

'Wat bedoel je?' Wat weet jij nou van echte politiemannen, dacht Bäckström.

'Hij schijnt zo zijn eigenaardigheden te hebben, zogezegd. Dat hoop ik althans, als je begrijpt wat ik bedoel.'

'Nee. Leg uit,' drong Bäckström aan.

Dat was niet geschikt om over de telefoon te bespreken en omdat er klanten op hem stonden te wachten, stelde hij voor dat ze na het weekend weer contact met elkaar zouden opnemen.

Zuinige krent, dacht Bäckström. Waarom kunnen we daar niet een vorkje bij prikken?

Daarna had hij Johansson opnieuw gebeld. Het was al na tweeën, en vermoedelijk veel te laat omdat het vrijdag was. Zo'n type als Johansson was hem vast en zeker al gesmeerd.

'Bäckström,' zei Bäckström met ijzige stem. 'Ben op zoek naar erkapé.'

'Hij is helaas niet bereikbaar,' antwoordde Johanssons secretaresse. 'Maar ik beloof dat ik je boodschap zal overbrengen zodra ik hem spreek.'

'Dat is je geraden ook.'

'Pardon?'

Zak in de stront, kleine teef, dacht Bäckström terwijl hij ophing.

Bij gebrek aan beter had hij knopje vier ingedrukt. Een kort dienst-tripje om de plaats delict te bekijken, die twintig kilometer ten noorden van de stad lag. Zodra hij op veilige afstand van het kantoorgebouw was gekomen, was hij linea recta naar huis gegaan.

Verder was het weekend zo'n beetje verlopen als altijd. Een paar aardige bokswedstrijden op de sportzenders, met in elk geval één memorabele match, waarin een reusachtige fokstier een twee keer zo klein melkkoetje tot gehakt had gemalen en het publiek er na de eerste ronde al uitzag alsof het de mazelen had gekregen. Veel beter kan het leven niet worden, lijkt mij, dacht Bäckström, terwijl hij een gelukzalige zucht slaakte. Zie jezelf nu eens zitten op je nieuwe leren bank, met een flink glas whisky en een koud pilsje, terwijl twee van die zwarten elkaar de hersens inslaan op je eigen breedbeeld-tv.

Het pornoaanbod was helaas niet beter dan anders. Steeds dezelfde deinende, pompende bewegingen, hetzelfde gesteun en gekreun, en uiteindelijk was hij het zo zat dat hij ondanks al die maltwhisky een serieuze poging deed om wat interessanters op internet te vinden. En dat was gelukt. Een roodharig wijfie uit Norrköping had op haar website haar persoonlijke kwaliteiten blootgelegd. Voor een luttel bedrag, bovendien. Dat rode haar was echt, aan haar doos te zien, en ze was beslist een natuurtalent. Om maar niet te spreken van haar dialect. Onovertreffelijk in haar antwoorden, dacht Bäckström, de kenner.

Op zaterdag had hij in zijn gebruikelijke eettent gegeten, hoewel hij zich tegenwoordig wel wat beters kon veroorloven. Net als anders had hij van alles te veel genomen, zodat hij bijna de hele zondag in zijn geruite Hästens-bed had doorgebracht. De eerste uren had hij gezelschap gehad van een vrij pittige tante die hij vanuit de kroeg had meegenomen. Vervolgens bleek ze net zo'n zeurkous te zijn als al die andere wijven van haar leeftijd, maar omdat hij niet de beroerdste was, had hij haar geld gegeven voor een taxi voordat hij haar eruit knikkerde. Daarna had hij na een zware week eindelijk eens kunnen uitslapen. Met herwonnen krachten had hij het weekend afgesloten met een lange wandeling naar een van de betere kroegen in City. Hij was op een fatsoenlijk tijdstip weer teruggegaan en vroeg gaan slapen.

Nu zal ik ze, dacht Bäckström toen hij maandagochtend al om tien uur 's ochtends weer op zijn werk was.

Nog steeds geen teken van leven van FO. Het eerste wat hij deed, was de secretaresse van die Lapse hufter opbellen om haar een en ander in herinnering te brengen. Deze keer zat die rotzak in een bespreking en mocht hij niet worden gestoord. Ze had zo mogelijk nog zuurder geklonken dan anders. Ik vraag me af of ze met haar doos praat, dacht Bäckström. De aanhouder wint, dacht hij een uur later, waarop hij het opnieuw probeerde. Hoewel ze niet anders klonk dan gebruikelijk, leek het of de boodschap eindelijk was doorgedrongen.

Eerst had dat watje van een Lewin gebeld. Blijkbaar had hij van zijn chef zijn archiefstudie in de Palme-kamer voor één keer mogen onderbreken. Bäckström had korte metten met hem gemaakt. Vervolgens was Lewin blijkbaar naar Flykt gesneld om hulp te vragen. Uitgerekend aan die hielenlikker van een Flykt. Een derderangs golfspeler die al minstens twintig jaar lang weigert alledaags fatsoenlijk politiewerk te doen door zich achter zijn voorname moordslachtoffer te verschuilen. Met hem was Bäckström nog sneller klaar.

Daarna had hij Johanssons secretaresse weer gebeld om haar opnieuw te helpen herinneren. Hij had haar maandag, dinsdag en woensdag gebeld, waarop hij uit zijn slof was geschoten en haar eens goed de waarheid had verteld. Met als enige gevolg dat die kantoordebiel van een zogenaamde chef van hem zijn kamer kwam binnenstormen en met van alles en nog wat begon te dreigen, zoals dat hij plotseling de eer had Anna Holt te mogen spreken.

Van een watje via een hielenlikker naar die eetgestoorde pot, bij wie je de ribben door haar jasje heen kunt tellen. Het gaat met sprongen vooruit, dacht Bäckström, toen hij met grote stappen door de gang beende die naar commissaris Anna Holt leidde.

Het was duidelijk dat hij het slachtoffer van een samenzwering was. Ze hadden zijn gesprekken stiekem opgenomen, waarop Holt met een en ander had gedreigd. Eerst was hij slechts van plan geweest om haar enkele algemene tips te geven en te zeggen dat ze haar standpunten in haar achterste kon steken, maar omdat het hier om de moord op een minister-president ging, had hij geprobeerd zijn best te doen en gaf hij haar alles wat GeGurra hem had gegeven, schappelijk en zakelijk als hij was, rekening houdend met de grote belangen die op het spel stonden.

Wat is er in vredesnaam aan de hand met de politie, dacht Bäckström toen hij Holts kamer verliet. Waar gaan we in godsnaam met zijn allen naartoe?

37

Holt was niet onder de indruk van het kleine beetje dat Bäckström te vertellen had. Het leek veel te veel op al die andere wapentips die door de jaren heen waren binnengekomen. Voor de goede orde had ze met behulp van het onderzoeksmateriaal de gegevens toch nagetrokken. Dat had haar bijna twee dagen gekost. Zeer waarschijnlijk twee verloren dagen, dacht ze toen ze de laatste bladzijde opzijlegde.

In meer dan dertig jaar tijd hadden de rechercheurs bijna duizend tips in ontvangst genomen, die geheel of deels betrekking hadden op het wapen dat zou zijn gebruikt om de minister-president mee neer te schieten. Bovendien had men met ruim zeshonderd revolvers van het kaliber .357 Magnum proefgeschoten, vrijwel allemaal van het merk Smith & Wesson en in legaal bezit. Al deze inspanningen hadden niets opgeleverd. Enkele tips leken aanvankelijk zeer veelbelovend, zoals altijd. Geen daarvan had de politie dichter bij het wapen gebracht, of bij de man die het wapen had gehanteerd.

Al die gegevens werden in ruim zestig mappen bewaard, maar bij wijze van uitzondering was het grootste deel ervan tevens in een databestand ingevoerd. Holt ergerde zich aan het feit dat de politie bijna uitsluitend het wapenspoor had gevolgd dat draaide om revolvers van het merk Smith & Wesson, hoewel vanaf het begin al vaststond dat de kogels evenzeer door een handvol magnumrevolvers van een ander merk konden zijn gelost, en dat Ruger daar een van was.

De verklaring daarvoor was inmiddels historisch. Al veertien dagen na de eerste persconferentie had de onderzoeksleiding besloten dat men zich zou richten op revolvers van Smith & Wesson en daarmee was van een aanvankelijk statistische berekening een absolute waarheid en een direct bevel gemaakt.

Holt was een uitstekende schutter. Ze schoot beter dan de meesten van haar collega's. Ze kon haar dienstpistool blindelings uit elkaar halen en in elkaar zetten, hoewel ze totaal niet geïnteresseerd was in wapens en ze vooral beschouwde als een noodzakelijk kwaad dat nu eenmaal bij haar werk hoorde. Gelukkig steeds minder vaak, in haar geval.

Daarom had ze voor de zekerheid een collega gebeld, die ze in het voorjaar tijdens een conferentie had ontmoet. Een forensisch rechercheur, die zelfs een betere schutter bleek te zijn dan Holt. Wapens waren zijn passie en broodwinning, al had hij wat ruimte overgehouden voor andere zaken. De eerste en laatste keer dat ze elkaar hadden ontmoet, waren ze al op de eerste conferentieavond in hetzelfde bed beland, en het was fantastisch geweest. Ze had de stilte die daarop volgde, verklaard uit het feit dat hij bij het SKL, het Zweeds forensisch laboratorium in Linköping werkte en zij in Stockholm. Dat hij vast dag en nacht aan zijn geliefde wapens zat te pielen. Dat hij zo'n hooggewaardeerde collega als zij misschien niet durfde te bellen. Gedachten die ze vrij snel had laten varen.

Maar ik kan hem wel om een speciale voorkeursbehandeling vragen, dacht Holt voordat ze hem opbelde.

Leuk dat ze iets van zich liet horen. Waarom heb je zelf dan niet gebeld, dacht Holt.

Inderdaad, het wapen dat Palme had neergeschoten, kon prima een Ruger volgens het model van haar beschrijving zijn, dat tevens overeenkwam met een bepaald model Smith & Wesson. Al was Palme niet neergeschoten door het wapen, maar door degene die het vasthield, dacht Holt.

Vervolgens had ze de beslissende vraag gesteld.

'Stel dat men het juiste wapen had gevonden. Zou je het dan kunnen koppelen aan de kogels die op de Sveavägen zijn gevonden? Met de zekerheid die vereist is om de feiten aan de rechter te kunnen voorleggen?' verduidelijkte ze.

'Tja. Ervan uitgaande dat het nog altijd in dezelfde staat verkeert, zou dat moeten kunnen.'

'Als we daarvan uitgaan,' zei Holt. Bewaard in het hol van de leeuw en in perfecte staat, dacht ze. In elk geval volgens die dikke Bäckström. Of nog beter, volgens de persoonlijke, anonieme en uiteraard zeer betrouwbare bron van dat dikkerdje.

'Ik denk dat de zekerheid waarmee je daarover een uitspraak kunt doen, iets boven de negentig procent ligt,' antwoordde hij. 'Als je me vijf jaar geleden deze vraag had gesteld, zou ik hebben gezegd dat die misschien op zo'n tachtig procent zou liggen, in het ergste geval.'

'Hoe kan dat?' vroeg Holt.

'Beide kogels zijn beschadigd. Het is vooral problematisch dat ze rond hun lengteas licht verbogen en verdraaid zijn, als je begrijpt wat ik bedoel. Maar tegenwoordig beschikken we over software waarmee iemand als ik hun oorspronkelijke staat op de computer nagenoeg kan reconstrueren. Dus met een beetje geluk...'

'Kun je ze aan elkaar koppelen,' constateerde Holt. Ik kan me herinneren dat je buitengewoon handig bent, dacht ze.

'Sorry dat ik het vraag, maar is het niet zo dat...'

'Absoluut niet. Vergeet het maar,' onderbrak Holt hem. 'Mijn hoogste baas heeft me gevraagd om het Palme-materiaal door te lichten en toen ik het gedeelte over het wapen doornam, viel het me op dat men alle revolvers die niet van Smith & Wesson waren over het hoofd leek te hebben gezien.'

'Ja, dat was bijzonder slordig van ze,' zuchtte hij. 'In mijn vakgebied moet je heel nauwkeurig te werk gaan.'

'Bedankt voor je hulp,' zei Holt. Niet alleen wat het werk betreft, dacht ze.

'Als je een keer in de buurt bent, kunnen we misschien...'

'Ik zal eraan denken,' zei Holt. En volgens mij heb je mijn nummer gekregen, dacht ze.

Mannen, dacht ze nadat ze had opgelegd. Wat is er eigenlijk mis met ze?

Bäckström, aan wie in elk menselijk opzicht zoveel mis was dat ze hem niet eens kon haten. Nauwelijks een hekel aan hem kon hebben. Het liefst niet aan hem wilde denken. Een klein dik ventje dat vast vanaf de eerste schooldag door zijn klasgenootjes werd gepest. Over een voldoende dikke huid beschikte en goed genoeg kon vechten om hen met gelijke munt terug te betalen. Die vrijwel nooit werd gewaardeerd voor wie hij in het gunstigste geval eigenlijk was. Die bij voorbaat al reageerde door aan alles en iedereen een hekel te hebben.

Of Lars Martin Johansson. Die ongetwijfeld zo meedogenloos kon zijn als Berg had beweerd. Aan wie ze soms een grondige hekel had, totdat hij iets zei of deed waardoor ze regelrecht getroffen werd. Hoewel ze nooit van hem had gehouden, hem nooit had gehaat of zelfs maar had gevreesd. Aan wie ze de laatste tijd vooral een hekel had. Omdat hij haar raakte en omdat ze veel te vaak aan hem dacht. Vanwege zijn grijze ogen, die alles wat in zijn buurt kwam taxerend in zich opnamen.

Haar zeer tijdelijke minnaar met wie ze zojuist had gesproken. Die mooie, goed getrainde, handige man, die niet eens de moeite kon opbrengen om de hoorn van zijn telefoon op te pakken en haar te bellen. Die er tegelijkertijd geen geheim van maakte dat hij best weer eens met haar wilde afspreken. Eenmalig en onvoorwaardelijk. Net als bij al die vuurwapens die hij uit elkaar haalde en opnieuw in elkaar zette. En afvuurde.

Of Lewin met zijn grote tegenwoordigheid van geest en schuwe blik. Die het meeste van zijn eigen leven en dat van anderen leek te hebben begrepen, maar er niet over peinsde erover te praten. Niet sinds die keer dat hij zeven jaar was, net zijn vader had verloren en het gevoel kreeg dat hij geen vaste grond meer onder de voeten had. Als hij nu eens niet van die bange ogen had. Als hij nu eens wat meer van Johanssons onbezonnen zelfvertrouwen had. Als...

Verdorie Anna, dacht Anna Holt. Verman je een beetje.

Op vrijdag had Bäckström mail gekregen van zijn luie, ongeschikte collega van FO. Niet omdat hij had begrepen waar Bäckström op uit was, maar vooral omdat Bäckström zo verschrikkelijk bleef zeuren en hij zelf een fatsoenlijke, behulpzame collega was, die helaas veel te veel om handen had. Zoals Bäckströms oude kantoormeubels, waar hij en zijn collega's nog niets aan hadden kunnen doen.

Volgens de bijgevoegde foto was het een verchroomde revolver met een lange loop en een kolf van gearceerd hout, dat wel eens walnotenhout zou kunnen zijn. Net als het wapen waar Bäckström om had gevraagd.

Volgens de aanvullende tekst was er met het wapen proefgeschoten, een week nadat het in beslag was genomen. Nazoeking in het politieregister had niets opgeleverd. Ze hadden het niet met eerder begane misdrijven in verband kunnen brengen. Ze hadden het niet in het wapenregister met legale wapens kunnen terugvinden. Het kwam niet voor op de lijsten met wapens waar Interpol, Europol of de politie in andere landen naar zocht.

Om mogelijk een antwoord te krijgen op de vraag hoe het achter een koelkast in Flemingsberg terecht had kunnen komen, had men via Interpol een routineverzoek naar de Amerikaanse fabrikant gestuurd. Zes maanden later hadden ze antwoord gekregen. Het wapen in kwestie was meer dan twintig jaar oud. Dat bleek onder andere uit het productienummer van het wapen. In het najaar van 1985 was het samen met zo'n vijftig andere pistolen en revolvers verkocht aan hun Duitse vertegenwoordiger in Bremen, in het toenmalige West-Duitsland. Dat bleek uit de leveringspapieren van de fabrikant zelf, die men volgens de federale regelgeving en die van de deelstaat minstens vijfentwintig jaar moest bewaren. Indien de Zweedse politie wilde weten wat er vervolgens met het wapen was gebeurd, moest ze echter contact opnemen met die vertegenwoordiger in Duitsland.

Tering, dacht Bäckström verhit. Vermoedelijk hadden ze de kogels van de Sveavägen niet met het wapen vergeleken, omdat het geen Smith & Wesson maar een Ruger was. Maar wat kon je anders verwachten van Wiijnbladh en zijn voormalige collega's, die niet eens hun kop en kont van elkaar wisten te onderscheiden als ze hun broodnodige dagelijkse dosis medicijnen moesten innemen. Dezelfde collega's die hem ongetwijfeld van de eer en het geld zouden beroven zodra hij hun de kans gaf.

De beschrijving van het wapen klopte exact met de onthullingen van GeGurra's tipgever en het was vast geen toeval dat het geleverd was slechts enkele maanden voordat het was gebruikt. En wat nu, verdorie? Nu komt het erop aan scherp na te denken, dacht Bäckström.

Een minuut later zat hij al achter zijn computer om een memo te schrijven, die hij voor de zekerheid dateerde met de dag voordat hij met GeGurra had afgesproken. Ruim een week voordat hij met Holt had gesproken en ten minste een dag voordat hij met FO contact had opgenomen. Eerst beschreef hij het wapen en vervolgens voegde hij daar een niet onbelangrijk detail aan toe, omwille van de eer en het geld: het nummer van het wapen dat die ongeschikte luiwammes van FO hem zojuist had gestuurd.

Restte een geloofwaardige verklaring voor de vrouwelijke collega die hem met uitgestrekte armen door de politionele hemelpoort zou dragen. Een kleine toevoeging met enkele persoonlijke en verklarende regeltjes als collega's onder elkaar.

'Beste Holt. Tijdens mijn eerste ontmoeting met mijn informant kwam tevens naar voren dat hij zich een deel van het fabricagenummer van het wapen in kwestie wist te herinneren. Na uitvoerig de registers te hebben doorzocht, ben ik zelf tot de conclusie gekomen dat het zeer waarschijnlijk gaat om de revolver zoals beschreven in bijgevoegd memo. Het complete productienummer staat erbij vermeld. Volgens mijn naspeuringen werd het wapen tijdens een huiszoeking in Flemingsberg op 15 april 2005 in beslag genomen. Een kopie van het proces-verbaal is bijgevoegd. Het wapen is vervolgens ondergebracht bij de afdeling Forensische Opsporing in Stockholm, waar men helaas heeft nagelaten een ballistische vergelijking te maken met de kogels die op 1 en 2 maart 1986 op de plaats delict Sveavägen-Tunnelgatan zijn veiliggesteld. Gezien de gevoelige aard van deze kwestie vertrouw ik erop dat er met de verschafte informatie zeer omzichtig zal worden omgegaan en dat alleen ikzelf doorlopend geïnformeerd zal worden over de maatregelen die de rijksrecherche treft. Met vriendelijke groet, hoofdinspecteur Evert Bäckström.'

Heb je eindelijk eens iets lekkers om je tanden in te zetten, mager stuk vreten. Als je je nu gedraagt, heeft deze lieve suikeroom nog wat echte lekkernijen voor je in petto, dacht Bäckström tevreden.

Nu moest hij alleen nog uitvogelen hoe die revolver achter een koelkast in Flemingsberg was terechtgekomen, bij een doorsnee crimineel met slechts medeklinkers in zijn achternaam, die bovendien nog maar zes jaar oud was toen Palme werd neergeschoten. Dat kon wel wachten tot het weekend, en die oude gifmoordenaar Wijnbladh zou hem vast ook een en ander kunnen vertellen, dacht Bäckström. Het werd trouwens de hoogste tijd om naar huis te gaan.

Een paar uur later, ongeveer op het moment dat Bäckström diep in gedachten verzonken op de bank lag, met een whisky en een koud biertje, had Anna Holt voordat ze haar weekend liet beginnen als laatste haar mail doorgenomen.

Oeps, Bäckström is echt gek geworden, dacht ze toen ze zijn memo had doorgelezen. Omdat ze toch van plan was om haar baas te spreken voordat ze naar huis ging, had ze een uitdraai voor hem gemaakt.

Dan heeft Johansson ook iets lekkers om zijn tanden in te zetten, dacht Anna Holt naar bekend voorbeeld, terwijl ze haar computer afsloot.

38

Zaterdagochtend was Mattei wakker geworden in haar veel te grote koopappartement aan de Narvavägen, dat ze van haar lieve vader had gekregen. Ze zou zelf liever in Söder hebben gewoond, maar haar vader had alleen maar zijn hoofd geschud. Het werd Östermalm, of anders niets. Hij had liever gezien dat ze naar Beieren was verhuisd, de geboortegrond van de familie Mattei. Heel anders dan Zweden, dat op de reis door het leven slechts een tussenstation was.

Wat is er mis met Söder, en wat is er gebeurd met al die oude radicalen, dacht Lisa Mattei, terwijl ze de veters van haar hardloopschoenen strikte.

Daarna had ze haar wekelijkse rondje door Djurgården gelopen. Het was beter gegaan dan verwacht, aangezien ze haar looptrainingen de laatste tijd behoorlijk had laten versloffen. Voor wie zou ik moeten trainen, dacht Lisa Mattei, toen ze voor de badkamerspiegel in haar platte buik kneep. Een bleke, magere blondine, dacht Mattei, terwijl ze hoofdschuddend haar spiegelbeeld bekeek.

Het was drie maanden geleden dat ze met iemand had gezoend, tijdens het jaarlijkse bezoek aan haar vader. Omdat degene die haar kuste een van haar vaders vele assistenten was, sloot ze niet helemaal uit dat haar vadertje hem daartoe had aangezet.

Vervolgens had ze zich aangekleed en een laat ontbijt genuttigd, een flesje bronwater, een appel en een banaan meegenomen en was ze naar haar werk gegaan. In de receptie zat een nieuwe bewaker, die ze niet herkende. Het gebruikelijke type, kaalgeschoren en met opgepompte schouders en bovenarmen, die net zo dik waren als haar middel. Ze gaf een kort hoofdknikje, hield haar legitimatie omhoog en zette koers naar de entreesluis. Toen had hij haar geroepen.

'Hallo! Mag ik dat nog even zien?' vroeg hij, terwijl hij met zijn hele hand naar haar legitimatie wees.

'Mattei, rijksrecherche,' zei Lisa Mattei, die het pasje een halve meter voor zijn ogen hield.

'Oké.' Hij glimlachte plotseling. 'Ik werk hier nog maar pas. Ik ben net twee dagen op cursus geweest en het enige waarover werd gesproken, was wat er met mij zou gebeuren als ik de verkeerde persoon binnenliet.'

'Het geeft niet.' Ze glimlachte en knikte. Hij lijkt me vrij normaal, ook al ziet hij er zo uit, dacht ze.

Wat een stoere meid, dacht de bewaker, en hij keek haar na toen ze naar binnen liep. Het koele, blonde type dat altijd de hoofdrol speelde in zijn dagelijkse dromen van het betere leven. Wat moest een meisje als zij met iemand als hij? Een bijverdienende student. Met een geschoren hoofd om de kale plek te verdoezelen die al zichtbaar werd toen hij op de middelbare school zat. Die tweehonderd kilo kon liften en een trainingsmaatje had die hem adviseerde wat bij te verdienen als bewaker. Dat betaalde beter dan een studiebeurs. En je had zeeën van tijd om te studeren, terwijl je in die tijd ook nog geld verdiende.

Dus hier zat hij dan. In de receptie van het grote politiebureau nog wel. Vanwege zijn uiterlijk en ondanks het feit dat hij Filmwetenschap aan de universiteit studeerde. Die kwalificatie was vast aan ze voorbijgegaan. Al was er van studeren niet veel gekomen. Niet na de gedragsregels die hij op de introductiecursus had geleerd. Maar wat moet een meisje als zij met iemand als ik, dacht hij.

Het politiespoor was het enige spoor waar geen weldenkend mens in geloofde. Dat niemand van de politie erin geloofde, was zowel menselijk als verklaarbaar. Maar ze bevonden zich in goed gezelschap. De bijzonder deskundige had al een paar jaar na de moord op de minister-president zijn afkeer hierover uitgesproken, toen de kwestie ter sprake kwam in het machtigste van alle geheime genootschappen, waar mensen als hij met elkaar van opvattingen en gedachten wisselden.

'Het dunne weefsel van de klassieke samenzweringstheorie, geweven van slecht gevormde gedachten, eigen tekortkomingen en de gebruikelijke, simpele laster als... *ersatzmittel*... voor feitelijke omstandigheden,' constateerde hij in zijn openingstoespraak. 'Of de gebruikelijke lariekoek, als jullie aan die omschrijving de voorkeur geven,' voegde hij er met een tevreden glimlach aan toe.

Wat in de massamedia het politiespoor werd genoemd, was in het materiaal van het Palme-onderzoek de verzamelnaam voor een aantal tips, dossiers en theorieën over de vermeende betrokkenheid van afzonderlijke politieagenten, groeperingen binnen de politie of de politie in haar geheel.

In zakelijk opzicht – feitelijk, of alleen vermeend – liepen er drie rode draden door 'het dunne weefsel van de samenzwering'. Politieagenten die tijdens de nacht van de moord dienst hadden en zich op een merkwaardige manier hadden gedragen, politieagenten die extreemrechtse opvattingen koesterden, een hekel hadden aan het slachtoffer en om die reden een motief hadden om hem te vermoorden en de operationele leidinggevenden van de politie Stockholm, die zich na de moord zo slecht van hun taak hadden gekweten, dat dat met opzet of uit kwaadwillendheid moest zijn gebeurd.

Daarna bleven de tips binnenstromen. Over mysterieuze ontmoetingen tussen politieagenten, over politieagenten die vreemde dingen hadden gezegd, over politieagenten die de Hitlergroet hadden gebracht en een toast uitbrachten op het feit dat Olof Palme eindelijk dood was, over politieagenten die jaren voordat Palme werd vermoord, hadden gezworen hem te zullen doden. Politieagenten die in de buurt van het misdrijf waren gesignaleerd, politieagenten met een gewelddadig verleden, die een vergunning hadden voor een eigen magnumrevolver, politieagenten die...

Al op de tweede dag van het onderzoek had de veiligheidsdienst de opdracht gekregen om de boel te onderzoeken. De reden daarvoor was simpel en vanzelfsprekend. Bijna alle tips betroffen politiemensen die in Stockholm werkzaam waren, dezelfde politie-instantie die verantwoordelijk was voor het moordonderzoek. Om de afdeling Interne Zaken van de politie Stockholm ermee op te zadelen, was evenmin een optie. De taak was veel te omvangrijk en de betrokkenen zaten er veel te dicht bovenop.

De opvatting van de eerste onderzoeksleiding in deze kwestie was van begin af aan duidelijk, maar hoofdcommissaris Hans Holmér had voor de zekerheid nog een memo laten opstellen. In feite was er geen sprake van een politiespoor. De gedachte alleen al was onhoudbaar vanwege de absurditeit ervan. Het enige dat men niet kon uitsluiten, was dat de moordenaar, of een van zijn handlangers, politieman was of was geweest. Net zoals hij arts, leraar of journalist zou kunnen zijn. Hieruit kon de eenvoudige, logische conclusie worden getrokken dat er geen politiespoor bestond. Net zo min als er een artsen-, leraren- of journalistenspoor bestond.

Hoewel het niet bestond, was het bij de Säpo beland, voldoende ver weg en voldoende dichtbij. Maar om de overkoepelende opsporingsorganisatie niet te veel te ontwrichten, hadden de agenten van de veiligheidsdienst zich bij wijze van uitzondering ondergeschikt gemaakt aan hun collega's van de openbare politiedienst. De leiding van het Palme-onderzoek leidde eveneens het onderzoek naar het politiespoor. Aan haar moest de veiligheidsdienst rapporteren. En daar werden de uiteindelijke beslissingen genomen.

In concreet en menselijk opzicht omvatte het politiespoor zo'n honderd aangewezen politieagenten. Van de eerste onderzoeksleider, de hoofdcommissaris van de regio Stockholm, wiens alibi ter discussie werd gesteld, tot aan de collega's tegen wie aangifte werd gedaan wegens overtredingen in diensttijd, wegens kwetsend of kleinerend gedrag of misdragingen in het algemeen.

Van de hoofdcommissaris tot aan degenen die al waren ontslagen, zelf ontslag hadden genomen of al bijna zover waren toen ze eenmaal in het onderzoek waren beland. Omdat ze problemen hadden met hun zenuwen, met alcohol, hun vrouw of hun financiën. Problemen die zelden op zichzelf stonden. Omdat ze met drank op achter het stuur zaten, arrestanten in elkaar hadden geslagen, op hun werk geld hadden gejat, een bloempot naar het hoofd van hun vrouw hadden gegooid, met scherp door het raam van de buren hadden geschoten na een feestnacht. Of hun hond een schop hadden gegeven.

Een stuk of zeventig van hen waren geïdentificeerd en onderzocht, en al deze gevallen waren uit het onderzoek afgevoerd. Restten er zo'n dertig gevallen waarbij men niet met zekerheid de aangewezen politiemannen had kunnen identificeren. Of zelfs gevallen waarbij het hoogst onduidelijk was of de aangewezen naamloze 'politieman' degene was die hij beweerd werd te zijn. Ideeën en tips die men soms had onderzocht en soms direct terzijde had gelegd, zonder verdere maatregelen te treffen. Tips, ideeën en zaken die in geen enkel geval tot ook maar de geringste concrete verdenking hadden geleid dat de onderzochte politiemannen betrokken waren geweest bij de moord op Olof Palme. Wellicht bij allerlei andere zaken, die weliswaar weinig vleiend waren voor henzelf of de organisatie die ze dienden, maar voor een moordverdenking zonder enige substantiële waarde. Precies zoals men dat had kunnen verwachten van een spoor dat onhoudbaar was 'vanwege de absurditeit ervan'.

Mattei was begonnen een lijst van hen te maken door hun namen op alfabetische volgorde te zetten, en had met haar gebruikelijke nauwkeurigheid kennisgenomen van de punten die tegen hen waren aangevoerd.

Na twee uur en een tiental namen had ze haar meegebrachte flesje bronwater opengemaakt, de helft opgedronken en haar banaan opgegeten. Nog eens twee uur en tien minuten later had ze de rest van het water opgedronken, haar appel opgegeten, was ze naar de wc geweest en had ze vervolgens haar benen gestrekt door een rondje te lopen over de verdieping waar haar werkkamer lag.

Je kunt zeggen wat je wilt, maar het leven van een politieagent kan ondraaglijk spannend zijn, dacht Lisa Mattei toen ze naar haar dossiermappen was teruggekeerd en een ansichtkaart van een van haar voormalige collega's bekeek. Na een dienstperiode van twintig jaar had hij zijn ontslag ingediend. Een paar jaar later was hij de hedendaagse geschiedenis ingegaan als een van de belangrijkste namen van het politiespoor.

De ansichtkaart was gemaakt van een foto waarop hijzelf stond afgebeeld. Volgens eigen zeggen had hij de foto zelf genomen. De ansichtkaart had hij, volgens het onderzoek, zelf laten vervaardigen en bekostigd. Vrijetijdskleding, een broek van teryleen, een sportief overhemd, sandalen en bruine sokken. Zomer, of laat in het voorjaar, in het begin van de jaren tachtig. Een middelbare man met bierbuik en licht kalend, die bij de Brandenburger Tor in Berlijn de Hitlergroet brengt. Hij is op vakantie. Over een week zal hij terugkeren naar Stockholm en zijn werk als politie-inspecteur bij het eerste wijkteam, in Stockholms City.

Heftige kerel. Bijna net zo mooi als Bäckström, dacht Mattei gniffelend.

Twee uur later was ze halverwege het politiespoor gekomen en werd het tijd om naar huis te gaan. Waarom eigenlijk, dacht Mattei. Ze kon beter een campingbedje in de Palme-kamer neerzetten en daar niet vandaan gaan voordat ze de naam had van 'de rotzak die het gedaan heeft', zodat ze een vriendelijk schouderklopje van haar hoogste baas in ontvangst kon nemen. Dezelfde man die beweerde dat hij om de hoek kon kijken, maar om onbekende redenen vermeed om zelf deze hoek om te kijken.

De bewaker zat nog altijd achter de balie in de receptie. Nadat ze voorbij was gelopen, had hij haar opnieuw geroepen, waarbij hij in elk geval liet zien over een goed geheugen te beschikken.

'Hallo! Hoofdinspecteur Mattei, mag ik je iets vragen?'

Je wilt weten hoe je je kunt aanmelden bij de Politieacademie, dacht Mattei, die deze vraag eerder van types als hij had gekregen.

'Natuurlijk,' zei ze vriendelijk glimlachend.

'Beloof je dat je niet boos wordt?' vroeg hij, maar hij leek plotseling niet meer zo zeker van zichzelf.

'Hangt ervan af wat je wilt vragen,' zei Mattei afwachtend.

'Zou je met me naar de bioscoop willen?'

'Naar de bioscoop?' Mattei kon haar verbazing nauwelijks verbergen. Om naar je favoriete held Conan de Barbaar te gaan kijken, dacht ze.

'Naar de nieuwste van Almodóvar, die vorige week in première ging,' verduidelijkte hij.

De nieuwste van Almodóvar, dacht Mattei. Ik vraag me af of hij voor een programma met een verborgen camera werkt, dacht ze.

39

Mattei had het aanbod afgeslagen. Ze kreeg spijt zodra ze nee had gezegd en probeerde zich eruit te redden met de gebruikelijke wedervragen en verklaringen. De fouten stapelden zich op, alles ging mis.

Almodóvar? Houd je me soms voor de gek, dacht Mattei.

'Hou je van zijn films?'

Inderdaad, Almodóvar had hem geraakt. Almodóvar had hem iets over 'meisjes' geleerd waar hij zelf nog niet achter was gekomen. Over Latijns-Amerikaanse meisjes althans. Almodóvar was misschien niet zijn grootste favoriet, maar hij was goed genoeg om te besluiten dat hij zijn film wilde zien. Bovendien hielden meisjes van Almodóvar.

'Ik studeer Filmwetenschap aan de universiteit. Dit is een bijbaantje,' legde hij uit, terwijl hij zijn brede schouders rechtte.

Ze kon zich nog steeds niet bedenken. Maar opnieuw liep het mis.

'Dat was heel leuk geweest,' zei Mattei. 'Het probleem is alleen dat ik het hele weekend moet werken. Dus misschien zien we elkaar morgen,' voegde ze eraan toe.

'Dan heb ik vrij.' Hij schudde zijn hoofd en keek tamelijk mismoedig.

'Een andere keer dan,' glimlachte Mattei.

'Dat is goed,' antwoordde hij eveneens met een glimlach.

Wat moet een meisje als zij met iemand als ik, dacht hij toen ze naar buiten liep.

Toen Mattei was aangekomen bij haar veel te grote appartement dat ze van haar lieve vader had gekregen, voelde ze zich allerbelabberdst. Ze haatte zichzelf, haar appartement, haar vadertjelief. Ze had direct haar sportkleren aangetrokken om een extra rondje te lopen. Uitgeput kwam ze terug, maar nog altijd in een slecht humeur. In plaats van onder de douche te stappen en het water over zich heen te laten spoelen, was ze gaan schoonmaken. In een aanval van razernij had ze opgeruimd, de afwas in de vaatwasser gestopt, gestofzuigd en gedweild. Toen het haar begon te duizelen liet ze, nog altijd woedend, een pizza bezorgen waarvan ze de helft op kreeg, hoewel ze ook een hekel had aan pizza's. Ze dronk er bijna een hele fles wijn bij op, hoewel ze bijna nooit dronk. Vervolgens was ze op de bank gaan liggen om een rondje te zappen. Toen ze uiteindelijk naar bed ging, had ze last van haar maag gekregen. Terwijl ze niet eens aangeschoten was. Alleen maar boos. Wat moet een jongen als hij met iemand als ik, dacht ze.

Daarna was ze eindelijk in slaap gevallen. Ze werd wakker met hoofdpijn en buikpijn, nam een douche, kleedde zich aan, verving haar ontbijt door paracetamol en bronwater en vertrok naar haar werk.

En daar zat hij.

'Ik dacht dat je vandaag vrij had,' zei Mattei met een vriendelijke glimlach, om te verbergen hoe blij ze was.

'Ik heb geruild met een vriend van me,' zei hij en hij leek zich plotseling nogal te generen.

'Oké, ik ga mee. Al wordt het wel een late voorstelling, want ik heb nog heel veel te doen.'

'Prima.' Hij knikte. 'Geen probleem. Ik werk zelf tot zes uur, dus dat komt goed uit.'

Yesss, dacht Mattei zodra ze de entreesluis in liep.

Yesss, dacht hij toen hij haar het gebouw in zag verdwijnen.

40

Concentratie, dacht Mattei toen ze de map opende waarin ze de dag ervoor slechts tot de helft was gekomen. Alles op zijn tijd. Er resteerden nog zo'n vijftig politieagenten, tussen wie zo'n dertig agenten zaten van wie ze de naam niet wist, en die niet noodzakelijkerwijs politieman hoefden te zijn. Voor hen heb ik acht uur de tijd, dacht Lisa. Daarna naar huis, douchen, omkleden en, voor deze ene keer, mijn neus poederen.

Dan naar Almodóvar, met een man met wie ze slechts drie keer had gesproken, en van wie ze niet eens zijn naam wist. Die zijn uiterlijk tegen had, maar verder volkomen normaal, ja zelfs aardig leek. 'Bellen om te vragen hoe hij heet,' schreef ze in haar notitieblok.

Vervolgens was ze teruggekeerd naar haar lijst met politiemannen die in de buurt van het misdrijf waren gesignaleerd, een gewelddadig verleden hadden, een eigen magnumrevolver hadden, extreme politieke opvattingen koesterden of zich in het algemeen hadden misdragen. Agenten, agenten en nog eens agenten, zuchtte Mattei.

Een paar uur later belde Anna Holt om te vragen of ze de naam van een voormalige collega van haar wilde natrekken.

'Want ik neem aan dat je op het werk zit,' verklaarde Holt.

'Heb niets beters te doen,' beaamde Mattei. Maar vanavond ga ik naar de bioscoop, dacht ze.

'Weet je of hij in het materiaal voorkomt?' vroeg Holt.

'Nee,' zei Mattei. 'Ik ben er vrijwel zeker van dat hij er niet tussen zit. Niet met zijn naam, althans. Ik heb de lijst voor me liggen en daar staat hij niet op. Er zijn ook een stuk of dertig die naar eigen zeggen bij de politie hebben gewerkt of van wie de tipgever heeft gezegd dat ze bij de politie hebben gewerkt, maar van wie de identiteit onbekend is. Volgens mij zit hij daar ook niet tussen,' zei Mattei. Dat is maar goed ook, dacht ze, omdat hij volgens Holt al vijftien jaar dood was, bovendien ging er geen belletje bij haar rinkelen.

'Denk je dat?' vroeg Holt.

'Ja. Hij voldoet aan geen enkele beschrijving. Waarom wil je dat eigenlijk weten?'

'Een tip,' zei Holt, die een zucht slaakte. 'Van collega Bäckström,' zei ze, opnieuw met een zucht.

'Dat verklaart alles,' zei Mattei. 'Lewin zei al dat hij van zich had laten horen,' verduidelijkte ze.

'Iets heel anders, nu je toch bezig bent,' vervolgde Holt. 'Kun je zien of er ergens iets over een leeuw staat?'

'Een leeuw, zoals in Afrika?'

'Precies,' zei Holt. 'Het hol van de leeuw, in het hol van de leeuw, waar ze wonen of verblijven. De leeuwen, dus.'

'Ik kan het proberen met de zoekfunctie.'

'Gaat dat?'

'Lijkt me wel. De meeste gegevens zijn ingevoerd in de computer.'

'Komt trouwens ook van Bäckström. Mocht je je dat afvragen.'

'Ik bel zodra ik iets vind,' zei Mattei, die een nieuwe aantekening in haar notitieblok maakte. 'Zoeken naar: leeuw, leeuw/hol, leeuwenhol, het hol van de leeuw, in het hol van de leeuw'.

De term 'leeuw' had twintig zoekresultaten opgeleverd. Ze konden allemaal worden teruggevoerd op een handvol collega's die in de jaren tachtig tijdens het apartheidsregime naar Zuid-Afrika op vakantie waren geweest. Die collega's en natuurreservaten hadden bezocht, op safari waren geweest, een leeuw in het wild hadden gezien en bovendien het woord 'leeuw' hadden genoemd toen de rechercheurs van de Säpo het verhoor met hen hadden opgenomen.

Tussen deze twintig gevallen zat er een die resultaat gaf bij de zoekterm 'leeuw/hol': een Zweedse politieman die vertelde dat zijn Zuid-Afrikaanse collega's hem tijdens zijn bezoek op een echte safari wilden trakteren, in plaats van 'die flauwekul waarbij je alleen maar plaatjes kunt schieten', zodat hij de mogelijkheid zou krijgen om 'een leeuw in zijn hol te schieten'. Een gunst die de anderen blijkbaar niet werd verleend. 'Helaas' was er van deze schietgelegenheid niets gekomen.

De zoektermen 'leeuwenhol', 'het leeuwenhol', 'het hol van de leeuw' en 'in het hol van de leeuw' hadden één resultaat opgeleverd. Een klein appartement in de Luxgatan op Lilla Essingen in Stockholm, dat op geen enkele manier in verband kon worden gebracht met de controversiële vakantiebestemmingen van bepaalde collega's.

Wat is dit nu, dacht Mattei, toen ze een halfuur later alles had doorgelezen. Vervolgens had ze Holt teruggebeld om verslag uit te brengen van haar bevindingen.

'Eén zoekresultaat bij de term "het hol van de leeuw",' meldde Mattei. 'Of beter gezegd, bij "het leeuwenhol", twee woorden,' verduidelijkte ze.

'Oké. Vertel,' antwoordde Holt.

In de jaren tachtig bestond er een informele vereniging van politiemannen, een soort vriendenclub, die zichzelf 'De Leeuwen van Moeder Svea' noemden. Bestaande uit een stuk of tien agenten die allemaal werkzaam waren bij de ordepolitie in stadsdeel City, het merendeel van hen bij de ME. Bovendien hadden de meesten van hen zowel in het leger als bij de politie voor de VN gediend. Op die manier was hun naam ontstaan. Tijdens hun militaire dienstjaren in het buitenland spraken ze over zichzelf als 'De Leeuwen van Moeder Svea'. Ze hadden zelfs een T-shirt laten drukken, in blauw en geel, met een rondborstige vrouw die eruitzag als een leeuw en de verklarende tekst: De Leeuwen van Moeder Svea.

'Een van hen had blijkbaar een appartement op Lilla Essingen waar hij niet woonde en dat ze de naam "Leeuwenhol" hadden gegeven. Een tweekamerwoning van tweeënvijftig vierkante meter. Blijkbaar deelden ze de huur, hadden ze allemaal een sleutel van het appartement, spraken ze daar met elkaar af en hielden ze er hun bijeenkomsten. Onze voormalige collega's bij de Säpo hebben er een paar jaar na de moord zelfs een huiszoeking gedaan. Op 10 oktober 1988. Ik heb het verslag voor me liggen, moet je weten.'

'Hebben ze iets gevonden?'

'Nee,' antwoordde Mattei. 'Het was zeer sober ingericht, volgens mij. In beide kamers stond er niet veel meer dan een bed, aan de foto's te zien.'

'Klinkt als een typische neukflat,' zei Holt.

'Daar weet ik niks van,' zei Mattei. 'Dat genoegen heb ik nooit gehad,' verduidelijkte ze.

'Ik wel,' zei Holt. 'Je hebt niets gemist. Maar dat zal niet de reden zijn geweest waarom ze huiszoeking hebben gedaan.' Meisje toch, dacht ze.

'Nee,' zei Mattei. 'Dat had te maken met de mannen die over een sleutel beschikten.'

De informatie die een zoekresultaat op de computer had opgeleverd, was afkomstig uit een verhoor met de toenmalige brigadier Berg. Klaarblijkelijk tevens de informele leider van de Leeuwen van Moeder Svea. Bovendien de enige politieman die vanwege zijn verleden het meest voorkwam in de onderzoeksdossiers van het politiespoor.

'Ik weet niet of je het nog weet, maar hij was een van die collega's die Johansson in het najaar van 1985 achter de tralies zette,' verklaarde Mattei. 'Het materiaal over hem is een regelrecht feuilleton.'

'Ik weet wie hij is,' zei Holt.

'Maar over hem of zijn vrienden is niets concreets te vinden. Alleen de gebruikelijke dingen, zoals een hele rits aangiften wegens geweldpleging in diensttijd, merkwaardige politieke uitspraken en particulier wapenbezit. Bovendien had hij een alibi dat scheen te kloppen. Zijn...'

'Ik weet het,' onderbrak Holt haar. 'Zijn eenheid was de tweede patrouille die ter plaatse was toen Palme was neergeschoten.'

'De wereld zit vol toevalligheden,' zei Mattei.

'Dat kun je wel zeggen,' stemde Holt in en ze slaakte een zucht.

Zodra ze de hoorn had opgelegd, werd er weer gebeld. Naar haar vaste telefoon, die was doorgeschakeld naar haar mobieltje.

'Hoi,' klonk het aan de andere kant van de lijn. 'Met Johan, Johan Eriksson van de receptie. Als je wilt, kan ik je ophalen. Anders stel ik voor dat we tien minuten voordat de film begint, voor de bioscoop afspreken. Ik heb de kaartjes al.'

'Oké, voor de bioscoop dan,' zei Mattei. Hoewel ze met haar naam en adres in de telefoongids stond, in tegenstelling tot de meesten van haar collega's, ging het haar veel te ver om hem de weg naar haar voordeur te wijzen.

Als hij er anders had uitgezien, zou je haast geloven dat hij net zo voorkomend was als een gentleman van de oude stempel, dacht Mattei toen ze hem doorstreepte op haar lijstje. Al had hij natuurlijk een beetje verlegen geklonken en dat was een gentleman van de oude stempel toch echt niet.

41

Op zondag had Holt afgesproken met haar zoon Nicke en zijn huidige vriendin. Een uur daarvoor had hij gebeld om af te zeggen. Ze hadden ruzie gehad en nu was hij zelfs niet in de stemming om met zijn moeder af te spreken.

'Praat met haar,' zei Holt en zodra ze de hoorn had opgelegd, voelde ze zich ineens een stuk ouder dan zevenenveertig.

Het volgende telefoongesprek diende zich een uur later aan en werd ingeleid met een discreet kuchje. Lewin, dacht Holt. Hij klinkt weer net als voorheen.

'Hallo, Anna, met Jan spreek je. Jan Lewin. Ik stoor toch niet, hoop ik?'

'Nee,' antwoordde Holt. 'Helemaal niet.' Zoals gewoonlijk heb ik geen plannen, namelijk, dacht ze.

Lewin wilde haar bedanken voor het etentje laatst en nu was het zijn beurt om haar uit te nodigen. Niet bij hem thuis, want koken was niet zijn sterkste kant, maar in een prima eetcafé in Gärdet, waar hij woonde.

'Het eten is er echt goed,' verzekerde Lewin.

'Lijkt me leuk,' zei Anna Holt, die spijt kreeg zodra ze dat had gezegd. Als hij maar niet verkikkerd op me raakt, dacht ze nadat ze had opgelegd.

Toen Mattei het politiebureau tegen zes uur 's avonds verliet, was haar bioscoopheld al naar huis gegaan. Om zich te douchen, op te dirken en zijn haar te kammen, dacht ze en ze giechelde binnensmonds toen ze zijn collega met dezelfde haarlengte achter de balie zag zitten. Een wat korzelig type, zo te zien, dat haar een kort hoofdknikje gaf.

'Een prettige avond, hoofdinspecteur,' zei hij, maar toch slaagde hij erin nors te klinken.

'Insgelijks,' zei Mattei met een vriendelijke glimlach. Zo'n type dat niet van vrouwelijke agenten houdt, dacht ze.

Toen ze eenmaal was thuisgekomen, was het leven een tikkeltje gecompliceerder. Ze was eerst van plan geweest een uurtje te rusten, maar dat was er min of meer niet van gekomen. In plaats daarvan was ze lui voor de tv gaan liggen en had ze zelfs haar vader gebeld. Om de tijd te verdrijven, anders niet. Ze kreeg direct spijt, maar gelukkig had hij niet opgenomen. Ze kreeg last van haar geweten, waardoor de mededeling die ze op zijn antwoordapparaat achterliet, liefdevoller klonk dan de bedoeling was.

Verdomme, Lisa, dacht Lisa Mattei, die nooit krachttermen gebruikte. Nu moet je ermee ophouden je als een vijftienjarige te gedragen.

Een volwassen vrouw die onder de douche stapte. Die zich vervolgens zorgvuldig aankleedde. Niet te veel en niet te weinig. Een discreet pakje, een blouse en halfhoge pumps waarop je goed kon lopen. Die haar neus poederde en meer van dat soort dingen. Die onmiddellijk spijt kreeg zodra ze het resultaat in de spiegel zag. Snel haar pakje, blouse en pumps uitdeed, ze in de badkamer op een hoop gooide en verving door een spijkerbroek, een linnen blouse, een grappig jasje en loafers. Nog altijd diezelfde magere, bleke blondine, dacht ze ontevreden. Nog altijd vijftien jaar oud, die op dit moment niet veel tijd meer overhad. Een wandeling naar de bioscoop kon ze wel vergeten. Dat werd een taxi, die natuurlijk te laat kwam, en toen ze eenmaal bij de bioscoop aankwam, was ze ruim tien minuten te laat.

Daar stond hij, eenzaam op de stoep voor de bioscoop. Zodra hij haar zag, keek hij zo opgelucht dat alles wat daarvoor was gebeurd, niet meer interessant was.

'Ik werd bijna een beetje ongerust, dacht dat er iets gebeurd was. Ik had je nummer immers niet, dus...'

'Je weet hoe dat gaat bij meisjes,' zei Mattei, die glimlachend haar schouders ophaalde. 'Het spijt me. Normaal ben ik altijd op tijd.'

'Het geeft niet.' Hij raakte licht haar rechterarm aan, knikte en liet haar een halve meter voor hem naar binnen gaan.

Net als een echte, ouderwetse gentleman, dacht Mattei. Al zagen die er niet zo verlegen uit, natuurlijk.

‘Geen woord over het werk,’ zei Holt zodra ze was gaan zitten.

‘Maak je niet ongerust, Anna,’ zei Lewin met zijn gebruikelijke flauwe glimlachje. ‘Ik heb een paar dagen geleden met collega Bäckström gesproken, dus ik heb mijn portie voor de rest van het jaar weer gehad.’

‘Rood of wit, vlees of vis,’ vervolgde hij en hij gaf haar de menukaart.

Oeps, dacht Holt. Wat krijgen we nu? Dit is niets voor Lewin.

‘Vegetarische pasta,’ antwoordde Holt. ‘Met veel tomaat, basilicum en een heel klein beetje geraspte kaas. Een glas bronwater en een glaasje droge, witte, Italiaanse wijn.’

‘Klinkt goed,’ zei Lewin instemmend. ‘Ik denk dat ik hetzelfde neem.’

Nu ken ik je weer, Jan, dacht ze.

Vervolgens hadden ze over van alles gesproken, behalve over het werk. Holt had verteld dat ze erover dacht vrij te nemen en naar een warm oord te vertrekken zodra ze de kans kreeg. Niet dat ze ook maar iets had gepland, maar alleen om zich ergens tegen te wapenen, al wist ze niet tegen wat.

Daarna hadden ze gesproken over reizen in het algemeen. Lewin vooral over de reizen die er nooit van waren gekomen, maar de manier waarop hij dat deed, maakte dat je er prima naar kon luisteren.

‘Ik heb jaren geleden een roman gelezen. Helaas ben ik de titel en de naam van de schrijver vergeten, maar het heeft een diepe indruk op me gemaakt.’ Lewin schudde zijn hoofd en glimlachte weer op zijn vertrouwde manier. ‘Misschien wel te diep,’ zei hij met een zucht.

‘Vertel,’ zei Holt. Je hebt wat op je hart, dacht ze.

De roman waarvan Lewin de titel was vergeten, ging over een jonge Franse edelman die aan het einde van de negentiende eeuw besluit om naar Afrika te gaan voor een ontdekkingsreis. Om te beginnen had hij zich een jaar lang grondig voorbereid, wat in een paar honderd bladzijden uitvoerig stond beschreven. Dan komt de grote dag, waarop hij met zijn bediende en reiskameraad van zijn landgoed naar het station rijdt, om daarvandaan verder te reizen naar de grote havenstad Marseille, de boot naar Afrika en alle ontdekkingen die hij in zijn leven nog zou doen.

'Toen bedacht hij zich en keerde hij terug naar huis,' vertelde Lewin. 'Waarom zou hij nog naar Afrika gaan? Hij had de hele reis immers al in zijn hoofd gemaakt.'

'Jan,' zei Anna Holt. 'Kijk me aan. Dat is een afschuwelijk verhaal.'

'Dat weet ik,' zei Lewin, die plotseling bijna vrolijk leek. 'Maar zo ben ik.'

Vervolgens hadden ze over andere dingen gesproken. Nadat ze afscheid hadden genomen en ze op de metro stond te wachten, zag ze de avond opnieuw voor zich. Hij is verkikkerd op je, dacht ze. Dat is je eigen schuld en wat ga je eraan doen?

Zodra ze in hun bioscoopstoelen zaten en de lichten waren uitgegaan, rekte haar ouderwetse gentleman, van rond de vijfentwintig en zo'n honderd kilo spieren en botten, zich uit, ging comfortabel achterover zitten en vouwde zijn grote handen over zijn platte buik. Daarna had hij negentig minuten geen kik gegeven.

Halverwege de film legde hij – puur toevallig – zijn rechterhand op de armleuning tussen hen in. Mattei had hem per ongeluk aangeraakt in een poging niet te veel te ritselen met het zakje snoep, dat ze anders nooit nam. Toen keerde hij zijn handpalm naar boven, stopte ze haar snoepzakje weg en legde ze – puur toevallig – haar hand in de zijne.

Daar bevond die zich nog steeds toen ze de bioscoop uit liepen. Het was gaan regenen en Johan had haar bijna kinderlijk verrukt aangekeken.

'Het regent,' zei hij. 'Dat is het beste teken van allemaal.'

'Wat vond je van de film,' vervolgde hij terwijl hij heel zachtjes, bijna onmerkbaar in haar hand kneep, alsof dat signaal alleen van zijn hand kwam. Een stevige, bruingebrande hand met lange vingers en duidelijk zichtbare aders.

'Dat zou ik eigenlijk niet weten,' zei Lisa Mattei hoofdschuddend. Welke film, dacht ze.

'Als je heel sterk bent, moet je ontzettend aardig zijn.' Johan keek haar ernstig aan.

'Hoe laat moet je morgen werken?' vroeg Mattei plotseling.

'Ik ben vrij,' zei Johan en hij schudde zijn hoofd. 'Zoals ik al zei, heb ik geruild met een vriend.'

'Dan stel ik voor dat we naar mijn huis gaan, ik moet namelijk vroeg op.'

Woensdag 10 oktober. Canal de Menorca, voor Puerto Pollensa op Noord-Mallorca.

Om de sterke stroming bij de kust te omzeilen, was de eenzame man aan boord van de Esperanza met een ruime marge de landtong bij Cap de Formentor gepasseerd. Nu hij goed en wel een kabellengte de vaargeul was ingegaan, werd het tijd om een beslissing te nemen. Hij zou de koers negentig graden naar bakboord kunnen wijzigen, in de richting van Cala Sant Vicen aan de noordkant van het eiland. Een afstand van twaalf zeemijl en ruim een uur varen. Tot een paar uur geleden was dat het einddoel van zijn reis geweest. Waar hij een zee van tijd zou hebben en waar een beduidend aangenamer briesje stond dan hier op open zee. Maar nu was het te laat, dacht hij. Vervolgens toetste hij de nieuwe koers in op zijn GPS. *Twee zeemijl ten noorden van de Citadel van Menorca, zes uur varen, als het goede weer aanhield. En dan, dacht hij, nog een dag en een nacht op zee.*

42

Vijf weken eerder, woensdag 5 september. Het hoofdkwartier van de rijksrecherche in Kungsholmen, Stockholm.

Aan de tafel in Johanssons vergaderkamer zaten twee personen: Jan Lewin en Lisa Mattei. Hij had zelf zojuist laten meedelen dat hij een halfuur later kwam vanwege onvoorziene omstandigheden. Zijn secretaresse had om het goed te maken koffie met zelfgemaakte appeltaart geserveerd. Waar Holt uithing wist ze echter niet. Ze had in elk geval niets van zich laten horen. Mogelijk had ze Johansson gebeld of hij haar, en verder hoopte ze dat het hun zou smaken.

Anna Holt had zich niet verslapen. Toen Johansson haar een uur vóór het overleg had opgebeld met de mededeling dat hij een halfuur later zou komen, zat zij al achter haar bureau. Ze had nog minstens anderhalf uur tot haar beschikking, meer dan voldoende om een bezoek aan Forensische Opsporing te brengen om de revolvertip na te trekken die Bäckström haar had gegeven. Vraagtekens waar ze met gemak vóór het overleg met Johansson en de anderen een antwoord op kon krijgen, zodat ze eindelijk een streep onder Bäckström konden zetten en verder konden gaan.

De chef van Forensische Opsporing was enkele jaren ouder dan zij. Bijna twintig jaar geleden hadden ze samengewerkt bij de afdeling Recherche van de politie Stockholm. Een goede collegiale relatie, meer niet.

'Een korte vraag,' zei Holt, die op een stoel voor zijn bureau ging zitten.

'Mag ik je niet eens een kop koffie aanbieden?'

'Zelfs dat niet,' antwoordde Holt hoofdschuddend. 'Het betreft een tip over een wapen dat de rijksrecherche van collega Bäckström heeft ontvangen,' vervolgde ze en ze overhandigde hem gemakshalve het mailtje dat Bäckström haar had gestuurd.

'Bäckström,' zei haar collega kreunend. 'Hij is de straf voor onze zonden.'

'Daar zijn we het helemaal over eens, maar ik vraag me alleen af of jullie met het betreffende wapen hebben proefgeschoten en de kogels van de Palme-moord ermee hebben vergeleken.'

'Nee,' zei de forensisch rechercheur en hij schudde zijn hoofd. 'We hebben er natuurlijk wel mee proefgeschoten. Maar we hebben geen vergelijking gedaan met de Palme-kogels, om begrijpelijke redenen.'

'Waarom dan?' vroeg Holt.

'Het betreffende wapen is gemaakt in het najaar van 1995. Negen jaar na de moord op Palme. Wat overigens blijkt uit het productienummer op het wapen.'

'Volgens Bäckströms mail zou het tien jaar eerder zijn gemaakt. In het najaar van 1985,' verduidelijkte Holt. 'Zo staat het ook in het mailtje dat je collega naar hem stuurde.'

'Een typefout,' zei zijn collega met een wrang glimlachje. 'Dat kan ik je verzekeren. Het betreffende wapen is in het najaar van 1995 door Ruger in de Verenigde Staten gefabriceerd. Meer dan negen jaar na de moord op de premier. Als het in 1985 zou zijn vervaardigd, hadden we wel een vergelijking gedaan. Dat is tegenwoordig een routinekwestie. Dat we de kogels alleen met revolvers van Smith & Wesson vergeleken, is inmiddels geschiedenis. Een treurige geschiedenis, dat wel.'

'Een typefout,' zei Holt met een flauwe glimlach. 'En wat die vertegenwoordiger in Bremen in voormalig West-Duitsland had vermeld, was zeker ook een typefout? Zo staat het namelijk in het mailtje van je collega.'

'Kinderachtig van hem,' zei de chef FO met een zucht. 'Hij wilde Bäckström vast een hak zetten, als dank voor die container met afgedankte kantoormeubels die hij naar ons heeft gestuurd.'

'Vertel.'

Vervolgens had de chef Forensische Opsporing het relaas verteld van de oude kantoormeubels en alle andere merkwaardige verzoeken die ze van collega Bäckström hadden gekregen, sinds hij was begonnen bij Opsporing Vermiste Goederen. Daarvoor trouwens ook al.

'Je weet hoe Bäckström is. Als hij plotseling geïnteresseerd is in een revolver van het kaliber .357 Magnum, kan het alleen maar om het Palme-wapen gaan. Of beter gezegd, om de beloning voor het Palme-wapen, die onze beste Bäckström hoopt te kunnen delen met zijn zogenaamde anonieme informant. Als politieagent kan hij immers geen beloning opstrijken.'

'Dat geloof ik ook,' zei Holt.

'Het spijt me dat je hier de dupe van bent,' zei de chef FO. 'Ik zal het er met mijn collega over hebben.'

'Hoeft voor mij niet, hoor,' zei Holt met een glimlach. 'Maar als je dat toch van plan bent, mag je hem namens mij bedanken.' Zo, kleine dikzak, dacht ze.

Toen Lars Martin Johansson na drie kwartier terug was, en niet na dertig minuten, zoals hij tegen zijn secretaresse had gezegd, waren zijn drie medewerkers ter plaatse, en hoewel ze daar al een flinke tijd zaten, was er niet veel gezegd. Ze leken alle drie met hun eigen zaakjes bezig te zijn.

Holt maakte aantekeningen in een map die ze had meegenomen. Mattei verwijderde sms'jes van haar mobiele telefoon. Lewin zat achterovergeleund zonder iets te doen, maar scheen met zijn gedachten ver weg te zijn.

Misschien in Afrika, dacht Holt, die hem zijdelings gadesloeg.

Johansson begon te praten zodra hij binnen kwam lopen.

'Jullie zijn er,' constateerde hij terwijl hij ging zitten. 'Wat denk je ervan als jij begint, Anna,' vervolgde hij. 'Geef ons het laatste nieuws over die verdraaide Bäckström, zodat we Lisa en Jan er ook bij betrekken.'

Anna Holt had een korte beschrijving van Bäckströms tip gegeven, kopieën van zijn mail aan haar collega's overhandigd en hun verteld over haar bezoek aan Forensische Opsporing. Een typisch Bäckström-geval, wat echter niet alleen aan hemzelf te wijten was, aangezien hun collega's in Stockholm blijkbaar van de gelegenheid gebruik hadden gemaakt om hem een hak te zetten.

'Bovendien heeft hij ons de naam gegeven van een ex-collega die over het betreffende wapen zou hebben beschikt. Ik heb Lisa gevraagd dat na te trekken, maar hij is niet in het onderzoeksmateriaal terug te vinden.'

'Hoe heet hij?' vroeg Jan Lewin, die net zo hard zuchtte als zijn collega van Forensische Opsporing ruim een uur geleden had gedaan.

'Zijn naam is Claes Waltin. Of was, moet ik zeggen. Voormalig commissaris bij de Säpo. Nam ontslag in de zomer van 1988, om voor zichzelf te beginnen. Kwam vier jaar later door een verdrinkingsongeval om het leven op Noord-Mallorca. Volgens Bäckströms anonieme informant beschikte Waltin zodoende ongeveer een maand voordat hij verdronk over het Palme-wapen,' vatte Holt samen.

'En hij is dus niet terug te vinden in het onderzoeksmateriaal,' viel Mattei haar in de rede. 'Ik heb het verschillende malen doorgespit.'

'Merkwaardig.' Lewin schudde zijn hoofd. 'Ik ben er zeker van dat hij in het materiaal moet voorkomen. Vooropgesteld dat we het over dezelfde Waltin hebben, uiteraard,' voegde hij er op zijn nauwgezette wijze aan toe.

'Niet volgens mijn lijsten,' hield Mattei vol. 'Daar staat hij niet op. Waarom denk je dat?'

'Ik heb hem er zelf aan toegevoegd,' zei Lewin. 'Dus hoort hij ertussen te zitten.'

'Daar zeg je me wat,' zei Johansson.

'Je meent het,' zei Holt op hetzelfde moment.

Wat zit hij nu eigenlijk te beweren, dacht Mattei, die als enige niets had gezegd.

'Ik weet niet of jullie het nog weten,' zei Lewin, 'maar tijdens ons eerste overleg van drie weken geleden vertelde ik dat mij de eer te beurt viel om die parkeerboetes door te lichten.'

'Vertel het nog maar een keer,' verzocht Johansson, die zijn handen over zijn verre van platte buik vouwde en zich achterover liet zakken in zijn stoel.

'Op de details kom ik later terug, maar in grote lijnen kwam het op het volgende neer,' zei Lewin, die voorzichtig zijn keel schraapte.

Op zaterdagochtend 1 maart, vrij exact tien uur na de moord, had commissaris Claes Waltin een parkeerboete gekregen op de Smedsbacksgatan in Gärdet. De auto was van hemzelf. Een nieuwe BMW uit de 5-serie, geen normale auto voor een politieman. Lewin had een routineverzoek ingediend bij zijn collega's van de Säpo die verantwoordelijk waren voor het politiespoor in het Palme-onderzoek, en ruim een maand later had hij antwoord gekregen.

'Dat weet ik zeker. Het was een beetje vreemd om die vraag aan hen te stellen, als je bedenkt om wie het ging,' zei Lewin. 'Waltin was immers een hoge leidinggevende binnen de veiligheidsdienst. Hij zat direct onder onze toenmalige bureauchef Berg, die deel uitmaakte van de onderzoeksleiding en verantwoordelijk was voor Säpo's aandeel in het Palme-onderzoek.'

'Ik kan me voorstellen dat dat vreemd was,' zei Johansson voldaan. 'En wat was hun antwoord?'

'De exacte woorden kan ik me niet herinneren, maar ik kreeg schriftelijk antwoord. Het kwam erop neer dat het voertuig gebruikt was voor dienstwerkzaamheden. Het ging om een toezicht op iemand die daar een van Säpo's geheime adressen bewoonde.'

'Dat was genereus van ze,' zei Johansson. 'Zelf zou ik genoegen hebben genomen met de vermelding dat het om een dienstaangelegenheid ging. Zo'n toevoeging zet je niet zomaar zwart op wit.'

'Het moet in het materiaal terug te vinden zijn,' zei Lewin, terwijl hij Mattei bijna verontschuldigend aankeek. 'Een schriftelijk verzoek van mij en een schriftelijk antwoord van hen. Het moet er zijn.'

'Misschien heb je het niet zorgvuldig gearchiveerd, Jan,' zei Johansson voldaan. 'Dat kan de beste overkomen.'

'Mij niet,' zei Lewin hoofdschuddend.

'Ik zal het nog een keer controleren om te kijken of ik het over het hoofd heb gezien,' zei Mattei.

'Doe dat,' zei Johansson. 'Jij, Lewin, gaat je dozen nog een keer doorzoeken en jij, Lisa, doorzoekt de rest. Dan ontferm jij, Anna, je over de rest van Bäckströms boodschap, zodat ik eindelijk van hem af ben. Dat het betreffende wapen bij drie moorden en een zelfmoord zou zijn gebruikt, klinkt me uitermate spannend in de oren. Als we de minister-president wegdenken, zijn er dus nog twee moordslachtoffers en een zelfmoordpleger over.'

'Klinkt als een typisch Bäckström-geval, als je het mij vraagt,' concludeerde Holt.

'Of als een typisch geval van een uitgebreide zelfdoding, als je het mij vraagt,' vond Johansson. 'Het klassieke geval van een vader die zowel jager als schutter is, zijn vrouw en kind doodschiet en vervolgens de hand aan zichzelf slaat. Jaloezie, alcohol, noem maar op.

Komt maar al te vaak voor, helaas, maar dat neemt niet weg dat het het controleren waard is.'

'Staat genoteerd,' zei Holt. Klinkt als een typische Johansson, dacht Holt. Maar wat dit met het doorlichten van het register te maken heeft, dacht ze.

Na het overleg had Johansson Mattei apart genomen.

'Ik heb voor jou een speciale opdracht, Lisa,' zei Johansson. 'Het leek mij echt iets voor jou, om het zo maar te zeggen.'

'Vertel, chef,' zei Mattei. Ik moet Johan bellen, dacht ze.

'Bij de Universiteit van Oxford schijnt een college te zijn met de naam Mådlin College. Je spelt het als Magdalen, zonder e op het einde. Het wordt uitgesproken als Mådlin.'

'Dat klopt, het schijnt een van de oudste en voornaamste te zijn. Opgericht in de middeleeuwen. Vernoemd naar Maria Magdalena, Maria uit Magdala. Die volgens de Bijbel een keer de voeten van Jezus had gewassen.' Nog een misbruikte soortgenote, dacht ze.

'Precies,' zei Johansson met onverwacht veel nadruk. 'En verder ging toch het gerucht dat die twee iets met elkaar hadden? Zij en Jezus, bedoel ik?'

'Niet dat ik weet,' antwoordde Mattei. Wat dat er nu weer mee te maken heeft, dacht ze.

'Wat maakt het ook uit,' zei Johansson. 'Of die twee iets met elkaar hadden, bedoel ik. Ik wilde het eigenlijk over iets anders hebben.'

'Ga je gang.' Het liefst vandaag nog, dacht ze.

Vervolgens had hij, zonder zijn bron te vermelden, verteld over het hertenpark achter Magdalen College, en over het aantal herten dat net zo groot moest zijn als het aantal leden van het college. Dat een van de herten werd afgeschoten als een van hen stierf en dat het hert vervolgens werd opgediend, ter nagedachtenis aan de overledene.

'Je weet wel, zo'n typisch Engels herendiner,' verduidelijkte Johansson. 'Hertenbiefstuk met stuk gekookte groenten en jus. Kun je voor me uitzoeken of het klopt?'

'Hertenpark, het aantal herten in het park, of men een hert afschiet als een van de docenten is overleden, dat bij de herdenkingsmaaltijd wordt geserveerd,' vatte Mattei samen. Bah, wat een smerig eten, en wat heeft dit in vredesnaam met de moord op Palme te maken, dacht ze.

'Geweldig.' Johansson gaf haar een vriendelijk schouderklopje. Dat meisje kan heel ver komen, en eindelijk begint het ergens op te lijken, dacht hij.

43

Toen Holt terug was in haar werkkamer, was ze verdergegaan met het natrekken van de informatie die Bäckström haar had gegeven. Eerst had ze de verschillende fases van het 'Bäckströmse wapenspoor' onder de loep genomen, en na ongeveer een uur te hebben nagedacht en twee korte telefoontjes te hebben gepleegd, wist ze tot in detail hoe hij te werk was gegaan.

Om te beginnen had ze gesproken met Bäckströms directe chef. De situatie aan hem voorgelegd en hem gevraagd zijn mond erover te houden. Vervolgens had ze krachtens haar bevoegdheden als hogergeplaatste in Bäckströms dienstcomputer gekeken om te onderzoeken wat er de laatste weken was uitgegaan en binnengekomen.

Niet veel wat met zijn functie te maken had, naar het scheen. Daarentegen een aantal berichtjes van en naar Forensische Opsporing over een revolver. Twee mailtjes naar Holt. Ten slotte een mailtje dat hij die ochtend naar een niet geheel onbekende kunsthandelaar had gestuurd. Onzorgvuldig gewist, zoals zo vaak. Bondig en cryptisch geformuleerd, maar hoe dan ook geen zaak die op Bäckströms bureau thuishoorde. Na dit berichtje had hij Holt teruggebeld om verslag uit te brengen van zijn bevindingen.

Aha, dacht Holt toen ze de hoorn had opgelegd. Die kleine dikzak heeft me ertussen genomen.

Hier had Bäckström natuurlijk geen benul van. Nadat hij maandag weer op zijn werk was verschenen na zijn welverdiende weekendrust, had hij om te beginnen zijn oude vriend en weldoener Henning gebeld op zijn mobiel. Die liet voortdurend een ingesprektoon horen en aangezien Bäckström wel iets anders te doen had, had hij daarop een opbeurend mailtje gestuurd, dat hij vervolgens wiste en direct in de prullenbak gooide. Slechts een paar discrete zinnetjes over het project, dat alles geheel volgens plan verliep. Weinig informatief voor al die zogenaamde collega's, die blijkbaar alleen als taak hadden om hem te bespioneren.

Daarna had hij een halfuur uitgetrokken voor wat algemene opvrolijkende overpeinzingen. Het wapen had hij min of meer al gevonden, nu moest hij alleen nog iets meer over de vermoedelijke dader, voormalig commissaris Claes Waltin, te weten zien te komen. Wie had trouwens kunnen denken dat er zoveel ruggengraat in die flikker zat? Behalve Bäckström, uiteraard, dacht Bäckström.

Als eerste belde hij zijn neef op die bij de Politievakbond werkte en bijna alles wist over alle voormalige en huidige leden. Dus ook over commissaris Claes Waltin, hoewel hij niet eens lid was geweest.

'Dat was zo'n typisch arrogant juristje dat dacht dat hij politieman was. Hij was lid van JUSEK, de vakbond voor onder anderen juristen,' verklaarde Bäckströms neef. 'Zijn kameraden van het korps waren vast niet voornaam genoeg voor die eikel.'

'Hoe was hij als mens?' vroeg Bäckström. Fantastisch geformuleerde vraag, dacht hij. Hoe was hij als mens? Sabbel daar maar even op, dacht hij.

'Als mens? Wat is dat nu weer voor vraag. Die rotzak is immers dood. Over de doden niets dan goeds, daar heb je vast wel van gehoord. Daar houden we ons strikt aan bij de vakbond.'

'Maar hoe was hij? Als mens? Toen hij in leven was, bedoel ik.' Die zit, wederom, dacht Bäckström. Nog even en je kunt cursussen gaan geven voor die aasgieren op tv. Komt vast door al die lekkere Tsjechische pilsjes, dacht hij. Lekker bitter, maar toch met een zachte afdronk.

'Hij scheen nogal hardhandig met vrouwen om te gaan. Letterlijk hardhandig, als je begrijpt wat ik bedoel.'

'Zweepjes en kettingen?' suggereerde Bäckström, die zelf niet geheel onbekend was met het onderwerp.

'Zweepjes en kettingen,' snoof Bäckströms neef. 'Dat is nog niks, als je het mij vraagt. Ken je die ouwe smeerlap van tv, van wie ze zeggen dat hij de doos van zo'n vijfduizend vrouwen kaalschoor, voordat hij ze billenkoek gaf?'

'Ja?'

'Dat was een koorknaapje vergeleken bij Waltin.'

'Vertel,' zei Bäckström.

Dat deed zijn neef graag. Door de jaren heen hadden verschillende vakbondsleden, uiteraard allemaal onder diensttijd en in verband met zogenaamd extern onderzoek, de merkwaardigste dingen van voormalig commissaris Waltin waargenomen. Curieuze locaties, situaties en mensen.

'Veel van die clubs voor seks, leer, flikkers, potten en god weet wat. En al die oude vertrouwde versiertenten waar hij bijna scheen te wonen. En dan al die affaires, natuurlijk. Heb je niet gehoord wat hij had uitgehaald met dat wijf van die idiote Wiijnbladh? Die gifmoordenaar, je weet wel. Werken jullie trouwens niet op dezelfde plek tegenwoordig?'

'Wat deed hij met haar?' onderbrak Bäckström hem. Ik ben degene die hier de vragen stelt, dacht hij.

Een heleboel om je tanden in te zetten, dacht Bäckström tevreden, nadat zijn neef na een uur met tegenzin had opgehangen. Daarna had hij zijn lunchbericht ingetoetst en had hij bij het tweede pilsje al een idee gekregen dat de moeite waard was om uit te proberen. Zo'n sluimerend voorgevoel, dat alleen ware politiemannen als hij was vergund. Maar eerst was het tijd voor een gesprek met die oude gifmoordenaar Wiijnbladh.

Ik vraag me af of ze een triootje deden, dacht Bäckström. Die SM'er, die gifmoordenaar en dat roodharige wijf van hem dat hij niet van het leven had kunnen beroven. Hij had die Waltin wat tips moeten vragen, dacht hij.

Ik moet met Bäckström praten, dacht Holt. Maar eerst moest ze een andere zaak afhandelen, waarvoor ze hun eigen interne inlichtingendienst had gevraagd een lijst op te stellen met alle zogenoemde uitgebreide zelfdodingen in de periode van 1980 tot de jaarwisseling van 1985. Hopelijk niet eerder, hoogstwaarschijnlijk niet later, dacht ze.

'We hebben geen speciale code voor wat criminologen uitgebreide zelfdoding noemen,' zei de analist hoofdschuddend. 'Bovendien gaat het tijd kosten, omdat het om zulke oude gegevens gaat.'

'Twee moorden en een daaropvolgende zelfmoord, waarbij de dader zichzelf van het leven berooft. Begin bij de politiedienst in Stockholm. Het wapen zou een revolver zijn geweest.'

'Toch gaat het tijd kosten.'

'De gegevens zijn voor erkapé,' zei Holt.

'Ik begrijp het. Ik bel je op je mobiel als ik klaar ben, en stuur alles wat ik vind naar GroupWise.'

'Wanneer kan ik het verwachten?'

'Geef me een uur, op zijn minst,' zuchtte de analist.

Wiijnbladh was overeind gekomen na de vorige keer. Nu zat hij achter zijn bureau in een reusachtige kunstencyclopedie te bladeren. Verder zag hij eruit als altijd. Bibberend, bevend, versleten. Klein en hologig, met een duidelijk gebrek aan tanden en haar.

'Hoe staat het leven, Wiijnbladh?' vroeg Bäckström terwijl hij ging zitten. Ik vraag me af hoeveel elektriciteit je in dit gebouw zou kunnen besparen als je die mafkees aan een accu koppelt, dacht hij.

'Ik leef, maar daar is wel alles mee gezegd,' zei Wiijnbladh met zwakke stem.

'Ik vind dat je er verdomd goed uitziet.' Je kunt zo meedoen aan de WK-finale voor trillende espenbladeren, dacht hij.

'Dat is aardig van je, Bäckström.'

'Graag gedaan. Ik kwam laatst trouwens een oude bekende van me tegen. Een bekende kunsthandelaar. Hij vertelde dat hij jaren geleden een heel fraai schilderij aan een ex-collega had verkocht. Een Zorn was dat, trouwens. Toen schoot mij ineens te binnen dat jij hem moest hebben gekend. Commissaris Claes Waltin. Waren jullie geen vrienden van elkaar?'

'Heel goede vrienden,' antwoordde Wiijnbladh, die gelijk vochtige ogen kreeg. 'Bij een tragisch ongeval om het leven gekomen, zo treurig... Een groot kunsthandelaar. Bezat een zeer indrukwekkende verzameling hedendaagse, Zweedse schilderkunst.'

'Hoe kon hij zich dat permitteren?' vroeg Bäckström. 'Ik bedoel, van een gewoon politieloontje kun je toch niet zomaar een schilderij van Zorn kopen?' Hooguit een enkele pornofoto die je met je dienstmobieltje kunt nemen, dacht hij.

'Zeer vermogend was hij, zeer vermogend,' zei Wiijnbladh en hij stak zijn magere nek uit. 'Zeer rijke ouders. Waltin moet in de kracht van zijn leven over vele miljoenen hebben beschikt.'

'Daar zeg je me wat,' zei Bäckström. 'Hebben jullie elkaar leren kennen door jullie gemeenschappelijke interesse voor kunst?' Of kwam het door dat roodharige wijf met wie je getrouwd was, die hem aan je voorstelde als haar neef uit de provincie, dacht hij.

'Onder andere.' Wiijnbladh knikte mistroostig.

'Wat was dat andere dan?'

'Voormalig commissaris Waltin was de hoogste baas bij de geheime dienst, zoals je vast wel weet.'

'Ja,' zei Bäckström met een vragend gezicht. Hoezo? De Säpo houdt zich toch niet bezig met gifmoorden, dacht hij.

'Ik ben een paar keer in de gelegenheid geweest om hem en de geheime dienst te helpen bij de uitoefening van hun belangrijke taak,' zei Wiijnbladh, die plotseling blaakte van trots, voor zover dat mogelijk is als je bijna al je tanden kwijt bent.

Hela, hola, dacht Bäckström. Heb je soms tallium in de bietensoep van de Russische ambassade gestopt, of zo?

'Klinkt bijzonder spannend,' reageerde Bäckström. 'Vertel.'

'Daar kan ik niets over zeggen,' zei Wiijnbladh. 'Geheimhoudingsplicht. Omwille van de nationale veiligheid, zoals je wel zult begrijpen.'

'Je kunt er toch wel iets over zeggen?' hield Bäckström vol. 'Het blijft natuurlijk onder ons.'

'Daar weet ik niets van, het spijt me zeer, Bäckström, maar mijn lippen zijn verzegeld uit hoofde van de Zweedse wet. Maar wat ik wel kan zeggen, is dat ik van de hoogste leiding van de Säpo een formele dankbetuiging heb gekregen vanwege mijn inspanningen, voor het geval je mocht twijfelen aan wat ik heb gezegd.'

Ik vraag me af waar die gifmoordenaar die SM'er mee geholpen kan hebben, dacht Bäckström toen hij terug was in zijn kamer. Niet alleen met rodebietensoep, natuurlijk. Het wordt trouwens tijd om naar huis te gaan. Het magische tijdstip van drie uur was al bijna aangebroken en de tijd van de dagelijkse noeste arbeid was allang voorbij, voor een eenvoudige loonslaaf in dienst van het politiewezen.

Na een uur had Anna Holt antwoord gekregen van de interne inlichtingendienst van de rijksrecherche. Er bestond een zaak die overeenkwam met haar specificatie. Een uitgebreide zelfdoding, die op 27 maart 1983 in Spånga had plaatsgevonden. Nauwelijks drie jaar voor de moord op de minister-president.

De dader was een schildersbaas van vijfenveertig jaar, weduwnaar, jager en sportschutter, met een vergunning voor verschillende wapens. Hij had zijn zestienjarige dochter en haar vriend van drieëntwintig in zijn vrijstaande huis in Spånga doodgeschoten. Vervolgens schoot hij zichzelf door het hoofd. Het wapen was in beslag genomen. Het misdrijf was opgelost, maar om voor de hand liggende redenen is de zaak nooit voor de rechter gekomen.

Meer viel er niet op te maken uit de gegevens die in het datasysteem van de rijksrecherche waren opgeslagen. Het volledige onderzoek zou zich in het archief van de politie Stockholm bevinden. Het wapen moest bij Forensische Opsporing in Stockholm liggen. Daar kwamen dergelijke wapens doorgaans terecht, volgens de analist die de zaak had opgezocht.

Dat kan niet kloppen. Niet als het wapen in 1983 in beslag is genomen. Die kleine dikzak heeft in elk geval geen gebrek aan fantasie, dacht Holt met een blik op de klok. Dat kan tot morgen wachten, dacht ze.

44

Voor de derde keer in een maand tijd had Lewin zijn oude dozen tevoorschijn gehaald. Dezelfde dozen met de wereld aan gegevens over wat in het beste geval van dubieuze politionele waarde was.

Zaterdag 1 maart, om 09.15 uur, had commissaris Claes Waltin in de Smedsbacksgatan in Gärdet een parkeerboete gekregen. De auto was van hemzelf, een BMW 535 uit 1986.

Op het moment dat hij de boete kreeg, had de auto daar nog niet lang gestaan. Volgens de parkeerwacht met wie Lewin had gesproken, volgden zij en haar collega op zaterdag namelijk een speciale procedure als ze in die wijk boetes uitschreven. Ze liepen twee rondes. Eerst noteerden ze de foutgeparkeerde auto's, en als ze een kwartier tot een halfuur later terugkwamen voor de tweede ronde, werden de auto's die er dan nog steeds stonden, bekeurd. Dat was eenvoudig en praktisch, gezien de extra tijd van tien minuten die ze de eigenaren doorgaans gaven.

Aangezien Waltin zijn auto op een invalidenparkeerplaats had gezet, kon die daar tijdens de eerste ronde niet hebben gestaan. Auto's die op die manier waren geparkeerd, kregen namelijk direct een bon. Uitgaande van het adres en het tijdstip waarop de bon was uitgeschreven, was het vrijwel uitgesloten dat de auto vóór 08.45 uur foutgeparkeerd stond, volgens de stellige opvatting van de parkeerwacht.

Lewin had haar redenering overgenomen. Die stak logisch in elkaar en klonk hem waarschijnlijk in de oren. Er sprak echter nauwelijks uit dat deze foutgeparkeerde auto ook maar iets te maken zou hebben met de moord die tien uur eerder en een paar kilometer verderop was begaan. Toch had hij maandag 24 maart 1986 een schriftelijke navraag ingediend bij zijn collega's van de Säpo, die verantwoordelijk waren voor het politiespoor.

Het schriftelijke antwoord liet een maand op zich wachten. Het was gedateerd op 29 april 1986, ondertekend door een hoofdinspecteur van de veiligheidsdienst, bondig geformuleerd en als vertrouwelijk gekwalificeerd. 'Het betreffende voertuig is gebruikt voor een dienstaangelegenheid, om toezicht te kunnen houden op een bewakingsobject dat op een van onze adressen in die wijk verbleef.'

Zowel mijn als hun correspondentie zou redelijkerwijs in een van Matteis mappen terug te vinden moeten zijn, dacht Lewin.

'Heb je het gevonden?' vroeg Lewin een uur later, toen Mattei met een flink pak computergegevens onder haar arm hun werkkamer betrad.

'Nee,' zei Mattei. 'Dat geldt zowel voor jouw vraag als voor hun antwoord. Er is niet eens een aantekening van te vinden in het lopende register.'

'Hoe verklaar je dat dan?' vroeg Lewin. 'Ik bedoel, jij bent tenslotte de computernerd onder ons normale stervelingen.'

'Vriendelijk van je,' glimlachte Mattei. 'Aangezien ik moeilijk kan geloven dat jij onzorgvuldig te werk bent gegaan, denk ik dat ze jouw navraag inderdaad hebben ontvangen. Vervolgens hebben ze die om een of andere reden niet geregistreerd. Een maand later verstuurden ze een antwoord met een van hun eigen dossiernummers, dat weliswaar in hun eigen register terug te vinden is, maar naar een heel andere zaak en een heel ander document verwijst.'

'Waar gaat dat dan over?'

'Dat document heb ik terug kunnen vinden. Het ligt tussen het onderzoeksmateriaal en betreft een navraag bij het psychiatrische ziekenhuis in Ryhov over een van hun patiënten, die de Säpo getipt zou hebben over een collega in Göteborg, die volgens hem Palme zou hebben vermoord. Dat onderzoek is overigens in mei 1986 al geseponeerd.'

'Maar...'

'Heeft in de verste verte niets met jouw zaak te maken,' onderbrak Mattei hem. 'Als ik Johansson was zou ik zeggen dat dit een van de krankzinnigste valse tips is die ik onder ogen heb gehad.'

'Uiterst merkwaardig,' zei Lewin, die eruitzag alsof hij het meende. 'Wat zou er dan gebeurd kunnen zijn?'

'Ik denk dat iemand jouw navraag eruit heeft gepikt, zonder er een dossiernummer aan toe te kennen. Vervolgens heeft diezelfde persoon een maand gewacht alvorens een antwoord terug te sturen, met een dossiernummer dat iets heel anders betrof. Als je een antwoord zonder dossiernummer had gekregen, zou je vermoedelijk gereageerd hebben.'

'Die collega bij de Säpo dan, die het antwoord heeft ondertekend, hoofdinspecteur Jan Andersson? Zou Waltin hem hebben overgehaald om zoiets te doen?'

'Het lijkt me zeer onwaarschijnlijk dat hij iemand zover zou krijgen een schrijven te ondertekenen dat niet schijnt te bestaan, en het bovendien te voorzien van een dossiernummer dat naar een heel andere zaak verwijst.'

'Andersson, collega Jan Andersson. Dat mag dan wel meer dan twintig jaar geleden zijn, maar...'

'Overleden,' onderbrak Mattei hem. 'Is in 1991 gestorven aan een hersenbloeding en daar lijkt niets merkwaardigs mee aan de hand te zijn. Werkte bij de Säpo en nam deel aan het Palme-onderzoek. Hij was overigens verantwoordelijk voor het type zaken waar jouw navraag betrekking op had.'

'Dit wordt steeds merkwaardiger allemaal,' zei Lewin. 'Wat vind jij ervan?'

'In het beste geval heeft iemand, waarschijnlijk Waltin, ten minste twee overtredingen begaan om een parkeerboete te omzeilen.'

'En in het ergste geval?'

'In het ergste geval is er werkelijk iets goed mis,' antwoordde Mattei.

Lewin had de rest van de dag gewijd aan onbehaaglijke overpeinzingen. Het beviel hem niet dat op diverse plaatsen in het onderzoek steeds weer dezelfde persoon opdook, zonder dat er een gemeenschappelijke oorzaak voor te vinden was. Een natuurlijke, menselijke verklaring, in plaats van een verklaring die hem begon te kwellen.

Mattei was verdergegaan met haar werk alsof er niets was gebeurd. Sinds de vorige dag maalden er andere dingen door haar hoofd en deed ze haar werk op routine. Eerst had ze op een A4'tje wat punten genoteerd over de mysterieuze parkeerboete, die haar chef zeker zouden interesseren. Vervolgens was ze aan de slag gegaan met die curieuze opdracht die hij haar had gegeven. Ze stuurde vanaf haar persoonlijke e-mailadres een vriendelijk mailtje naar de administratie van het Magdalen College in Oxford, voor de zekerheid ondertekend met dr. Lisa Mattei van de Universiteit van Stockholm. Wat ik in wezen ook ben, dacht ze.

Een uur later had ze al antwoord gekregen. Tjonge, dat is snel, dacht Lisa Mattei.

Dear Dr Mattei,

Thank you for your kind e-mail. It's a nice old tale, but I am afraid it's not true and there's never been any actual evidence for it. I rather suspect that it's a legend that's been passed around by other colleges – and perhaps even colleagues.

It's true that our deer herd is occasionally culled. However this has nothing to do...'

Is dit goed of slecht nieuws, en wat wil hij hier eigenlijk mee, dacht Lisa Mattei. Omdat het om Lars Martin Johansson ging en er zoals gewoonlijk haast bij was, had ze naar zijn mobiele nummer gebeld.

'Lisa Mattei. Ik heb antwoord op je vraag. Ik ben bang dat het om een verzinsel gaat.'

'Fantastisch,' zei Johansson. 'Kom direct hierheen, dan zeg ik Helena dat ze de koffieketel op het fornuis moet zetten.'

'Twee minuten,' zei Mattei. Dan zeg ik Helena dat ze de koffieketel op het fornuis moet zetten, dacht ze hoofdschuddend.

Lars Martin Johansson lag op zijn nadenkbank en gebaarde vriendelijk naar de dichtstbijzijnde stoel.

'Vertel.'

Gelukkig geen spoor van een fluitketel te bekennen, dacht Lisa Mattei na snel om zich heen te hebben gekeken.

'Volgens het hoofd van de administratie van Magdalen, ene mister Edgar Smith-Hamilton – wiens officiële titel overigens *Bursar* is, wat zoveel betekent dat hij over de portemonnee beschikt – volgens hem lopen er op dit moment tweeëndertig herten in het park achter het College, en dat aantal is al jaren hetzelfde. Het aantal Fellows is daarentegen aanzienlijk groter. Meer dan honderd, als je de Honorary Fellows meerekent. Het hertenpark bestaat al meer dan driehonderd jaar, maar er is nooit sprake geweest van een regel dat het aantal herten moest overeenstemmen met het aantal Fellows. Voorheen scheen het zo te zijn dat het aantal herten beduidend groter was dan het aantal Fellows, maar sinds vijftig jaar is dat andersom.'

'Geweldig,' zei Johansson, stralend van enthousiasme. 'Ga door, Mattei. Ga door.'

Het was ook niet zo dat er een hert werd geschoten als een Fellow overleed. Er werden echter wel herten afgeschoten om de wildstand op peil te houden, doorgaans na de bronsttijd, elk jaar in oktober.

'Maar daar weet jij vast meer van dan ik,' zei Mattei.

'Wat dacht je,' glimlachte Johansson tevreden. 'Ga verder.'

Dat verhaal over het diner klopte evenmin. Het diner ter ere van overleden Fellows werd twee keer per jaar gehouden, in het voorjaar en laat in de herfst. Er kwamen wel eens uitzonderingen voor, maar alleen bij zeer gewaardeerde leden van het college. Zoals laatst met een overleden Nobelprijswinnaar, die vereerd werd met een diner, een themadag met lezingen en seminars waarin zijn wetenschappelijke verdiensten werden uiteengezet en met een herdenkingsuitgave van de Oxford University Press.

'Wat werd er dan gegeten?' vroeg Johansson begerig.

'Het komt natuurlijk wel eens voor dat er tijdens een diner van het College tevens hert uit het eigen park op het menu staat, maar het is geen verplicht onderdeel. Een gevarieerde menukaart, kortom. Normale feestelijke gerechten, naar ik begreep.'

'Ik had niet anders verwacht.' Een tevreden zucht vanaf zijn bank.

'Ben je tevreden met het antwoord?'

'Tevreden?' vroeg Johansson. 'Vieren we kerstavond op 24 december?'

'Nou ja, dat was het,' zei Mattei, die aanstalten maakte om op te staan.

'Eén ding nog.' Hij hield haar tegen met een opgeheven hand. 'Hoe zijn die geruchten ontstaan?'

'Wat ik er tussen de regels door van heb begrepen, is dat dit verhaal liefdevol in stand wordt gehouden door de direct betrokkenen. Nou ja, niet door de herten natuurlijk.'

'Ook dat had ik niet anders verwacht,' bromde Johansson.

Ik vraag me af of hij bezig is gegevens uit een of ander oud verhoor te controleren of zoiets, dacht Mattei toen ze vertrok. Johansson bleef tenslotte Johansson, ondanks zijn zeer twijfelachtige vrouwbeeld.

45

Op dinsdag had hoofdinspecteur Evert Bäckström zich aan archiefonderzoek gewijd.

Het oude centrale archief van de politie Stockholm lag in de kelder van het grote politiebureau, waar zijn gevoelige neus hem naartoe had geleid. Een geurspoor dat niet veel sterker was dan een donkerbruin vermoeden. Voor zijn collega's met hun verstopte neuzen onmogelijk waar te nemen. Voor iedereen verborgen, behalve voor een geroutineerde oude speurhond als hij.

Bovendien bewaarde hij goede herinneringen aan dit archief. Toen hij in de jaren tachtig een blauwe maandag dienstdeed op het politiebureau, ging hij hier soms heen om rustig te kunnen nadenken. Uit noodzaak, om niet te verdrinken in de vloedgolf van gangsters, gestoorden, dronkenlappen en onderkruipsels die door die halve apen van de ordepolitie het bureau werden binnengehaald.

Een herinnering uit een andere tijd. Toen het fijne handwerk nog niet door computers was overgenomen. Een tijd waarin alle echte dienders hun schurken nog in keurige kartonnen hangmappen opborgen. Waarin van elke boef minstens één map werd bewaard en de ijverigste van hen al vrij snel met meer mappen werd beloond. Ingedeeld naar persoonsnummer, in eindeloze rijen en in verschillende kleuren, afhankelijk van het tijdstip. Bruin, blauw, groen, roze, rood... en aan de hand van de verschillende kleuren wist Bäckström al snel wat er gaande was.

Het goede oude centrale archief. De bron van alle politionele kennis, waar hij bij verscheidene gedenkwaardige gelegenheden zijn dorst had gelest en zijn geest had verkwikt. Dit laatste bolwerk van kennis, waarin alles werd verzameld waar men de hand op had weten te leggen en wat nooit meer werd vrijgegeven. Ondanks alle ongefundeerde verdenkingen, seponeringen, gestaakte onderzoeken, vrijspraken en alle andere onzin waar juristen zich mee bezighielden. In het centrale archief bleven de schurken bewaard. Voor altijd. Eenmaal binnen kwam je er nooit meer uit.

Natuurlijk had hij gelijk, hij had altijd gelijk. Daar bungelde hij, in zijn blauwe jaren-zestigmap. Nu heb ik je, vieze SM'er, dacht Bäckström, terwijl hij Waltin loshaakte.

Een dunne map met kopieën van oude getypte formulieren. Aangifte, verhoor met de eisende partij, persoonsgegevens van de verdachte, verhoor met de verdachte, oproep tot een nieuw verhoor met de eisende partij, seponeringsbesluit, geen misdrijf, en als er geen centraal archief was geweest, dan was Claes Waltin voor altijd verloren gegaan voor de mondiale gerechtigheid.

In de nacht tussen Walpurgisnacht, waarin het Zweedse lentefeest wordt gevierd, en 1 mei 1968 had de drieëntwintigjarige rechtenstudent Claes Waltin volgens de aangifte een houten kandelaar in de vagina van een twee jaar oudere vrouw gestoken. De vrouw had Scandinavische talen gestudeerd en werkte als invalkracht op een middelbare school in een voorstad ten zuiden van Stockholm. Ze hadden elkaar eerder die avond in restaurant Hasselbacken in Djurgården leren kennen, in verband met de traditionele Walpurgisnachtviering voor middelbare scholieren die eindexamen hadden gedaan.

Als je haar mocht geloven zou het volgende zijn gebeurd.

Waltin was met haar meegegaan naar haar woning in Södermalm. Daar had hij zich eerst aan haar vergrepen door haar tot anale seks te dwingen. Vervolgens had hij haar vastgebonden, gekneveld en een kandelaar in haar onderlichaam geduwd. Toen hij daarmee klaar was, had hij haar alleen gelaten.

Ongeveer een uur later kreeg de vrouw last van hevige bloedingen, waarna ze zelf een ambulance belde en met spoed naar het Söderziekenhuis werd vervoerd. Daar had ze langer dan een week moeten blijven. Een maatschappelijk werkster die met haar had gesproken, kreeg haar uiteindelijk zover dat ze aangifte deed.

Uit forensisch-geneeskundig onderzoek bleek dat er schade was toegebracht aan het uiteinde van de vagina, de vaginawand en de baarmoedermond. Ter afsluiting van zijn bevindingen concludeerde de gerechtsarts 'dat het geconstateerde letsel zichtbaar is ontstaan door de fysieke uitwerking van een hard, langwerpig voorwerp dat in de schede is ingebracht', 'dat voor deze handeling waarschijnlijk aanzienlijk veel kracht is gebruikt', 'dat het letsel de beschrijving van de patiënt niet tegenspreekt', 'dat het letsel evenwel op andere wijze, met dezelfde fysieke uitwerking, kan zijn ontstaan', 'dat men evenmin kan uitsluiten dat het letsel eigenhandig is toegebracht'.

De jonge Waltin was pas enkele weken later door de politie opgeroepen voor een verhoor. Hij had elke vorm van geweld jegens de eisende partij ontkend. Ze hadden elkaar ontmoet in restaurant Hasselbacken, hij was met haar mee naar huis gegaan, wat haar eigen voorstel was, waarna ze gewoon met elkaar naar bed waren geweest, waar ze overigens zelf het initiatief toe had genomen.

Ongeveer een uur later was hij weggegaan en was hij teruggewandeld naar zijn studentenwoning in Östermalm, aangezien hij de volgende ochtend weer vroeg op moest. Hij had beloofd dat hij zijn moeder een bezoek zou brengen, die ziekelijk was en regelmatig behoefte had aan verzorging door haar enige zoon.

Ten slotte had hij opgemerkt dat hij gechoqueerd en onthutst was over het feit dat hij het slachtoffer was van zulke vreselijke beschuldigingen. Hij kon zich niet eens voorstellen dat hij zoiets zou doen en begreep niet waarom de eisende partij zich op een dergelijke manier had uitgelaten.

De week daarop was de eisende partij opnieuw opgeroepen voor een verhoor. Ze was nooit op komen dagen. In plaats daarvan had ze de politie gebeld met de mededeling dat ze haar aangifte wilde intrekken. Een nadere verklaring daarvoor heeft ze nooit gegeven. Een maand later werd de aangifte door de officier van justitie geseponeerd. 'Het voorval waarvan aangifte is gedaan, valt niet aan te merken als een misdrijf.'

Een typisch onderwerp voor een politiechef, dacht Bäckström, die de map oprolde en in de binnenzak van zijn jasje stopte. Heel wat eenvoudiger dan zijn kostbare tijd te verdoen bij het kopieerapparaat dat het nooit deed. Goud, Bäckström, dacht hij toen hij het gebouw uitliep, waarbij hij op zijn binnenzak klopte. En omdat hem dat het eenvoudigst en veiligst leek, was hij regelrecht naar huis gegaan.

Als lunch nuttigde hij wat uit zijn eigen koelkast, waar tegenwoordig heel wat lekkernijen in lagen, nam er een koud pilsje bij en gunde zich zelfs een druppeltje van wat sterkers. Vervolgens ging hij op de bank liggen om eens rustig te overpeinzen wat de motieven van een SM'er zouden kunnen zijn om een minister-president te vermoorden.

Het moet iets met seks te maken hebben, dacht Bäckström. Hetzelfde motief, maar verschillende modus operandi, zogezegd. Wat restte was Waltin met zijn laatst bekende slachtoffer in verband te brengen. Misschien waren ze allebei lid van dezelfde geheime SM-club? Een normale afrekening binnen de eigen gelederen omdat ze ruzie kregen over een billenkoekgevalletje? Hoog tijd dat hoofdinspecteur Bäckström aan een daderprofiel begint te schaven, dacht hij.

Midden in deze aangename overpeinzingen moet hij in slaap zijn gevallen, want toen hij wakker werd, was het tijd voor het avondmaal.

Dat de doden van zich laten spreken, is in elk geval één ding dat zeker is, dacht Bäckström toen hij even later op zijn dooie akkertje naar zijn stamkroeg wandelde. Dat was tenminste klare taal, in tegenstelling tot dat liberale gezeik dat je geen slecht woord over de doden mag spreken. Het is verdomme al erg genoeg als alles waar blijkt te zijn.

46

Voor de tweede dag achtereen belde Anna Holt haar voormalige collega van de rechercheafdeling op, de huidige chef Forensische Opsporing.

'Ik ben het weer, Holt. Met het risico dat je me een zeurpiet gaat vinden. Heb je twee minuten?'

Hij vond Holt helemaal geen zeurpiet. Ze mocht hem met alle plezier elke dag bellen. Waar kon hij haar mee van dienst zijn?

'Het gaat om een andere revolver. Het moordwapen van een uitgebreide zelfmoord, die op 27 maart 1983 plaatsvond. Een man schoot zijn dochter en haar verloofde dood voordat hij zichzelf doodde. Het voorval vond plaats in Spånga. De revolver die in beslag werd genomen, schijnt bij jullie te liggen. Zou je er een nadere beschrijving van kunnen opzoeken? Ik heb er in de uitdraai van onze inlichtingendienst namelijk niets over kunnen terugvinden.'

'Jazeker,' zei de chef FO. 'Heb je een nummer van deze zaak?'

'Natuurlijk,' antwoordde Holt. 'Ik zal het naar je mailen.'

'Geef me een uur,' zei haar ex-collega.

Waar ben ik eigenlijk mee bezig, dacht Holt toen ze had opgehangen.

Deze keer waren er maar vijfenveertig minuten voor nodig. Het wapen waar ze vragen over had, was de dag na de moord al bij Forensische Opsporing binnengekomen. Men had ermee proefgeschoten en er de kogels die de forensisch patholoog-anatoom uit de drie slachtoffers had gehaald, mee vergeleken. Daarmee werd bevestigd wat men al vermoedde. Het was het moordwapen.

'Ook een Ruger, kaliber .357 Magnum. Dezelfde revolver waar Bäckström over raaskalde. Maar dan een wat ouder model.'

'Zou ik hem mogen zien?' vroeg Holt.

'Helaas niet,' antwoordde de chef FO. 'Hij is hier niet meer.'

'Waar is hij dan?'

'Nergens, ben ik bang. Volgens onze gegevens heeft hij hier tot oktober 1988 gelegen. Daarna werd hij, samen met zo'n twintig andere wapens, naar de artilleriefabriek van defensie gebracht om te worden vernietigd. Dat is overigens gedocumenteerd.'

'Vernietigd?' vroeg Holt. 'Ik dacht dat jullie alle wapens die binnenkwamen behielden?'

Lang niet allemaal, volgens haar collega. Alleen de wapens die uit onderzoeksoogpunt interessant waren. Daarnaast behield men alles wat interessant was voor ballistische vergelijkingen in het algemeen.

'Zoals je vast wel weet, hebben we hier een bescheiden wapenverzameling. Van meer dan twaalfhonderd wapens, om precies te zijn. Allerlei soorten wapens, van diverse merken en in verschillende kalibers en uitvoeringen.'

'En welke daarvan laten jullie vernietigen?'

De wapens die over het algemeen in slechte staat waren. Tenzij ze eventueel nodig waren voor een onderzoek naar een misdrijf.

'Voornamelijk oud schroot, in feite. Afgezaagde hagelgeweren, opengeboorde startpistolen, allerlei zelfgemaakte rommel. Als we meer, in goede staat verkerende exemplaren van hetzelfde wapen hebben, worden ze niet vernietigd, maar verdelen we ze over onze collega's in de rest van het land. De meeste FO-afdelingen hebben een eigen wapenverzameling, en hier in Stockholm nemen we meer wapens in beslag dan elke andere politie-instantie in het land.'

'Dus dit wapen verkeerde in slechte staat?' vroeg Holt.

'Waarschijnlijk, ja. Al lijkt het wat vreemd, als je bedenkt dat degene die het had gebruikt sportschutter was en over een wapenvergunning beschikte. Dat soort mensen gaat meestal zeer zorgvuldig met hun wapen om, op zijn zachtst gezegd. Als je begrijpt wat ik bedoel.'

'Jullie hebben ermee proefgeschoten,' zei Holt. 'Zijn de gebruikte kogels nog aanwezig?'

'Nee. Heb ik ook naar gekeken. Waarschijnlijk omdat het van begin af aan een uitgemaakte zaak was. Het voorval is al bijna vierentwintig jaar oud, dus vermoedelijk zijn ze tijdens een voorjaarsschoonmaak opgeruimd. Maar de kopie van het verslag van de schietproef is er nog.'

Dit begint steeds meer op een typisch Bäckström-geval te lijken, dacht Holt.

'Iets heel anders nu,' zei haar ex-collega. 'Een vraag uit nieuwsgierigheid, slechts. Wat ik me afvraag...'

'Ik weet precies wat je je afvraagt,' onderbrak Holt hem. 'Voordat je je vraag afmaakt, ik wou dat ik wist waar dit over gaat. Ik heb geen idee. Laat ik er dit over zeggen. Ik heb de opdracht gekregen een tip na te trekken.'

'Ik dacht dat een politiecommissaris zich niet met dat soort dingen bezighield.'

'Dat dacht ik ook,' zei Holt. Misschien kan ik je een keer citeren, dacht ze.

Waar ben ik eigenlijk mee bezig, dacht Holt nadat ze had opgehangen.

Als je ergens over piekert, als je iets dwarszit, als je je ergens zorgen over maakt, dan moet je erover durven praten. Met iemand die je vertrouwt. Zijn vrouwelijke psychiater had dat keer op keer herhaald. Als een mantra. Als je ergens over... Dan praat ik met Anna, dacht Jan Lewin.

'Er zit me iets dwars,' zei Jan Lewin met een discreet kuchje en een verontschuldigend lachje.

'Dan moet je erover praten. Dat weet je toch,' zei Holt, die naar hem glimlachte.

'Dat was ik ook van plan,' zei Jan Lewin. Vervolgens had hij haar het op zijn zachtst gezegd merkwaardige verhaal van Waltins parkeerboete verteld.

'Ik begrijp het precies,' zei Holt. 'Ik heb zelf ook een zaak die me dwarszit.'

'Vertel,' zei Jan Lewin met een knikje en een bemoedigende glimlach.

'Wat vind je hiervan,' begon Anna Holt. Daarna had ze hem het hopelijk lang niet zo merkwaardige verhaal over de vernietigde magnumrevolver verteld.

'Ik weet maar al te goed hoe dergelijke schutters in elkaar steken,' zei Holt met onverwachte nadruk. 'Ik ben zelf met zo iemand getrouwd geweest. Ze besteden meer tijd aan het poetsen van hun wapens dan aan hun kinderen.'

'Ik heb begrepen dat jouw ex-man, onze gewaardeerde collega van de ordepolitie, een van de beste schutters binnen de politie is.'

'*Exactly*. Al zijn er verschillende redenen, maar daar kunnen we het een andere keer over hebben. Maar geef toe dat het een mysterieus geval is.'

'Er moet ergens een onderzoeksrapport van zijn,' zei Lewin afwezig.

'Vast wel,' zei Holt. 'Maar wat hebben we aan een berg papier?'

'We hebben het over 1983,' antwoordde Lewin en hij schudde zijn hoofd. 'Dat was een heel andere tijd. Als je een onderzoek had afgerond, stopte je de gegevens in een doos en bracht je alles naar het archief. En in die dozen werden niet alleen documenten bewaard. Het kon van alles zijn, zoals de dagboeken van het slachtoffer, foto's, dreigbrieven van de dader, zelfs spullen waar Forensische Opsporing van af wilde.'

'Meen je dat?' vroeg Holt. 'Ik was in die tijd in opleiding bij de ordepolitie en mijn oudere collega's waarschuwden me altijd voor die papieren rompslomp. Wat je ook deed, je moest ervoor zorgen dat je je niet te veel papierwerk op de hals haalde.'

'Ik zal het onderzoeksrapport wel vinden.' Hij knikte en kwam overeind uit zijn stoel. 'Als het er nog is, zal ik het vinden.'

Hij had het inderdaad gevonden. Het lag tussen de stapels papier. Een kogel van een revolver, die twintig jaar geleden vernietigd zou zijn. Glimmend als een goudklompje in een plastic zakje van Forensische Opsporing.

47

De doos met het onderzoeksrapport lag in een opslagkelder van het gebouw waar de voormalige afdeling Geweldsdelicten was gehuisvest. Lewin had zelf ettelijke jaren in het gebouw gezeten en het was niet de eerste keer dat hij de opslagkelder van deze afdeling betrad. Om er documenten te archiveren of op te zoeken.

Hij kon zich niets herinneren van de dubbelmoord uit 1983. Die zaak was veel te eenvoudig geweest voor hem en zijn collega's. Het was geen moordonderzoek. De zaak was meteen opgehelderd. Als er een moordonderzoek had plaatsgevonden, zou hij het hebben geweten, hoewel hij in zijn bijna dertigjarige loopbaan als rechercheur geweldsdelicten meer dan honderd zaken had onderzocht.

Boven in de doos lag een plastic zakje met een aantal krantenknipsels van de dag na de moord. 'Tragische dubbelmoord', 'Familietragedie', 'Drie doden in gezinsdrama in Spånga'. Ingetogen beschrijvingen van een man van middelbare leeftijd die zijn tienerdochter en haar vriend had doodgeschoten en daarna zichzelf van het leven beroofde. Niets over zijn motieven. Een familietragedie, niet meer en niet minder.

In de dossiermap met het vooronderzoek lag het antwoord.

De dader was schildersbaas. Samen met een compagnon runde hij een schildersbedrijfje met vijf werknemers, een kantoor en werkplaatsen in Vällingby. Drie jaar daarvoor was hij weduwnaar geworden. Zijn vrouw was na een lang ziekbed overleden aan kanker. Hij bleef alleen achter met zijn destijds dertienjarige dochter, die na de dood van haar moeder al snel problemen kreeg. Ze spijbelde van school, kreeg verkeerde vrienden, begon drugs te gebruiken en werd verscheidene keren opgenomen in een afkickcentrum. Op die manier had ze ook haar zeven jaar oudere vriend leren kennen, een drugsverslaafde die bekend was bij de politie en al een aantal korte gevangenisstraffen op zijn strafblad had staan.

Uit het forensisch onderzoek bleek dat de dochter en haar vriend van plan waren om in het huis van haar vader in Spånga te stelen, toen haar vader hen overrompelde door onverwacht thuis te komen. In de hal bij de voordeur trof men namelijk een paar zakken aan. Daarin lagen onder andere het juwelenkistje van de moeder, een paar zilveren kandelaars, een paar schutterstrofeeën van de vader, een nieuw broodrooster en een paar schilderijtjes. Van de trap naar de bovenverdieping had iemand een televisie en een videorecorder naar beneden gegooid. Verderop in de hal, aan de voet van de trap, lag de vriend languit op zijn buik, met een schotwond in zijn hoofd. De kogel zat halverwege de trap in de muur.

De verantwoordelijke forensisch rechercheur was een wat oudere collega aan wie Lewin goede herinneringen bewaarde. Een uiterst nauwkeurige man, die bekendstond als een enorm pietje-precies. Met behulp van verschillende sporen had hij een zeer geloofwaardig beeld van het verloop van de gebeurtenissen kunnen reconstrueren.

De vader komt thuis. Hoort gestommel op de bovenverdieping. Sluipt de kelder in, om zijn revolver uit de wapenkast te halen. Sluipt terug naar de hal. De vriend loopt ondertussen naar beneden, met de tv en videocamera uit de slaapkamer van de vader. Er ontstaat tumult.

Waarschijnlijk heeft de vriend de tv en de videorecorder naar de vader gegooid. Als hij in de hal voorbij de vader probeert te komen, schiet die hem van ongeveer een meter afstand door het hoofd. De vriend overlijdt ter plaatse.

De dochter komt uit de keuken van de benedenverdieping gerend. Ze werpt zich boven op haar vader en begint als een furie te vechten. Haar vader sleept haar de woonkamer in. Zijn schoenen laten een bloedig spoor achter, het bloed van de vriend. Hij smijt haar op de bank. Probeert haar vast te houden. Er gaat nog een schot af. Een doeltreffend schot, dat zijn dochter ter hoogte van haar linkerborst raakt, via haar hart aan de achterkant weer naar buiten komt en in de rugleuning van de bank blijft steken. De dochter overlijdt binnen een minuut in de armen van haar vader. Blijkbaar heeft hij haar zo stevig vastgehouden, dat verschillende ribben gebroken en gekneusd zijn.

Vervolgens loopt haar vader de keuken in. Een bloedig spoor

druppelt van zijn trui. Het bloed van zijn dochter. Hij gaat met zijn rug tegen de koelkast op de grond zitten en schiet zichzelf door het hoofd. De kogel komt binnen via het gehemelte in de bovenkaak, en gaat door het achterhoofd naar buiten. De kogel blijft achter in de koelkastdeur. De vader overlijdt vrijwel onmiddellijk.

Een buurvrouw op leeftijd uit het huis ernaast had de politie verder geholpen met het tijdsverloop. Het eerste schot. Een vrouw die schreeuwt. Het volgende schot, ongeveer een minuut na het eerste. De buurvrouw belt het alarmnummer van de politie. Het gesprek komt binnen om 14.25 uur. Dan volgt het derde schot. Vijf minuten na het tweede. Slechts enkele seconden voordat de eerste surveillancewagen de straat in draait en vijftig meter van het huis tot stilstand komt.

Drie doden, die binnen korte tijd gezelschap krijgen van zo'n twintig agenten van de ordepolitie, de recherche en Forensische Opsporing. 'Drie doden in gezinsdrama in Spånga'.

Zijn ex-collega van Forensische Opsporing heette Bergholm. Hij was eind jaren tachtig al met pensioen gegaan, leefde nog steeds en verkeerde in goede gezondheid. Hij woonde in de Hantverkargatan, een paar blokken van het politiebureau vandaan. Lewin was hem nog maar een maand geleden tegen het lijf gelopen. Bergholm had hem een kop koffie aangeboden, waarbij ze hadden gesproken over de tijden van weleer.

Nadat Bergholm klaar was met zijn onderzoek van de plaats delict, had hij de resultaten naar Geweldsdelicten gestuurd, zodat ze aan de officier van justitie konden worden overhandigd. Hij had ook het verslag van de schietproef en een foto van een van de vergeleken kogels bijgesloten, waarop de sporen van de loop met pijlen waren aangegeven. Bovendien zat er een plastic zakje bij met een van de kogels die hij voor de vergelijking had gebruikt.

Van de drie kogels van de plaats delict had hij drie foto's meegestuurd, waarop hij eveneens de loopsporen met pijlen had aangegeven. Deze kogels bevonden zich echter nog steeds bij Forensische Opsporing. De kogel die hij had opgestuurd, had hij zelf afgevuurd. Een van de twee, als bewijs voor de officier van justitie dat hij zijn werk had gedaan.

Bergholm had tevens een handgeschreven mededeling bijgevoegd. Als de officier van justitie dat op prijs stelde mocht hij de kogel houden. Zelf hield hij dus een reservekogel. Mocht dat niet zo zijn, dan kon de officier van justitie de kogel terugsturen naar Forensische Opsporing. Als hij vragen had, kon hij uiteraard bellen.

Een nauwkeurige man, die bekendstond als een enorm pietje-precies, dacht Jan Lewin.

De officier van justitie, daarentegen, scheen net als de rest te zijn, zodat de kogel in de doos was beland, samen met allerlei andere spullen die men niet meer nodig had.

Dat was misschien maar goed ook, dacht Jan Lewin met een zucht en hij stopte het plastic zakje met de kogel in de binnenzak van zijn jasje.

Vervolgens had hij de doos verzegeld met tape en er een handgeschreven briefje opgeplakt, met bovenaan de datum en het tijdstip en daaronder een korte tekst met uitleg. 'Op hierboven vermeld tijdstip heeft ondergetekende het hierin bewaarde vooronderzoeksmateriaal doorgenomen en bepaald materiaal afkomstig van Forensische Opsporing Stockholm meegenomen, om door de rijksrecherche nader te worden onderzocht'. Daaronder had hij zijn naam en rang genoteerd: hoofdinspecteur van de rijksrecherche Jan Lewin, afdeling Moordzaken. Ten slotte had hij zijn visitekaartje met een paperclip op het deksel van de doos bevestigd.

Ook Jan Lewin was namelijk een nauwkeurige man, die bekendstond als 'een typische boekhouder'.

'Die lijkt in de verste verte niet op de kogel waarmee Palme is doodgeschoten,' constateerde Anna Holt teleurgesteld, toen ze een uur later met het plastic zakje in haar hand de vondst van Lewin bekeek.

'Een ander type munitie,' zei Lewin, die sinds een paar uur van de hoed en de rand wist, dankzij Bergholms oude verslag. 'Dit schijnt het type kogel te zijn waar wedstrijdschutters de voorkeur aan geven,' verklaarde hij. 'Die laat duidelijker afdrukken na op het schietbord. Daarom is de kogel van voren plat. Dan wordt er min of meer een rond gat in het bord gestanst. Als er verscheidene kogelgaten dicht bij elkaar liggen, is het veel eenvoudiger om te zien hoeveel treffers dat zijn geweest, dan wanneer je met een normale kogel schiet waarvan de voorkant spits toeloopt.'

'Dus niet hetzelfde soort munitie,' zei Holt. 'Niet zo'n kogel die door metaal heen kan dringen en waarmee Palme is vermoord?'

'Nee,' zei Lewin. 'Tijdens het onderzoek van de plaats delict in het huis in Spånga vond men een geopend en een ongeopend doosje met dezelfde munitie als die jij in je hand hebt. Ze lagen in de wapenkast van de dader. In de gebruikte revolver zaten drie lege hulzen en drie niet afgevuurde patronen. Zes schoten, een vol magazijn en hetzelfde type munitie als in de doosjes. Twee van de drie niet afgevuurde patronen uit het magazijn heeft collega Bergholm gebruikt om mee proef te schieten, zodat hij zijn vergelijkingsresultaat kon onderbouwen. Liever een kogel te veel dan te weinig.'

'Een kogel van een heel ander type dan de moordkogel, afgevuurd door een revolver die zowat twintig jaar geleden is vernietigd,' constateerde Holt. 'Wat is het toch dat ik steeds meer begin te geloven dat dit meer over Bäckström gaat dan over de moord op Olof Palme?'

'Dat valt hopelijk wel uit te zoeken,' antwoordde Lewin schouderophalend.

'Door jou of door mij?' vroeg Holt, die wiebelend op haar stoel naar hem glimlachte.

'Door jou,' zei Lewin, die terug lachte. 'Zeker niet door mij. Jij begon erover, Anna.'

'Oké dan,' zei Holt. En wat nu, dacht ze.

'Ik heb er alle begrip voor als je knettergek van me begint te worden,' zei Holt toen ze voor de derde keer in drie dagen de chef Forensische Opsporing Stockholm belde.

'Integendeel, Holt,' antwoordde hij. 'Ik zat juist net aan je te denken. Waarom belt ze me nooit, dat dacht ik.'

'Ik ben bang dat ik deze keer naar je toe moet komen.'

'Dan moet je me beloven dat je een kop koffie met me drinkt.'

'Dat beloof ik,' zei Holt.

Drie gesprekken in drie dagen tijd. Dat was al erg genoeg, en daarom had Holt voorgesteld dat ze koffie in zijn werkkamer zouden drinken. Bovendien had ze hem gevraagd hierover te zwijgen.

'Dan ben je aan het goede adres, Holt,' zei haar ex-collega. 'Zoals je nog wel weet, ben ik van het zwijgzame, standvastige soort.'

'Dat weet ik. Waarom zou ik anders met jou willen praten?' Hij probeert me toch niet te versieren, dacht ze.

'Ik hoop dat je me met een paar dingen kunt helpen,' vervolgde ze.

'Vertel.'

'Om te beginnen vraag ik me af of er iets zwart-op-wit staat over de vernietiging van het wapen waar ik voortdurend over zeur. In dat geval wil ik daar graag een kopie van hebben.'

'En verder?'

'Of er hier bij FO nog andere sporen zijn van het wapen. Er is hier in april 1983 mee proefgeschoten. Het verslag daarvan heb ik al. Toch zou ik nog een kopie willen hebben van de kopie die hier moet zijn.'

'Natuurlijk. Geen probleem. Zoals ik al zei is er blijkbaar iemand geweest die die oude kogels heeft opgeruimd, maar het verslag moet hier nog liggen. Het kan wat tijd kosten om de juiste map te vinden, maar dat moet geen probleem zijn.'

'Ik begrijp er verdorie geen jota van,' zei de chef Forensische Opsporing een halfuur later, toen hij de juiste map had gevonden. 'Het lijkt erop dat er ook iemand is geweest die het verslag van de schietproef heeft opgeruimd.'

'Weet je zeker dat het de juiste map is?' vroeg Holt.

'Absoluut,' zei hij en hij draaide het eerste blad om. 'Hier is de lijst met alle documenten die in deze map horen te zitten. Dit is het registratienummer van de revolver waar je naar zoekt, de datum van de schietproef in april 1983, met onderaan in de kantlijn de handtekening van Bergholm. Het verslag moet er ook tussen zitten, maar dat zit er dus niet bij. Ik kan je wel de kopie geven van ons verzoek tot vernietiging. Die is er wel. Die heb ik namelijk zelf onder ogen gehad. Toen je mij voor de eerste keer een bezoek bracht.'

Volgens de kopie van het vernietigingsverzoek had de afdeling Forensische Opsporing van de politie Stockholm in oktober 1988 in totaal eenentwintig wapens laten vernietigen in de artilleriefabriek van de Zweedse defensie, *Försvarets Fabriksverk* in Eskilstuna. Aan de kopie van het verzoek zat de bevestiging van de artilleriefabriek gehecht dat de opdracht was uitgevoerd.

Aan de lijst met wapens was inderdaad te zien dat het om waardeloze spullen ging. Afgezaagde hagelgeweren, oude jachtwapens, een opengeboord startpistool, een zelfgemaakte revolver, een slachtmasker, een spijkerpistool. Mogelijk met één uitzondering: een revolver van het merk Ruger, vervaardigd in 1980, aan het serienummer te zien.

Het wordt steeds merkwaardiger, dacht Holt toen ze de naam zag staan van de collega die het verzoek van Forensische Opsporing kennelijk had verstuurd.

Voordat Lewin aan het einde van zijn werkdag naar huis ging, was hij naar de oude opslagkelder van Geweldsdelicten teruggegaan. Deze keer nam hij de hele doos mee. Hij liep terug naar zijn werkkamer en stopte hem in zijn kluis. Zonder er een spoor van achter te laten, hoewel hij erom bekendstond altijd uiterst nauwkeurig en zeer formeel te werk te gaan.

48

Op donderdagochtend had Holt Bäckström bij zich geroepen om eens een hartig woordje met hem te wisselen.

Eerst had ze verteld wat ze te weten was gekomen over de revolver die achter een koelkast in Flemingsberg was gevonden. Dat hij het registratienummer van Forensische Opsporing had gekregen, dat zijn collega's hem een hak hadden gezet door hem het verkeerde productiejaar te geven en dat hij op zijn beurt Holt in de maling had willen nemen.

'Je hebt me voor de gek gehouden, Bäckström,' zei Holt samenvattend.

'Ik weet niet waar je het over hebt. Het moet een misverstand zijn,' zei Bäckström. Hoezo, voor de gek gehouden, dacht hij. Alsof ze het tegen een kind had. Waar was ze eigenlijk mee bezig? Ze zat hem blijkbaar te bespioneren, om maar niet te spreken van die halve criminelen van FO die hem ertussen wilden nemen.

'Ik denk dat we maar beter orde op zaken kunnen stellen,' zei Holt. 'Ik was van plan om jouw informant op te roepen voor een verhoor.'

'Dat kun je vergeten,' snoof Bäckström. 'Mijn informant is heilig en deze kerel wil per se anoniem blijven. Bovendien is hij niet makkelijk te pakken te krijgen.'

'Waarom niet?'

'Hij woont in het buitenland,' antwoordde Bäckström kortaf.

'Ik dacht dat kunsthandelaar Henning aan het Norr Mälarstrand woonde,' zei Holt met een onschuldig gezicht.

Wat is er verdomme aan de hand, dacht Bäckström. Kunnen ze soms mobieltjes afluisteren? Hebben ze de Säpo op me afgestuurd?

'Ik weet niet waar je het over hebt,' zei Bäckström hoofdschuddend.

'Dan maakt het ook niet uit dat ik met hem praat,' zei Holt.

'Zeg, Holt, als je op een of andere manier met me wilt samenwerken, en dat zou ik maar doen als ik jou was, dan stel ik voor dat jij je met jouw zaken bemoeit en je mij mijn eigen zaakjes laat opknappen. Kijk hier maar eens in, bijvoorbeeld,' zei Bäckström en hij gaf haar het document dat hij uit het centrale archief had meegenomen.

'Waar heb je dat vandaan?' vroeg Holt.

'Lees,' zei Bäckström. Dan heb je wat lekkers om je tanden in te zetten, wijfie, dacht hij.

'Oké,' zei Holt toen ze klaar was met lezen. 'Maar ik begrijp het nog steeds niet.'

Die Holt moet achterlijk zijn, dacht Bäckström. Zelfs voor een wijf moet ze buitengewoon achterlijk zijn.

'Ik ben bezig een profiel van onze dader te maken, van Waltin dus. Ik ben onder andere van mening dat dat uit het oogpunt van het motief interessant zou kunnen zijn.'

'Uit het oogpunt van het motief?'

'Jazeker.' Bäckström knikte nadrukkelijk. 'Ik denk dat het iets met seks te maken heeft.'

'Pardon,' zei Holt. 'Hebben we het hier over de moord op Olof Palme?'

'Nou en of,' zei Bäckström met een sluw gezicht.

'Leg eens uit. Wie zou het met wie hebben gedaan?'

'Ik heb de indruk dat Waltin en die socialist dezelfde interesses hadden, om het zo maar te zeggen.' Ze is nog achterlijker dan een buitengewoon idioot wijf, dacht hij.

'Waarom denk je dat?' Hij moet een tik van de molen hebben gekregen, dacht ze.

'Het was me opgevallen dat ze geweldig op elkaar leken. Van die iele, magere mannetjes uit de bovenklasse. Vochtige ogen. Natte lippen. Je weet hoe ze eruitzien? Alsof ze voortdurend hun lippen aflikten. Er zijn van die geheime clubs voor SM'ers. Ik denk dat je daar zou moeten rondneuzen. Bovendien waren ze allebei jurist.'

'Ik laat iets van me horen als blijkt dat je gelijk hebt,' zei Holt. Ik moet ervoor zorgen dat hij hulp krijgt, dacht ze. Als er al iemand is die een type als Bäckström zou kunnen helpen.

'Ik heb nog iets anders ontdekt,' ging Bäckström door.

'Vertel.'

'Je kent Wiijnbladh wel,' zei Bäckström. 'Die geschifte collega die jaren geleden die vrouw van hem probeerde te vergiftigen. Waltin en hij hadden blijkbaar ook iets gemeen.'

'Je bedoelt dat zij ook een verhouding met elkaar hadden?'

Holt slaat werkelijk alles, zelfs voor een wijf, dacht Bäckström. Vergeleken met Holt komt een gewone koolraap nog in aanmerking voor de Nobelprijs.

'Welnee,' zei Bäckström hoofdschuddend. Zo'n type als Wijnbladh heeft vast nog nooit met iemand liggen wippen, dacht hij.

'Iets heel anders,' vervolgde hij. 'Hij zou Waltin een paar keer hebben geholpen. Waarmee zei hij niet, maar het moet iets heel geheimzinnigs zijn geweest. Hij beweerde dat hij van de Säpo een onderscheiding of medaille had gekregen als blijk van dank.'

'Zoals ik al zei,' zei Holt. 'Ik laat iets van me horen als blijkt dat je gelijk hebt.' Wijnbladh zou Waltin dus hebben geholpen, dacht ze.

Zodra Bäckström was vertrokken, nam Holt contact op met een oude bekende van SKL. Ze had hulp nodig van een vuurwapendeskundige. Gevoelig onderwerp. Informele aanpak. Zodat je je niks in je hoofd kunt halen, mannetje, dacht ze.

'Kun je niet wat concreter zijn?' vroeg hij.

'Ik wil graag dat je een kogel onderzoekt,' antwoordde Holt. 'En die vergelijkt met een andere kogel.'

'Geen probleem.'

'Dan ben ik over twee uur bij je,' zei Holt.

Vervolgens stopte ze het plastic zakje met de kogel in de binnenzak van haar jasje, haalde een dienstauto op, ging eerst nog langs Lewin om een oud verslag van een schietproef uit het voorjaar van 1983 op te halen en reed toen naar Linköping.

'Wat wil je dat ik hiermee doe?' vroeg de oude bekende ruim twee uur later.

'Deze kogel vergelijken met de Palme-kogel,' zei Holt.

'Tjonge.' Hij staarde haar aan, duidelijk verbaasd. 'Weet je wel dat dit een heel ander type kogel is?' vroeg hij.

'Ja,' zei Holt. 'Wat is het probleem?'

'Dat zijn er een paar. Wat weet je van wapens? Van moderne revolvers, bijvoorbeeld?'

'Ik ben niet helemaal een leek. Vertel me het belangrijkste.' Geen lange uitweidingen, alsjeblieft, dacht ze.

'Oké,' zei hij.

Vervolgens had hij haar het belangrijkste verteld. Zonder uitweidingen. De kogel waarmee de minister-president was doodgeschoten, was van het kaliber .357 Magnum. Dat hield in dat die een diameter had van 357-duizendste van een duim, dat wil zeggen iets meer dan negen millimeter. Het woord 'Magnum' betekende dat de patronen een extra sterke kruitlading hadden.

'Dat wist ik al,' zei Holt.

Aan de binnenkant van de loop van een moderne revolver zitten spiraalvormige ribbels en groeven – velden en trekken – die links- of rechtsom draaien. Je zou kunnen zeggen dat de kogel door de loop naar voren wordt geschroefd en dat de velden en trekken er sporen in achterlaten. Doordat de kogel roteert, krijgt deze een rechtere baan.

'Dat wist ik ook,' zei Holt.

Doorgaans verschilden deze kenmerken per type revolver, zoals het aantal velden en trekken, waarvan de veldbreedte, trekrichting en trekhelling varieerden. De trekhelling bepaalde hoe vaak een kogel over een bepaalde afstand rond zijn lengteas kon draaien.

'Hier weet ik deels iets van af,' zei Holt.

'Ziedaar,' zei hij. 'We beginnen in de buurt te komen.'

De revolver waarmee de premier was neergeschoten, telde vijf rechtsdraaiende velden van circa 2,8 millimeter breedte en een trekhelling van circa vijf graden.

'Dat wist ik niet,' zei Holt. 'Maar wat is nu het probleem?'

Het probleem was dat de kogel die ze had meegenomen, niet van hetzelfde type was als de kogel waarmee Palme werd neergeschoten. Kogels werden meestal van lood gemaakt. Zowel de kogel van Holt als de Palme-kogel waren van lood, dus dat was op zich geen probleem.

'Lood is zacht, zoals je weet,' legde hij uit. 'Om de kogels tegen vervorming te beschermen en hun penetratievermogen te vergroten, worden ze voorzien van een beschermend omhulsel dat van harder materiaal is gemaakt. Een zogeheten mantel.'

'Van koper,' zei Holt.

'Doorgaans van koper of van verschillende koperlegeringen. Jouw kogel heeft bijvoorbeeld een mantel van puur koper. Harder dan lood, weliswaar, maar lang niet zo hard als de mantel om de kogels van de Sveavägen. Die is namelijk gemaakt van een legering van koper en zink, en is keihard. Wordt trouwens tombac genoemd.'

'En het probleem?' bracht Holt hem in herinnering.

'De sporen die een loop achterlaat, kunnen per kogel verschillen. Jouw kogel heeft een zachter omhulsel. De sporen van de loop zijn dan vaak duidelijker dan op een kogel met een harder omhulsel. Sporen die niet zijn achtergelaten op een hardere kogel kunnen wel op jouw kogel zitten, omdat die zachter is.'

'Hoe lossen we dat op?' vroeg Holt.

'Geef mij de revolver, dan kan ik er opnieuw mee proefschieten, met net zo'n kogel als de moordenaar op de Sveavägen gebruikte.'

'Dan hebben we een ander probleem,' zei Holt.

Zonder op de details in te gaan, had ze verteld dat ze alleen over de kogel beschikte die zij hem zojuist had gegeven. Plus het verslag van de schietproef die in het voorjaar van 1983 was uitgevoerd.

'Hier is het verslag,' zei Holt, terwijl ze het hem overhandigde.

'Het wapentype klopt. Tot zover geen problemen.'

'En wat doen we nu?'

'We moeten het doen met wat we hebben,' antwoordde de oude bekende en hij knikte bemoedigend. 'Ik zal de kogels van de Sveavägen halen, dan hebben we iets om mee te vergelijken.'

De kogels van de Sveavägen. Nu begint het eindelijk ergens op te lijken, dacht Anna Holt.

Overigens ging het niet echt zoals het er in al die tv-series op de forensische afdeling van de Amerikaanse politie aan toegaat. Hij zat achter zijn microscoop, keek, draaide aan wieltjes, humde wat en maakte aantekeningen. Hij deed daar iets langer dan een halfuur over. Bijna net zo lang als een aflevering van CSI.

'Oké.' Hij ging rechtop zitten en knikte naar Holt.

'*Shoot*,' zei ze. Ze richtte haar rechterwijsvinger op hem, kromde die en vuurde af, vormde haar lippen tot een O en blies de kruitdamp weg.

'Alle sporen die op de Palme-kogel zitten, zijn ook op jouw kogel te vinden,' zei hij. 'Dat duidt erop dat ze van hetzelfde wapen afkomstig zijn. Maar,' vervolgde hij, 'er zitten ook sporen op jouw kogel die niet op de Palme-kogel zitten.'

Natuurlijk, dacht Holt. 'Hoe kan dat?'

'Aangezien jouw kogel drie jaar vóór de kogels van de Sveavägen werden afgevuurd, kunnen we uitsluiten dat ze bij een andere gelegenheid zouden zijn gebruikt. De verklaring is waarschijnlijk dat de mantel van jouw kogel zachter is.'

'Hoe groot is de zekerheid dat ze van hetzelfde wapen afkomstig zijn?' vroeg Holt.

'Wat ik door de telefoon zei over die meer dan negentig procent, kun je vergeten, zolang we niet dezelfde typen kogels met elkaar kunnen vergelijken. Een zekerheid van vijfenzeventig, misschien wel tachtig procent.'

'Wat denk je zelf?' vroeg ze.

'Ik denk dat ze uit hetzelfde wapen komen,' zei hij, terwijl hij haar ernstig aankeek. 'Maar dat zou ik voor de rechter niet durven beweren. Dan zou ik zeggen dat de kogels met vijfenzeventig procent waarschijnlijkheid van hetzelfde wapen afkomstig zijn en dat is niet genoeg voor een veroordeling. Waar we, ondanks alles, blij om moeten zijn.'

'Hoewel alle sporen van de Palme-kogel op mijn kogel te vinden zijn,' zei Holt. Lafaard, dacht ze.

'Het probleem met de sporen is dat het voornamelijk om zogenoemde algemene kenmerken gaat,' legde hij uit. 'Sporen die bij het wapentype horen. Wat de bijzondere kenmerken voor een specifiek wapen betreft, die door gebruik, beschadiging en dergelijke zijn gevormd, ligt dat anders. Daar zijn er wel een paar van, maar ze zijn niet gemakkelijk te vinden en ook niet eenduidig. Iets heel anders: wat vind je ervan om vanavond met mij te eten?'

'Moet een andere keer, helaas,' zei Holt. 'Wat vind je ervan om...'

'Ik weet het,' onderbrak hij haar. Hij glimlachte en hield zijn wijsvinger voor zijn mond. 'Als je dat etentje maar niet vergeet.'

Zodra ze in haar auto zat, belde ze Lewin op zijn mobiel.

'Ik ben over twee uur weer op kantoor,' zei Holt. 'Lisa, jij en ik moeten elkaar nodig spreken.'

'Zo ernstig is het dus,' zei Lewin met een zucht.

'Met vijfenzeventig procent waarschijnlijkheid,' antwoordde Holt.

Daarna belde ze haar chef Lars Martin Johansson, maar hoewel er werd beweerd dat hij om de hoek kon kijken, klonk hij slechts als het Genie van Näsåker.

'Ik begrijp het, Holt,' mopperde Johansson. 'Maar je gelooft toch niet serieus dat die snob van een Waltin Olof Palme heeft doodgeschoten?'

'Heb je geluisterd naar wat ik zeg?'

'Hoe kan me dat ontgaan zijn. Je hebt een halfuur lang aan één stuk door gepraat. Kom naar mijn kamer, zodra je terug bent. Neem die andere twee ook mee.'

'Dat zal ruim een uur duren,' zei Holt. 'Ik heb nog honderdvijftig kilometer te gaan.'

'Nog iets,' zei Johansson, die niet leek te luisteren.

'Ja?'

'Rijd voorzichtig.'

'Dat is aardig van je, Lars.'

'Aangezien je die kogel vast in je zak hebt gestopt,' zei Johansson. Daarna had hij simpelweg opgehangen.

49

GeGurra was eigenlijk een echte bon vivant, dacht Bäckström, die op weg was naar een late donderdaglunch in restaurant Operabaren, die zijn weldoener hem had aangeboden. GeGurra trakteerde altijd en was altijd royaal. Absoluut een echte bon vivant, die zijn manna uitstrooide over alle positieve krachten die zich in zijn buurt bevonden. Zoals Bäckström, bijvoorbeeld.

Bovendien was hij ook wel een beetje een gladjanus, dacht Bäckström. Met zijn zilverwitte haar en zijn witte Italiaanse pakken. Hij gedroeg zich nooit opvallend, als een maffioso van de oude stempel. Hij sprak nooit zijn mond voorbij en bracht zichzelf of anderen nooit in de problemen. Een bon vivant en een gladjanus, dacht hij.

Een beetje als hijzelf, in feite. Vorige week nog had hij niet minder dan vijftig kroon aan een buitengewoon hopeloos wijf gegeven voor een taxi naar de metro, zodat ze terug kon naar het ellendige zigeunerkamp in de buitenwijken ten zuiden van Stockholm. Zodat ze niet Bäckströms bestaan hoefde te bederven door in zijn bed van Hästens te blijven liggen. Plus alle raad en daad waarmee hij iedereen terzijde stond. Helemaal gratis, zelfs voor zo'n krop sla als Anna Holt.

Een beetje zoals jij, Bäckström, dacht Bäckström. Een bon vivant en een gladjanus.

'Hoe is de erwtensoep in deze toko?' vroeg Bäckström, zodra hij was gaan zitten en iets versterkends had genomen om de weg voor zijn lunch te banen.

'De lekkerste van de stad,' zei GeGurra. 'Zelfgemaakt, met extra spek en worst. Worst van echt vlees, en van dat ouderwetse, vette spek. Dat krijg je er uiteraard bij, in dikke plakken. Geserveerd op een apart bordje.'

'Dan wordt het erwtensoep,' besloot Bäckström.

'Wil je er warme punch bij?'

'Een gewone borrel en een pilsje is prima,' antwoordde Bäckström. Warme punch? Denkt hij soms dat ik een *faggott* ben?

'Zelf neem ik de gebakken aalbot. En een glas bronwater,' zei GeGurra, die bevestigend knikte naar de witgeklede kelner.

Vis, dacht Bäckström. Zitten hier alleen flikkers of zo?

Leuke tent, dacht Bäckström. Bijna leeg zodra de lunchdrukte voorbij was, ideaal voor een vertrouwelijk gesprek.

'Hoe gaat het?' vroeg GeGurra, die naar voren leunde.

'Het gaat vooruit. In een flink tempo, moet ik zeggen,' voegde hij eraan toe, om GeGurra niet op verkeerde gedachten te brengen onder zijn witte haar.

'Ik begin een beetje vat te krijgen op die Waltin,' vervolgde Bäckström, waarna hij in grote lijnen verslag deed van zijn bevindingen in het centraal archief.

'Dat vermoedde ik haast al. Soms kon hij zich op zijn zachtst gezegd zeer merkwaardig uitdrukken.' GeGurra zuchtte en huiverde.

'Ik heb de indruk gekregen dat het om iets seksueels gaat,' zei Bäckström. Vraag maar aan die vrouw met de kandelaar, dacht hij.

'Iets seksueels? Nu kan ik je niet volgen.'

'Wat het motief betreft,' verduidelijkte Bäckström, waarna hij ook deze redenering uiteenzette.

'Met dat aspect ga ik me niet bemoeien,' zei GeGurra, die bijna afwerend met zijn witte hoofd schudde. 'Hoever ben je met het wapen?'

Hoezo, ga ik me niet mee bemoeien, dacht Bäckström. Wie denkt hij verdomme dat hij is? Ingvar Kamprad van IKEA, of zo?

'Vijftig miljoen kroon,' zei Bäckström, die zijn duim en wijsvinger tegen elkaar wreef. 'Het wapen is tien miljoen. Daar zou ik op zich ook niet op neerkijken, maar nu praten we dus over vijftig. Als ik het wapen vind, vind ik ook de moordenaar. Behalve Waltin zijn er meer gasten bij deze zaak betrokken,' zei Bäckström, die GeGurra een staaltje van zijn gewichtige politieblik ten beste gaf.

'Denk je dat je het wapen zult vinden en ook de moord op kunt lossen?'

'En of ik dat denk,' zei Bäckström. 'Ik ben het wapen op het spoor en heb al twee betrokkenen gevonden. En er zijn er meer, als je het mij vraagt.'

'Ik veronderstel dat ik anoniem kan blijven,' zei GeGurra. 'Ik moet erbuiten gehouden worden, zoals je begrijpt. Dit soort dingen doet de zaken geen goed.'

'Vanzelfsprekend,' zei Bäckström. En naar die fiftyfifty kun je wel fluiten, dacht hij.

Een bon vivant en een gladjanus, dacht Bäckström, toen hij in de taxi op weg naar zijn werk zat. Maar toch niet zoals ik. Een beetje te nichterig, en als puntje bij paaltje komt een tikkeltje te nerveus.

Donderdagse erwtensoep met extra veel spek en worst, rijkelijk besmeerd met mosterd, en daarbij een paar stevige borrels en een groot glas bier om het systeem in werking te houden. Een paar pannenkoeken met slagroom en jam toe, wat al met al een fenomenale uitwerking had op zijn maag, die al begon te rommelen als een hoogoven toen hij achter zijn bureau neerplofte. Misschien zou ik de deur open moeten zetten, zodat al die speurneusjes in de gang de gelegenheid krijgen mee te genieten van die geweldige lunch, dacht Bäckström, die voelde dat er een enorme gasbom op weg naar beneden was.

Daarna had hij alvast voorzichtig wat druk gegeven, maar het wilde nog niet echt lukken, totdat die halfmislukte baas van hem plotseling op de deur klopte en zijn kamer binnenkwam. Nu zul je het krijgen, mappendragertje, dacht Bäckström. Hij schonk hem het boze oog, liet zich in zijn stoel zakken, tilde zijn linkerbil op en spande zijn goed getrainde diafragma aan. Hij had tenminste een flinke buik, niet zo'n doodgewoon ielig sixpack, waar al die fitnessflikkers mee rondliepen.

Een formidabele gasexplosie. Een van zijn beste ooit. Een ware symfonie. Eerst een paar flinke stoten op de bilbazuin, een solo van een paar seconden van de darmtrompet en afsluitend een paar sisgeluiden met de anaalfluit.

'Kan ik iets voor je doen,' vroeg Bäckström, die een beetje op zijn billen heen en weer wipte. Hier heb je iets lekkers om je tanden in te zetten, dacht hij. Die kleine rotzak zag eruit alsof hij op het punt stond flauw te vallen. Blijkbaar wilde hij alleen een brief afgeven.

'Leg hem maar bij die andere rommel.' Bäckström wees naar zijn overvolle bureau. 'Ik zal hem lezen zodra ik tijd heb.' Wat kreeg die ineens een haast, zeg, dacht hij.

De brief was afkomstig van de vrouwelijke hoofdcommissaris van de politie Stockholm. Net zo mager als Holt, die militante pot. Net zo geschift als Holt en ongetwijfeld lid van dezelfde diendercIub van potten en flikkers.

Bäckström had een oproep gekregen voor een emancipatiecursus, die aanstaande maandag om negen uur al van start zou gaan en de hele week zou duren. De hoogste politieleiding had namelijk gemerkt dat Bäckström dit verplichte onderdeel van de politieopleiding kennelijk was misgelopen en wilde daar dientengevolge onmiddellijk verandering in brengen. Hij werd verwacht in een internaatcomplex in Roslagen. Het was geen verzoek, maar een bevel.

Nu is het oorlog, dacht Bäckström, die al zijn spieren aanspande, vanaf zijn navel naar beneden.

50

Na anderhalf uur belde Johansson naar Holts mobiel.

'Ik sta in de file bij Essingen,' legde Holt uit. 'Ik zie je over een kwartier.'

'Ik dacht dat er zwaailicht op die auto zat,' zei Johansson zeurderig.

Meestal opgewekt, veel te vaak boos, soms chagrijnig, maar nooit zeurderig. Johansson maakt zich vast ergens zorgen over, dacht Holt verwonderd.

Ook al was dat zo, er was geen spoor van te ontdekken toen ze twintig minuten later zijn vergaderkamer binnenkwam. Hij zat in een geanimeerd gesprek met Lewin en Mattei, en ze zagen er alle drie opgewekt uit.

'Koffie?' vroeg Johansson met een hoofdknikje naar het dienblad op tafel. 'Ik kan me die keren herinneren dat ik veldwerk deed en had gereden als een autodief. Dan had ik na afloop altijd enorm veel trek in koffie.'

'Ik dacht dat Jarnebring altijd reed,' zei Holt, ook met een glimlach.

'Grootspraak,' zei Johansson voldaan. 'Kun je ons een korte samenvatting geven, Anna?'

Merkwaardig gedoe rond een parkeerboete. Een vernietigde revolver en een verdwenen verslag van een schietproef. Met vijfenzeventig procent waarschijnlijkheid hadden ze iets gevonden wat een aardbeving zou veroorzaken. En niet alleen in hun contreien. Hoog tijd dat de zaak werd overgedaan aan de hoofdofficier van justitie in Stockholm en het rechercheteam dat de regering in de praktijk had ingesteld.

'Je krijgt onmiskenbaar de indruk dat Waltin een en ander heeft opgeruimd en daarmee is het niet langer onze zaak,' besloot Holt, die op de tafel steunde en haar woorden kracht bijzette door haar kin vooruit te steken.

'Daar komen we later op terug,' zei Johansson. 'Nu gaan we een tijdje Jantje Contrarie spelen. Jij begint, Lisa.'

Dat Waltin bij de moord betrokken zou zijn, was lang niet bewezen, volgens Mattei. Daarentegen was het wel volkomen zeker dat hij al vijftien jaar dood was. Dat hij op Mallorca door een verdrinkingsongeval om het leven was gekomen. Hij was al jaren dood, het worstcasescenario voor wie in een moordonderzoek op zoek gaat naar de dader.

Dat hij de minister-president zou hebben doodgeschoten, leek haar uiterst onwaarschijnlijk. Het signalement dat de getuigen van de dader hadden gegeven, kwam in elk geval niet overeen met Waltin.

'Een meter vijfenzeventig lang. Iets langer dan het slachtoffer. Slank en tenger gebouwd. Klopt niet,' zei Mattei. 'Klopt niet met de getuigenverklaringen en nog minder met de schiethoek waar de forensisch rechercheurs het over hadden. Die duidt vrijwel zeker op een dader van op zijn minst een meter tachtig. Waarschijnlijk is hij nog langer.'

Al was er wel degelijk sprake van merkwaardige omstandigheden. Maar daarmee was nog niet gezegd dat Waltin erachter zat. De ervaring leerde dat zelfs collega's die nauwelijks iets te verbergen hadden, soms documenten en technisch bewijsmateriaal vernietigden. Misschien gewoon uit onzorgvuldigheid?

'Toch ben ik van mening dat dat gedoe rond die parkeerboete in een bepaalde richting wijst,' bracht Holt ertegen in.

'Zeker,' zei Mattei. 'Maar er kan ook gewoon een dwaze, menselijke verklaring voor zijn. Zoals die echtgenoot die zich liever laat opsluiten als verdachte voor de moord op zijn vrouw dan dat hij bekent dat hij bij haar vriendin was, toen zijn vrouw door een ander werd vermoord.'

'Zo'n geval heb ik echt een keer meegemaakt,' constateerde Johansson tevreden.

Een aantal merkwaardige omstandigheden. Details die in juridisch opzicht niet eens voor aanwijzingen konden doorgaan. Laat staan dat Waltin door deze reeks van aanwijzingen aan het verdwenen wapen kon worden gekoppeld, of het verdwenen wapen aan een dader die met Waltin in verband kon worden gebracht, om beiden uiteindelijk verbonden te kunnen worden aan de moord op een Zweedse minister-president.

'Wat overblijft, is dat onze kogel met vijfenzeventig procent waarschijnlijkheid van het moordwapen afkomstig is,' zei Mattei. 'Dat is niet voldoende voor een rechtzaak. Lang niet voldoende.'

'Neem bijvoorbeeld het wapen,' vervolgde ze. 'De gedachte die achter deze theorie schijnt te zitten, is dat iemand, en dan waarschijnlijk Waltin, een revolver van de afdeling Forensische Opsporing in Stockholm zou hebben bemachtigd. Hoe was dat mogelijk? Zou een hoogopgeleide jurist van de veiligheidsdienst contact hebben gehad met iemand van Forensische Opsporing? Zo ja, met wie?' Mattei keek Holt vragend aan.

'Met Wiijnbladh,' zei Holt. 'Ze zeggen dat Waltin collega Wiijnbladh heeft gekend toen hij bij Forensische Opsporing werkte en dat Waltin wellicht via hem aan het wapen is gekomen.'

'Neem me niet kwalijk,' zei Johansson. 'Praten we nu over die psychopaat die zijn vrouw probeerde te vergiftigen?'

'Inderdaad,' antwoordde Holt.

'Hoe weet je dat dan?' vroeg Johansson.

'Van Bäckström,' zei Holt met een zucht.

'Misschien zouden we Bäckström in ons groepje moeten opnemen,' zei Johansson. 'Vertel,' zei hij met een bemoedigend knikje.

'Typisch Bäckström,' constateerde Johansson vijf minuten later. 'Ik ben oprecht nieuwsgierig naar die medaille die Wiijnbladh van Waltin zou hebben gekregen.'

'In elk geval een of andere onderscheiding,' zei Holt. 'Hoe dan ook. Wat doen we nu?'

'We doen het volgende,' zei Johansson. Hij hield zijn rechterhand omhoog en telde op zijn vingers.

'Ten eerste maken we een overzicht van wat we over ex-collega Waltin weten. Zonder slapende honden wakker te maken onder zijn voormalige collega's.'

'Ten tweede,' vervolgde hij, 'gaan we Bäckströms informant, Wiijnbladh, en Bäckström zelf verhoren. In die volgorde.'

'En daarna dragen we de zaak over aan het Palme-team,' vulde

Holt aan, die niet van plan was op te geven. Deze keer niet.

'Als we iets hebben om over te dragen, dan doen we dat,' zei Johansson. Wie dan leeft, wie dan zorgt, dacht hij.

Voordat ze uit elkaar gingen, had Johansson beslag gelegd op de kogel die Holt inderdaad in de binnenzak van haar jasje had gestopt.

Wat moet hij daar nu mee, dacht ze.

51

Mattei moest een romantische minicruise afzeggen om zich aan het politiespoor van het Palme-onderzoek te kunnen wijden. Hoewel Johan zeven jaar jonger was dan zij, had hij zijn teleurstelling als een echte kerel gedragen. Hij kon zich ook andere cruisetochtjes voorstellen, als ze een paar uurtjes overhad.

Maar eerst een en ander uitpluizen, dacht Mattei, die elke andere gedachte van zich afzette. Er zeker van zijn dat Waltin niet tussen het materiaal zat. En tegelijkertijd op zoek gaan naar een mogelijke contactpersoon. Als Waltin al bij de zaak betrokken was, kon hij sowieso de premier niet hebben neergeschoten. Als hij een medeplichtige had gehad, bestond er een redelijke kans dat deze dezelfde achtergrond had als Waltin.

Moet ik alleen hem nog zien te vinden, dacht Mattei.

Op vrijdagochtend hadden Anna Holt, Lisa Mattei en Jan Lewin al een begin gemaakt met een persoonsdossier over Claes Waltin. Hij was al vijftien jaar dood, maar dat was voor mensen als zij en de inlichtingendienst van de rijksrecherche geen onoverkomelijke hindernis. Al op vrijdagmiddag hadden ze nog een dossiermap samengesteld, die aan de duizend andere mappen van het onderzoek kon worden toegevoegd.

Claes Adolf Waltin was op 20 april 1945 geboren en op zevenenveertigjarige leeftijd door een verdrinkingsongeval op Noord-Mallorca om het leven gekomen, op 17 oktober 1992. Hij was geboren en getogen in Stockholm, in Östermalm. Hij was het enige kind van fabrieksdirecteur Claes Robert Waltin, geboren in 1919, en zijn vier jaar jongere echtgenote Aino Elisabeth, meisjesnaam Carlsberg. Zijn ouders waren in 1952 gescheiden. Zijn moeder was in 1969 omgekomen bij een ongeval. Zijn vader leefde toen nog, was hertrouwd met een tien jaar jongere vrouw en woonde op een boerderij in de omgeving van Kristianstad in Skåne.

'Wist je dat de tweede naam van Waltin Adolf is?' vroeg Lewin aan

Mattei, die aan de andere kant van de tafel in een aanzienlijke stapel papier zat te bladeren. 'Welke ouder noemt zijn zoon nu Adolf, als hij op 20 april 1945 geboren is? Dat is immers maar een paar weken vóór het einde van de Tweede Wereldoorlog.'

'Dat is de geboortedag van Hitler,' zei Mattei. 'Zijn vader en moeder wilden hem zeker een voorbeeld stellen. Het waren vast nazi's.'

'De geboortedag van Hitler?'

'Adolf Hitler werd ook op 20 april geboren, op 20 april 1889. In het dorpje Braunau in Oostenrijk,' zei Mattei. In plaats van in de Stockholmse vrouwenkliniek. En kom nu in hemelsnaam niet met een of ander nazispoor op de proppen, als blijk van dank, dacht ze.

'Merkwaardig.' Lewin schudde zijn hoofd. 'Zeer merkwaardig.'

Zucht, dacht Lisa Mattei.

In het deel van het Palme-materiaal dat het politiespoor betrof, had Mattei niets over Waltin of Wiijnbladh kunnen vinden. Ze had evenmin aanwijzingen gevonden dat er gegevens waren weggenomen. Als je zoiets al kunt vinden, dacht ze.

Bij gebrek aan beter had ze ook gezocht naar hoofdinspecteur Evert Bäckström. Gezien het leven dat hij leidde, zou hij voor een dergelijk spoor uit het goede hout gesneden zijn. Maar Bäckström had evenmin een spoor achtergelaten. Wel in andere onderzoeksdossiers, maar dan als leider van een verhoor. *One of the Good Guys.* Hoe is het mogelijk, dacht Mattei.

Waltin was niet bepaald een aardige, gemoedelijke kerel, dacht Anna Holt, nadat ze opnieuw het oude onderzoek had doorgelezen dat Bäckström haar had gegeven. De aangifte was geen misdrijf en werd daarom geseponeerd, volgens het besluit van de officier van justitie. Ze had ook geen vergelijkbaar geval gevonden of überhaupt iets wat belastend voor hem was. Waltin kwam niet in het politieregister voor. Zelfs niet voor een simpele snelheidsovertreding.

Wonderlijk, dacht Holt. Dat soort types liet gewoonlijk altijd sporen na.

Claes Waltin had in 1964 de middelbare school afgerond en vervolgens zijn dienstplicht vervuld bij de Norrlandse dragonders in Umeå. In het najaar van 1965 was hij aan zijn rechtenstudie begonnen aan de Universiteit van Stockholm, waar hij ruim de tijd voor had genomen. Pas na acht jaar had hij zijn doctoraalexamen gehaald, met middelmatige cijfers. Daarna had hij zich aangemeld bij de opleiding voor hoger politiepersoneel. Die rondde hij af binnen de daarvoor aangegeven tijd, waarna hij in 1975 werd aangenomen als politiesecretaris bij de juridische afdeling van de politie Stockholm.

Twee jaar later veranderde hij van functie en begon hij bij de veiligheidsdienst. Eerst als hoofdinspecteur, totdat hij in 1985 werd bevorderd tot commissaris en naaste man van het hoofd operationele zaken van de Säpo, de legendarische chef de bureau Berg.

Drie jaar later had hij plotseling ontslag genomen. Nog eens vier jaar later was hij dood. Op slechts zevenenveertigjarige leeftijd en schijnbaar volkomen gezond, was hij tijdens een vakantie op Mallorca ineens verdronken.

Op Mallorca nog wel, dacht Holt.

Johansson leek zich met heel andere zaken te hebben beziggehouden dan met Claes Waltin. Op vrijdagmiddag had hij een bijeenkomst bijgewoond in Rosenbad en na afloop was hij de bijzonder deskundige tegen het lijf gelopen, die hem snel apart had genomen in zijn werkkamer.

'Goed je weer eens te zien, Lars Martin,' zei de bijzonder deskundige, die er werkelijk uitzag alsof hij het meende. 'Ik heb je mailtje trouwens gelezen.'

'Over de herten van het Magdalen College. Nog bedankt voor het diner laatst, overigens,' zei Johansson.

'Het leven heeft me in elk geval één ding geleerd,' constateerde de bijzonder deskundige. 'Niet alleen over de herten van Magdalen,' voegde hij eraan toe.

'En dat is?'

'Dat zelfs verstandige mensen als jij de waarheid vaak verwarren met wat jullie denken te weten,' antwoordde de bijzonder deskundige met een knipoog naar zijn bezoeker. 'Heb je er wel eens aan gedacht, Lars Martin,' vervolgde hij, 'hoe vaak de waarheid achter een masker schuilgaat en dan ook nog gehuld in kleding die ze niet eens heeft geleend, maar van een ander heeft gestolen?'

'Ik dacht dat de leugen achter een masker schuilging.'

'De waarheid ook,' zei de bijzonder deskundige, ernstig knikkend.

Ze delen niet alleen dezelfde kamer. Ze delen ook het bed, en hebben een levenslange relatie, waarin het bestaan van de een de overlevingsvoorwaarde is voor de ander.'

'Je bent in een filosofische stemming, hoor ik.' Probeert hij me iets duidelijk te maken, of is hij alleen maar een slechte verliezer, dacht Johansson.

'Over de waarheid gesproken,' ging de bijzonder deskundige verder. 'Voel je er iets voor om bij het volgende seminar van het Turinggenootschap aanwezig te zijn? Als voorzitter van het genootschap zou ik me bijzonder ingenomen voelen met een wijze en welingelichte gast als jij.'

'Waar gaan jullie het over hebben?'

'Over de moord op Olof Palme.'

Claes Waltin was verdronken tijdens een vakantie op Mallorca, in oktober 1992. Hij verbleef in het beste hotel van Noord-Mallorca en kwam al jaren achtereen in dezelfde periode op dezelfde plek. Zijn jaarlijks uitje in oktober bestond uit een weekje vakantie in Hotel Formentor.

Elke ochtend liep hij naar het strand voor een ochtendduik. Het privéstrand van het hotel. Goed afgeschermd van Jan en alleman en pottenkijkers. Het water had nog altijd een temperatuur van rond de twintig graden, dus zo merkwaardig was dat niet. Voor iemand als Waltin of iemand die niet uit Spanje kwam, althans. Voor Spanjaarden was het veel te koud. Bovendien veel te vroeg in de ochtend. Normaal gesproken sliepen de gasten van Hotel Formentor nog op dit tijdstip. Vandaar dat Waltin altijd alleen in zee zwom.

Rond acht uur 's ochtends, op dit voor elke beschaafde Spanjaard onchristelijke uur, was hij langs de receptie gelopen. Gekleed in een badjas en badlaken was hij duidelijk op weg naar zijn dagelijkse ochtendduik, volgens de werknemers van de receptie met wie de Spaanse politie had gesproken. Señor Waltin had zich net zo gedragen als anders. Hij had de mannelijke portier vriendelijk begroet en zijn vrouwelijke collega de glimlach en het compliment gegeven dat ze altijd ontving, wie ze ook was. Alles was gegaan zoals gewoonlijk, de laatste keer dat Claes Waltin in levenden lijve was gezien.

Veertien dagen later hadden ze hem gevonden. Dat wat nog over was van de voormalige hoofdinspecteur was enkele kilometers van het hotel op het strand aangespoeld. Een natuurlijke dood door verdrinking, luidde het oordeel van de Spaanse politie. Ze hadden in elk geval geen duidelijke aanwijzingen gevonden die op moord of zelfmoord duidden. De Zweedse veiligheidsdienst was een eigen onderzoek gestart. Dat een voormalige hoge politiefunctionaris voor een luxe hotel in Zuid-Europa was verdronken, nam men niet licht op. Niet in het minst omdat het gezondheidsonderzoek dat Waltin slechts een maand voor zijn dood had ondergaan, had aangetoond dat hij kerngezond was. Afgezien van ietwat te hoge leverwaarden leek hij in een prima conditie te verkeren. Maar ze waren tot dezelfde conclusie gekomen als hun Spaanse collega's.

Het was een ongeval, er was niets vreemds aan. Pas toen men zijn testament had geopend, werd het merkwaardig. Zeer, zeer merkwaardig.

Tegen vier uur 's middags begon Lewin op de klok te kijken en onrustig heen en weer te schuiven. Eerst had Mattei hem genegeerd, maar uiteindelijk had ze medelijden gekregen. Ze was zelf van plan de hele avond door te werken, maar omdat ze de bescheiden, loyale Lewin goed kende, had ze hem uit zijn lijden verlost.

'Voordat je naar huis gaat, Jan,' zei Mattei, 'ik heb dat Adolf-verhaal voor je uitgezocht.'

'Adolf?'

'Claes Adolf Waltin,' verduidelijkte Mattei. 'Zijn vader Robert bleek tijdens de oorlog lid van de nazi's te zijn geweest. Sloot zich als vrijwilliger bij de Duitsers aan. Van 1942 tot het eind van de oorlog maakte hij deel uit van bataljon Viking, een ss-bataljon dat uit Scandinavische vrijwilligers bestond. Uit Zweden, Denen en Noren.'

'Hoe weet je dat?' vroeg Lewin, die haar weifelend aankeek.

'Op internet gevonden. Hij wordt genoemd in Hermanssons proefschrift over de Zweedse vrijwilligers van bataljon Viking. Hij werd drie keer onderscheiden met het IJzeren Kruis. Werd van gewoon soldaat bevorderd tot luitenant. Was tot ver in de jaren zeventig een bekende rechts-extremist en nationalist. Ongeveer op hetzelfde moment dat zijn zoon bij de politie begint, verdwijnt hij uit de Zweedse nationalistische bewegingen.'

'Merkwaardig, uiterst merkwaardig,' zei Lewin en hij schudde zijn hoofd.

Financiële problemen scheen Waltin niet te hebben gehad. Op vierentwintigjarige leeftijd werd hij miljonair, nadat hij het geld van zijn moeder had geërfd. Hij was multimiljonair toen hij stierf en liet het merkwaardigste testament na dat Holt ooit had gelezen. Als rechercheur bij de politie had ze er door de jaren heen verscheidene gelezen, maar geen enkele kwam ook maar in de buurt van de laatste wil van voormalig hoofdinspecteur Claes Waltin.

Hij was knettergek, of nog erger, dacht Holt.

Het testament lag in Waltins bankkluisje van de Skandinaviska Enskilda Banken. Het was met de hand geschreven. Door hemzelf, volgens de grafologisch expert van de politie.

Waltin had ettelijke miljoenen nagelaten, en van al dat geld moest een stichting worden opgericht die het onderzoek naar hypochondrische kwaaltjes bij vrouwen zou steunen, ter nagedachtenis aan zijn moeder. De stichting zou ook haar naam krijgen. Een lange naam: de Stichting voor Onderzoek naar Hypochondrie ter nagedachtenis aan Aino Waltin en alle andere wijven met een ingebeelde ziekte, die het leven van hun kinderen hebben veronaangenaamd.

Wat een moederskindje, dacht Holt.

Al snel werd de tekst nog erger en raakte die ver buiten de kaders die normaal gesproken golden als je je testament opstelde. De overledene had namelijk een lange motivatie bijgevoegd, die volgens 'de laatste wil van de donateur' in de statuten van de stichting opgenomen diende te worden.

'Mijn moeder Aino Waltin heeft tijdens mijn jeugd alle mogelijke dodelijke ziekten gekregen die binnen de medische wetenschap bekend zijn. Desondanks is ze haar voortdurende belofte om binnen afzienbare tijd het aardse leven te verlaten, nooit nagekomen. Aangezien het evenmin mogelijk was haar aan te klagen voor een civielrechtelijke procedure wegens niet-nakoming, zag ik mij genoodzaakt haar persoonlijk het leven te benemen door haar van het perron van het metrostation Östermalm te duwen, toen zij op weg was naar een van haar dagelijkse doktersbezoeken.'

Maar geen gewoon moederskindje, dacht Holt.

Het testament werd uiteraard aangevochten door de eerste erfgenaam, Waltins vader. De rechtbank stond aan zijn kant en was van mening dat het testament ongeldig moest worden verklaard, aangezien de erflater klaarblijkelijk niet bij zijn volle verstand was toen het testament werd geschreven.

Restte het merkwaardige feit dat Lewins moeder inderdaad in het metrostation Östermalm voor een trein naar beneden was gevallen. Ze werd overreden en stierf ter plekke. Volgens de politie betrof het een ongeval. Waarschijnlijk was ze het slachtoffer geworden van een van haar steeds terugkerende duizelingen, zoals een van haar artsen vertelde. Overleden door een ongeval, in juni 1969. Haar enige zoon en erfgenaam was toen vierentwintig jaar en studeerde rechten aan de Universiteit van Stockholm. Voor hem ging het leven verder.

Veel ongelukken in dat gezin, dacht Holt.

Puerto Alcudia op Noord-Mallorca.
De winter van 1992-1993.

De Esperanza was gebouwd op een kleine, plaatselijke scheepswerf in Puerto Alcudia, die nog altijd in eigendom was van en gerund werd door Ignacio Ballester en zijn twee zonen Felipe en Guillermo. De scheepswerf was al generaties lang in het bezit van de familie en was al die tijd gespecialiseerd in het maken van de lokale vissersboot, de Illaut.

Deze klant had echter een speciale wens, die gedeeltelijk brak met de traditie. Hij wilde bijvoorbeeld niet dat er een loodrecht omhoogwijzende boegspriet op zat, die immers vooral als versiering diende, net als de draak op de voorsteven van een Vikingschip, maar die ook handig was om vast te kunnen grijpen als je aan boord wilde gaan van een deinend dek.

Ignacio had daar met zijn klant over gesproken, maar die had alleen zijn hoofd geschud. Bovendien vertelde hij dat de Vikingen helemaal geen draak op de voorsteven van hun boten hadden. Dat was een romantisch verzinsel van later tijden, en als Ignacio hem niet geloofde, kon hij altijd nog Felipe en Guillermo meenemen naar Oslo om daar een bezoek te brengen aan het Vikingskiphuset om met eigen ogen te zien hoe de vaartuigen van de Vikingen eruitzagen.

Ignacio had zich laten overhalen. Over dit soort dingen wist de klant vermoedelijk meer dan hij en de klant had altijd gelijk, zolang het maar niet ten koste ging van de zeewaardigheid van de boten die hij met zijn zoons bouwde.

Hij wilde ook geen mast. Hij was niet van plan met de Esperanza te gaan zeilen, maar vertrouwde volledig op haar motor. Een mast zorgde er alleen maar voor dat het schip onnodig veel deinde, en de klant wilde stevig met zijn voeten op het dek kunnen staan.

Hij wilde daarentegen wel een aantal andere zaken, die een gewone Illaut niet had. Een echolood natuurlijk, noodzakelijk voor degene die een duik in onbekende wateren wilde nemen, en goed voor degene die liever ging vissen. Ze hadden ook over een radar gesproken, maar ze kwamen tot het gemeenschappelijke besluit daarvan af te zien, omdat die te veel uit zou steken en de mooie belijning van de Esperanza zou verstoren. De navigatie-uitrusting die aan boord was – kompas, zeekaart, kaartentafel en een liniaal – deugde prima volgens Ignacio's klant, bovendien had hij die enkele jaren later aangevuld met een modern GPS-*systeem.*

Nog een paar jaar later had Ignacio een gasstel geïnstalleerd aan boord van de Esperanza. Een beter fornuis voor vlees, groenten, verse vis of schelpdieren bestond er niet. Voor de eigenaar van de Esperanza en zijn gasten, voor ledige, zonovergoten dagen op zee. Het gasstel kon worden opgeklapt tegen het roefschot, zodat het minder plaats innam als het niet werd gebruikt, en was voorzien van een roestvrijstalen kap, die bestand was tegen weer en wind. De tank zat verborgen onder het dek en de slang van de gasfles van twintig liter had Ignacio door de roefwand getrokken, om de buitenkant mooi en schoon te houden.

Daarna viel er niet veel meer te verbeteren aan de Esperanza. Ignacio trok haar elk voorjaar op de scheepshelling voor de jaarlijkse onderhoudsbeurt en om de bodem schoon te schrapen, iets wat bij alle houten boten moest gebeuren, vooral in dit water vol schelpdieren.

De Esperanza was een zeer fraai bootje en haar eigenaar had altijd goed voor haar gezorgd.

52

Woensdag 12 september. Vier weken voor 10 oktober.
Het hoofdkwartier van de rijksrecherche in Kungsholmen, Stockholm.

De vergaderkamer van de hoogste baas. Aan tafel zitten dezelfde vier als altijd. Lars Martin Johansson, Anna Holt, Jan Lewin en Lisa Mattei. Buiten het raam is de herfst begonnen, na een lange, warme zomer waar nooit een einde aan leek te komen. Plotseling, overrompelend en zonder waarschuwing vooraf was hij gekomen. Hij had de temperatuur gehalveerd en toegeslagen met een stormachtige wind. Als een straatrover, die in het park aan de overkant aan de bomen staat te rukken en zich tegen de gevel werpt van het gebouw waarin ze zitten.

'Een vraag,' zegt Holt. 'Waarom neemt hij zomaar ineens ontslag bij de Säpo? Waltin, dus. Volgens mijn papieren zou hij in mei 1988 zijn ontslag hebben ingediend en in formele zin per 1 juli van dat jaar zijn gestopt. Maar begin juni scheen hij al uit dienst te zijn getreden. Dan levert hij namelijk zijn politielegitimatie, sleutels en dienstwapen in en tekent hij zijn ontslagpapieren. Ik heb alleen kunnen achterhalen dat hij op eigen verzoek ontslag heeft genomen.'

'Hij had geen keus,' antwoordde Johansson. 'Het alternatief zou zijn geweest dat hij eruit zou vliegen.'

'Waarom?' Holt keek haar chef nieuwsgierig aan.

'Oké dan,' zuchtte Johansson, die eruitzag als het voormalige hoofd van de Säpo, wat hij in feite ook was. 'Op voorwaarde dat we het binnenskamers houden. Kort samengevat: vanwege een groot aantal financiële ongeregeldheden, waaronder een aantal zuivere gevallen van fraude. Waltin was tevens chef van de zogenaamde externe werkzaamheden. De veiligheidsdienst had onder meer wat particuliere bedrijfjes opgericht, als dekmantel en controle-instrument. Waltin leek er vooral in geïnteresseerd te zijn geld te verdienen. De accountants van het parlement gingen door het lint toen ze erachter kwamen. Justitie stelde een onderzoek in en constateerde dat de hele gang van zaken vanaf het begin wettelijke grondslag miste. Helemaal los van Waltins persoonlijke ondernemersactiviteiten.'

'Hoe doet de Säpo dat tegenwoordig dan?' vroeg Mattei met een onschuldig gezicht.

'Pardon?' zei Johansson. Wat zit ze daar te suggereren, dacht hij.

'Ik maakte maar een grapje. Sorry,' zei Mattei, die geen spijt leek te hebben.

'Laat dat,' zei Johansson grimmig. Wat is er met Mattei aan de hand, dacht hij.

'Ik heb trouwens ook een vraag,' vervolgde hij een moment later.

Hadden ze al nagedacht over Waltins motief, mocht het inderdaad zo erg zijn dat hij betrokken was bij de moord op de minister-president? Al was Johansson geen fan van motieven. Hij beschouwde ze vooral als een genotsmiddel voor de juridische elite, waarmee echte politieagenten zelden gediend waren als ze verder wilden komen met hun speurwerk. Feitelijk, of naar eigen ervaring, bestonden de motieven die hij in zijn politiebestaan tegen was gekomen bijna altijd uit vanzelfsprekendheden of klinkklare nonsens. Wat Waltin betrof wilde hij echter een uitzondering maken.

'Misschien leek hij op zijn vader,' antwoordde Lewin met een voorzichtige blik naar Mattei. 'Lisa en ik zijn dat aan het uitzoeken.'

Daarna vertelde hij over de tweede voornaam van Claes Waltin, over de datum waarop hij was geboren en het verleden van zijn vader. Holt vulde aan met het relaas over zijn, zacht uitgedrukt, merkwaardige testament, waarin hij beweerde dat hij zijn moeder had vermoord.

'Afwezige vader, dominante moeder, verafgoodt zijn vader, haat zijn moeder, klassieke psychologie,' zei Holt. 'Als je meer wilt weten...'

'Dank je, dank je,' onderbrak Johansson haar. 'Zo is het meer dan genoeg. Ik wil iets hebben waar ik mijn tanden in kan zetten. Haal die kerel door de molen. Spoor zijn contacten op. Zoek uit met wie hij omging. Hoe hij dacht, voelde en leefde. Welke politieke voorkeur hij had, wie of wat hij leuk vond of verafschuwde. Wat hij las, wat hij at, wat hij dronk. Ik wil alles weten van die rotzak. En die vader van hem, hoe oud is die nu?'

'Die wordt bijna achtentachtig,' wierp Mattei er alert tussen, terwijl Lewin nog in zijn papieren bladerde.

'Zoek uit of het zin heeft om hem te verhoren,' zei Johansson. 'Als hij zo gek was om zijn zoon in die tijd Adolf te noemen, kan dat zeker de moeite waard zijn. Dat soort hoort zichzelf altijd graag praten. Wie weet? Misschien heeft hij de trekker wel overgehaald. Een vrolijke, fitte senior. Hij zag er aanzienlijk jonger uit dan hij was.'

'Dat kun je denk ik wel vergeten,' meende Holt. 'Hij is namelijk te klein. Eén meter drieënzeventig, volgens zijn paspoort van toen.'

'Goed zo, Holt,' zei Johansson. 'Schik je naar de situatie. Geef me de naam van die rotzak.'

'Soms heb ik het idee dat je die al hebt gekregen,' wierp Holt tegen.

'Niet hij.' Johansson schudde zijn hoofd. 'Niet Waltin. Geef me de naam van de rotzak die het schot loste.'

Na het avondeten keken Johansson en zijn vrouw Pia naar een film van Costa-Gavras, over een vooraanstaande linkse politicus die door agenten van de Griekse junta werd vermoord. Johansson had de film van Mattei geleend, die hem op haar beurt geleend had van een vriend die Filmwetenschap studeerde. 'Zorro – Hij leeft,' dacht Johansson, en volgens Mattei is de film het bekijken waard.

Zelf kon hij zich moeilijk concentreren. Vermoedelijk omdat hij voor zichzelf grotere problemen verwachtte dan voor de rest. Die plotselinge, onverklaarbare vrolijkheid van zijn medewerkers, die het zelfs aandurfden zijn democratische leiderschap op de proef te stellen. Wat is er eigenlijk gaande, vroeg Johansson zich af.

Pia, dacht hij. Waarschijnlijk moest hij binnenkort met haar praten. Maar niet nu. Niet nu ze zich allebei met opgetrokken benen op de bank hadden genesteld en naar een film over een vermoorde politicus zaten te kijken, terwijl de toenemende wind langs hun huis en zijn veilige bestaan gierde. Langs hem en zijn vrouw, en de rest waar zijn leven om draaide.

'Is er iets, Lars? Je kijkt zo bezorgd.'

'Nee, hoor,' loog Johansson en hij glimlachte naar haar. ''t Is alleen een beetje druk op het werk.'

Vervolgens boog hij zich naar voren, legde een arm om haar heen en trok haar naar zich toe. Het komt wel goed, dacht hij. Wie dan leeft, wie dan zorgt.

53

Commissaris Anna Holt en hoofdinspecteur Lisa Mattei hadden Gustav G:son Henning op woensdag 12 september verhoord, op zijn kantoor aan het Norrmalmstorg.

Aanvankelijk was hij afwachtend en verbaasd geweest, zeer verbaasd, bijna niet-begrijpend. Beleefd, weliswaar, maar vooral omdat hij vrouwen voor zich had, ondanks het feit dat ze van de politie waren. Al vrij snel bezweek hij voor hun charmes. Holt zoals ze op haar mooist was, met haar regelmatige trekken, witte tanden, zwarte haar en lange benen. Mattei, met haar blonde, onschuldige bewondering voor een rijpe man van de wereld. Gustav G:son Henning was reddeloos verloren. Ondanks zijn zilverwitte haar, op maat gesneden Italiaanse pak en zeventig jaar ervaring met menselijk gekonkel.

Fijn, dacht Anna Holt terwijl ze naar hem glimlachte. Dan hoef ik gelukkig niet te beginnen over Juha Valentin Andersson Snygg, over wie Johansson had verteld.

Vervolgens had hij alles verteld wat hij Bäckström ook had verteld, steeds kleurrijker en meer ontspannen naarmate het verhaal vorderde, en afhankelijk van de vraagstelling soms uitvoerig en gedetailleerd. Een enkele keer had hij zelfs een bepaalde datum en gebeurtenis bevestigd met behulp van zijn oude dagboeken.

Hij vertelde het meest over Claes Waltin. Ze hadden elkaar in een café ontmoet. In Gamla Cecil in de Biblioteksgatan, waar welgestelde jongelieden in die tijd kwamen om dronken te worden en vrouwen te versieren. Waltin was twintig en Henning iets meer dan tien jaar ouder. Hij vertelde van hun eerste zakelijke deal, toen Waltin net zijn erfenis had gekregen en het vele geld in zijn zakken voelde branden, van Waltins vroege interesse voor pornografica – 'goede pornografica' – en van het schilderij dat hij hem had verkocht toen hij nauwelijks 'droog achter de oren' was.

'Dat was een olieverfschilderijtje van Gustav Klimt, waarschijnlijk de slechtste deal van mijn leven. Gezien de prijs die het nu zou hebben opgebracht.'

Hij vertelde van de jaren daarna. Hoe ze elkaar doorgaans één keer in de maand zagen of telefonisch spraken, soms zaken met elkaar deden, samen dineerden. Hoe ze spraken over kunst, het goede leven, en ook over vrouwen, hoewel hij met andere mannen niet graag over vrouwen sprak.

'We waren geen dikke vrienden, eerder goede bekenden van elkaar, in de positieve zin van het woord. Bovendien hebben we jarenlang vlak bij elkaar gewoond aan het Norr Mälarstrand, waar we elkaar soms dagelijks tegenkwamen als we allebei in de stad waren.'

'Weet je of hij goede vrienden had?' vroeg Holt.

Niet dat hij wist. Geen familie, behalve zijn vader over wie hij nu en dan sprak. Maar wel vrouwen bij de vleet. Mooie vrouwen, jonge vrouwen. Van wie sommigen wel heel jong waren, misschien te jong. Dat had hij met eigen ogen gezien, en niet alleen als hij ze tegenkwam in de buurt waar ze woonden: Claes Waltin, met een nieuwe vrouw aan zijn arm.

'Ik kan me herinneren dat hij een keer zei dat hij ze zo het liefste had: jong, heel jong. Als ze nog aan het ontluiken waren. Zijn vrouwbeeld liet wel een en ander te wensen over, eerlijk gezegd,' constateerde kunsthandelaar Henning en hij lachte vaderlijk naar Lisa Mattei, zoals ze daar zat met haar blauwe pumps en haar benen zedig over elkaar geslagen.

'Die liet het een en ander te wensen over,' herhaalde Holt.

'Inderdaad,' bevestigde Henning hoofdschuddend. 'Ik kan me herinneren dat hij me vroeg of ik geïnteresseerd was in een verzameling foto's en films. Privéopnamen, van het grovere werk, zacht uitgedrukt. Dat heb ik natuurlijk van de hand gewezen.'

En de revolver waarmee de minister-president zou zijn vermoord?

Behalve wat hij daarover al aan Bäckström had verteld, en nu aan hen, wilde hij er nog één ding aan toevoegen. Hij was vergeten dit tegen Bäckström te zeggen, maar nu hij zijn geheugen had opgefrist, wist hij het weer.

'Hij toonde me een foto van de revolver,' zei Henning.

'Een foto?' vroeg Holt.

'Een normale foto. In kleur, uitvergroot, misschien twintig bij vijftien centimeter. De revolver lag op een exemplaar van het *Dagens Nyheter* van 1 maart. De dag na de moord. Als ik me niet vergis, luidde de kop "Ołof Palme vermoord".'

'In de loop van dat type revolvers staat altijd een serienummer gegraveerd. Weet je nog of je dat hebt gezien?'

'Nee.' Henning schudde zijn hoofd. 'Ik weet nog dat hij metaalkleurig was en een lange loop en houten kolf had. Met zo'n greep in ruitreliëf. Gearceerd.'

'Gearceerd?'

'Ja, zo heet dat. Volgens Waltin gemaakt van walnotenhout, geloof ik. Zoals ik al zei, vroeg ik daarnaar. Naar de staat waarin de revolver verkeerde.'

'Weet je nog welke kant de revolver op wees, op de foto?' kwam Mattei tussenbeide.

'Naar rechts, volgens mij,' zei Henning. 'De revolver lag onder de kop. Op de foto, bedoel ik. Parallel aan de kop. Met de kolf naar links en de loop naar rechts.'

'Daar ben je zeker van?' vroeg Holt. Met het serienummer aan de andere kant, dacht ze.

'Absoluut zeker?' herhaalde Mattei. Dat kan immers ook toeval zijn geweest, dacht ze.

'Ik zie het in elk geval heel duidelijk voor me,' zei Henning. 'Waarom vragen jullie dat trouwens?'

'Het serienummer van dat model revolver zit aan de linkerkant van de loop. Dat verklaart waarom je het niet hebt gezien,' zei Holt.

'Maar hij heeft niet gezegd hoe hij eraan was gekomen?' herhaalde Holt vijf minuten later voor de derde keer.

'Hij zei dat hij erover kon beschikken,' verduidelijkte Henning. 'Dat hij in goede staat verkeerde en op een veilige plek bewaard werd. In het hol van de leeuw zelf. Zo zei hij dat. Hij was enorm enthousiast toen hij dat vertelde, dus daar ben ik zeker van.'

'Waltin was er absoluut zeker van dat dat de revolver was waarmee de premier werd vermoord?'

'Absoluut. Voor zover dat mogelijk was. Ik probeerde er een grapje van te maken door te vragen of hij op een of andere manier bij de moord betrokken was, maar dat ontkende hij. Daarna zei hij dat als ik wist wat hij door zijn werk allemaal te weten was gekomen, ik de rest van mijn leven goed van mijn stilzwijgen zou kunnen leven.'

'Wat betekende dat volgens jou?'

'Ik wist immers wat voor werk hij deed,' zei Henning en hij haalde zijn schouders op. 'Ik had geen reden aan te nemen dat hij mij voor de gek hield. Dat was niets voor hem. Ik kreeg de stellige indruk dat hij die revolver inderdaad zou kunnen leveren, mits ik een koper zou vinden en een risicoloze deal kon sluiten.'

'Heb je dat geprobeerd? Een koper te vinden?' vroeg Holt.

'Nee,' zei Henning. 'Echt niet. Met sommige zaken laat ik mij niet in. Dat heb ik hem ook geprobeerd duidelijk te maken. Op een fijnzinnige manier.'

'Als ik het goed begrepen heb, werd deze discussie slechts een maand voordat hij stierf gevoerd,' concludeerde Holt.

'Inderdaad,' zei Henning. 'Ik was behoorlijk geschokt toen ik hoorde wat er was gebeurd, zoals je wel zult begrijpen. Niet omdat ik dacht dat hij vermoord was. Van dat soort complottheorieën moet ik weinig hebben. Ik achtte het eerder mogelijk dat hij zichzelf van het leven had beroofd.'

'Waarom dacht je dat?'

'Hij was opgebrand. Hij dronk meer dan goed voor hem was. Hij verzorgde zichzelf niet goed, terwijl hij daar altijd zo precies in was. Waltin ging altijd perfect gekleed. Liet zijn kleding op maat maken. Had een goede smaak. Dat hij ook een zelfdestructieve kant had, daar was ik al vroeg achter. Maar toen zijn einde naderde, en nu heb ik het over het laatste jaar voordat hij stierf, had hij ook iets ongeremds. Hij zei dingen die je niet zegt. Normale mensen niet, althans. Ik weet dat hij ziek was. Hij zei dat hij problemen met zijn lever had, al denk ik zelf dat de alcohol het probleem was. Hij dronk gewoon te veel. Veel te veel.'

'Een paar voorbeelden? Van vreemde uitlatingen?'

'Tja,' zuchtte Henning. 'Toen we op een avond ergens zaten te eten, dat moet een halfjaar voor zijn dood zijn geweest, beweerde hij in een lange uiteenzetting dat hij het liefst vanaf zijn balkon Rome wilde zien branden, maar aangezien dat niet kon, moest hij zichzelf maar tevredenstellen door elke vrouw die hij tegenkwam te nemen en er met de zweep van langs te geven.'

'Wat bedoelde hij daarmee?'

'Hij bedoelde het precies zoals hij het zei, ben ik bang,' constateerde Henning met een zucht.

'Is er nog iets wat je je kunt herinneren?' vroeg Mattei met een onschuldig gezicht.

'Hij vertelde een en ander over zichzelf. Heel vulgaire dingen in feite, die vrijwel niemand plezierig vindt om te horen. Zelf vond ik het allerminst plezierig.'

'Geef eens een voorbeeld,' zei Holt met een waarschuwende blik in de richting van Mattei.

'Toen hij rechten studeerde aan de universiteit, zou hij met enkele studiegenoten van de rechtenfaculteit een merkwaardige vereniging hebben opgericht. Met een wat eigenaardige naam, op zijn zachtst gezegd. Die vereniging, dus.'

'Wat was die naam?' vroeg Holt.

'Vrienden van de Vagina,' zei Henning met een verontschuldigende blik naar Mattei.

'Vrienden van de Vagina,' herhaalde Holt.

'Ja, en dat zou je misschien kunnen afdoen als een uiting van studentikoos gedrag en een slechte smaak in het algemeen, maar daar was het hem niet om te doen toen hij erover begon.'

'Waar ging het dan wel om?'

'Dat hij geroyeerd was,' zei Henning. 'Zijn drie verenigingsvrienden hadden hem geroyeerd. Ze waren inderdaad slechts met zijn vieren. Een kleine vereniging, zogezegd. Waltin werd door de anderen geroyeerd. Om redenen die ik net al heb aangegeven.'

'Dat hij ze met de zweep gaf als hij met ze naar bed ging,' zei Holt.

'Zoiets, ja,' zei Henning met een licht verontschuldigende schouderbeweging. 'En om nog wat andere dingen.'

'Zoals?'

'Dat hij ze altijd vastbond, onder andere. Hun onderkant schoor en dat soort dingen. Ze fotografeerde nadat hij ze had vastgebonden.'

'Toen werd hij door de overige verenigingsleden geroyeerd?'

'Ja. Ze hielden een keer een feest, samen met enkele jonge vrouwen die ze hadden veroverd. Bij Waltin thuis, als ik het wel heb. Daar was het volgens de overige leden blijkbaar uit de hand gelopen. Niet volgens Waltin. Hij had er heel veel plezier om toen hij het vertelde.'

'Die overige leden. Heeft Waltin hun namen genoemd?'

'Ja,' antwoordde Henning. 'Zo kwam hij op dit verhaal. We begonnen namelijk over een van hen te praten, naar aanleiding van iets heel anders, en toen vertelde hij dat ze ooit tot dezelfde vereniging hadden behoord.'

'Hoe heet hij?'

'Het is een heel bekende persoon, ben ik bang.'

'Vertel,' zei Holt.

'Tegenwoordig is hij parlementslid voor de christendemocraten,' zei Henning met een diepe zucht.

'En hij heet?'

'Laat me even nadenken.' Henning schudde zijn hoofd. 'Het is tenslotte al veertig jaar geleden,' voegde hij eraan toe.

'We kunnen erop terugkomen voordat we afscheid nemen,' zei Holt.

'Ik vraag me af wie die andere twee waren,' zei Holt toen ze met de auto terugreden naar het politiebureau.

'Misschien weet ons parlementslid dat wel,' zei Mattei. 'Ik bedoel, het was zo'n kleine vereniging. Dat weet hij toch nog wel?'

'Ga jij met hem praten of ik?' vroeg Holt.

'Ik wil er per se bij zijn, anders zeg ik mijn baan op.'

'Laten we er nog even over nadenken,' zei Holt met een zucht. 'Het is niet helemaal zeker dat dit iets met de zaak te maken heeft,' voegde ze eraan toe.

'Dat vind ik wel degelijk,' wierp Mattei tegen. 'Als je uit een dergelijk gezelschap gezet wordt, heeft dat absoluut iets met de zaak te maken.'

'We denken er nog even over,' besliste Holt. Soms kan Lisa volstrekt meedogenloos zijn, dacht ze.

Voordat Anna Holt naar huis ging belde ze een oude collega op die ze had ontmoet in de tijd dat ze bij de Säpo werkte. Tegenwoordig was hij korpschef bij de lokale politie in een politiedistrict bij Kristianstad in Skåne, waar Claes Waltins bejaarde vader een grote boerderij bezat die al generaties lang in de familie was.

'Robert Waltin. Die kennen we allemaal. Een lokale bekendheid hier. Een nieuwsgierige vraag: waarom wil je hem spreken?'

'Om informatie te krijgen over een andere man met wie we bezig zijn,' zei Holt. 'Hij wordt nergens van verdacht, maar toen ik ontdekte hoe oud hij was, dacht ik dat ik beter eerst aan jou kon vragen of het wel zin heeft om met hem te praten,' verduidelijkte Holt.

'Dat hangt er helemaal van af,' vond haar collega. 'Waar je met hem over wilt praten, bedoel ik. Je weet toch wel wie zijn zoon was?'

'Voormalig collega Claes Waltin.'

'In hoogsteigen persoon. De appel valt dus niet ver van de perenboom, om het zo maar te zeggen. Die oude kerel mankeert nog niets aan zijn hoofd. Rijdt nog steeds rond in zijn oude Mercedes, waarmee hij iedereen op de weg schrik aanjaagt. Daar wilde ik met hem over praten, maar dat was totaal zinloos. We hebben geprobeerd zijn rijbewijs in te nemen, maar we haalden bakzeil.'

'Heb je nog wat tips? Nu ik een poging ga wagen?'

'Zeg dat je besloten hebt de moord op zijn zoon te onderzoeken,' zei Holts collega. 'Dan houdt hij niet meer op met praten. Hij begon erover te zeuren zodra een van mijn collega's of ik met hem sprak, nadat hij weer eens als een waanzinnige had rondgescheurd, het schapenhek van de buren omver had getrokken of iemand had aangeklaagd omdat die zijn mesthoop in de windrichting naar zijn huis had gelegd. Al dat soort dingen die betweters uithalen om de goede verstandhouding tussen de mensen hier op het platteland te bevorderen. Dan begon hij erover dat we ons alleen maar met onzin bezighielden, zodat we ons niet met wezenlijke zaken hoefden in te laten. Zoals die rooie rakkers in de regering, die zijn zoon hadden vermoord. Zo noemde hij ze. Rooie rakkers of socialistenmaffia.'

'Ik dacht dat Claes Waltin verdronken was,' zei Holt.

'Dat zou ik dan maar niet zeggen. Het is een buitengewoon onbeschofte boer'nkinkel,' constateerde Holts collega, geboren en getogen in het politiedistrict waar hij nu chef van was.

54

Het was Bäckströms derde dag van zijn één week durende gevangenschap. Het kamp waar men hem heen had gestuurd, was een voormalige kinderkolonie in Roslagen. Een aantal barakachtige gebouwen, uitgestrooid over een beboste helling aan de rand van een baai met kapotgewaaide rietkragen. Compleet met vermolmde steiger en kapotte roeiboot, die tegen de oever schipbreuk had geleden. Het gebouw waarin ze verbleven had flinterdunne muren, ijzeren bedden gemaakt voor arme kinderen, met banaanvormige bedbodems en oude matrassen met paardenhaar uit de Tweede Wereldoorlog. Bedden die je zelf moest opmaken. Bedden die stonden opgesteld in een benauwd kamertje, dat je verwacht werd te delen met een andere pechvogel.

Maar Bäckström had geluk. Hij kreeg gezelschap van een collega van de verkeerspolitie in Uppsala, die betrekkelijk normaal leek en net als hij jarenlang de dans was ontsprongen, totdat weer een nieuwe vrouwelijke hoofdcommissaris haar klauwen in hem had gezet. Bovendien was Bäckström zo vooruitziend geweest om een tas met bier en brandewijn onder het dichtstbijzijnde wc-gebouwtje te verstoppen, voordat hij zich bij de receptie meldde.

Eenmaal daar was je namelijk reddeloos verloren. Dat had Bäckström begrepen zodra hij bij de balie kwam, met een militante pot als incheckster.

'Uw mobiele telefoon,' zei ze, waarbij ze Bäckström doordringend aankeek. 'Alle cursisten dienen hun mobiele telefoons in te leveren.'

'Ik dacht dat je je mobiele telefoon niet mee mocht nemen,' loog Bäckström met een onschuldig gezicht. 'Ik bedoel, die dingen storen je tijdens de cursus enorm in je concentratie.' Ik hoop dat die rotzak me niet belt nu ik hier sta, dacht hij. Vooral omdat hij zijn mobieltje al in zijn onderbroek had gestopt, voordat ze in de bus stapten waarmee ze waren gekomen.

'Ligt uw mobiel thuis?' vroeg de receptioniste, die hem achterdochtig aankeek.

'Uiteraard,' antwoordde Bäckström. 'Ik bedoel, ze storen je tijdens de cursus enorm in je concentratie. Een goed initiatief van jullie, vind ik.' Zet daar je tanden maar eens in, wijfie, dacht hij.

'Heeft u alcoholhoudende dranken meegebracht?' vroeg dat manwijf van de receptie, terwijl ze vanuit haar ooghoeken naar Bäckströms dikke koffer gluurde.

'Ik drink geen alcohol.' Bäckström schudde zijn ronde hoofd. 'Nooit gedaan ook. Mijn vader en moeder waren allebei felle tegenstanders van sterkedrank, dus dat is er voor mij nooit bij geweest. Dat is me met de paplepel ingegoten, om het zo maar te zeggen,' voegde Bäckström er met een schijnheilig gezicht aan toe. 'Ik bedoel, als je zo'n belangrijke boodschap al van jongs af aan ter harte neemt...'

'Kamer tweeëntwintig, tweede gebouw links,' onderbrak het manwijf hem, terwijl ze de sleutel op de balie kwakte.

'Maar dat van die telefoon heb ik gemist,' zei de collega na de inleidende begroetingsrituelen van ouwe dienders onder elkaar.

'Verdomd jammer, eigenlijk,' voegde hij eraan toe. 'Ik ken een vrouwtje dat maar een kilometer of tien hiervandaan woont. Juist nu dat wijf van me eindelijk eens op veilige afstand is.'

'Komt goed,' zei Bäckström, die zijn buik inhield en zijn mobieltje uit zijn onderbroek viste. 'Iedereen vergist zich wel eens. Zelf dacht ik dat ze hier wel een bar zouden hebben. Ik bedoel, wie begint nou een conferentiehotel zonder grote bar?' Ik ben in elk geval niet van plan mijn heerlijke maltwhisky, die ik in mijn tasje heb zitten, met een of andere bonnensheriff van Verkeer te delen, dacht hij.

'Hier blijkbaar wel. Die lui die de boel hier runnen, schijnen antroposofen te zijn. Heb je de menukaart gezien?' zuchtte zijn collega hoofdschuddend. 'Van die vegetarische rommel, van het begin tot het einde.'

'Komt goed,' zei Bäckström. 'Komt goed. Wat dacht je trouwens van een incheckborreltje? Dan kan jij dat meissie van je bellen om te vragen of ze nog een jonge vriendin heeft.' Die de Bäckströmse supersalami wil proeven, dacht hij.

Zeker. Drie dagen lang was het goed gegaan. Ondanks al die idioten die onafgebroken over man-vrouwkwesties en emancipatie zaten te zaniken, over hoe je als man bevrijd kon worden en niet slechts een armzalige gevangene van je eigen geslacht hoefde te zijn, over waarom iemand met een kat een beter mens was dan de smeerlap die gewoon een hond had.

Ondanks groepstherapie, ontspanningsoefeningen en een oud wijf dat oreerde over Rosentherapie, menselijke energievelden en het volgen van de innerlijke stem, om op die manier de weg naar een hoger bewustzijn te vinden, vrij van beperkende mannelijke hormonen en aangeboren vooroordelen.

Ondanks het eten, dat een waar kerstdiner moest zijn voor cavia's en vinken, bestaande uit een overvloedige hoeveelheid bronwater, salade, zangzaad, noten, reinigende wortelgewassen, ongekruide sojaburgers, fruit, witte thee, en voor de meest onverschrokkenen, die voor het slapengaan werkelijk uit hun dak wilden gaan, cafeïnevrije koffie.

Bäckström had zich niet laten kennen en deed goed mee. Tijdens het eerste groepsgesprek was hij de dialoog al aangegaan met die flikker die het gesprek zou leiden, door een flinke wind uit zijn bruine suikerpot te persen. Fridolf Fridolin, de interne psycholoog van de politie Stockholm, tevens verantwoordelijk voor emancipatiezaken. Klein, rond en rossig, compleet met ribfluwelen jasje en dons op zijn bovenlip.

'Men heeft het immers bijzonder vaak over emancipatie en over allerlei man-vrouwkwesties, maar hoeveel meent men daar nu echt van, als puntje bij...'

'Men, men, men,' onderbrak Bäckström hem met opgeheven handen. 'Waarom zeg je men? Dat is Engels voor mannen. Waarom zeg je niet mensen?'

'Ik begrijp wat je bedoelt, Bäckström,' zei hun gespreksleider met een nerveus glimlachje.

'Bäckström?! We waren het er toch over eens dat we elkaar bij de voornaam zouden noemen? Ik weet zeker dat ik tijdens onze presentatieronde heb gezegd dat ik door mijn vrienden altijd Eef word genoemd,' zei Bäckström, die zijn blozende slachtoffer vermanend aankeek.

'Sorry, Bäck... Eef. Sorry. Eef.'

'Ik vergeef het je, Frid,' zei Bäckström. 'Je wilde toch Frid worden genoemd?'

'Fridolf. Mijn vader heeft...'

'Je vader,' zei Bäckström beschuldigend. 'Maar je had toch ook een moeder? Hoe noemde zij je altijd?'

'Fridje, maar dat...'

'Het is vergeven en vergeten, Fridje,' zei Bäckström met een plechtig gezicht.

Maar op de derde dag was het behoorlijk misgegaan. Om te beginnen was de brandewijn opgeraakt. Bijna, althans, want Bäckström was zo slim geweest om een bodempje van zijn eigen fles te bewaren. Vervolgens waren zijn collega en hij bijna op heterdaad betrapt, toen ze na hun dagelijkse avondorgie in de snackbar aan de grote weg terugslopen naar het hotel. Eenmaal veilig in hun kamer had Bäckström zijn antwoordapparaat afgeluisterd. GeGurra had gebeld en was tekeergegaan als een dolle hond, hoewel hij een kat had. Hij klonk absoluut niet als een bejaarde kunsthandelaar met zilverwit haar. Meer als een ordinaire zigeuner, en dat was blijkbaar de schuld van dat potje Holt. Zodra hij in die gesloten emancipatie-inrichting was opgenomen, was ze boven op die oude flikker gedoken, waardoor hij zich blijkbaar een ongeluk was geschrokken.

'Je had me je erewoord gegeven, Bäckström,' herhaalde GeGurra op het antwoordapparaat. 'Ik ben erg benieuwd wat je ter verdediging aan te voeren hebt.'

Ze probeert me die poen afhandig te maken, dus nu moet ik snel handelen, dacht Bäckström. Hij pakte zijn koffertje, deed een stropdas om, liep naar de receptie, trok zijn stropdas aan totdat zijn hoofd leek te exploderen, maakte zijn das weer wat losser om niet echt van zijn stokje te gaan en waggelde de receptie binnen.

'Ik geloof dat ik een hartaanval krijg,' siste Bäckström, die op de grond ging zitten, de receptioniste met uitpuilende ogen aanstaarde en met zijn handen voor zijn rood aangelopen gezicht heen en weer wapperde.

Daarna was alles vlekkeloos verlopen. Het manwijf van de receptie had het alarmnummer gebeld, terwijl ze ondertussen Bäckströms voorhoofd bette, die voor de zekerheid op zijn rug was gaan liggen. Vervolgens werd hij met de ambulance naar de eerstehulpafdeling van het ziekenhuis in Norrtälje overgebracht, waar hij tenminste niet door zo'n kwakzalver met een tulband werd geholpen, maar door een echte, Zweedse arts, die besliste dat hij een nacht ter observatie moest blijven. Een eenpersoonskamer met een schoon bed en een Finse blondine, blijkbaar de nachtzuster, die een zwak had voor een echte politieman uit de grote stad. Ze was verschillende keren binnengekomen om hem te vertroetelen, voordat hij eindelijk met rust werd gelaten en kans zag de laatste druppels uit zijn meegebrachte fles op te drinken en van zijn schoonheidsslaapje te genieten, dat hij zo verschrikkelijk hard nodig had.

De dag daarop mocht hij met de taxi naar huis. Hij had ziekteverlof gekregen, met een verwijzing naar het Karolinska-ziekenhuis voor nader onderzoek naar zijn bloeddruk, cholesterolwaarden, eventuele allergieën en alle andere kleine kwaaltjes waar oom dokter zich ongerust over maakte.

Nu jij, Holt, dacht Bäckström, zodra hij de deur achter zich had dichtgedaan en een koud pilsje uit de koelkast haalde. Nu is het oorlog.

55

'Wanneer was je van plan om Wiijnbladh te verhoren,' zei Johansson, terwijl hij in haar deuropening verscheen.

'Goedemorgen, Lars,' zei Holt. 'Nou, ik voel me uitstekend, dank je. Ik stond net op het punt hem te bellen om een tijd af te spreken. Jan en ik gaan hem verhoren, ter informatie. Hoe gaat het trouwens met jou?'

'Ter informatie?'

'Ja, hoe moeten we het anders aanpakken? Dat gedoe met die revolver is allang verjaard. Dan kunnen we hem immers nergens van verdenken, ook al is het waar.'

'Hij wordt aangehouden,' zei Johansson, terwijl hij haar nors aankeek.

'Pardon?'

'Ik heb met de officier van justitie gesproken. Aanhouding zonder oproep vooraf. Huiszoeking in zijn woning en op zijn werkplek.'

'Op grond waarvan?' vroeg Holt. Wat gebeurt er allemaal, dacht ze. Heeft Johansson met de officier van justitie gesproken? Maar wat heb ik dan nog met deze zaak te maken?

'Voorbereiding van moord,' zei Johansson. 'Dat is nog niet verjaard,' voegde hij er met een grimmig knikje aan toe.

'Voorbereiding van moord? Wacht eens even. Hebben we het nu over de minister-president, want in dat geval lijkt het meer op medeplichtigheid en...'

'We hebben het over zijn ex-vrouw, die hij wilde vergiftigen,' onderbrak Johansson haar.

'Jan en ik waren geen van beiden van plan daarover te beginnen,' antwoordde Holt hoofdschuddend. 'Er is in die zaak overigens niet eens aangifte gedaan.'

'Nu wel,' zei Johansson. 'Daar hoef je het trouwens niet over te hebben, maar aangezien de officier en ik niets beters konden bedenken, ligt er nu een aangifte. Voordat je erover begint: het is onze eigen officier van justitie. Niet dat magere mens dat over Palme gaat.'

'Doe nu voor één keer eens wat ik zeg,' vervolgde hij. 'Zorg ervoor dat hij over een uur hier zit. En probeer deze keer niet al te vriendelijk en begripvol te zijn. Dat geldt zowel voor jou als voor Lewin.'

En zo geschiedde. Een uur later zat Wiijnbladh samen met Holt en Lewin in een verhoorkamer van de rijksrecherche. Volkomen ontdaan en vol onbegrip.

Arme kerel, dacht Holt, waarna ze over zijn vroegere omgang met Claes Waltin begon.

'Waarover willen jullie me spreken?' klaagde Wiijnbladh, die nerveus zijn lippen aflikte.

'Over je vroegere omgang met hoofdinspecteur Claes Waltin,' zei Holt, die haar best deed er vriendelijk en geïnteresseerd uit te zien.

'Maar Waltin is dood.' Wiijnbladh keek haar verward aan.

'Ja, dat weet ik. Maar toen hij nog leefde, schijnen jullie goede vrienden te zijn geweest.'

Verder kwam ze niet, want plotseling kwam Johansson binnenvallen. Hij had twee collega's van Geweldsdelicten bij zich. Rogersson, met zijn kleine oogjes, en die akelige bodybuilder van wie ik de naam gelukkig heb weten te verdringen, dacht Holt. Kan nauwelijks toeval zijn.

'Mijn naam is Johansson,' zei Johansson, terwijl hij Wiijnbladh strak aankeek. 'Ik ben de chef van deze toko.'

'Ja, ik weet wie erkapé is,' stamelde Wiijnbladh. 'Ik geloof niet dat ik de eer heb gehad...'

'Ik wil de sleutels van je huis, je toegangspas van het gebouw, je computerkaart en de toegangscodes van je computer,' onderbrak Johansson hem.

'Maar ik begrijp het niet,' zei Wiijnbladh, die zijn hoofd schudde en Holt bijna smekend aankeek.

'Huiszoeking.' Johansson hield zijn grote hand op. 'Haal die zakken van je leeg, zodat mijn collega's dat niet hoeven te doen.'

Een minuut later waren ze weer vertrokken. Holt en Lewin bleven achter, met een verschrikte Wiijnbladh, die zich tot Holt wendde.

'Ik moet naar de wc,' zei hij. 'Ik moet...'

'Jan loopt met je mee,' zei Holt, die de taperecorder uitzette. Ik had naar Berg moeten luisteren, dacht ze.

Het toiletbezoek had behoorlijk wat tijd gekost. Wiijnbladh had zijn gezicht duidelijk natgemaakt met koud water, al leek dat weinig te hebben geholpen. Hij is verward en afwezig, snapt niet waar het over gaat, dacht Holt.

'Dan hervatten we het verhoor met inspecteur Göran Wiijnbladh,' zei Holt, nadat ze de taperecorder had aangezet. 'Voordat we werden onderbroken, spraken we over je vriendschap met voormalig hoofdinspecteur Claes Waltin van de veiligheidsdienst. Kun je vertellen hoe je hem hebt leren kennen?'

'We waren goede vrienden, maar ik begrijp het nog steeds niet.'

'Hoe lang kende je hem?' vroeg Holt.

Volgens Wiijnbladh leerde hij Waltin begin jaren tachtig kennen. Ze hadden aanvankelijk een collegiale band, die langzamerhand was overgegaan in een normale vriendschap.

'Ik had het voorrecht hem wegwijs te maken in algemeen forensisch-technische kwesties,' zei Wiijnbladh, die ineens leek te kalmeren. 'Maar anders spraken we vooral over kunst. Die interesse hadden we gemeen, en Claes bezat een indrukwekkende kunstcollectie. Zeer indrukwekkend, met veel belangrijke kunstwerken van Zweedse en buitenlandse kunstenaars. Hij vroeg me een keer een ets van Zorn te bekijken, omdat het mogelijk om een vervalsing ging.'

'Algemene forensisch-technische kwesties, zei je,' zei Holt. 'Spraken jullie in dat verband nog over andere zaken dan kunstvervalsingen?'

'Wat zou dat kunnen zijn?' vroeg Wiijnbladh, met zijn ogen op Holt gericht.

'Wapens. Vroeg hij je ooit naar wapens?' Nu is hij weer net zo verward als eerst, dacht ze.

'Hij vroeg me van alles en nog wat. Over vingerafdrukken en verschillende forensische onderzoeksmethoden in verband met veiligstelling en sporenanalyse. Claes, Claes Waltin dus, was heel weetgierig. Hij wilde overal meer van af weten, simpelweg. Hij kwam vaak een kijkje bij me nemen, bij Forensische Opsporing.'

'Laten we even terugkomen op die wapens,' zei Holt. 'Ik heb begrepen dat je in september 1988 een revolver gaf die in de wapenverzameling van Forensische Opsporing werd bewaard. Het betrof een inbeslagname in een zaak van 27 maart 1983. Een uitgebreide zelfmoord.'

'Daar weet ik niets van,' stamelde Wiijnbladh, die zijn ogen tussen Holt en Lewin heen en weer liet gaan. 'Daar weet ik niets van.'

Helaas weet je dat maar al te goed, dacht Holt. Als ik je ogen moet geloven, weet je het maar al te goed.

'Dat kun je je toch nog wel herinneren,' zei ze. 'In het najaar van 1988 vroeg Claes Waltin of je hem een revolver kon geven. Deze revolver, om precies te zijn.' Ze overhandigde een foto van het wapen dat bij de uitgebreide zelfmoord van maart 1983 in Spånga was gebruikt.

'Een van jouw voormalige collega's heeft deze foto genomen,' verklaarde Holt. 'Bergholm, als je nog weet wie dat is. Hij had de leiding over het forensisch-technisch onderzoek toen de foto werd genomen.'

Wiijnbladh wilde de foto niet vasthouden. Hij wilde er zelfs niet naar kijken. Hij schudde zijn hoofd en keek weg. Holt deed opnieuw een poging, waarbij ze een hekel aan zichzelf kreeg.

'Je antwoorden verbazen me een beetje,' zei Holt. 'Heb je de revolver nu aan Waltin gegeven of niet? Ja of nee? Moeilijker dan dat is het niet. Mijn collega Jan Lewin hier en ik hebben reden om te geloven dat je dat wel hebt gedaan. Nu willen we weten hoe je daar tegenover staat.'

'Ik mag daar helaas niets over zeggen.'

'Hoezo?' vroeg Holt. 'Dat zul je moeten toelichten.'

'In het belang van de nationale veiligheid,' zei Wiijnbladh.

'In het belang van de nationale veiligheid,' herhaalde Holt. 'Het lijkt me dat Claes Waltin dat tegen je heeft gezegd.'

'Ik moest een verklaring ondertekenen.'

'Je moest een verklaring ondertekenen, die Claes Waltin je gaf. Waar ligt die ergens?'

'Thuis,' zei Wiijnbladh. 'In het laatje van mijn bureau. Maar die is geheim, dus daar mogen jullie niet naar kijken.'

'Daar kom ik nog op terug,' zei Holt. 'Dus je geeft de revolver die op de foto staat die voor je ligt, in september 1988 aan Claes Waltin.

We zullen nog terugkomen op de vraag waarom je dat deed, maar eerst wil ik twee andere dingen van je weten die we ons ook hebben afgevraagd. FO's verslag van de schietproef met de revolver is verdwenen. Jan Lewin en ik denken dat jij dat hebt gedaan. Het tweede punt betreft een verzoek tot vernietiging van hetzelfde wapen, dat je naar Försvarets Fabriksverk hebt gestuurd. Wij geloven niet dat het wapen daadwerkelijk is vernietigd. Hoe zou dat mogelijk zijn geweest? Je had het wapen immers al aan je goede vriend Claes Waltin gegeven.'

'Daar weet ik niets van,' zei Wijnbladh klaaglijk, terwijl hij strak naar de vloer keek.

'Ik wil dat je me aankijkt, Göran,' zei Holt vriendelijk. 'Kijk me aan.'

'Wat?' vroeg Wijnbladh, terwijl hij haar aankeek. 'Waarom?'

'Ik wil je in de ogen kunnen kijken als je antwoord geeft. Dat zou je toch moeten begrijpen. Je bent zelf toch politieman.'

'Maar ik mag daar immers geen antwoord op geven. Als ik dat doe, schend ik mijn geheimhoudingsplicht. Zo staat het immers in de verklaring die ik heb ondertekend.'

'De verklaring die Claes Waltin je gaf en die je van hem moest ondertekenen?'

'Ja.' Wijnbladh knikte instemmend. 'Al mag ik dat ook niet zeggen.'

Eindelijk, dacht Holt.

'Heb jij nog vragen, Jan?' vroeg Holt, die zich tot Lewin wendde.

'Ik vraag me nog het een en ander af,' zei Lewin met een discreet kuchje. 'Toen je de verklaring ondertekende, in verband met de revolver die je Waltin had gegeven, was het al september 1988.'

'Dat kan ik niet bevestigen,' zei Wijnbladh op klaaglijke toon en hij schudde zijn hoofd.

'Ik vermoed dat je er toen niet van op de hoogte was dat Claes Waltin op dat moment al niet meer bij de politie werkte.'

'Nee, dat kan niet kloppen,' zei Wijnbladh, die Holt aanstaarde.

'Jawel,' zei Lewin. 'Waltin ging in juni van dat jaar weg bij de politie. Een paar maanden voordat hij je zover kreeg die revolver aan hem te overhandigen, het schietverslag weg te nemen en een vernietigingsbewijs op te stellen, dat in elk geval op één punt onjuist was.

Claes Waltin was geen politieman meer toen je hem die diensten verleende.'

'Dat kan niet kloppen,' zei Wiijnbladh hoofdschuddend.

'Waarom dan niet?'

'Ik kreeg een onderscheiding. En een medaille. Van de veiligheidsdienst. Als dank voor mijn bijdrage aan de nationale veiligheid.'

'Die je in je bureaula bewaart,' constateerde Jan Lewin.

'Já! Daar heb ik hem al die tijd bewaard.'

Arme kerel, dacht Jan Lewin.

56

'Je bent dus van plan mee te gaan naar het huis van die gifmoordenaar,' concludeerde Rogersson, die het autoportier voor Johansson openhield.

'Jazeker. Ik moet er nodig eens even tussenuit,' zei Johansson. 'Maar ik wou graag voorin zitten. Dan kan Falk achterin, zodat hij een beetje de ruimte krijgt.'

'Bedankt, chef,' grinnikte Falk, waarna hij het juiste portier openhield.

'Beschermende kleding hebben we dus niet nodig,' zei Rogersson, toen ze de garage van het politiegebouw uit kwamen rijden.

'Hou op zeg,' zei Johansson hoofdschuddend. 'Mensen zoals wij niet. We zijn op zoek naar wat papieren en een of andere medaille die die rotzak zou hebben gekregen.'

'Van de apotheek?' vroeg Rogersson grijnzend.

'Was het maar zo,' zuchtte Johansson.

Inspecteur Göran Wiijnbladh woonde sinds vijftien jaar in een serviceflat in Bromma, voor mensen die gedeeltelijk met pensioen zijn. Een eenkamerwoning met een badkamertje en vier alarmknoppen voor het geval hij hulp nodig had. Een bij de voordeur, die je tevens kon bereiken als je op de grond lag, een in de badkamer tussen het toilet en de badkuip, een in de keuken bij het fornuis en een bij zijn bed in de slaapkamer. Die laatste alarmknop was ook voorzien van een verlengsnoer, voor het geval dat hij achter zijn bureau of voor de tv in zijn fauteuil zat.

Uitgewoond en bedompt, met een vage, maar onmiskenbare urinegeur. Op de badkamervloer lag een geopende verpakking incontinentieluiers. In de badkamerkast stonden een stuk of twintig potjes en verpakkingen met verschillende medicijnen. Een leeg kunststof doosje voor een kunstgebit. Scheermes, scheerschuim en aftershave. Op de wasbak een plastic bekertje met een tandenborstel en een tube kleefpasta voor zijn kunstgebit.

Arme kerel, dacht Lars Martin Johansson, die doorliep naar de slaapkamer.

Rogersson stond in het bureau bij het raam te rommelen, terwijl collega Falk de inhoud van de ladekast aan de korte muur doorspitte. Op het nachtkastje naast zijn bed stond een ingelijste foto van Wiijnbladhs ex-vrouw. De vrouw die hem bijna twintig jaar geleden had verlaten, toen hij zichzelf per ongeluk had vergiftigd, terwijl hij haar van het leven had willen beroven.

'Bedoel je dit, chef?' vroeg Rogersson, die een plastic zakje omhooghield met een medaille zo groot als een muntstuk van vijf kroon. 'Voor inspecteur Göran Wiijnbladh, als blijk van dank voor zijn bewezen diensten ten aanzien van de nationale veiligheid,' las Rogersson.

'Ik ben bang van wel,' zei Johansson.

'Was hij soms een oorlogsheld, of zo?' vroeg Rogersson hoofdschuddend.

'Eerder Michael Schumacher,' grijnsde Falk, die een witte onderbroek omhooghield. 'Er zitten nogal wat remsporen in.'

'De verklaring,' zei Johansson.

'Dat moet deze zijn,' antwoordde Rogersson. 'Een soort ontvangstbewijs voor een wapen, met een of andere maffe aanbevelingsbrief. Van die spionnen in het B-gebouw. Het is hun briefpapier in elk geval.'

'Laat eens kijken,' vroeg Johansson. Hoe oliedom kun je zijn, dacht hij.

57

Nog geen twee uur later was Johansson terug in de verhoorkamer. Deze keer was hij blijkbaar van plan te blijven, aangezien hij een stoel had meegenomen.

'Erkapé komt de kamer binnen,' zei Holt. 'We onderbreken het verhoor om...'

'Zet dat rotding uit,' zei Johansson met een wegwerpgebaar naar de taperecorder. 'Nu moeten we even serieus met elkaar praten, Göran,' zei hij met een vriendelijk knikje naar Wiijnbladh. 'Je hoeft je nergens druk over te maken, dus je kunt gerust zijn. Maar we nemen eerst een kop koffie,' zei Johansson die naar Holt keek. 'Zwart of met melk, Göran?'

'Met room, als dat er is,' stamelde Wiijnbladh.

Die man tart elke beschrijving, dacht Anna Holt. Wiijnbladh leek er helemaal niet gerust op te zijn, ondanks Johanssons kalmerende woorden. En hoe zou dat nou komen?

Daarna haalde ze koffie. Had ze eigenlijk wel een keus? Ze zorgde ervoor dat Wiijnbladh room in zijn koffie kreeg en luisterde naar Johansson, terwijl hij tegen Wiijnbladh sprak alsof hij het tegen een kind had.

'Zoals je misschien wel weet, ben ik een aantal jaren hoofd operationele zaken bij de veiligheidsdienst geweest,' begon Johansson.

'Ja, dat was voordat erkapé... voordat je hoofd rijksrecherche werd,' zei Wiijnbladh instemmend.

'Dus wat ik je nu ga zeggen, is strikt vertrouwelijk. Voordat we straks weggaan, wil ik ook dat je een geheimhoudingsverklaring ondertekent. Zo'n standaardverklaring, je weet wel, over zwijgplicht.'

'Vanzelfsprekend,' zei Wiijnbladh.

De dienstmeid gaat even weg om koffie te halen en de heren spreken elkaar al aan met je en jij, dacht Holt.

'Als ik het goed begrepen heb, is het als volgt gegaan,' sprak Johansson langzaam, terwijl hij deed alsof hij in zijn papieren keek.

Waltin had Wiijnbladh om de tuin geleid. Zijn vertrouwen beschaamd. Hem schandelijk misbruikt.

'Laten we de details eens doornemen,' zei Johansson. 'Hoe is die revolver in handen van Waltin gekomen?'

Eerst had Waltin telefonisch contact met hem opgenomen. Op zijn werk. Dat wist hij pertinent zeker. Hij moest Wiijnbladh onmiddellijk spreken. Het ging om een uiterst belangrijke zaak. Wiijnbladh mocht er met niemand over praten. Hij mocht ook geen contact zoeken met Waltin. De zaak lag zelfs zo gevoelig dat Waltin voorlopig niet op het politiebureau kon verschijnen. Hij was dus niet bereikbaar.

'Ik wist immers al een tijdje dat hij hoofd van die zogenaamde externe werkzaamheden was, dus ik ging ervan uit dat hij bezig was met een reorganisatie,' verduidelijkte Wiijnbladh.

'Dus Waltin was degene die naar je toekwam?'

'Hij kwam in het weekend. Medio september ergens. Ik had dienst en hij vroeg me hem te bellen zodra ik alleen op de afdeling was, zodat we elkaar onder vier ogen konden spreken. Dus toen mijn collega's, die samen met mij dienst hadden, moesten uitrukken, belde ik hem op. Op het geheime nummer dat hij mij had gegeven. Volgens mij was het op een zondag. Medio september moet het zijn geweest. We kregen een melding binnen van een verdachte doodsoorzaak in Midsommarkransen. Later bleek het om een zelfmoord te gaan.'

'En toen kwam hij naar jou toe?' vroeg Johansson.

'Hij kwam als een speer,' verklaarde Wiijnbladh.

Hoe doet hij dat toch, dacht Holt, die moest toegeven dat ze bewondering voor Johansson had.

Eenmaal bij Forensische Opsporing had Waltin tekst en uitleg gegeven. De veiligheidsdienst had een bepaald wapen van Forensische Opsporing nodig. Hij kon niet zeggen waarom, alleen dat de zaak van uiterst belang was voor de nationale veiligheid.

'Hij had per slot van rekening een volledige beschrijving van het wapen bij zich. Het serienummer, noem maar op. En hij had er ook een foto van.'

'Weet je nog hoe het eruitzag?' vroeg Johansson. 'Stond er nog iets anders op de foto dan het wapen?'

'Alleen het wapen zelf,' antwoordde Wiijnbladh met een zucht. 'Recht vanboven gefotografeerd, tegen een witte achtergrond, met de gebruikelijke meetlat om de afmetingen te laten zien en het serienummer op een briefje onder in de hoek. Ik kreeg de indruk dat de foto door mijn collega's van de afdeling FO van de Säpo was genomen. Maar dat vroeg ik natuurlijk niet.'

'Wat deed je toen?' vroeg Johansson.

Eerst had Wiijnbladh gecontroleerd of ze het betreffende wapen wel hadden. Dat was inderdaad het geval. Het lag in een kistje in de wapenverzameling, samen met een kogel die men voor het proefschieten had gebruikt en een patroon die niet was afgevuurd. Wiijnbladh had hem de revolver, de kogel en het patroon gegeven. Met daarbij het verslag van de schietproef.

'Het was uiterst belangrijk dat alle sporen van het wapen werden uitgewist,' verklaarde Wiijnbladh. 'Daarom wilde hij dat ik voor een bewijs van vernietiging zou zorgen.'

'Was er bij de artilleriefabriek niemand die daar vragen over stelde?'

'In die tijd namen ze het niet zo nauw. Niet zoals nu. Ik pakte wat losse wapenonderdelen van revolvers bij elkaar. Onder andere een trommelmagazijn, een afgezaagde loop waarvan het serienummer was weggeslepen en een losse kolf. We hadden veel van dat soort rommel op de afdeling liggen. Vervolgens stopte ik alles in een zak en plakte ik er een etiket op met het serienummer van het wapen waarvoor Waltin had getekend.'

'Hij had ervoor getekend, zei je?' vroeg Johansson.

'Ik moest toch een soort schriftelijk ontvangstbewijs hebben,' antwoordde Wiijnbladh. 'Dat kon niet anders.'

'En toen gaf hij je die verklaring,' zei Johansson, die een van de twee papieren naar Wiijnbladh toeschoof die hij in zijn bureaula had gevonden.

'Ik begrijp nu pas dat het om een vervalsing gaat,' zuchtte Wiijnbladh, en hij schudde zijn hoofd. 'Vreselijk. Maar wat moest ik anders geloven? Een geschreven verklaring, op het briefpapier van de Säpo. Ondertekend en wel. Ik bedoel, wat kon ik anders? Ik moest zelfs een speciale geheimhoudingsverklaring ondertekenen.'

Wat moest hij anders geloven? De week daarop had hij bovendien een medaille en een dankbrief van de Säpo gekregen, ondertekend door bureauchef Erik Berg. Persoonlijk overhandigd door Claes Waltin, tijdens een 'chic' diner in zijn woning aan het Norr Mälarstrand.

'De overhandiging vond vóór het diner plaats,' vertelde Wiijnbladh. 'Daarna kwamen de overige dinergasten. Al spraken we natuurlijk niet over mijn onderscheiding.'

'Die andere gasten,' zei Johansson, met een blik naar Holt. 'Wie waren dat?'

'Een oude vriend van Claes, inmiddels ook dood, helaas, maar ik meen me te herinneren dat hij een zeer bekende bedrijfsjurist was. Hij overleed slechts een paar jaar nadat Claes zelf omkwam. En verder zijn oude vader. In die tijd een zeer succesvolle zakenman. Hij woonde in Skåne, als ik me niet vergis.'

Voordat Wiijnbladh vertrok, moest hij opnieuw een geheimhoudingsverklaring ondertekenen. De medaille, het ontvangstbewijs en de dankbrief had Johansson gehouden. Die had hij onder andere nodig om Wiijnbladh van alle blaam te zuiveren en daar had Wiijnbladh niets tegen ingebracht.

Lewin zou met hem meegaan naar Vermiste Goederen, maar eerst had Wiijnbladh nog een laatste vraag aan Johansson gesteld.

'Die revolver wordt toch niet met een nieuw misdrijf in verband gebracht, hoop ik?'

'Er is niets wat daarop wijst,' zei Johansson met een strakke blik en eerlijke, grijze ogen. 'Die revolver dook op in verband met een boedelbeschrijving van Waltin, waar we uiteraard vragen over hadden, omdat hij er geen vergunning voor had. Puur toevallig kwamen we er een tijdje geleden achter dat het wapen oorspronkelijk door onze collega's in Stockholm in beslag was genomen. De justitiële molens malen langzaam. Helaas,' voegde Johansson er met een zucht aan toe.

Terwijl jij wederom elke beschrijving tart, dacht Anna Holt.

58

'Wat moeten we hiervan denken?' vroeg Johansson de volgende dag, toen hij en zijn naaste medewerkers bij elkaar waren gekomen voor een overleg en de verplichte kop koffie.

'Wat denk je zelf?' vroeg Holt.

'Laten we alles op een rijtje zetten en beginnen bij dat zogenaamde ontvangstbewijs: het is een slechte vervalsing en een nog slechtere grap,' zei Johansson, die het blaadje papier omhooghield dat Waltin aan Wijnbladh had gegeven, als bewijs dat hij een revolver in ontvangst had genomen.

'Volgens het briefhoofd is dit ontvangstbewijs afkomstig van de afdeling FO van de Säpo,' vervolgde hij. 'Ondertekend door afdelingsfunctionaris 4711, die helaas een onleesbare handtekening heeft. Een goed kopieerapparaat en een beetje fantasie. Waltin beschikte blijkbaar over beide.'

'Dan de dankbrief van Erik Berg,' zei Holt.

'Los van het feit dat zoiets nooit voorkomt, moet ik zeggen dat de handtekening behoorlijk geslaagd is. "Aan inspecteur Göran Wijnbladh... Bij dezen wil ik onze dank uitspreken over Uw verdienstelijke bijdragen ten gunste van het behoud van de nationale veiligheid... Stockholm, 15 september 1988. Erik Berg. Chef de bureau. Binnenlandse Veiligheidsdienst." 15 september 1988 viel trouwens op een zondag, maar Berg was voortdurend aan het werk, dus dat was niet zo'n punt,' zei Johansson met een lichte zucht.

'En die medaille?' vroeg Mattei.

'Vervaardigd door Sporrongs medaillefabriek. Dat staat er zelfs op. Verguld koper.'

'Heb je onze techneuten naar het deklaagje laten kijken?' vroeg Lewin.

'Absoluut niet. Dat heb ik zelf gedaan. In het belang van de nationale veiligheid,' grijnsde Johansson.

'Maar wat moeten we hiervan denken, behalve dat collega Wijnbladh op forensisch-technisch gebied niet bepaald een godswonder is? Wat denk jij, Lisa?' vroeg Johansson, terwijl hij Mattei aankeek.

Volgens Mattei waren er allerlei verklaringen mogelijk. Die leidden op hun beurt tot verschillende conclusies, die een breed scala aan mogelijke alternatieven omvatten.

'Zoals?' vroeg Johansson.

Dat deze geschiedenis in feite niets met de moord op de minister-president te maken hoefde te hebben.

'Vijfenzeventig procent is tenslotte maar vijfenzeventig procent, als we van de kogel uitgaan, bijvoorbeeld,' zei Mattei.

'Misschien wilde Waltin zo goedkoop mogelijk aan een revolver komen,' zei Johansson. 'Om dassen en andere onderkruipsels op zijn boerenerf in Sörmland af te kunnen schieten.'

'Nou ja,' zei Holt. 'De andere mogelijkheid is dat de revolver die Waltin zo slinks heeft weten te bemachtigen, gebruikt werd om Palme neer te schieten. Vijfenzeventig procent is nog altijd drie keer zoveel als vijfentwintig, als ik me niet vergis.'

'Tweeënhalf jaar nadat hij al neergeschoten was?' vroeg Mattei met een onschuldig gezicht. 'Van maart 1983 tot september 1988 heeft het wapen immers bij Forensische Opsporing in Stockholm gelegen.'

'Daar werd het veilig bewaard. In het hol van de leeuw,' zei Lewin. 'Als dat het gebruikte wapen was, moet het in verband met de moord op Palme vermist zijn geweest en daarna weer teruggebracht zijn.'

'Ik ben maar een oude man,' zuchtte Johansson. 'Te oud voor wetenschappelijke uiteenzettingen. Geef me de meest voor de hand liggende verklaring. Wat vind jij, Anna?'

'De revolver is het moordwapen,' antwoordde ze. 'Waltin haalt het vlak voor de moord weg bij FO. Volgens Wiijnbladh kwam hij immers regelmatig een kijkje bij hem nemen. Hij heeft vast van de gelegenheid gebruikgemaakt om de revolver mee te nemen. Die geeft hij aan de dader. De dader geeft hem na de moord terug aan Waltin. Waltin brengt hem terug naar FO. Een veiliger plek is haast niet mogelijk. Als de ergste storm geluwd is en hijzelf de zak heeft gekregen, eigent hij zich het wapen toe door Wiijnbladh om de tuin te leiden. Het is een trofee die hij koste wat kost wil hebben.'

'Een andere mogelijkheid is dat, terecht of onterecht, bij hem het beeld is ontstaan dat dit het moordwapen is en dat hij het zich vervolgens toe-eigent om het aan een verzamelaar te kunnen verkopen. Zo ingewikkeld is dat niet,' bracht Mattei ertegen in. 'Klopt prima met het verhaal van kunsthandelaar Henning.'

'We zijn weer terug bij af,' zuchtte Johansson. 'Wat denk jij, Jan?'

'Ik volg Anna's lijn,' zei hij.

'Je oude parkeerboete,' zei Johansson.

'Inderdaad. Waltin heeft het wapen in zijn bezit. Vraag me niet hoe hij eraan komt. Hij geeft het vlak voor het misdrijf aan de dader. De dag na het misdrijf neemt hij het terug. De dader heeft de nacht doorgebracht op een van Säpo's geheime adressen in Gärdet.'

'Geen slechte complottheorie, Lewin,' merkte Johansson op.

'Nee,' zei Lewin. 'En nu maar hopen dat het niet waar is.'

Toen Holt terugkeerde naar haar kamer, had ze onaangekondigd bezoek van Bäckström gekregen. Hij zat op haar bureau en had vermoedelijk stiekem geprobeerd haar papieren te lezen.

'Ik ben woedend,' zei Bäckström, die haar dreigend aankeek.

'Ga zitten,' zei Holt.

Bäckström was niet alleen woedend. Hij was ook teleurgesteld. In Holt, in haar collega's, in feite in de hele mensheid. Zo teleurgesteld dat dat ten koste van zijn gezondheid was gegaan. Hij was de vorige avond getroffen door een hartaanval of wellicht door een lichte hersenbloeding, had de nacht bij de eerstehulppost doorgebracht en was nu met ziekteverlof. Zodra hij enigszins hersteld was, zou hij contact met de vakbond opnemen, om hulp te krijgen bij zijn aangifte tegen de politieleiding in Stockholm, de rijksrecherche en niet in de laatste plaats tegen Anna Holt.

'Ik vind dat je er blakend uitziet, Bäckström,' zei Holt, die niet geluisterd leek te hebben.

'Voor een echte politieman als ik is de anonimiteit van een informant heilig,' sprak Bäckström verontwaardigd. 'Mattei en jij hebben achter mijn rug om gehandeld. Gustaf Henning belde me op om me voor rotte vis uit te maken en je moet weten dat ik daar alle begrip voor heb. Al heb ik hem niet bedrogen. Jij hebt mij bedrogen.'

'Je maakt je zorgen om je beloning,' concludeerde Holt.

Absoluut niet. Onbetrouwbare collega's. De politie die in verval raakt. Een samenleving die hard op weg is naar haar ondergang, een samenleving waarin een fatsoenlijk, hardwerkend mens als hij niemand meer kan vertrouwen. Dat baarde Bäckström zorgen. Hij had nooit op een beloning voor zijn slavenarbeid gerekend. Dat had hij in die dertig jaar bij de politie heus wel geleerd.

'Wie heeft je de tip van het wapen gegeven? Wie heeft je de naam Waltin gegeven? Zonder mij zouden jullie geen stap verder zijn gekomen. Ik was zelfs degene die jullie op het spoor van die geheime sekte van seksverslaafden heeft gezet. De Vrienden van de Vagina. Je kunt wel op je vingers natellen wat ze al die jaren hebben uitgevreten. Een verzameling perverse idioten waren het! Dat kun je aan de naam wel horen.'

'Het is ongepast om zonder toestemming andermans stukken te lezen,' zei Holt, die voor de zekerheid het verhoor met Henning in haar bureaula stopte.

'Wat heb je ter verdediging aan te voeren?' vroeg Bäckström, die Holt strak aankeek.

'Dat ik mijn werk doe. En dat kan ik van jou niet zeggen, aangezien jij niets anders doet dan je neus in andermans zaken steken. Bovendien zeg je net dat je met ziekteverlof bent. Ga naar huis en duik je bed in, Bäckström. En flik het niet nog eens om zonder toestemming in mijn papieren te neuzen.' Ze keek hem strak aan.

'Oorlog,' zei Bäckström. Hij kwam overeind uit zijn stoel en wees met een dikke wijsvinger naar Holt.

'Oorlog?'

'Oorlog,' herhaalde Bäckström. 'Nu is het oorlog, Holt.'

59

Na de lunch namen Holt en Mattei het vliegtuig naar Kristianstad om de oude vader van Claes Waltin te verhoren.

'Ik kreeg bezoek van Bäckström,' vertelde Holt. 'Hij zat in mijn kamer te wachten toen ik terugkwam na het overleg met Johansson.'

'Dat vreselijke dikkerdje,' reageerde Mattei vol afschuw. 'Wat wilde hij?'

'Hij kwam met allerlei vaagheden. En hij verklaarde ons de oorlog.'

'In dat geval zal ik Johan vragen om hem op zijn sodemieter te geven,' zei Mattei.

'Johan?'

'Johan,' knikte Mattei. De rest van de vlucht had ze verteld over Johan en die vlucht had best wat langer mogen duren dan een uur.

Onze Lisa is verliefd, dacht Holt verbaasd toen ze uit het vliegtuig stapten.

Een grote boerderij in Skåne. Een witgekalkt vakwerkhuis, compleet met rieten dak, vijver en wilgenlaan.

Zo zou ik ook wel willen wonen, dacht Anna Holt toen hun taxi op het grinderf voor het hoofdgebouw van Robertslust tot stilstand kwam.

'Robertslust wordt al generaties lang door het geslacht Waltin bewoond,' verklaarde hun gastheer nadat hij hen naar zijn 'rooksalon' had begeleid en ervoor gezorgd had dat 'de dames' koffie kregen. Een groot bureau, daarboven gekruiste degens aan de muur, een bankstel van versleten fluweel met gehaakte antimakassars over de rugleuning en oude portretten in vergulde lijsten, terwijl het leven honderd jaar later nog altijd verder schreed.

Zonder meer heel oud en sfeervol, dacht Holt.

'Is het landgoed naar u vernoemd, meneer Waltin?' vroeg Mattei met een vriendelijk glimlachje.

'Zeker niet,' snoof Robert Waltin. 'Het is vernoemd naar de stamvader van de familie, mijn betovergrootvader, fabrieksdirecteur Robert Waltin. Oorspronkelijk was de boerderij het zomerverblijf van de familie.'

En zelf zie je eruit alsof je er al die tijd bij bent geweest, dacht Lisa Mattei. Een akelig oud ventje, maar verre van ongevaarlijk. Ondanks die dunne nek, die uit de veel te ruime, rafelige kraag van zijn overhemd stak. Ongetwijfeld een duur overhemd uit de tijd dat Robert Waltin in de kracht van zijn leven was en zich niet zoals nu alleen maar over alles en iedereen wilde beklagen.

'De reden dat we hier zijn, is dat we u een aantal vragen over uw zoon willen stellen,' zei Holt met een formele glimlach.

'Dat werd hoog tijd. In dat zogenaamde verdrinkingsongeval heb ik nooit geloofd. Claes was zo gezond als een vis. En zwemmen als een vis kon hij ook. Dat heb ik hem zelf geleerd.'

Voordat hij vijf jaar werd en je hem in de steek liet om naar Skåne te verhuizen en met je secretaresse te trouwen, dacht Holt.

'Ik heb het hem geleerd toen hij nog maar een klein opdondertje was en ik nog steeds bij die onnozele gans van een moeder van hem woonde,' ging vader Robert verder. 'Later kwam hij elke zomer hier en zeilden en zwommen we vaak samen. Hij is vermoord. Claes is vermoord. Dat heb ik van begin af aan gedacht.'

'Waarom denkt u dat?' vroeg Holt.

'Het zijn die socialisten,' antwoordde de oude man, haar sluw aankijkend. 'Claes was iets over hen te weten gekomen, zodat ze hem wel moesten vermoorden. Hij werkte immers bij de veiligheidsdienst. Hij was vast goed op de hoogte van hun illegale afspraken met die Russen en Arabieren. Waarom hebben ze die landverrader Palme trouwens moeten doodschieten, denkt u?'

'Wat denkt u zelf, meneer Waltin?'

'Palme was een landverrader. Een spion voor de Russen. Zo eenvoudig is het. De Russische onderzeeërs hadden tot diep in onze scherenkust geheime bases. Een gecorrumpeerde regering, waarvan de leider een doodsimpele spion van de vijand was. Die bovendien zijn eigen afkomst verloochende.'

'Waarom denkt u dat Olof Palme een spion voor de Russen was?' Dit schiet lekker op, dacht ze.

'Dat begrijpt toch ieder weldenkend mens. Bovendien werd dat al snel door een betrouwbare bron bevestigd. Door mijn eigen zoon. Daar hadden ze bij de veiligheidsdienst zelfs schriftelijk bewijs van. Bewijs dat op bevel van de regering onmiddellijk vernietigd moest worden. Een afschuwelijk relaas over machtsmisbruik en verraad.'

Meen je dat, dacht Holt. Maar hoe krijg ik die oude vent zover om van onderwerp te veranderen?

'Meent u dat?' zei Holt instemmend. 'U zou ons zeer behulpzaam zijn als u meer over uw zoon wilde vertellen.'

Dat deed zijn vader graag. Zijn zoon was zeer getalenteerd. Hij leerde gemakkelijk. Was altijd de beste van de klas. Bovendien was hij heel aantrekkelijk. Toen hij eenmaal groot genoeg was, kende hij geen rustig moment meer, vanwege al die vrouwen die achter hem aanrenden.

'Ze waren helemaal gek van hem. Maar hij nam het goed op. Gedroeg zich altijd beleefd en voorkomend.'

'Maar hij is nooit getrouwd geweest,' constateerde Holt. 'Hij heeft nooit een gezin gehad en kinderen gekregen.'

'Hoe had hij daar tijd voor kunnen maken?' snoof zijn vader. 'Bovendien had ik hem gewaarschuwd. Ik wist wel degelijk waar ik het over had. Ik was immers met zijn moeder getrouwd geweest.'

'De vrouw die op het metrostation is omgekomen?'

'Omgekomen? Ze was dronken. Ze was altijd dronken. Ze dronk een paar flessen port per dag en stopte zich vol met medicijnen. Ze was dronken toen ze die rails op waggelde, dat was alles.'

'Zag u uw zoon regelmatig?'

In de zomer, natuurlijk. Tijdens familiefeesten waarbij hij zijn eerste vrouw niet hoefde uit te nodigen. Als ze bij elkaar in de buurt waren, min of meer.

'We hebben met iemand anders gesproken, een collega van ons,' zei Holt, 'die u eind jaren tachtig tijdens een diner bij uw zoon heeft ontmoet. In zijn woning aan het Norr Mälarstrand.'

'Was dat niet dat agentje dat Claes had geholpen met een of andere vervalsing, die die kunstjood Henning hem had aangesmeerd?' vroeg de oude Waltin. 'Een miserabel figuur die zich voortdurend verontschuldigde voor het feit dat hij bestond en nauwelijks wist hoe hij zijn bestek moest vasthouden.'

'Dat kan kloppen,' zei Holt. En je bent zelf geen haar beter dan Johansson, als puntje bij paaltje komt, dacht ze.

'Die kan ik me nog herinneren,' zei Waltin. 'Zodra we van die jodocus verlost waren, vroeg ik Claes waarom hij in hemelsnaam met dat soort types omging.'

'Wat zei hij daarop?'

'Dat die idioot goed van pas kwam. En ook nog van waarde was, volgens Claes. Ondanks zijn bedroevende voorkomen.'

'Vertelde hij waarom hij dat vond?' hield Holt aan.

'Daar ging hij verder niet op in,' antwoordde Robert Waltin hoofdschuddend. 'Wat ik me ervan herinner, is dat mijn zoon slechts zei dat de idioten die het meest van pas kwamen, geen enkel benul hadden van hun verdienstelijkheden. En dat uitgerekend dit exemplaar zowel hem als de natie een grote dienst had bewezen.'

Wiijnbladh en nog een gast. Wist hij nog wie dat was?

'Ja, ik kan me hem prima voor de geest halen,' zei Robert Waltin. 'Het was een van Claes' oude studievrienden. Is eveneens een succesvolle jurist geworden. Een bedrijfsjurist voor een van onze meest succesvolle ondernemingen. Hij zat zelfs jarenlang in het bestuur van Bofors. Overleed slechts enkele jaren nadat Claes was omgekomen. Zijn naam is me ontgaan, maar ik meen dat ik de weduwe na de begrafenis een kaart heb gestuurd. Een uitstekende kerel. Zoals ik al zei, hebben ze samen rechten gestudeerd, en verder waren ze beiden lid van dezelfde vereniging.'

Oeps, dacht Holt.

'Een vereniging?'

'Eerst zaten ze allebei bij de Conservatieve Juristen, maar ze schenen onenigheid te hebben gehad met het bestuur. Dat was in die tijd dat de bolsjewieken onze universiteit probeerden over te nemen, waarop Claes en zijn goede vriend zelf een vereniging oprichtten. Juristen voor een vrij Zweden noemden ze zich volgens mij.'

'Juristen voor een vrij Zweden?'

'Zoiets, ja,' zei vader Waltin, en hij haalde zijn schouders op. 'Ik weet het niet meer precies. Er waren destijds heel wat verenigingen waar mijn zoon lid van was. Mochten jullie dat willen weten.'

'Kunt u zich nog een andere vereniging herinneren?' vroeg Holt met een onschuldig gezicht.

'Niets waar ik met de dames over wil spreken.'

Over zijn zoon sprak hij echter graag. Ze kregen een twee uur durende uiteenzetting over alle goede eigenschappen en verdiensten van zijn zoon, waar ze uiteindelijk zelf een punt achter moesten zetten omdat hun taxi stond te wachten.

'Mag ik u hartelijk danken, meneer Waltin?' zei Holt, die haar hand uitstak.

'Degene die u werkelijk zou moeten bedanken, is mijn zoon,' zei Robert Waltin.

'Dat heb ik begrepen,' zei ze instemmend.

'Omdat hij ervoor gezorgd heeft dat die landverrader doodgeschoten werd,' siste Robert Waltin, die zich abrupt omdraaide en in het huis verdween, dat al vijf generaties lang door de familie werd bewoond.

'Dus die ouwe zak beweert dat zijn zoon bij de moord op Palme betrokken is geweest,' zei Johansson. 'Hoe weet hij dat dan?'

'Dat is niet duidelijk,' antwoordde Holt. 'Het is meer een gevoel, als ik het goed begrepen heb. Het waren hoe dan ook de woorden waarmee hij afscheid nam.'

'Een gevoel,' snoof Johansson, en op dat moment besloot hij dat het tijd werd om een praatje met de oude waakhond van bureauchef Berg te maken, met commissaris Persson. Een echte politieman, die er destijds bij was geweest.

60

Persson woonde in Råsunda. In een van die oude gebouwen van begin 1900, die op het voetbalstadion uitkeken. Nadat hij in het begin van de jaren zeventig was gescheiden om zich volledig aan zijn politietaak te kunnen wijden, had hij daar een klein tweekamerappartement betrokken. Het menselijk wezen met wie hij tijdens zijn zeventigjarige leven de meeste tijd had doorgebracht, was de legendarische chef de bureau Erik Berg. Vijfentwintig jaar lang operationeel leider van de veiligheidsdienst. Johanssons voorganger in die functie en Perssons chef, gedurende twee derde van diens politiebestaan.

Berg en Persson kenden elkaar sinds de Politieacademie. Ze hadden in de jaren zestig een paar jaar lang de voorbank van dezelfde surveillancewagen gedeeld, in de tijd dat de surveillancedienst van de Zweedse politie nog in een zwarte Plymouth met bulderende v8-motoren rondreed. Vóór alle Volvo's en Saabs. In een andere tijd.

Daarna was Berg doorgegaan, had een rechtenstudie gedaan en was bij de Säpo terechtgekomen, waar hij snel carrière maakte. In 1975 werd hij benoemd tot operationeel leider bij de veiligheidsdienst, de man die in de praktijk aan de touwtjes trok bij geheime politiewerkzaamheden. Nog dezelfde dag waarop Berg werd benoemd, had hij Persson gebeld en hem een baan aangeboden als zijn rechterhand en persoonlijke vertrouweling. De enige vertrouweling, hetgeen als vanzelfsprekend in de taak besloten lag.

Een uur later diezelfde dag had Persson zijn dienstverband als rechercheur bij de diefstalafdeling van de politie Stockholm opgezegd om te beginnen als commissaris bij Berg. En dat bleef hij de rest van zijn werkzame leven doen. Vierentwintig jaar later ging hij met pensioen. Het jaar daarop was Berg gestopt, die kort daarna aan kanker overleed. Persson was nog altijd in leven en was geenszins van plan dood te gaan. Mensen als hij gingen niet dood.

'Leuk om iets van je te horen, Lars,' zei hij toen Johansson hem belde. 'Dat is een tijd geleden.'

'Wat zou je ervan vinden samen een keer te eten?' stelde Johansson voor.

'Bij mij thuis, in dat geval,' zei Persson. 'Ik ga nooit met een vent uit eten. Bovendien kan ik niet tegen die herrie op de achtergrond.'

'Vanavond, schikt dat?' vroeg Johansson.

'Lijkt me uitstekend. Ik heb niets beters te doen. Wat vind je van gezouten runderborst met hutspot?'

'Klinkt prima,' zei Johansson. Bestaat er iets beters, dacht hij.

'Dan spreken we om zeven uur af,' besliste Persson. 'Als je brandewijn wilt drinken, moet je dat zelf meenemen.'

Je blijft jezelf verbazen, dacht Johansson enkele uren later, toen hij in de keuken van Perssons kleine appartement zat, terwijl zijn gastheer een tweede borrelglaasje voor hen inschonk. De eeuwige vrijgezel Persson, die er op zijn werk om bekend had gestaan dat hij altijd hetzelfde grijze pak, hetzelfde vergeelde synthetische overhemd en dezelfde bruingemêleerde stropdas droeg.

Bij hem thuis rook het naar schoonmaakmiddel en boenwas en was het net zo netjes als in een ouderwets poppenhuis. Zoveel groter was zijn huis trouwens niet eens, en aangezien Persson tweehonderd kilo woog en langer dan een meter negentig was, leek het of er een olifant door een porseleinkast liep. Een olifant met het coördinatievermogen van een balletdanser, net zo bedreven in de kookkunst als Johanssons geliefde tante Jenny was geweest. De vrouw die in die goeie ouwe tijd de drankjes serveerde in hotel Stora Hotellet in Kramfors, en zowel eigenaren van bosplantages als gewone boswachters van de goede dingen des levens had voorzien.

'Wat is er, Johansson? Zit je erover te denken mijn meubels te kopen?' vroeg Persson, die zijn blik kennelijk had gevolgd.

'Nou,' legde Johansson uit, 'het valt me op dat je het hier zo netjes houdt. Types als jij en ik staan niet echt bekend om onze ordelijkheid.'

'Ik heb een hekel aan rommel,' zei Persson. 'Al sinds ik in dienst zat. Dus spreek voor jezelf, Johansson.'

'Vertel,' knikte Johansson, die hun glaasjes voor de derde keer vulde.

Persson had zijn dienstplicht bij de marine vervuld. Na de voor die tijd verplichte periode van tien maanden maakte hij enkele jaren deel uit van het militair gezag, voordat hij een baan zocht bij de politie. En politieman was hij nog steeds, hoewel hij inmiddels met pensioen was.

'Politieman word je niet,' zei Persson. 'Dat ben je.'

'Als je een echte agent bent, ja,' stemde Johansson in. 'Verder zou ik het niet weten. Heb je op een onderzeeër gezeten toen je bij de marine zat?'

'Nee. Waarom denk je dat?'

'Door die ordelijkheid van je. Als je op een onderzeeër je jasje laat liggen, moet je maatje in de scheepskooi op de grond slapen. Dat heb ik er tenminste van begrepen.'

'Dat klopt,' zei Persson. 'Het is er hondsbenauwd, erg genoeg voor iemand als ik. Al ben ik wel een paar keer aan boord geweest. Ik had er toen al moeite mee om me door die toren heen te worstelen. Claustrofobie heb ik nooit gehad, maar wie wil er nu in een paar te krappe schoenen wonen? Ik werkte vooral op het vasteland, als technicus bij de explosievendienst van de oorlogsbasis in Berga. We hielden ons vooral bezig met oude mijnen die na de oorlog boven kwamen drijven. Eind jaren vijftig en begin jaren zestig moesten we soms een paar keer per maand uitrukken om een arme drommel te helpen die een verkeerde vangst had gedaan.'

'Dan was het belangrijk om je zaakjes op orde te hebben,' constateerde Johansson.

'Dat kun je wel zeggen,' glimlachte Persson instemmend. 'Als je de schroefsleutel een halve slag te ver doordraaide, kon het met je gedaan zijn. En als je de verkeerde spullen had meegenomen kon je niet zomaar wat uitproberen.'

'Dat kan ik me voorstellen.'

'Je leert het vanzelf.' Persson haalde zijn schouders op. 'Eigenlijk is het niet moeilijker dan een afvoer ontstoppen, als je het eenmaal in de vingers hebt. Alleen de consequenties zijn een beetje anders, om het zo maar te zeggen. De afgelopen vijftig jaar heb ik alleen maar de afvoer en de elektrische leidingen onder handen genomen, om het huishoudbudget laag te houden, maar ik klaag niet. Die vakmensen maken er bovendien een smerige bende van. En ze liegen ook nog. Ze komen nooit volgens afspraak. Dat zou wat moois zijn, als er een oude Duitse mijn tegen de romp van je boot slaat! Proost, trouwens!'

'Proost,' zei Johansson.

Na de maaltijd maakten ze hun broekriemen los en gingen ze in de woonkamer zitten om koffie te drinken en de dingen te bespreken waar echte politieagenten altijd over spraken. Over andere echte agenten, over types die niet eens een gewone politieagent hadden mogen worden en over schurken in het algemeen.

'Ik liep Jarnebring tegen het lijf in het centrum van Solna een maand geleden. Hij was niets veranderd, ook al is hij nog vader geworden op zijn oude dag.'

'Jarnebring is als geen ander,' zei Johansson met warmte in zijn stem. 'Al lijkt alles wel zo'n beetje om dat jochie van hem te draaien.'

'Zo gaat dat nou eenmaal,' zuchtte Persson. 'Dat was onder andere de reden waarom ik zelf nooit kinderen wilde.'

'Hoe bedoel je?' vroeg Johansson.

'Je raakt gehecht,' zei Persson. 'Jij bent ook nooit aan een tweede leg begonnen?'

'Nee, dat kwam er niet meer van. Die twee uit mijn eerste huwelijk zijn nu groot. Ik heb van allebei kleinkinderen. Het is nu een stuk rustiger, als je het mij vraagt.'

'Ja, zo zie je maar,' zei Persson. 'Ik heb altijd al gevonden dat dat gedoe met die kinderen overschat werd. Van de meeste kinderen begrijp je immers geen snars. Over overschatten gesproken: hoe is het eigenlijk bij de rijksrecherche? Dat zal vast geen pretje zijn, als je het voorrecht hebt gehad om bij de Säpo te werken.'

'Vijf jaar bij de Säpo is lang genoeg.' Johansson haalde met een glimlach zijn schouders op.

'Erik heeft er vijfentwintig jaar gezeten,' constateerde Persson. 'Totdat hij kanker kreeg. Wat mij betreft had hij daar voor altijd mogen blijven.'

'Maar jij bent al eerder gestopt.'

'Inderdaad. Het jaar voordat hij wegging. Maar toen was hij al ziek en ik kon er waarschijnlijk niet goed tegen om te zien hoe hij verslechterde. Niet elke dag, tenminste. Maar we hadden tot op het laatst regelmatig contact. We zagen elkaar een paar keer per week. En ik belde hem bijna elke dag.'

'Krijg je die Palme-zaak trouwens een beetje op orde? Dat wordt onderhand ook wel tijd,' vervolgde Persson, die Johansson nieuwsgierig aankeek.

'Waarom vraag je dat?'

'Ik heb daar zo'n maand geleden iets over in de krant gelezen,' antwoordde Persson.

'Ach, die kranten...' snoof Johansson. 'De zaak staat er niet zo best voor, als je het mij vraagt.'

'Die heeft er nooit best voor gestaan,' zei Persson. 'Die zaak lag na een dag al op zijn gat.'

'Maar er is één ding waarover ik loop te prakkiseren,' zei Johansson.

'Dat vermoeden had ik al, Johansson.' Persson hief zijn cognacglas.

'Waltin. Wat is jouw mening over Waltin?'

'Waltin,' herhaalde Persson, terwijl hij Johansson hoofdschuddend aankeek. 'Nu begin ik me bijna zorgen over je te maken.'

'Waarom?' vroeg Johansson.

Waltin was een snob, een aansteller, een nietsnut. En laf was hij ook. Ondenkbaar dat Palme door een figuur als hij was doodgeschoten. Bovendien voldeed hij niet aan het signalement van de dader. Iedereen behalve Waltin, overigens niet om zijn persoon te sparen. Waltin was zeker in staat om van alles te bedenken op het gebied van financiële malversaties en alles uit de kast te halen om op een risicoloze manier aan een paar centen te komen. In de wandelgangen van de veiligheidsdienst was er bovendien heel wat afgefluisterd over Waltins interesse voor vrouwen en de merkwaardige wijze waarop dat naar verluidt tot uitdrukking kon komen.

'Zeker,' zei Persson. 'Hij heeft ongetwijfeld een of andere vrouw met de zweep gegeven. Verscheidene, zelfs. Hij was zo'n type dat daarvan hield. Of hij Palme heeft vermoord? Uitgesloten. En waarom? Hij was daar absoluut het type niet voor.'

'Hij hoeft hem niet te hebben neergeschoten,' wierp Johansson tegen. 'Dat heb ik niet gezegd, dus op dat punt zijn we het eens. Dat neemt niet weg dat hij op een of andere manier betrokken kan zijn geweest.'

'Nu begin ik me echt zorgen over je te maken, Lars.' Persson schudde zijn hoofd. 'Wil je daarmee zeggen dat hij in een of ander complot zou hebben gezeten?'

'Bijvoorbeeld.'

'Daar was hij veel te laf voor,' vond Persson. 'Bovendien was hij veel te lui om zoiets te kunnen regelen. Waltin was zo'n type dat graag ronddobberde op een broodje garnalen. Het liefst samen met anderen die zich op dezelfde manier gedroegen. Van die zondagskinderen die vanaf hun geboorte in een gespreid bedje kwamen. Bij wie had dat aanstellertje moeten aankloppen om zoiets voor hem te doen?'

'Geen idee,' antwoordde Johansson. 'Heb jij een suggestie?'

'Als je op een van onze collega's uit bent, zit je op een dwaalspoor,' zei Persson. 'Bij ons was er niet een die zoiets zou kunnen doen, of die zelfs een figuur als Waltin met een tang wilde vastpakken. Niet bij ons. En dan is er nog iets wat je moet weten. Onze collega's die destijds bij de lijfwachten werkten, mochten Olof Palme graag. Ik denk niet dat ze op hem zouden stemmen. Maar ze mochten hem als mens. Ook al was hij soms een moeilijk bewakingsobject.'

'Wie zou Palme dan hebben doodgeschoten, volgens jou?' vroeg Johansson.

'Zo'n type als die Christer Pettersson. Een of andere gewelddadige gek die schijt had aan de gevolgen. Die zijn kans greep toen die zich aandiende. Mogelijk iemand die iets minder chaotisch was dan Pettersson. Daar zijn er op zijn minst duizenden van. Al die idioten die een kast vol vuurwapens hebben, waarvoor wij politiemensen een vergunning hebben afgegeven.'

'Ik begrijp het,' zei Johansson.

'Fijn om te horen,' zei Persson. 'Wil je nog een goede raad op de koop toe?'

'Een goede raad van een wijze man is altijd welkom.'

'Luister dan naar een oude man, die zelfs nog langer meedraait dan jijzelf,' zei Persson, terwijl hij de laatste druppels uit Johanssons meegebrachte cognacfles voor hen inschonk.

Johansson knikte.

'Laat het los,' raadde Persson hem met klem aan. 'Die Palme-zaak is al meer dan twintig jaar geleden uit onze handen geglipt.'

'Ja. Maar als ik mocht kiezen, had ik het liefst gehakt gemaakt van die rotzak die het gedaan heeft,' zei Johansson.

'Wie niet,' zei Persson. 'Het probleem is alleen dat wij politiemensen zoiets niet kunnen doen en in dit geval weten we niet eens wie we in die gehaktmolen moeten stoppen.'

Laat het los, dacht Johansson een uur later, toen hij in de taxi op weg naar huis zat. Gewoon niet langer meer aan denken, dat is tenminste iets, dacht hij.

61

De politionele biografie van Claes Waltin begon vorm en inhoud te krijgen. Van zijn doopbewijs tot zijn overlijdensakte. Van de advertentie in *Svenska Dagbladet* met de foto van de kleine Claes en zijn ouders, tot aan de Spaanse en Zweedse politieonderzoeken naar zijn doodsoorzaak, die een punt achter zijn aardse bestaan hadden gezet.

Niet bepaald een uitblinker op school, zoals zijn vader Robert had beweerd. Eerder een lanterfanter. Chique scholen, maar gedurende zijn hele schoolperiode haalde hij middelmatige cijfers. Behalve voor gedrag en netheid, aangezien hij daar al in de tweede klas van de lagere school een onvoldoende voor kreeg.

Op slechts achtjarige leeftijd, ondanks het feit dat hij op een privéschool zat. Ik vraag me af wat hij toen op zijn kerfstok had, dacht Lisa Mattei.

Tijdens zijn militaire dienstplicht kwam daar op frappante wijze verandering in. Waltin had die tijd gediend bij de Norrlandse dragonders in Umeå. Bij de elitetroepen, de bereden jagers van de landmacht, en toen hij na vijftien maanden als sergeant afzwaaide, had hij voor alle vakken de hoogste cijfers behaald. Vervolgens was alles weer terug bij het oude. Hij had acht jaar over zijn rechtenstudie gedaan, waar normaal vier jaar voor stond.

Had Palme zijn meestertitel niet in twee jaar behaald, dacht Lisa Mattei.

Behalve aan zijn studie scheen Waltin zijn tijd aan heel veel andere zaken te hebben besteed. Het verenigingsleven, onder andere. Zodra hij zich bij de juridische faculteit in Stockolm had ingeschreven, was hij ook lid geworden van de Conservatieve Juristen. Die had hij na een jaar al verlaten, en op zijn verzoek waren de redenen daarvoor in de notulen opgenomen. Kort samengevat was de vereniging in zijn ogen veel te radicaal.

Samen met enkele gelijkgezinden had hij een nieuwe vereniging opgericht, een afsplitsing die zich Jonge Juristen voor een Vrij Zweden noemde. Compleet met hoofdletters enzovoort, maar na drie bijeenkomsten was de vereniging al ingedut.

De kleine vriendenkring van de vier jonge rechtenstudenten die het Genootschap voor de Vrienden van de Vagina hadden opgericht, was daarentegen beduidend volhardender. De vereniging was in september 1966 in het leven geroepen, na aanvang van het studiejaar, en functioneerde tot het einde van het decennium.

Waltin scheen een zeer actief verenigingslid te zijn geweest. Hij was de 'penningmeester' en 'beheerder van de wijnkelder'. Hij had in 1966 en 1968 de titel 'Vaginakampioen van het jaar' veroverd. In 1969 werd hij geroyeerd, om redenen die niet in de notulen waren terug te vinden en waar de zeer competente hoofdinspecteur Lisa Mattei nagenoeg veertig jaar later enkele dagen voor nodig had om ze te achterhalen. Geheel zonder hulp van het voormalige lid van de vereniging, dat tegenwoordig als vertegenwoordiger van de christendemocraten in het Zweedse parlement zat en tevens een gewaardeerd lid was van de justitiecommissie.

Mattei had Johansson om toestemming gevraagd, maar een klinkklaar nee als antwoord gekregen.

'Ik maak me ongerust over je, Lisa, als je dat zo zegt,' antwoordde Johansson, die haar strak aankeek. 'Waarom zou je hem willen spreken? Ik veronderstel dat je je ervan bewust bent dat hij hoofdofficier van justitie was voordat hij in het parlement terechtkwam.'

'Maar Waltin als persoon, zijn achtergrond... Ik vind dat in hoge mate interessant,' wierp Mattei tegen. 'Ik kan me voorstellen dat...'

'Het is pure onzin,' onderbrak Johansson haar. 'Een paar snotneuzen en rijke studenten in de jaren zestig, met een totaal gebrek aan realiteitszin. Hoe relevant is dat voor onze zaak? Veertig jaar later. Waarom denk je dat Palme werd vermoord? Denk je soms dat het om een uit de hand gelopen verkrachting ging?'

'Nee,' zei Lisa Mattei. 'Dat denk ik niet. Maar ik denk dat het ons een beeld van de persoon Waltin kan geven. Bovendien werd Palme nog geen twintig jaar later vermoord. Die vereniging schijnt in 1966 te zijn opgericht en Palme werd eind februari 1986 doodgeschoten.'

'Vergeet het maar,' zei Johansson. Hij schudde zijn hoofd en wees met zijn hele hand naar de deur van zijn kamer. 'En spreek me niet tegen,' waarschuwde hij, toen ze opstond om te vertrekken.

Mattei was het niet vergeten. De manier waarop Johansson haar had behandeld, stond garant voor het tegendeel. Of de kwestie relevant was of niet. Bovendien had ze hulp gekregen van Waltins vader. Zonder dat hij zich daar bewust van was, toen hij zat op te scheppen over de voorname vrienden van zijn zoon tijdens zijn middelbareschooljaren en studententijd, en over de voornaamste van hen, de bankier, financieel expert en miljardair Theodor 'Theo' Tischler.

Het is een poging waard, vond Lisa Mattei. Slechts een uur na haar gesprek met Johansson kreeg ze Tischler aan de telefoon en maakte ze voor de volgende dag met hem een afspraak, in zijn kantoor aan het Nybroplan, zonder Johansson om toestemming te vragen.

Als informant was hij een weergaloze, onwaarschijnlijke verschijning. Een kleine, vierkante, kale man, met brede rode bretels en een zeer alerte oogopslag, waarmee hij haar vanachter zijn reusachtige bureau volkomen ongegeneerd opnam. De man die het Tourettesyndroom een gezicht gaf, dacht Lisa Mattei, terwijl haar taperecorder in de borstzak van haar jasje uit alle macht ronddraaide.

'Claes Waltin,' zei Tischler. 'Wat heeft die mythomaan nu weer verzonnen?'

'Ik ga ervan uit dat u op de hoogte bent van het feit dat hij al jaren dood is?' vroeg Mattei.

'Zo'n figuur als hij laat zich daar niet door tegenhouden,' constateerde Tischler en slechts vijf minuten later begon hij al over het Genootschap voor de Vrienden van de Vagina.

Tischler had alle contact met Waltin verbroken nadat deze in het voorjaar van 1969 een boosaardig gerucht had verspreid onder de vrouwen die hun voornaamste rekruteringsbron vormden, de vrouwelijke leerling-verpleegsters van het Sophia-gasthuis, het Rode Kruis en het Karolinska-ziekenhuis.

'Daar regen we namelijk het meeste spek aan het mes,' zei Tischler. 'Als hij me dat nu had geflikt, zou ik hem hebben aangeklaagd vanwege marktmisleiding. Ik kreeg heel wat ellende over me heen voordat ik terug kon komen.'

'Wat had hij dan gezegd?' vroeg Lisa Mattei met een onschuldig gezicht.

'Dat ik een lul had die net zo groot was als die van Japie Krekel,' zei Tischler met een olijke grijns.

Zou daar iets van waar zijn, dacht Mattei, terwijl ze meewarig haar blonde hoofd schudde.

'Nu vraag je je natuurlijk af of dat waar is,' vervolgde Tischler.

Er was niets van waar, volgens de zegsman. Het was slechts een boze tong, die er alles aan deed om de toekomstige bankier ervan te weerhouden de rechtmatige winnaar van de bokaal voor Vaginakampioenen te worden. Daarom hadden hij en de twee overige leden van de vereniging de handen ineengeslagen en had hij zijn toen al aanzienlijke financiële spierballen gebruikt om die gladde geruchtenverspreider Waltin ten val te brengen.

'Van het begin tot het einde gelogen,' zei Tischler. 'Als je me niet gelooft, zal ik je de namen van een paar oude vrienden van de zeeverkenners geven, dan kunnen ze je vertellen hoe ik genoemd werd toen ik daar lid van was.'

'Alle scoutingleiders uit die tijd waren oude flikkers en pedofielen, dus wij moesten als kleine jongetjes altijd naakt zwemmen als we op kamp waren. Door mijn vrienden werd ik toen de Ezel genoemd.'

'De Ezel?'

'Ze hebben me voor van alles en nog wat uitgemaakt, maar nooit voor domoor,' verduidelijkte Tischler. 'Ze bedoelden dan ook niet het bovenste gedeelte van de ezel.' En hij knikte naar zijn kruis, dat achter zijn bureau verborgen zat.

Was Waltin een seksuele sadist?

Vanzelfsprekend, volgens Tischler. Nog een reden om hem te royeren. Waltin had een hekel aan vrouwen, vandaar zijn onverzadigbare seksbehoefte en de wijze waarop die tot uitdrukking kwam.

'Die beschadigde de goede naam en reputatie van de vereniging,' zei Tischler. 'Zo'n type konden we er natuurlijk niet bij hebben.'

Was er nog meer noemenswaardigs over Waltin te vertellen? Behalve dat hij een seksuele sadist was?

Oneindig veel, volgens Tischler, die een uur nodig had om te vertellen dat Claes Waltin achtereenvolgens een hond had vergiftigd, zich schuldig had gemaakt aan brandstichting, spullen uit Tischlers ouderlijk huis had gestolen, op heterdaad was betrapt toen hij zich stiekem aftrok boven een foto van Tischlers moeder en in het handenarbeidlokaal een revolver had vervaardigd, waarmee hij de dag daarop een klasgenoot in zijn bil schoot. Volgens Tischler was dat slechts een greep uit hun middelbareschooltijd. Er was nog veel meer, als ze dat wilde horen.

Toen Waltin een hond had vergiftigd en vervolgens het boerderijtje van de eigenaars van de hond in brand had gestoken, was hij slechts vijftien jaar oud.

'Waltins geschifte moeder bezat een grote boerderij in de omgeving van Strängnäs. We gingen daar soms met enkele klasgenoten naartoe, om te ontspannen, bier te drinken, goeie muziek te draaien en de plaatselijke meisjes bij hun borsten te grijpen. Die moeder van Waltin was altijd pleite, dat kon dus niet beter. Verderop woonden een paar oudere mensen op een afgescheiden stukje land, waar Claes zich aan ergerde. Onder andere omdat ze een hond hadden die daar los rondliep. Maar vooral omdat ze zo armoedig en lelijk woonden, zogezegd. Dus toen besloot hij daar verandering in te brengen.'

'Hoe deed hij dat dan?' vroeg Mattei.

'Eerst gaf hij die arme hond rattengif, dat hij gerold had in een dun biefstukje dat hun eenvoudige huishoudster in de Östermalmshal voor de kleine Claes had gekocht. De hond at het op, liep naar huis, ging op zijn plek in de hal liggen en stierf. Het probleem was alleen dat zijn baasjes er niets van begrepen. Ze kochten een nieuwe hond. Dus moest Claes iets anders proberen. Hij sloop erheen om hun huis aan te steken terwijl ze lagen te slapen. Gelukkig konden ze op tijd wegkomen, maar het huis en alles wat erin stond, was verbrand. Toen verhuisden ze.'

'Hoe weet u dat allemaal?' vroeg Mattei. Want daar was je toch niet bij, dacht ze.

'Hij schepte er op school over op. Eerst geloofde ik hem niet, maar de eerstvolgende keer dat ik daar kwam, kon ik met eigen ogen zien wat er gebeurd was. Alleen de schoorsteenpijp stond er nog. Dat dat keffertje dood was, wist ik al.'

Twee jaar eerder waren Tischler en zijn familie zelf het slachtoffer geweest van schoolvriend Waltin en zijn ongeremde, criminele neigingen.

'Vermoedelijk had hij een sleutel van ons huis gestolen toen hij bij mij thuis was geweest en mijn tinnen soldaatjes had onthoofd. Toen wij een weekendje weg waren, was hij naar binnen gegaan en had hij een en ander gestolen. Hij had onder andere een naaktfoto van mijn moeder uit een fotoalbum gehaald. Mijn vader had haar gefotografeerd toen ze naakt aan het zwemmen was. Uiteraard was de foto slechts voor privégebruik bedoeld.'

'Maar toch bleef je met hem omgaan.'

'Ik betrapte hem pas een paar jaar later, toen hij zich in de kleedkamer van het gymnastieklokaal stiekem aan het aftrekken was, boven de foto van mijn moeder. Voor die tijd hadden we nooit iets gemerkt. Hij had waarschijnlijk ook wijn en wat sieraden meegenomen. Maar mijn ouders hadden niets gemist.'

'Wat deed je toen? Nadat je hem had betrapt?'

'Ik sloeg hem op zijn bek, pakte de foto en stopte die terug in het fotoalbum. Mijn vader had het niet eens ontdekt. Het was een paar jaar voordat ze gingen scheiden. Claes heeft zijn excuses aangeboden. Hij hield een lang verhaal over zijn eigen moeder, hoe vreselijk die was, dat hij van mijn moeder hield enzovoort.'

'Dus toen vergaf je hem?'

'Ik ben altijd een heel aardige man geweest,' constateerde Tischler met een zelfingenomen zucht. 'Veel te aardig, misschien. Iedereen hield van mijn moeder, dus ik vergaf hem.'

Dat voorval met die revolver en die klasgenoot die in zijn achterste werd geschoten, had hun vriendschap evenmin geschaad. Bovendien was Tischler daar zelf bij betrokken geweest.

Waltin had in een sportwinkel een gewoon startpistool gekocht. Hij had de loop in het handenarbeidlokaal doorboord en het zodoende veranderd in een revolver, kaliber .22. Munitie voor een enkelloopsgeweer hadden ze van Tischlers vader gejat, die soms op zondag jaagde, als hij niet bij een van zijn vele vriendinnen zat.

'Ik hield de wacht bij het handenarbeidlokaal, terwijl Claes stond te boren. Al had ik niet verwacht dat hij hem zou gebruiken om een van onze klasgenoten in zijn bil te schieten.'

'Waarom deed hij dat?'

'Het slachtoffer was een merkwaardig figuur. Dat is hij trouwens nog steeds. In de klas noemden we hem Kont-Herman, deze Nils Hermansson. Misschien heb je wel eens van hem gehoord. Dat is die schavuit die mensen geld aftroggelt door van die zogenaamde ethische beleggingsfondsen te beheren. Luister goed, meiske. Drank, tabak, wapens, goktenten en bordelen hebben altijd het beste rendement opgeleverd. Zowel op korte als lange termijn, dus kijk uit voor dat soort figuren. We wilden hem na de les laten schrikken. Die lafaard rende weg. Claes schoot hem toen in zijn bil. Ik denk zelfs dat hij daarop gericht heeft. Nisse Hermansson heeft altijd een grote kont en weinig hersens gehad.'

'Wat gebeurde er met hem?' vroeg Mattei.

'We hielpen hem zelfs die kogel eruit te peuteren. Al waren we ook nieuwsgierig. Nu we toch de kans hadden, wilden we de zaak wel eens van dichtbij bekijken. Zoals ik al zei, werd hij op school Kont-Herman genoemd. We trokken hem een van de schooltoiletten in en deden een paar spoedingrepen. Maar het viel mee. Hij droeg een lange jas en een dikke broek, omdat het winter was. De kogel zat slechts een centimeter diep. Hij bloedde wel wat, maar dat was dan ook alles. Die revolver van Claes was gelukkig niet zo bijzonder als hij had gehoopt. Nisse hield bij wijze van uitzondering zijn mond. Hij zeurde vooral over zijn kleren, maar dat losten we voor hem op nadat ik de zakken van mijn vader weer een keer doorzocht had. Ik had ooit een keer zeven briefjes van duizend kroon gevonden, die hij in de borstzak van zijn smoking had laten zitten toen hij weer eens aan de zwier was geweest. Dat was in die tijd veel geld.'

Niet meer dan een onschuldige kwajongensstreek, dacht Mattei.

'Zo, hier heb je een willekeurige greep. Schroom niet als je meer wilt horen. Er is nog heel veel te vertellen,' eindigde Tischler.

'Ik denk dat ik voor deze keer tevreden ben.' Mattei keek voor de zekerheid op haar horloge.

'De bokaal,' zei Tischler opeens. 'Hoe had ik die kunnen vergeten? Voordat we afscheid nemen, moet je in elk geval onze oude bokaal hebben gezien.'

Tischler had de bokaal meegenomen toen het Genootschap voor de Vrienden van de Vagina na verloop van tijd uit elkaar was gevallen. Volkomen terecht, omdat hij de financiële ruggengraat van de vereniging was geweest. De meesten van hen waren klaar met hun studie en gingen verder. Geruchtenverspreider Claes Waltin was al geroyeerd.

Een nieuwzilveren bokaal van ongeveer dertig centimeter. Boven op het deksel troonde een figuurtje dat een naakte vrouw voorstelde en een allerminst onfatsoenlijke, eerder kuise indruk maakte.

'Zo'n doodgewone sportbeker voor zwemwedstrijden voor meisjes, gok ik. Claes had hem bij Sporrongs gekocht, maar ze weigerden de tekst erin te graveren, dus dat moest ik regelen via een oude goudsmid die ik kende. Hij maakte altijd stiekem van die prullaria voor al die secretaresses van mijn vader.'

Wijs van Sporrongs, dacht Lisa Mattei toen ze de tekst las. Bovenaan stond de naam van de vereniging in sierlijke hoofdletters: 'het Genootschap voor de Vrienden van de Vagina'. Daaronder de naam van het lid dat 'Vaginakampioen van het Jaar' was geworden. Eerst Claes Waltin, in 1966. Dan Alf Thulin, tegenwoordig conservatief parlementslid en voormalig hoofdofficier van justitie, met wie ze niet had mogen praten. Hij had de titel in 1967 veroverd. Dan opnieuw Claes Waltin, in 1968. De man met wie ze zojuist zonder directe toestemming van Johansson had gesproken, in 1969. Een jaren geleden overleden bedrijfsjurist, Sven Erik Sjöberg, in 1970.

'Leuk ding hè,' zei Tischler met een stralend gezicht. 'Weet je trouwens wie dat is?' Hij wees naar de winnaar van 1967.

'Ja, als hij is wie ik denk die hij is.'

'Hij is altijd een enorme hypocriet geweest,' zei Tischler, tevreden glimlachend. 'Hij zag er toen al vreselijk uit, maar hij kon als geen ander de meisjes omverlullen. Ik vraag me af wat hij hier nu voor zou willen geven.'

Wat zou hij ervoor geven, dacht Lisa Mattei, toen ze op weg terug was naar het politiebureau. En wat zou Lars Martin Johansson zeggen als ik hem vroeg of ik het achterwerk van beleggingsfondsbeheerder Nils Hermansson mag bekijken, dacht ze.

In plaats van toestemming te vragen had ze een samenvatting geschreven van haar gesprek met Tischler. Voordat ze naar huis ging, liep ze bij Johansson langs om te vragen of hij die wilde lezen.

'Ik dacht dat we die zaak hadden afgesloten,' mopperde Johansson.

'Als je eerst eens leest wat Tischler te zeggen had, voordat je me naar de parkeergarage stuurt.'

'Mijn hemel,' zei Johansson vijf minuten later. 'Dit is niet de gebruikelijke onzin. Dit is andere koek. Dat gedoe met dat beest, die brandstichting en Kont-Herman bevalt me niet. We zullen die oude getuigenverklaringen van de schoten op de Sveavägen weer tevoorschijn moeten halen. Ik wil weten wat de getuigen hebben gezegd over het signalement van de dader. En ik wil de forensisch-technische resultaten hebben van de schootshoek en de vermoedelijke lengte van de dader.'

'Daar heb ik al naar gekeken,' zei Mattei. 'Je kunt ze van me krijgen, maar ik denk niet dat dat nodig is.'

'Waarom niet?' vroeg Johansson.

'Claes Waltin kan het niet zijn geweest,' zei Mattei hoofdschuddend. 'Geen schijn van kans. Hij is veel te klein, minstens tien centimeter.'

'Dank je, Lisa. Ik vergeef je.' Ze is net als ik, dacht hij. Als ze ergens van overtuigd is en er op die manier bij kijkt, weet ik dat het zo is.

'Nog één ding, als je tijd hebt,' zei Lisa Mattei.

'Vanzelfsprekend,' zei Johansson. 'Ga zitten, trouwens, als je wilt.'

'Dank je,' zei Lisa Mattei en ze ging zitten.

Toen Lisa Mattei opnieuw de verklaringen van de ooggetuigen over de moord op de Sveavägen doornam, was haar iets opgevallen wat met het oog op het voorafgaande mogelijk interessant was.

'Je kunt je vast wel die getuige herinneren die Lewin Getuige Een had genoemd in de zogeheten getuigenketen. De man die zich tussen de bouwsteigers in de Tunnelgatan verbergt, de dader voorbij ziet rennen, de trappen op...'

'Ik weet het,' onderbrak Johansson haar.

'Het eerste verhoor met Getuige Een werd al tijdens de nacht van de moord afgenomen. Hij gaf toen een signalement van de dader. In de tien jaar daarna werd nog een groot aantal verhoren met hem gehouden. Zelfs nadat de officier van justitie bakzeil haalde met het verzoek tot herziening. Het zijn in totaal acht verhoren, naast het eerste verhoor.'

'Lijkt me niet onwaarschijnlijk. Wat is het probleem?'

'Dat hij Christer Pettersson kende. Ze woonden in dezelfde buurt en Getuige Een wist heel goed wie Christer Pettersson was. Hij kende hem al voor de moord op Palme, wist heel goed hoe hij eruitzag en wist wat Pettersson voor man was.'

'Maar in die steeg heeft hij niet Christer Pettersson voorbij zien rennen,' zei Johansson, die glimlachte.

'Inderdaad,' zei Mattei. 'Hij noemt Pettersson voor het eerst als hij twee jaar later over Pettersson wordt ondervraagd. Dan vertelt hij dat hij Christer Pettersson kende.'

'Maar dat hij hem in de nacht van de moord niet heeft gezien.'

'Hij drukt zich voorzichtiger uit. Eerst vertelt hij dat hij Pettersson kende en daarna verklaart hij dat hij hem niet associeerde met de man die voorbij rende. Niet spontaan, in verband met de waarneming van het voorval, en ook niet later, toen hij Pettersson in de buurt waar hij woonde tegen het lijf liep. Hij vond dat hij Pettersson moest hebben herkend, als hij de dader was geweest.'

'Goed zo, Mattei,' zei Johansson. 'In tegenstelling tot die zakkenwasser die het inleidende verhoor met hem heeft gehouden, heb jij zojuist een prima staaltje politiewerk ten beste gegeven. Daarmee heb je een kleine gouden ster verdiend.'

'Ik had gehoopt op een grote.'

'Niks daarvan,' reageerde Johansson. 'Ik heb nooit gedacht dat Pettersson het was. Hij was niet het juiste type. Dat zag ik al vanaf het begin. En wat Getuige Een betreft: dat had ik zelf bijna twintig jaar geleden al ontdekt.'

'Toch bedankt, chef,' zei Mattei. Waarom heb je dat toen niet gezegd, dacht ze.

'Graag gedaan,' zei Johansson. 'Wat die vereniging betreft, zoek degenen die erbij zaten op in onze databestanden en kijk of ze in het onderzoeksmateriaal voorkomen.'

'Is er een specifieke reden?'

'Nee.' Hij haalde zijn schouders op. 'Ik heb moeite met dat soort figuren, dat is alles.'

's Avonds, toen ze met Johan in bed lag in het veel te grote appartement dat ze van haar lieve vader had gekregen, had ze hem verteld over Claes Waltin, zonder zijn naam te noemen of te zeggen waarom ze zich voor hem interesseerde. Ze vertelde alleen wat ze over hem had gehoord.

'Seksueel grensoverschrijdend,' constateerde Johan. 'Er zijn heel wat rollenspelen op dat gebied. Maar in dit geval ligt dat anders. Hier is vast sprake van iets ernstigs. Van echte vrouwenhaat.'

'Het is niet grensoverschrijdend,' zei Mattei, die liggend haar hoofd schudde. 'Op mij komt hij over alsof hij helemaal geen grenzen kende, of beter nog, dat hij zich van alle grenzen had bevrijd. Hij was niet immoreel, eerder amoreel. Geheel vrij van alle moraal. De enige beperkingen die hij waarschijnlijk gekend heeft, waren om te voorkomen dat hij werd opgepakt.'

'Dat is niet voldoende,' zei Johan hoofdschuddend. 'We hebben het over een slecht mens. Een slecht en intelligent mens. Ken je de boeken van Patricia Highsmith over de getalenteerde mister Ripley?'

'Van horen zeggen. Ik heb ze niet gelezen.'

'Ik heb een goeie film die we kunnen bekijken, als je wilt. Met Alain Delon als mister Ripley in de hoofdrol. Er zijn er meer, maar deze is de beste, als je geïnteresseerd bent in een slechte psychopaat. Niet alle psychopaten zijn slecht, zoals je misschien wel weet.'

'Dat doen we een andere keer.' Lisa Mattei rekte zich uit. 'Nu is het tijd voor iets anders, vind ik.' Voor een beetje lol, niet al te grensoverschrijdend, dacht ze.

Mallorca, jaren negentig.

De Esperanza was niet alleen een boot. De Esperanza was ook een verzekering, die hem zou beschermen tegen ongewenste gebeurtenissen. De Esperanza, die sterk en volhardend genoeg was om hem zowel naar het Spaanse, Franse als Afrikaanse vasteland te kunnen brengen. Of naar Corsica, waar meer mensen zoals hij verkeerden, in elk geval één, die hij blindelings vertrouwde. De Esperanza was ook een aandenken. Een blijvende herinnering aan die enige vergissing die hij in zijn leven had begaan.

Alleen dwazen vertrouwden op het lot. Alleen dwazen legden hun leven in handen van een ander. Zelf was hij altijd zijn eigen baas geweest. Voortdurend in staat om elke onverwachte situatie het hoofd te bieden en snel de controle over zijn eigen leven te hervatten. Een sterke stroming kiest haar eigen koers, had zijn vader hem al verteld. Dat gold dus ook voor hemzelf. Tot de dag waarop hij een ander vertrouwde en zich van hem afhankelijk maakte. Zijn leven in feite uit handen gaf. De enige noemenswaardige vergissing die hij ooit had begaan.

Natuurlijk had hij die rechtgezet. Daartoe had hij besloten zodra hij vermoedde dat de man van wie hij afhankelijk was, werd meegesleurd door de misère die hij zelf had veroorzaakt, waardoor hij niet meer te vertrouwen was. Zelfs de motorbende Hells Angels was zo verstandig deze eeuwige stelregel in acht te nemen en er zijn leefregel van te maken: dat drie mensen heel goed een geheim konden bewaren, als twee van hen dood waren. Voor hem was het eenvoudiger geweest, omdat ze van begin af aan met zijn tweeën waren geweest. Vervolgens had hij zijn probleem verholpen, ervoor gezorgd dat hij zijn eenzaamheid terugkreeg en de macht over zijn eigen leven herwon. De onrust die er aanvankelijk nog was, had hij weten te beteugelen door de Esperanza te bouwen. Als een verzekering tegen het ongewenste en als een blijvende herinnering, om te voorkomen dat hij die vergissing nogmaals zou maken.

Hij had zijn persoonlijke eerherstel niet eens hoeven plannen. Hij vermeed het maken van plannen. Hoe nauwkeuriger je was, hoe groter de kans dat er iets onverwachts, iets oncontroleerbaars gebeurde, zodat er van alle gemaakte plannen ineens niets meer terechtkwam. Hij had slechts gedaan wat hij altijd deed. Zichzelf een doel gesteld met een eenvoudig actiekader ter ondersteuning, de juiste gelegenheid afgewacht en zijn kans gegrepen zodra die zich voordeed.

Dat was zijn kracht. Zijn kans grijpen zodra die zich voordeed. Dat had hij gedaan, die ochtend waarop hij hem op het strand voor het hotel zag. Hij had zijn kans gegrepen, omdat hij helemaal alleen was, er geen sterveling in de buurt was en hij niet meer hoefde te wachten. In de boot die hij had gehuurd was hij rechtop gaan staan. Hij had naar hem gezwaaid, toegekeken hoe hij naar hem toe zwom, zijn hand gepakt en hem het dek op getrokken. Vervolgens had hij zijn eenzaamheid en vrijheid herwonnen. Naderhand besloot hij de Esperanza te bouwen en haar nooit te bezoedelen met wat hij eerder had moeten doen.

Nu, vijftien jaar later, dacht hij er niet eens meer aan. Niet meer. Niet nu alles voorbij was en hem niets meer kon gebeuren. Eén keer was geen keer, voor degene die de baas over zijn eigen leven was, en de overige keren dat hij vanaf het begin eenzaam was geweest, hadden hem nooit zorgen gebaard. Hij en de Esperanza. Een mooie, kleine boot, een verzekering, een blijvende herinnering.

62

Woensdag 19 september, drie weken voor 10 oktober. Het hoofdkwartier van de rijksrecherche in Kungsholmen, Stockholm.

Hun gebruikelijke overleg was voor korte tijd uitgesteld. Johansson was verhinderd en had telefonisch laten meedelen dat hij van zich zou laten horen zodra hij tijd had, uiterlijk in de loop van de middag. Wat de lopende werkzaamheden betrof, wilde hij nog altijd de naam van die rotzak hebben. Het liefst onmiddellijk en uiterlijk vóór het weekend.

Holt en Lewin zouden de laatste hand leggen aan de levensbeschrijving van Waltin. Ze waren het er samen over eens geworden dat Lewin het schrijfwerk voor zijn rekening zou nemen en dat Holt het veldwerk zou doen. Ze voelde de behoefte eropuit te trekken en in beweging te komen.

Voordat Mattei was teruggekeerd naar het archief van het Palmeonderzoek en het politiespoor, had ze Johanssons verzoek ingewilligd door in hun databestanden de vier leden op te sporen van het Genootschap voor de Vrienden van de Vagina, opgericht in 1966 en vijf jaar later ontbonden, opgeheven, ingedut.

Om te beginnen had ze van alle vier de naam en het persoonsnummer ingetikt, op alfabetische volgorde: advocaat Sven Erik Sjöberg, overleden in december 1993 na een langdurig ziekbed. Voormalig hoofdofficier van justitie Alf Thulin, tegenwoordig parlementslid voor de christendemocraten en lid van de justitiecommissie, in de media hier en daar genoemd als de mogelijke minister van Justitie in een rechtse regering. De bankier Theo Tischler, al jaren woonachtig in Luxemburg. Claes Waltin, voormalig hoofdinspecteur bij de Säpo, omgekomen door een verdrinkingsongeval op Noord-Mallorca, in het najaar van 1992.

Verder was het vooral een kwestie van de juiste toetsen op de computer indrukken, en slechts een kwartier later had ze drie zoekresultaten op naam en een stuk of tien verwijzingen naar de onderzoeksdocumenten waar die resultaten op gebaseerd waren.

Advocaat Sven Erik Sjöberg was twee keer verhoord naar aanleiding van zijn eventuele betrokkenheid bij 'het Indische wapenspoor' of 'de Bofors-affaire'. Hij was verscheidene jaren jurist geweest bij Bofors en had zelfs een paar jaar in het bestuur van de onderneming gezeten. Aan het onderzoek over de moord op Olof Palme had hij niets wezenlijks kunnen toevoegen. Bovendien was hij persoonlijk van mening dat elke suggestie in die richting – dat de moord op de minister-president ook maar iets te maken zou hebben met de kanonnen die de onderneming verkocht aan India – 'volkomen absurd' was.

De deal die ze hadden gesloten stond volledig op zichzelf. De houwitser van Bofors, een 15,5 centimeter lang afstandsgeschut, was absoluut het beste stuk artillerie dat op de markt te krijgen was. Zo eenvoudig lag het. Dat de Indiërs zo'n goede keuze hadden gemaakt, was alleen maar een felicitatie waard. Als ze onderzoek wilden doen naar zakengeheimen, militaire geheimen of de geheime afspraken tussen twee bevriende landen, moesten ze niet bij hem zijn, maar bij de inspectiedienst voor oorlogsmaterieel, het ministerie van Defensie, het ministerie van Buitenlandse Zaken en de Zweedse en Indiase regering.

Dit deel van de zaak werd vervolgens afgesloten door de toenmalige procureur-generaal, die op dat tijdstip de formele vooronderzoeksleider was van de moord op de minister-president.

Procureur-generaal Alf Thulin had in verband met de gebruikelijke zomervakanties de zaken bij het Openbaar Ministerie tijdelijk waargenomen, als een van de *Good Guys*. Onder andere voor de collega die in de zomer van 1990 de vooronderzoeksleider was van het Palme-onderzoek. Vervolgens was hij als expert en deskundige teruggekeerd in een van de vele onderzoekscommissies die de regering had ingesteld. In de notulen van een van de commissievergaderingen, die om onduidelijke redenen in een map van het Palme-onderzoek waren beland, had hij tevens uitdrukking gegeven aan zijn stellige opvattingen over de zaak in kwestie. Christer Pettersson had Olof Palme vermoord, en 'in hoofdzaak ging het er nu om' ervoor te zorgen dat het mogelijk werd een verzoek tot herziening bij de Hoge Raad in te dienen.

Bankier Theo Tischler was in het onderzoek terechtgekomen vanwege drie verschillende tips, die via de groep privédetectives waren binnengekomen. Volgens die tips zou hij nauw contact hebben gehad met hoofdcommissaris Hans Holmér, ook nadat deze was ontslagen als onderzoeksleider. Volgens dezelfde tipgever zou Tischler ettelijke miljoenen aan Holmér hebben geboden, om verder te kunnen werken aan het Koerden-spoor. Waarvan iedere weldenkende privédetective meteen al had begrepen dat het ronduit een dwaalspoor was, dat door Holmér en zijn vrienden was uitgezet om de werkelijke dader te beschermen.

In de zomer van 2000, meer dan veertien jaar na de moord, werd Tischler voor informatieve doeleinden hierover gehoord. Hij had evenmin een blad voor de mond genomen. Hij had Holmér nog nooit ontmoet, laat staan hem geld gegeven. Via een gemeenschappelijke bekende werd hem slechts een jaar na de moord echter wel om geld gevraagd. Nadat hij met zijn contactpersonen 'binnen de sociaaldemocratische beweging en regeringskringen' had gesproken, besloot hij dat hij Holmér en zijn bondgenoten geen cent zou geven. Tot slot had hij de twee agenten die hem het verhoor afnamen, gefeliciteerd met de snelheid waarmee ze deze zaak hadden aangepakt.

'Als ik op dezelfde wijze zaken zou doen als jullie politiewerk verrichten, zou ik dertig jaar geleden al in het armenhuis hebben gezeten.'

De ene agent had zijn instelling betreurd. Zijn collega en hij hadden hun uiterste best gedaan en de justitiële molens maalden zoals bekend langzaam.

'Het spijt me te horen dat u als bankdirecteur die instelling heeft,' zei de agent.

'Ik ben bankier,' zei Tischler. 'Niet een of andere bankdirecteur, want dan had ik net zo goed een baan bij de politie kunnen nemen.'

De enige van de vier die Mattei niet in haar computer had kunnen vinden, was Claes Waltin, wat niet veel uitmaakte, omdat Lewin hem toch al had gevonden.

Vervolgens was ze verdergegaan met het politiespoor. De opdracht: iemand vinden die Waltin kende. Iemand vinden met een lengte die klopte met de getuigenverklaringen. Iemand vinden die in staat was om midden op straat een minister-president dood te schieten, met tientallen getuigen in de buurt. Iemand vinden die voldoende in staat was om zich zonder kleerscheuren uit de voeten te maken.

Maar hoe vind je zo iemand, dacht Lisa Mattei, die naar de dossiermappen met politieagenten keek die voor haar op het bureau lagen. In totaal zo'n honderd politiemannen. Zo'n zeventig daarvan waren geïdentificeerd, verhoord, nagetrokken en afgeschreven. Van nog zo'n dertig agenten bestond onzekerheid over de identiteit en was een groot deel waarschijnlijk nooit politieman geweest. Hadden ze alleen maar gezegd dat ze dat waren.

Eerst had ze geprobeerd hen op lengte te sorteren. Dat lukte niet erg. In diverse gevallen ontbraken de gegevens over hun lichaamslengte. Bovendien waren bijna alle politiemannen van die leeftijd lang genoeg om de premier te hebben kunnen neerschieten.

Met behulp van hun leeftijd, lengte en overige signalementgegevens, en van de onderzoeken die geen ruimte lieten voor verdere verdenkingen, had ze toch nog zo'n vijftig van de zeventig beschuldigde collega's kunnen afvoeren. Het had haar weliswaar bijna de hele dag gekost, maar ze had niets beters kunnen bedenken, en ze moest toch ergens beginnen.

Gewone politieagenten bezaten de eigenaardigheid dat ze het liefst met andere agenten omgingen, dacht Lisa Mattei. Daar stond tegenover dat Waltin geen gewone politieman was geweest. Daarom belde Lisa haar moeder op om te vragen of ze met haar wilde lunchen. Dat deed ze graag. Eigenlijk was ze van plan geweest haar dochter hetzelfde te vragen. Tijdens de lunch zou ze wel zeggen waarom.

Om tijd te besparen, hadden ze in het restaurant van het politiebureau afgesproken. Ze vonden een tafel die voldoende afgeschermd was, en zodra ze zaten, had Linda Mattei haar redenen kenbaar gemaakt.

'Ben je zwanger?' vroeg Linda Mattei aan haar enige dochter Lisa.

'Maar mam, natuurlijk niet.'

'Maar heb je iemand ontmoet?' vervolgde ze.

'Ja,' zei Lisa Mattei. 'Wat vind je ervan als we allebei evenveel vragen mogen stellen?'

'Is hij lief voor je?'

'Ja.'

'Heeft hij een naam?'

'Ja. Johan.'

'Johan?'

'Ja. Johan Eriksson.'

'Wat doet hij?'

'Hij studeert aan de universiteit, Filmwetenschap. Hij huurt een eenkamerwoning op Söder en heeft een bijbaantje als bewaker.' Je hebt hem vast wel gezien, dacht ze.

'Lisa, Lisa,' zei haar moeder hoofdschuddend. Vervolgens boog ze naar voren en streek ze over haar wang.

'Nu is het mijn beurt. Ik heb recht op zes vragen, maar jij krijgt twee vragen cadeau omdat ik zo aardig ben en om je gerust te stellen. Ja, je krijgt hem een keer te zien. Ja, hij lijkt een beetje op papa. Alleen is hij twee keer zo groot. Op zijn minst.'

'Dus ik krijg hem een keer te zien,' herhaalde Linda Mattei.

'Ja. Zeven vragen. Nu ben ik.'

'Oké. Ga je gang,' glimlachte Linda Mattei, terwijl ze haar hoofd schudde.

'Claes Waltin,' zei Lisa Mattei. 'Hoe was hij als mens?'

'Waarom wil je dat weten?'

'Pas op, mams. Dit heeft met mijn werk te maken. En nu stel ik de vragen.'

'Oké, oké, oké,' zei Linda Mattei, die een afwerend handgebaar maakte.

Vervolgens vertelde ze over Claes Waltin.

Al een week nadat hij bij de Säpo was begonnen, had hij geprobeerd haar te versieren.

'Probeerde hij je te versieren? Wat zei je toen?'

'Ik zei dat hij moest opdonderen,' zei Linda Mattei. 'Daarna heb ik de rest van de tijd die hij bij ons werkte geen glimp meer van hem opgevangen. Waar ik blij om was. Wil je verder nog iets weten?'

'Wat voor type mens was hij?'

'Niet mijn type, in elk geval,' zei Linda Mattei, die haar bovenlip optrok. 'Volgens de geruchten in de wandelgangen was hij een vreselijk type. Maar dat had je zeker al gehoord?'

'Tot vervelens toe. Ik vroeg me af of hij met andere politieagenten omging. Met gewone collega's.'

'Dat kan ik me nauwelijks voorstellen.' Linda Mattei schudde haar hoofd.

'Leg eens uit,' vroeg Lisa.

Waltin verachtte gewone politieagenten. Waltin was altijd een verwaande kwast geweest. Gewone politieagenten waren veel te eenvoudig voor hem. Dat had hij nooit gezegd, maar hij had dat duidelijk genoeg laten blijken, zonder het uit te spreken.

'Dus hij had geen eenvoudige vertrouweling?'

'Een eenvoudige vertrouweling?' Linda Mattei, keek haar dochter verbaasd aan. 'Iemand als ik, bedoel je?'

'Een mannelijke collega. Zo'n sterk, zwijgzaam type.'

'Dat kan ik me nauwelijks voorstellen,' antwoordde Linda Mattei. 'Bedoel je soms dat hij ook nog homoseksueel was?'

'Oké,' zuchtte Lisa Mattei. 'Wat dacht je ervan eerst eens wat te eten?'

Voordat ze naar huis ging, had ze bij gebrek aan beter een uitdraai gemaakt van de stuk of tien agenten van de ordepolitie die het meest in het politiespoor van het Palme-onderzoek werden genoemd, dat wil zeggen van Berg en zijn kameraden. Hoewel het niet erg waarschijnlijk leek dat iemand van hen zo iemand als Claes Waltin blindelings had gevolgd. Bovendien had de helft van hen een alibi voor het tijdstip waarop de minister-president was vermoord. Echte alibi's, die ze niet van elkaar of van andere collega's hadden gekregen.

63

De volgende dag opende Mattei de dossiermappen over het dertigtal agenten van wie men de identiteit niet met zekerheid had kunnen vaststellen. In de eerste map lag een onderzoeksdossier dat in elk geval getuigde van een serieuze poging. Boven in het dossier lag de anonieme brief die de aanleiding van de zaak vormde.

Een handgeschreven brief, goedkoop lijntjespapier, balpen. Verbazingwekkend vlot geschreven, zowel wat handschrift als schrijfstijl betrof. Geen spelfouten. Een grotendeels correcte interpunctie. Daarentegen geen envelop, hoewel de envelop vaak meer kon vertellen dan de inhoud ervan. Vooral als de afzender de postzegel met de koning erop ondersteboven had geplakt. Nauwelijks tien regels tekst.

'Beste oom agent. Ik zag laatst op tv dat er heel wat smerissen op de been waren toen voor Olle het doek viel. Zelf zat ik bij de Chinees in de Drottninggatan, op de hoek van de Adolf Fredriks Kyrkogata, waar ik een oude bekende zag zitten. Een echte klootzak, die in de jaren zeventig bij de recherche van Solna zat. Daarna werd hij pas echt belangrijk en mocht hij bij de Säpo beginnen. Zo weet je nooit hoe een koe een haas vangt. Toen ik binnenkwam, zat hij van een glas water te nippen, maar ik liet me niet kennen en hield mijn mond. Dat was maar goed ook, anders had ik vast weer op mijn lazer gekregen. Hij keek vooral op zijn horloge. Tegen elven betaalde hij en ging ervandoor. Misschien moest hij Olle bewaken? Of misschien was hij iets anders met Olle van plan? Anoniem uit ervaring.'

Als iedereen nou gewoon zijn naam eens onder een brief zette, dacht Mattei op het moment dat Holt haar kamer binnenkwam.

'Alles goed, Lisa?' vroeg Holt met een glimlach. 'Ik hoorde op het antwoordapparaat dat je me zocht.'

'Yes,' zei Mattei. 'Berg en zijn kameraden.' Ze gaf Holt het plastic hoesje met de gegevens die ze had verzameld.

'Wat moet ik daarmee doen?'

'Aan Berg vragen of hij of een van zijn collega's Waltin heeft gekend,' zei Mattei. 'Berg van de ordepolitie dus. Het neefje van de voormalige Säpo-baas,' verduidelijkte ze.

'Is dat wel zo verstandig?' vroeg Holt die de papieren in haar hand woog. 'In verband met Johansson?'

'Jij kent Berg toch? Je hebt in elk geval met hem gesproken. Ik denk dat hij je vertrouwt. Ik weet bijna zeker dat hij je mag. En vragen staat vrij. Doe een Johansson.'

'Een Johansson?'

'Ja, stel dat jij Johansson was geweest en hij jou en dat hij zich de hele tijd had lopen opwinden. Wat zou hij dan gedaan hebben, denk je?'

'Ik begrijp het helemaal,' knikte Holt. 'Ik doe een Johansson.'

Fijn als je collega's hebt die het begrijpen, dacht Mattei, waarop ze zich weer in haar dossier verdiepte.

De eerste brief was ruim een maand na de moord binnengekomen. Daar leek niets bijzonders mee te zijn. Ze hadden een aparte dossiermap aangemaakt en die ondergebracht bij wat destijds, ook op het politiebureau, doorging voor het politiespoor. Maar daar was het bij gebleven.

Totdat een maand later de tweede brief werd bezorgd, slechts enkele dagen nadat het journaal een groot item had gewijd aan wat men inmiddels ook op tv het politiespoor was gaan noemen. De brief was in Stockholm afgestempeld, op 7 mei 1986. Deze keer hadden ze de envelop ook bewaard, en zelfs naar vingerafdrukken op zowel de brief als de envelop gezocht.

'Beste oom agent. Ik denk dat jullie een beetje langzaam van begrip zijn, maar dat wist ik immers al. Misschien had ik direct een brief naar het journaal moeten sturen om over jullie geliefde collega te praten, die in dat restaurant aan betere tijden zat te denken, totdat hij wegsloop om de zaak in eigen handen te nemen. En als hij het nu eens had gedaan? Wat denken jullie daarvan? Hij lijkt sowieso akelig veel op de dader, maar als een smeris het gedaan heeft, hebben die getuigen het vast en zeker verkeerd gezien. Niks aan het handje dus, voor die klootzak die bij de recherche van Solna werkte, voordat hij belangrijk werd en bij de Säpo terechtkwam. Ik kan maar beter de klaaglijn bellen. Anoniem uit ervaring.'

Al na een week hadden ze antwoord gekregen van Forensische Opsporing. Van de envelop waren enkele vingerafdrukken veiliggesteld. Niet van de brief. Vermoedelijk had iemand die er afgeveegd, voordat de brief in de envelop werd gestopt. Een van de vingerafdrukken had resultaat gegeven. Een vrouwelijke drugsverslaafde met verschillende veroordelingen voor drugsdelicten, zware diefstal en oplichting, Marja Ruotsalainen, geboren in 1959.

Maja Svensson, maar dan in het Fins. Grappige naam, dacht Mattei.

Holt had Berg opgebeld en een afspraak gemaakt, dezelfde plek als de vorige keer. Zodra ze allebei met een kop koffie waren gaan zitten, deed ze een Johansson.

'Claes Waltin,' zei Holt. 'Voormalig hoofdinspecteur bij de Säpo. Vijftien jaar geleden verdronken op Mallorca. Kende je hem?'

'Claes Waltin,' zei Berg, die zijn verbazing met moeite kon verbergen. 'Waarom vraag je dat?'

'Dat wil je niet weten en dat kan ik niet zeggen.' Je kende hem, dacht ze.

'Ook goed,' zei Berg schouderophalend. 'Dat ik hem kende, is misschien een beetje te veel gezegd. Ik heb hem twee keer ontmoet. Ongeveer in dezelfde periode dat mijn collega's en ik die toestanden met die baas van jou hadden. Het was vlak na nieuwjaar, hetzelfde jaar waarin Palme werd doodgeschoten. Ergens in januari of februari. We waren in elk geval weer terug in dienst.'

Deze keer gebeurde er iets, dacht Mattei. De zaak scheen bij een collega te zijn terechtgekomen die door alle andere, volkomen normale collega's als een 'ijverige idioot' werd bestempeld. Zodra hij te weten kreeg dat Marja Ruotsalainens vingers op de envelop zaten kwam hij in actie. Dat ze niet als postbode werkte, had hij namelijk direct begrepen, zodra hij haar in het politieregister had opgezocht.

In de zomer van 1985 was Ruotsalainen veroordeeld tot een gevangenisstraf van twee jaar en zes maanden wegens een ernstig drugsdelict. Een straf waartegen ze niet in hoger beroep was gegaan en die ze al een week na de veroordeling in de vrouwengevangenis van Hinseberg begon uit te dienen. Ruotsalainen had er genoeg van om in de Polhelmsgatan in hechtenis te zitten en verlangde naar de relatieve vrijheid van de enige gesloten penitentiaire inrichting voor vrouwen die het land telde.

Na zes maanden had ze verlof gekregen. Ze was ontsnapt en was van eind januari 1986 tot medio mei onvindbaar, totdat ze werd opgepakt toen de politie een inval deed in een illegale club in Hammarbyhamnen. Ze werd in hechtenis genomen en de dag daarop weer teruggebracht naar Hinseberg. Op het moment dat die twee anonieme brieven werden bezorgd, was ze voortvluchtig. Twee dagen nadat de laatste was binnengekomen, zat ze in hechtenis op Kungsholmen.

Aangezien de ijverige collega van de Säpo de indruk had dat de anonieme brievenschrijver een man was, zocht hij in het opsporingsregister naar de mannelijke contacten van de vrouw. Zonder succes. Niet omdat ze dergelijke contacten ontbeerde, maar omdat geen van de mannen in het register de brieven verstuurd kon hebben.

Bij gebrek aan beter haalde hij de documenten tevoorschijn van het voorval waarbij ze was opgepakt. Behalve Ruotsalainen, die gezocht werd en onmiddellijk werd herkend door de collega van de politie Stockholm die de operatie leidde, waren er nog zo'n vijf personen in de bak beland. Een van hen was een bekende crimineel, die in het strafregister van de politie zo'n twintig veroordelingen voor ernstige delicten op zijn naam had staan, Jorma Kalevi Orjala, geboren in 1947, die in die periode merkwaardig genoeg niet voortvluchtig was en ook niet verdacht werd van een ander vergrijp. Ongeveer op hetzelfde moment dat Ruotsalainen in de blauwe Chevrolet van de gevangenis plaatsnam om naar Hinseberg te worden vervoerd, liep Jorma Kalevi Orjala als een vrij man door de Kungsholmsgatan.

De ijverige collega van de Säpo nam contact op met de commissaris van de centrale opsporingsafdeling die de inval in de club in Hammarbyhamnen had geleid. Om tijd te besparen, en uit nieuwsgierigheid, aangezien het de eerste keer was dat een van de grootste legenden van de politie Stockholm, Bo Jarnebring, zijn pad kruiste.

Hij had twee vragen. Waarom was Orjala opgepakt? Had Orjala

een relatie met Marja Ruotsalainen? De derde vraag heeft hij echter nooit gesteld. De vraag die er vermoedelijk toe zou hebben geleid dat hij de bijna vier maanden oude moord op de premier van Zweden had opgelost. Het geheimhoudingsgehalte rond zijn werk was namelijk zo hoog, dat de normale vragen, die collega's onder elkaar met elkaar bespraken, nooit werden gesteld.

Berg had Waltin twee keer ontmoet. De eerste keer was hij alleen geweest. De tweede keer waren er vier collega's van de ME bij.

Een vrouw die hij kende, had hem opgebeld. Ze had één keer iets met Waltin gehad. Vervolgens begon Waltin haar te stalken. Hij belde haar op haar werk, het gebruikelijke gehijg zonder woorden. Hij wachtte haar op in een auto en achtervolgde haar. Ze had Berg om hulp gevraagd.

'Ik betrapte hem op heterdaad,' zei Berg. 'Hij zat haar in een van Säpo's dienstauto's bij haar werk op te wachten.'

'Ik zei hem dat hij daarmee op moest houden,' vervolgde hij. 'Als hij geen knal voor zijn kop wilde, natuurlijk.'

'Wat zei hij daarop?' vroeg Holt.

'Hij deed wat ik zei,' zei Berg, die zijn brede schouders ophaalde. 'En daar kwam hij goed mee weg, zal ik je vertellen.'

Dat kan ik me heel goed voorstellen, dacht Holt terwijl ze knikte.

'En die tweede keer?' vroeg ze. 'Toen je hem met je collega's tegenkwam?'

Het gesprek dat de ijverige collega met Jarnebring had, liep van begin af aan verkeerd. Als het anders was verlopen, was het zeer goed mogelijk geweest dat die derde vraag toch was beantwoord.

'Jaja,' zei Jarnebring toen hij de eerste vraag had gekregen. 'Wie van mijn collega's wil je nu weer aan het spit rijgen?'

'Zoals je wel begrijpt, kan ik daar niet op ingaan,' antwoordde de ijverige collega.

'Dat kan ik me indenken,' zei Jarnebring. Daarna had hij antwoord gegeven op de twee vragen die hem werden gesteld.

Orjala was in de lik beland omdat Jarnebring dat altijd met types als Orjala deed als hij de kans kreeg. En die had hij gekregen, doordat Orjala zich in een ruimte bevond waar illegaal alcohol werd geschonken en illegaal werd gegokt. Bovendien had Jarnebring hem zijn sleutels afgenomen en hem gedwongen zijn adres te geven, waar hij heen was gegaan terwijl Orjala zat uit te rusten in zijn cel op Kronoberg.

'Ik heb er niets bijzonders gevonden,' zei Jarnebring. 'Alleen wat spullen van Marja. Ze woonde bij hem toen ze voortvluchtig was. Ik had hem kunnen oppakken wegens het verlenen van onderdak aan een gezochte crimineel, maar ik voelde er niet veel voor om met dat soort onzin aan te komen.'

'Bedankt voor je hulp,' zei de ijverige collega. 'Ik ga wel een praatje met Orjala maken.'

'Dan ben ik bang dat je te laat bent,' zei Jarnebring. 'De brandweer viste hem gisterochtend uit het Karlbergskanaal. Dat gaan we straks vieren met taart bij de koffie.'

Enkele weken later zag hij hem voor de tweede keer. Voor het politiebureau in Kungsholmen, op klaarlichte dag. Waltin kwam aanlopen over de Kungsholmsgatan. Ze haalden hem zijdelings in. Waltin hield hen tegen, stapte in de bus en zei dat ze hem bij het Stureplan konden afzetten. Als ze niets anders te doen hadden, natuurlijk.

'Hij deed nogal patserig, die arrogante kwast. Maar we moesten toch die kant op, dus mocht hij meerijden.'

'Gebeurde er nog iets bijzonders?'

'Een knokpartij, bedoel je?' vroeg Berg met een scheef glimlachje. 'Nee, dat niet, maar hij zei twee dingen die op zijn minst vreemd waren.'

'Wat zei hij dan?'

'We stonden bij de Kungsgatan voor het rode stoplicht, waar een stokoud dametje met zo'n rollator de straat wilde oversteken. Het licht sprong op groen, maar we bleven toch staan, zodat ze rustig over kon steken. Toen boog Waltin zich naar voren en zei tegen mijn collega achter het stuur dat hij gas moest geven om van die doos van haar een garage te maken. Dat dat mens maar deed alsof.'

'Wat zei hij?' vroeg Holt.

'Tja, zoiets als... dat wijf doet maar alsof. Geef gas en maak een garage van die doos van haar. Zoiets zei hij.'

'Wat zei jij toen?'

'Ik keek hem aan maar zei volgens mij niets. We waren nogal verbaasd, eigenlijk. Ik bedoel, wat zeg je daarop? Ik heb een collega nog nooit zoiets horen zeggen, hoewel ik toch wel het een en ander heb meegemaakt. Maar dit was gewoon een lief oud vrouwtje.'

'En het tweede? Wat was de tweede opmerking die hij maakte?'

'Die was nog merkwaardiger,' antwoordde Berg. 'Al duurde het een halfjaar voordat we dat doorkregen.'

Volgens de patholoog-anatoom was Orjala aangereden door een auto, in het water gevallen en verdronken. Hij had meer dan drie promille alcohol in zijn bloed. Een aanrijding waarbij de bestuurder was doorgereden, verder niets bijzonders, volgens de patholoog-anatoom.

Bij gebrek aan beter was de ijverige collega in zijn dienstauto gestapt om in Hinseberg een praatje te maken met Marja Ruotsalainen.

Het gesprek dat de ijverige collega met Marja voerde, was weinig constructief gebleken. Ze had maar één zin gezegd en die herhaald totdat het verhoor werd gestaakt en hij naar huis ging.

'Sodemieter op, klootzak. Sodemieter op, klootzak. Sodemieter op, klootzak...'

IJverig als hij was, had hij ook hier een verslag van gemaakt en dat bij het dossier gevoegd.

IJverig als hij was, bracht hij tevens een bezoek aan het Chinese restaurant en nam hij foto's van Orjala en Ruotsalainen mee, die hij aan het personeel liet zien. Geen van hen wist nog wie zij waren. Er was overigens niets bijzonders gebeurd, de nacht waarin de minister-president op slechts een paar honderd meter van het restaurant werd vermoord. Er waren die avond maar weinig gasten geweest. Minder dan gebruikelijk voor een vrijdagavond.

'We zetten hem af bij het Stureplan,' vertelde Berg. 'Volgens mij zei hij dat hij naar de bank zou gaan.'

'Wat zei hij nog meer?' herhaalde Holt.

'Dat was nou juist zo merkwaardig. Eerst bedankte hij me voor de lift. Daarna stak hij aan mijn kant zijn hoofd door het raampje en zei dat ik goed op mezelf moest passen. Pas goed op jezelf, Berg, zei hij. Pas op voor al die oren en ogen van mensen zoals ik.'

'Hoe legde je dat uit?'

'We spraken erover. Eerst waren we ervan overtuigd dat dat zijn manier was om zijn spierballen aan ons te laten zien. Pas na een halfjaar kwamen we erachter dat de Säpo ons al jarenlang in de gaten hield, toen we steeds maar weer werden opgepakt en vrijgelaten vanwege dat onderzoek naar het politiespoor in de Palme-zaak. Later schreven de kranten er ook over.'

'Probeerde hij jullie te waarschuwen?'

'Ja, ik denk van wel. Wel een beetje vreemd, op zijn minst, met het oog op wie hij was en wat er eerder tussen ons was voorgevallen.'

De ijverige collega had het niet opgegeven. Met behulp van de anonieme brieven, Orjala's persoonsdossier en de geregistreerde contacten die Orjala had met de recherche in Solna, maakte hij een beschrijving van de niet bij naam genoemde collega, die door de anonieme brievenschrijver – waarschijnlijk Orjala – was herkend. Hij stuurde de beschrijving naar de personeelsafdeling van de veiligheidsdienst en kreeg een maand later antwoord. Degene die het meeste aan de beschrijving voldeed, was een voormalige medewerker van de veiligheidsdienst, met dienstcode 4711. Zijn aanstelling werd beëindigd in 1982. Sindsdien woonde hij in het buitenland. Er was op de gebruikelijke wijze intern onderzoek naar hem verricht. Er was geen enkele aanleiding te veronderstellen dat hij bij de moord op de premier betrokken zou zijn geweest, of dat hij zich op het desbetreffende tijdstip zelfs maar in Stockholm bevond.

Dus gaf de ijverige collega het op en legde zijn hoogste chef, bureauchef Berg, de zaak neer.

Zevenenveertig-elf, dacht Mattei. Waar heb ik dat eerder gehoord? Was dat niet dat akelige geurtje dat papa altijd aan mama gaf toen ik klein was? Eau de cologne, 4711. Zo heette het.

'Ik wilde je iets heel anders vragen, Holt,' zei Berg, nadat ze hun gesprek hadden beëindigd en bij haar auto stonden om afscheid te nemen.

'Ga je gang,' zei Holt. Wat ziet hij er plotseling vreemd uit, dacht ze.

'Je bent een buitengewoon aantrekkelijke vrouw, Holt. Dus ik wilde vragen of je een avondje met me uit wilt.'

Oeps, dacht Holt.

'Dat was leuk geweest, maar je moet weten dat ik...'

'Ik begrijp het,' onderbrak Berg haar. 'Doe hem de groeten en feliciteer hem van me.'

'Dank je,' glimlachte Holt. Een buitengewoon aantrekkelijke vrouw, dacht ze.

64

Anna Holt had gebruikgemaakt van haar informele contacten bij de Säpo. Via hen was ze een vrouw op het spoor gekomen die beweerde dat ze voor de Palme-moord een relatie met Claes Waltin had gehad. Jeanette Eriksson, geboren in 1958 en assistent-rechercheur bij de Säpo.

Een dertien jaar jongere collega van Waltin, die al een jaar na de moord ontslag nam bij de politie en in plaats daarvan als agent bij een verzekeringsmaatschappij begon. Daar werkte ze nog steeds, inmiddels als chef van haar afdeling. Ze klonk niet blij toen Holt haar belde. De dag na haar ontmoeting met Berg hadden ze een afspraak gemaakt, bij Eriksson op kantoor.

'Ik praat niet graag over Claes Waltin,' zei Jeanette Eriksson.

'Ook niet als meiden onder elkaar?' vroeg Holt. 'Zonder taperecorder, zonder pen en papier. Alleen jij en ik, in een vertrouwelijk gesprek.'

'Dan moet het maar,' zei Jeanette Eriksson met een aarzelend glimlachje.

Toen ze bij de veiligheidsdienst werkte, was Claes Waltin haar chef. In het najaar van 1985 waren ze een verhouding begonnen. In maart 1986 had ze er een eind aan gemaakt.

'Maar toen had hij al genoeg van me, want anders had hij me niet laten gaan. Hij had toen al een andere vriendin.'

'Ik begrijp wat je bedoelt. Hij schijnt een doortrapte sadist te zijn geweest, volgens de mensen met wie ik heb gesproken.'

'Dat was ook zo vreemd,' zei Jeanette Eriksson. 'Want ik hou daar helemaal niet van. Ik ben nooit geïnteresseerd geweest in masochistische spelletjes. Toch werd ik erin meegetrokken. Eerst dacht ik nog dat het om een soort rollenspel ging, maar toen ik begreep hoe hij werkelijk in elkaar stak, was het te laat om me eraan te onttrekken. Hij was vreselijk. Claes Waltin was een vreselijk mens. Als hij had gedronken, kon hij levensgevaarlijk zijn. Ik heb verschillende keren gedacht dat hij me van kant zou maken. Toch heb ik nooit een blauwe plek gehad die de moeite waard was om te laten zien als bewijs.'

'Je hebt een halfjaar een relatie met hem gehad?'

'Een relatie? Ik was vijf maanden en elf dagen lang zijn gevangene. Voordat ik mezelf kon bevrijden. Ik haatte hem. Toen ik eindelijk van hem verlost was, ging ik vaak naar zijn huis om hem te bespieden en probeerde ik te bedenken hoe ik wraak op hem zou kunnen nemen.'

'Maar je hebt nooit iets gedaan.'

'Ik heb wel iets gedaan. Toen ik erachter kwam dat hij een andere vrouw had en ik haar voor de tweede keer in een week met hem samen zag. Ik heb toen uitgezocht wie zij was, om haar te waarschuwen.'

'Heb je met haar gesproken?' vroeg Holt.

'Ja, onder vier ogen zelfs. Ze werkte bij het postkantoor. Ik ben een keer op haar afgestapt toen ze van haar werk kwam. Ik zei wie ik was en vroeg of ik haar kon spreken.'

'Dat kon. We namen ergens een kop koffie en hadden een gesprek.'

'Hoe nam ze het op?'

'Ze begreep niet waar ik het over had,' antwoordde Jeanette Eriksson. 'Ze leek nogal geschokt toen ik vertelde wat hij met mij had gedaan. Ze vroeg me of ik nog steeds verliefd was op Claes. Of het eigenlijk daarom ging. Daarna hebben we niet veel meer gezegd. Niet dat we ruzie hadden, maar we stapten gewoon op. Sindsdien heb ik haar nooit meer gesproken.'

'Weet je hoe ze heet?' vroeg Holt.

'Ja,' zei Jeanette Eriksson.

'Wat is haar naam dan?' vroeg Holt.

'Nu wordt het een beetje lastig,' zei Jeanette Eriksson. 'Ik vermoed dat zij niet de reden is waarom je hier bent?'

'Nee,' zei Holt. 'Ik wist niet eens dat die vrouw bestond voordat jij over haar begon.'

'Mag ik zelf een vraag stellen?'

'Natuurlijk.'

'Je zei dat je bij de rijksrecherche werkt. Is Lars Johansson daar niet de baas van? Die grote Norrlander die zo vaak op tv is?'

'Ja,' zei Holt.

'Dat maakt het nou juist een beetje vreemd. Hij is namelijk getrouwd met die vrouw met wie ik sprak. Toen heette ze Pia Hedin. Dan heet ze nu blijkbaar Pia Hedin Johansson.'

'Weet je dat zeker?' vroeg Holt.

'Absoluut zeker,' zei Jeanette Eriksson. 'Ik heb ze enkele jaren later samen op een feest bij de SEB-bank gezien, toen ik net bij deze verzekeringsmaatschappij begonnen was. Toen waren ze pasgetrouwd. Dat moet in het begin van de jaren negentig zijn geweest.'

'Je weet het echt zeker?' vroeg Holt.

'Absoluut zeker,' zei Jeanette Eriksson. 'Ze is heel mooi. Pia Hedin is niet iemand die je zomaar vergeet of verwart met een ander.'

'Dat weet ik,' zei Holt. 'Ik heb haar ontmoet.' En wat nu, dacht ze.

65

Ondanks zijn ziekte, hij had tenslotte geleden aan een ernstige hersenbloeding, knokte Bäckström verder en weigerde hij de zaak los te laten die vanaf het begin de zijne was geweest. De betrokkenheid van Claes Waltin bij de moord op Olof Palme.

Moord draaide om twee dingen. Geld en seks. Dat wist Bäckström uit zijn eigen rijke ervaring. Nu moest hij alleen nog uitvinden welk van deze twee motieven ertoe had geleid dat het slachtoffer om het leven was gebracht.

Op dit moment leek alles erop te wijzen dat het om seks ging. Zowel de dader als het slachtoffer scheen letterlijk te baden in het geld, zodat het minder waarschijnlijk was dat ze elkaar om die reden in de haren vlogen. Waltin was steenrijk, dat wist iedereen. Het slachtoffer had tienduizenden miljoenen kroon op allerlei geheime bankrekeningen in Zwitserland en andere belastingparadijzen staan. Dat wist Bäckström, net als enkele andere ingewijden die het uit betrouwbare bron hadden vernomen. Bovendien viel er tegenwoordig op internet over te lezen, bijvoorbeeld hoe de Zweedse wapenindustrie honderden miljoenen kroon aan steekpenningen aan het moordslachtoffer en zijn louche kompanen uit de derde wereld had betaald.

Er was ook een ooggetuige van de moord die een diepe indruk op een analytisch aangelegde politieman als Bäckström had gemaakt. Een getuige op wie zijn simpele collega's natuurlijk slechts hoofdschuddend hadden gereageerd. Een getuige die pas tijdens het derde verhoor bekende dat hij had gezien dat de dader met het slachtoffer en zijn vrouw had gesproken, voordat hij begon te schieten. Vermoedelijk toen ze probeerden te ontkomen, aangezien de schoten hen van achteren hadden getroffen.

Het moordslachtoffer en de moordenaar waren bijna altijd bekenden van elkaar. Daar was Bäckström door zijn lange, gedegen politionele praktijkervaring ook achter gekomen. Dezelfde handel en wandel en lusten en lasten, als het erop aankwam. Als een man als Bäckström de gelegenheid kreeg om alle lijken uit hun kasten te halen. Als de waarheid eindelijk werd onthuld.

Het was bewezen dat Waltin een buitengewoon pervers type was. Bäckströms nauwkeurige onderzoek naar zijn persoon liet op dat punt geen enkele ruimte voor twijfel. Restte hem slechts om Waltin in verband met zijn slachtoffer te brengen, en er deed zich wat dat aanging al een aantal omstandigheden voor die nauwelijks toeval konden worden genoemd.

Beiden waren multimiljonair, jurist, van goede afkomst en opgegroeid in dezelfde stad. Ze begaven zich vast en zeker in dezelfde kringen. Dat moest wel zo geweest zijn, gezien hun achtergrond. Bovendien leken ze uiterlijk bijzonder veel op elkaar, bijna als twee druppels water. Het waren allebei kleine, tengere, magere figuren, met donkere, wellustige ogen en vochtige lippen.

Ik durf te wedden dat ze familie van elkaar waren, dacht Bäckström, die een lichte opwinding door zich heen voelde gaan.

Nu moest hij dat alleen nog hard maken. Bewijs zien te vinden dat elke vorm van menselijke twijfel te boven gaat. Niet eenvoudig, nu zijn informant hem kennelijk in de steek had gelaten. Eerst had hij GeGurra telefonisch achternagezeten door een aantal berichten achter te laten. Die werden met stilzwijgen beantwoord, zodat er niets anders op zat dan tot fysieke actie over te gaan. Bäckström had hem voor zijn woning aan het Norr Mälarstrand in de gaten gehouden. Hij zag hem thuiskomen en belde aan, natuurlijk met zijn hand voor het kijkgat in de deur.

Ten slotte deed die bangerik open. Hij gluurde voorzichtig naar buiten en vroeg Bäckström wat hij wilde. Bäckström keek hem strak aan, waarop GeGurra hem met tegenzin binnenliet. Eenmaal in de hal bracht Bäckström GeGurra een oude gemeenschappelijke bekende in herinnering, Juha Valentin Andersson Snygg, die ondanks zijn jonge leeftijd een vrij gedegen persoonsdossier in het centrale archief van de recherche had weten op te bouwen. Nu was het foetsie, hoe was dat toch mogelijk? Op wie kon een bekende, gerespecteerde man als kunsthandelaar Gustaf G:son Henning eigenlijk vertrouwen? Als hij ook maar een beetje nadacht? Toch nauwelijks op die Anna Holt en haar maatjes, die er niet eens voor terugdeinsden om stiekem de telefoon van andere collega's af te luisteren. Als GeGurra dat soort lui boven Bäckström verkoos, was hij verloren.

Natuurlijk was hij door de knieën gegaan. Dat deed iedereen, als Bäckström met hen aan de haal ging. Om toch een beetje schappelijk over te komen en GeGurra de kans te geven te ontdooien, was hij eerst een beetje luchtig begonnen voordat het ernst werd.

'Hoe hebben Waltin en premier Olof Palme elkaar leren kennen?' vroeg Bäckström, die GeGurra sluw aankeek.

'Ik wist niet dat hij Olof Palme kende?' antwoordde GeGurra, die Bäckström verbaasd aankeek. 'Hoe kom je daarbij?'

'Even voor alle duidelijkheid: ik stel de vragen en jij geeft antwoord.'

'Oké, maar ik verbaas me er een beetje over, omdat...'

'Nu weet ik toevallig dat Waltin heel veel over Palme sprak,' onderbrak Bäckström hem, terwijl hij zijn slachtoffer onderzoekend aankeek.

'Dat deed toch iedereen?' zei GeGurra. 'Iedereen sprak over Palme. In die tijd, althans.'

'Exact, maar vergeet al die anderen. Ik wil weten wat Waltin zei.'

'Hij zei hetzelfde als iedereen, volgens mij. Als ze over Palme spraken, bedoel ik.'

'Wat zeiden ze dan?'

'Dat Palme een achterbaks figuur was,' zei GeGurra. 'Dat hij het land stiekem wilde socialiseren door met behulp van de werknemersfondsen alle ondernemingen in handen van de staat te krijgen. Terwijl hijzelf steekpenningen aannam van de wapenindustrie, zodat ze kanonnen aan India konden verkopen. De gebruikelijke dingen, dus.'

'Dat hij een spion voor de Russen was?'

'Ja, dat ook. Ik weet nog dat ik Waltin daarnaar vroeg. Aangezien hij voor de Säpo werkte, dacht ik dat hij de juiste man was om het te vragen.'

'Wat zei hij daarop?'

'Dat hij daar om begrijpelijke redenen geen antwoord op kon geven. Maar ik kreeg natuurlijk wel een duidelijke indruk van wat hij had willen zeggen.'

'Wat was die indruk?'

'Dat Palme een spion voor de Russen was.' GeGurra keek Bäckström verbaasd aan. 'Dat wist toch iedereen? Dat werd zelfs min of meer openlijk in de dagbladen geopperd.'

'En op persoonlijk vlak? Zei Waltin iets over Palme in de persoonlijke sfeer?'

'Dat was toch wel persoonlijk genoeg. Dat hij beweerde dat hij steekpenningen van Bofors had aangenomen en een spion voor de Russen was. Ik bedoel, wat wil je...'

'Ik heb het over seks,' onderbrak Bäckström hem.

'Seks?' vroeg GeGurra, die Bäckström verward aankeek. 'Nu begrijp ik werkelijk niet wat je bedoelt. Waltin sprak heel veel over seks, over zijn eigen prestaties op dat gebied. Maar nooit in verband met Palme.'

'Maar hij moet hem toch gekend hebben,' hield Bäckström vol. 'Het staat als een paal boven water dat iemand als Waltin een figuur als Palme moet hebben gekend.'

'Waarom?' vroeg GeGurra. 'Als je het mij vraagt, geloof ik niet dat ze elkaar ooit hebben ontmoet. Waarom zou iemand als Palme met iemand als Waltin omgaan?'

'Hoe heb je Palme zelf leren kennen?' vroeg Bäckström.

'Nu moet je toch echt ophouden, Bäckström,' zei GeGurra, die voor de zekerheid zijn handen in de lucht stak. 'Ik heb Olof Palme nooit ontmoet.'

'Daar zou ik nog maar eens over nadenken,' zei Bäckström met een veelbetekenende glimlach. 'Iets heel anders nu.'

'Oké,' zei GeGurra met een zucht van gelatenheid. 'Vertel.'

'De Vrienden van de Vagina. Die perverse vereniging waarvan Waltin de voorzitter was. Wie waren de overige leden?'

'Nou, Palme niet, in elk geval. Wat het leeftijdsverschil betreft, had hij hun vader kunnen zijn, al betwijfel ik ten zeerste of hij dergelijke kinderen had gekregen. Ook al was hij een spion voor de Russen.'

'Namen? Geef me hun namen,' sommeerde Bäckström.

'Goed dan, Bäckström. Op één voorwaarde. Dat je me in het vervolg met rust laat.'

'Hun namen?'

'Dat illustere vriendenclubje scheen vier leden te hebben geteld. Ze studeerden allemaal rechten aan de Universiteit van Stockholm, halverwege de jaren zestig ongeveer. Claes Waltin maakte daar dus deel van uit. Verder iemand die later een bekende bedrijfsjurist werd, maar al op vrij jonge leeftijd overleed. Zijn achternaam was Sjöberg, als ik het juist heb. Sven Sjöberg. Ik meen dat hij midden jaren negentig overleed.'

'Waltin, Sjöberg...'

'Ja,' zuchtte GeGurra. 'En verder Theo Tischler. Hij is bankier en heel...'

'Ik weet wie hij is,' onderbrak Bäckström hem. 'We kennen elkaar.'

'O?' constateerde GeGurra, die met moeite zijn verbazing wist te verbergen.

'De vierde man,' vroeg Bäckström. 'Wie was die vierde man?'

'Alf Thulin,' antwoordde GeGurra, opnieuw met een zucht. 'Tegenwoordig parlementslid voor de christendemocraten, hoewel hij aanvankelijk officier van justitie was, geloof ik.'

Nu begint het ergens op te lijken, dacht Bäckström. Een geschifte Säpo-baas, een hoge officier van justitie, een miljardair en een zogenaamde bedrijfsjurist. Vier zuivere seksmaniakken. Twee van hen waren weliswaar dood, maar er waren er ook nog twee in leven die konden worden gehoord. Nu begint het ergens op te lijken, dacht hij.

66

Op donderdag 20 september was bij Lisa Mattei het kwartje gevallen. Het had langer dan een etmaal op de rand van een grijze cel liggen wiebelen en zodra ze er niet meer aan dacht, was het plotseling gevallen.

Jarenlang had de Säpo gebruikgemaakt van een viercijferige code om de identiteit van zijn medewerkers voor de buitenwereld te beschermen. Hun namen moesten geheim blijven, en zelfs als ze voor de rechtbank moesten getuigen, was het van rechtswege toegestaan om dat in naam van hun cijfercode te doen.

Een van die duizenden politiemensen die de laatste dertig jaar bij de veiligheidsdienst hadden gewerkt, had tot begin jaren tachtig als codenaam blijkbaar 4711 gehad. De man die door de personeelsafdeling van de Säpo was nagetrokken maar uit het Palme-onderzoek werd afgevoerd, toen hun ijverige collega een vraag had gesteld naar aanleiding van een anonieme tip: medewerker 4711. De man die al in 1982 ontslag had genomen, naar het buitenland was verhuisd en om verschillende, niet nader genoemde redenen niet van belang was voor het politiespoor in het Palme-onderzoek.

Het kwartje in Matteis hoofd was dus gevallen, waardoor ze plotseling wist waar ze die viercijferige code voor het laatst had gezien. Niet op de flessen met Duitse eau de cologne, die haar vader aan haar moeder cadeau had gedaan toen Mattei nog maar een klein meisje was, lang voordat er midden op straat een Zweedse premier werd doodgeschoten. Niet op een flesje water van Keulen. Niet toen ze nog klein was. Veel later. Een week geleden nog maar. Op een velletje papier van de afdeling Forensische Opsporing van de Säpo, waar een medewerker een onleesbare handtekening en zijn viercijferige dienstcode 4711 op had gezet, als ontvangstbewijs voor de revolver die inspecteur Göran Wijjnbladh aan Claes Waltin had gegeven.

Hetzelfde papier dat zeer waarschijnlijk door Claes Waltin was vervalst. Een toevallige samenloop van omstandigheden, die van geen enkele betekenis was voor hun onderzoek? Of een grenzeloze

Claes Waltin, die de verleiding niet kon weerstaan om een verborgen mededeling te sturen, die nooit zou worden ontdekt?

De derde regel die Johansson hanteert bij een opsporingsonderzoek van een moordzaak, dacht Lisa Mattei. Leer een hekel te krijgen aan toevalligheden. Bovendien wordt het tijd voor een nieuw gesprek met mams, die tenslotte al meer dan twintig jaar bij de Säpo werkt.

'Waarom wil je dat weten?' vroeg Linda Mattei, die haar dochter onderzoekend aankeek. Dit was al de tweede lunch binnen een week, deze keer in een restaurant dat een flink eind van het kantoor lag. Waar is ze mee bezig, dacht ze lichtelijk ongerust.

'Dat kan ik niet zeggen.' Lisa schudde spijtig haar hoofd.

'Je hebt bij ons gewerkt,' zei Linda Mattei. 'Een paar jaar zelfs. Je weet hoe het zit met vragen.'

'Natuurlijk,' zei Lisa Mattei en ze haalde haar schouders op. 'Het is een eenvoudige regel. Iemand als ik mag geen vragen stellen omdat ik daar niet meer werk en iemand als jij mag geen vragen beantwoorden omdat je daar nog steeds werkt.'

'Nou dan. Waarom vraag je het me dan?'

'Omdat je mijn moeder bent,' glimlachte Lisa. 'Wat dacht je anders?'

'Als degene met die codenaam vijfentwintig jaar geleden al heeft opgezegd, denk ik dat het niet zo gemakkelijk is om uit te zoeken wie hij was,' zei Linda Mattei. 'Zolang je daar werkt, heb je een code. Als je stopt, is de code een paar jaar buiten gebruik. Daarna kan een ander die net in dienst is hem krijgen. Als er voldoende tijd verstreken is om misverstanden te voorkomen. Net als wanneer je van telefoonnummer wisselt. En de enige reden waarom ik dat zeg, is dat je dat zelf ook al weet.'

'Dat is zo. Maar ik zou graag willen weten hoe de collega heet die die code heeft gehad tot hij in 1982 stopte. Om redenen waar ik niet op in kan gaan, kan ik die vraag niet rechtstreeks aan de Säpo stellen.'

'Maar je chef wel.'

'Misschien wil hij dat niet.'

'Heb je het hem gevraagd?'

'Nee,' zei Lisa Mattei.

'Doe dat dan,' zei Linda Mattei. 'Ik kan er geen antwoord op geven. Misschien is het een troost dat een ander dat waarschijnlijk ook niet kan. Dit soort gegevens bewaren we niet zo lang.'

Er is vast een wonder voor nodig om deze zaak tot een goed einde te brengen, dacht Lisa Mattei, toen ze na de lunch weer in haar dossiermappen dook. Maar nog geen kwartier later overkwam het haar. In elk geval kreeg ze de hoop op een wonder.

Bij gebrek aan beter had ze in haar computer naar Marja Ruotsalainen gezocht. Geboren in 1959, dus bijna vijftig jaar oud, als ze nog in leven was. Ze was vanaf haar tienerjaren al zwaar aan de drugs verslaafd. Ze was prostituee, had een strafblad en was verscheidene keren veroordeeld tot een gevangenisstraf. Toen ze nog maar zevenentwintig jaar oud was en haar intrede deed in het Palme-onderzoek, had ze haar halve leven al doorgebracht in pleeggezinnen, jeugdinrichtingen, tbs-klinieken en gevangenissen. Hoe groot was de kans dat ze nog in leven was? Tussen de nul en één procent, dacht Lisa Mattei, terwijl ze haar persoonsnummer intikte.

Marja Ruotsalainen. Achtenveertig jaar. Alleenstaand. Geen kinderen. Arbeidsongeschikt. Al vijftien jaar waren er geen nieuwe notities in het politieregister bijgeschreven. Woonachtig in Tyresö, zo'n twintig kilometer ten oosten van Stockholm.

Ze leeft nog. Een wonder, dacht Lisa Mattei en ze schudde haar hoofd. Ik vraag me af of er met haar te praten valt. De vorige keer, toen die ijverige collega haar in Hinseberg had opgezocht, was dat niet zo goed gelukt.

67

Lewin had de twee onderzoeken naar de doodsoorzaak van voormalig hoofdinspecteur Claes Waltin gelezen. Een dat de Spaanse politie in oktober 1992 op Mallorca had ingesteld, en een aanvullend onderzoek dat de Zweedse politie had laten uitvoeren, zodra zijn stoffelijk overschot medio november van datzelfde jaar naar Zweden was vervoerd.

Toen hij eenmaal aan land spoelde, bleek dat vogels en vissen grondig te werk waren gegaan. De Spaanse politie had hem geïdentificeerd met behulp van de aangifte die het hotel had ingediend vanwege een verdwenen gast, op de dag nadat het personeel in de receptie hem naar het strand had zien gaan. Dat lukte met behulp van zijn zwembroek en de kamersleutel die men in zijn broekzak had gevonden.

In het forensisch-geneeskundig laboratorium in Solna waren ze nauwkeuriger te werk gegaan. Eerst had men het gebit van het lijk met Waltins gebitskaart vergeleken. Hoewel de onderkaak ontbrak, sprak de bovenkaak boekdelen. Het was voormalig hoofdinspecteur Claes Waltin.

Aangezien hij niet zomaar iemand was, nam men daar geen genoegen mee, maar had men ook gebruikgemaakt van de nieuwste technische middelen. Ze hadden zowel been- als tandmerg veiliggesteld. Ze namen bloed af bij zijn vader en vergeleken de twee DNA-profielen. De mogelijkheid dat het stoffelijk overschot aan iemand anders toebehoorde dan Claes Waltin, was kleiner dan een op de miljoen. Ervan uitgaande dat Robert Waltin geen onbekende zoon had, die toevallig op Mallorca verdronk, terwijl Claes Waltin daar op vakantie was en zomaar verdween.

Hier had men dan ook genoegen mee genomen. Claes Waltin werd doodverklaard. Ongeveer op hetzelfde moment dat zijn vader hem begroef, was hij tegen het testament van zijn zoon in beroep gegaan. Een jaar later had zijn vader en enige overgebleven familielid zijn erfenis gekregen, nadat de rechtbank het testament nietig had verklaard.

De waarschijnlijke doodsoorzaak was dood door verdrinking, had zowel de Spaanse patholoog-anatoom als zijn Zweedse collega vastgesteld. Geen van beiden had namelijk letsel aan de botten of andere lichaamsdelen gevonden, die erop duidden dat hij was neergeschoten, neergestoken of doodgeslagen met het klassieke stompe voorwerp.

Aan de andere kant kon ook niet worden uitgesloten dat iemand hem had laten verdrinken of stikken, of dat hij was gewurgd, vergiftigd of bijvoorbeeld vergast. Hij zou zelfs wel kunnen zijn neergeschoten, neergestoken of doodgeslagen met dat stompe voorwerp, mits de kogel, het mes of het voorwerp geen sporen had nagelaten op de lichaamsdelen die men had teruggevonden.

Veel verder zullen we niet komen, ben ik bang, dacht Jan Lewin met een zucht.

Om alle vraagtekens die hij had in elk geval een beetje op een rijtje te krijgen, had hij pen en papier gepakt, waarop hij een eenvoudig memo schreef over de zaak die zijn leven zo verziekte en zijn twee collega's ervan weerhield hun tijd aan zinvollere opdrachten te besteden. Helaas was het zo dat het meest waarschijnlijke scenario ook het minst wenselijke was. De consequenties ervan waren namelijk verschrikkelijk en zelfs Lars Martin Johansson zou dat redelijkerwijs moeten begrijpen.

Alles leek er dus op te wijzen dat Claes Waltin vóór de moord op Olof Palme een revolver van Forensische Opsporing had bemachtigd. Ergens tussen midden april 1983, toen men het forensischtechnisch onderzoek van de uitgebreide zelfmoord had afgerond, en de laatste dag van februari 1986, toen de minister-president werd doodgeschoten.

Vermoedelijk aan het einde van die periode, dacht Lewin. In het najaar van 1985, wellicht.

Daarna had Waltin het wapen overhandigd aan een onbekende medeplichtige.

Die vermoedelijk nauw of direct betrokken was bij de moord, dacht Lewin.

Waarschijnlijk had Waltin ook de patronen bij het wapen geleverd. Speciale munitie, die ook door metaal of, bijvoorbeeld, een kogelvrij vest heen kon dringen. Niet die munitie voor sportschutters, die de meesterschilder had gebruikt toen hij zijn dochter, haar vriend en zichzelf van het leven beroofde.

Het is niet duidelijk waar, wanneer en hoe hij aan die speciale kogels is gekomen. Ergens tussen midden april 1983 en de laatste dag van februari van 1986. Vermoedelijk vlak nadat hij het wapen had bemachtigd, en waarschijnlijk had hij ze in een gewone wapenwinkel gekocht. Hij had zijn politielegitimatie getoond, als ze er al om hadden gevraagd, contant betaald, het doosje met kogels in zijn zak gestopt en de winkel verlaten. Een doosje met twintig, vijftig of honderd patronen, van de meer dan zesduizend die er in het jaar vóór de moord op de premier in Zweden waren verkocht.

De dader was de minister-president waarschijnlijk vanaf zijn woning in Gamla Stan gevolgd en had ruim twee uur later op de hoek van de Sveavägen en de Tunnelgatan zijn kans gegrepen.

Na de moord vluchtte hij de Tunnelgatan in, rende de trappen naar de Malmskillnadsgatan op, sloeg rechtsaf, rende de trappen af naar de Kungsgatan en wandelde via de Kungsgatan naar het Sture-plan, waar hij de metro nam en na twee haltes bij Gärdet uitstapte. De nacht van de moord bracht hij door op een van Säpo's geheime adressen, die Waltin voor hem had geregeld. Dezelfde Waltin die de volgende morgen een parkeerboete kreeg, toen hij de sporen van de dader kwam uitwissen, dacht Lewin.

De dag na de moord was de dader verdwenen. Hoe, waarheen en wanneer was niet duidelijk.

Op een van de dagen vlak na de moord had Waltin het wapen terug gesmokkeld naar Forensische Opsporing. Naar de veiligste bewaarplaats die er bestond, op voorwaarde dat je zo grenzeloos was om überhaupt op die gedachte te komen. Want grenzeloos, dat was hij, dacht Lewin.

Tweeënhalf jaar later, in het najaar van 1988, kreeg hij het wapen weer in handen door Wijnbladh om de tuin te leiden en hem zover te krijgen alle sporen ervan uit te wissen. Op de valreep, aangezien hij al de laan was uitgestuurd, dacht Lewin. Een man zonder grenzen. Een man die meende dat hij werkelijk alles kon. Die dat in feite ook had gedaan en geen moment van plan was geweest het doorslaggevende bewijs daarvan uit handen te geven.

En wat nu, dacht Lewin toen hij klaar was. Eerst ga ik met Anna praten en dan mag zij proberen Johansson tot rede te brengen. Hij piekerde er niet over dat zelf te proberen.

68

'Ga zitten, Anna.' Johansson gebaarde naar de bezoekersstoel voor zijn bureau. 'Ik heb zojuist Lewins memo gelezen die je naar me mailde. Voorbeeldig kort, je blijft je verbazen. Het lijkt wel of die goeie ouwe Jan een persoonsverandering heeft ondergaan. Helder en zonder omwegen. Zomaar ineens.'

'En wat vind je van de inhoud?' vroeg Holt.

'Interessant. Maar jammer genoeg ongegrond. Spannende speculaties, in de huidige situatie. Een niet mis te verstaan onderzoeksrapport.'

Dus nu wil hij het over die boeg gooien, dacht Anna Holt.

'Als het zo'n niet mis te verstaan onderzoeksrapport is, hoort het toch bij het Palme-team te liggen?' vroeg ze.

'Zoals de zaken er nu voor staan, denk ik dat het rapport al te speculatief is om hen daarmee op te zadelen. Bovendien hebben ze hun handen vol met andere zaken, begreep ik van Flykt.'

'Wat ontbreekt er volgens jou dan aan?' vroeg Holt.

'Als je mij de naam geeft van die rotzak die de trekker overhaalde, beloof ik je dat je iets heel anders te zien krijgt. Dan beloof ik dat ik de top vijf van de politie zal optrommelen, en daarbij heb ik niet direct collega Flykt en zijn kameraden in gedachten.'

'Als je een naam hebt gekregen,' zei Holt. 'En als je die niet krijgt?'

'Dan moeten we nog eens goed nadenken,' zei Johansson en hij knikte tevreden. 'Hier schikken we ons naar alle mogelijke situaties.'

Wat heeft dat er nu weer mee te maken, dacht Holt.

'Er is nog iets waar ik met je over wil praten,' zei Holt. 'Ik ben bang dat het geen fijn verhaal is.'

'Met mij kun je overal over praten,' zei Johansson met een vriendelijke glimlach.

'Het gaat over Pia, je vrouw.'

'Over mijn leven, bedoel je,' zei Johansson, die plotseling ernstig klonk. 'Wat heeft ze nu weer uitgehaald?'

Holt vertelde hem over haar gesprek met Jeanette Eriksson en dat Johanssons echtgenote blijkbaar een verhouding, een affaire of in elk geval een persoonlijke relatie met Claes Waltin had gehad in het voorjaar van 1986.

'Dat wist ik al,' zei Johansson. 'Ook die was voorbeeldig kort,' zei hij glimlachend. 'Bovendien een aantal jaar voordat ze iets kreeg met de ware man van haar leven.'

'Hoe kwam je erachter?' vroeg Holt.

'Ze heeft het me verteld. Dat ze Waltin in het voorjaar van 1986 een paar keer heeft ontmoet, de eerste keer toen Pia samen met een vriendin uitging om mannen te ontmoeten. Al wist ik niet dat die voormalige collega Eriksson haar had gewaarschuwd. Met retroactieve jaloezie hou ik me niet bezig.' Johansson haalde zijn schouders op.

'Heb je je dan nooit zorgen gemaakt?' vroeg Holt. 'Als je bedenkt wat Waltin met je vrouw had kunnen uithalen?'

'Om Pia?' vroeg Johansson en hij schudde zijn hoofd. 'Wat had een idioot als Waltin tegen Pia kunnen beginnen? Dat begrijp je toch wel, Anna? Je hebt Pia toch ontmoet?'

'Heb je er iets op tegen als ik met haar praat? Met het oog op waar we mee bezig zijn, ben ik bang dat er niets anders op zit.'

'Natuurlijk,' zei Johansson. 'Maar eerst wil ik zelf met haar praten. Ik kan me niet voorstellen dat ze er iets op tegen heeft om met jou een gesprek te hebben. Ter informatie,' voegde hij eraan toe, terwijl hij vriendelijk naar haar knikte.

'Vanzelfsprekend,' zei Holt. Ik kan het spel maar beter meespelen, dacht ze. Ze wordt tenslotte nergens van verdacht.

'Fijn om te horen. Soms is ze me een beetje te avontuurlijk. Misschien ook niet zo vreemd. Ze is immers een stuk jonger dan ik,' zei hij met een tevreden zucht.

69

Die avond had Johansson een gesprek met zijn vrouw Pia. Dat deed hij zonder veel enthousiasme. Hij werd weliswaar niet geplaagd door retroactieve jaloezie, die tijd had hij sinds zijn jeugd achter zich gelaten, maar als hij had mogen kiezen, had hij er natuurlijk de voorkeur aan gegeven dat zijn vrouw nooit zo'n type als Claes Waltin had ontmoet. Ook al had hij zich tegenover haar heel anders gedragen dan hij, naar Johanssons overtuiging, in werkelijkheid was.

Als Waltin er niet tussen was gekomen, had het verder een perfecte avond kunnen zijn. Pia was eerder thuisgekomen dan hij en had een lekkere, eenvoudige maaltijd klaargemaakt, waar je prima een glas bronwater bij kon drinken. Daarna hadden ze de rest van de avond wat kunnen bijkletsen of zich allebei met een goed boek en opgevouwen benen kunnen nestelen in een hoek van de bank. Maar in plaats daarvan moest hij met haar praten over die keer dat ze iets met Claes Waltin had gehad, meer dan twintig jaar geleden.

'Wat vond je van de curry?' vroeg Pia, die hem nieuwsgierig aankeek.

'Geweldig,' zei Johansson. 'Maar we moeten ergens over praten.'

'Dat klinkt ernstig. Wat heb ik nu weer gedaan?'

'Claes Waltin.'

'Dat wist ik wel,' riep Pia triomfantelijk. 'Dat wist ik wel!'

'Wat wist je?'

'Dat hij Palme heeft vermoord,' zei Pia. 'Ben je dat soms vergeten? Dat heb ik je tien jaar geleden al gezegd, maar toen wilde je niet naar me luisteren.'

'Ik weet nog dat je daar tien jaar geleden over zat te zeuren,' gaf Johansson toe. 'Ik weet ook nog dat we die keer hadden afgesproken dat we er niet meer over zouden praten.'

'Waarom begin je er nu dan zelf over?' vroeg Pia met onverbiddelijke logica.

Zucht, dacht Johansson.

Vervolgens vertelde ze over die keer dat ze Claes Waltin had ontmoet, toen ze met een vriendin iets ging eten, vlak na de moord op Palme. Dat wist ze nog, omdat vrijwel iedereen alleen maar daarover sprak. Net als zijzelf en haar vriendin overigens. Ze hadden zelfs nog overwogen om hun lang van tevoren geplande uitgaansavond niet door te laten gaan. Maar het liep anders, en in plaats daarvan ontmoette ze Claes Waltin.

Claes Waltin was knap, grappig, charmant, aardig en vrijgezel, en leek in alle opzichten volkomen normaal. Alles wat ze zich op dat moment kon wensen, aangezien zij en haar vriendin die avond eigenlijk op stap gingen om een leuke vent aan de haak te slaan.

'Hij wilde me mee uit eten nemen,' zei Pia. 'Dat was op een zaterdag, in diezelfde week. We gingen uit eten en daarna naar zijn huis.'

'Oké,' zei Johansson. Waarom heb ik Anna dit in hemelsnaam niet laten opknappen, dacht hij.

'Je vraagt je af of ik met hem naar bed ging,' zei Pia, die Johansson nieuwsgierig aankeek.

'En deed je dat?' vroeg Johansson. Waar haalt ze het allemaal vandaan, dacht hij.

'Nee, om eerlijk te zijn. Ik verbaasde me er zelfs over dat hij zijn kans niet greep. Hij liet me zijn schilderijen zien. Hij had een fantastisch mooi appartement. Het lag aan het Norr Mälarstrand, met uitzicht over het water. Ik vroeg hem hoe een politieman aan zoveel geld kon komen en toen vertelde hij dat hij dat van zijn moeder had geërfd. Ze was door een ongeluk om het leven gekomen.'

Ja, dat was inderdaad zo, dacht Johansson.

'En toen?' vroeg hij.

'De keer daarop ben ik met hem naar bed geweest,' zei Pia. 'Bij mij thuis, om precies te zijn. Toen waren we ook van tevoren uit geweest. Dat was overigens een paar dagen voordat jij op mijn werk verscheen om te vragen of ik met je uit eten wilde. Dat weet je vast nog wel. Toen ik zei dat ik al bezet was, zag je eruit als een jongetje dat zijn laatste oortje had versnoept. Op dat moment kreeg ik bijna spijt.'

Mis is mis, dacht Johansson.

'En toen?' vroeg hij.

'Als je je afvraagt hoe de seks was: niets bijzonders. Heel gewone, typische eerstekeerseks. Twee keer, mocht je het willen weten. Dat het voor hem niet de eerste keer was dat hij met een vrouw naar bed ging, had ik wel begrepen. Dat was het voor mij ook niet, maar dat weet jij ook wel.'

'Daar vroeg ik niet naar. Ik vroeg me af...'

'Maar daarna gebeurde er iets heel merkwaardigs,' onderbrak Pia hem. 'Ik geloof niet dat ik je daarover heb verteld.'

Jeanette Eriksson, dacht Johansson.

'Vertel,' zei hij.

Een paar dagen later stapte er een jonge vrouw op haar af toen ze net uit haar werk kwam, die vroeg of ze haar mocht spreken.

'Een jong, knap meisje,' zei Pia. 'Ik geloof dat ze Jeanette heette, Jeanette Eriksson. Ze zei dat ze politieagente was, wat ik eerst niet geloofde omdat ze eruitzag alsof ze nog op school zat, maar toen liet ze haar legitimatie zien. Ze wilde over Claes praten. Ze zei dat het belangrijk was. Toen gingen we naar een cafeetje in de buurt.'

'Wat wilde ze?'

'Ze vertelde iets vreselijks. Over wat Claes Waltin haar had aangedaan. Dat hij een sadist was en haar bijna had vermoord. Ik geloofde haar niet, want dat was niet de Claes Waltin die ik had ontmoet. Dat vertelde ik haar ook. Ik vroeg haar op de man af of ze jaloers was. Toen sloeg de stemming om en werd er niet veel meer gezegd.'

'Wat deed je toen?'

'Ik heb een tijdje zitten nadenken. Eerst was ik van plan Claes ermee te confronteren. Maar dat kwam er niet van. Het voelde niet goed hem ernaar te vragen omdat we elkaar niet zo goed kenden. Maar ik kon het moeilijk loslaten, dus de eerstvolgende keer dat we elkaar zagen, ik geloof slechts een paar dagen nadat ik met die Jeanette had gesproken, gingen we weer naar mijn huis. Ik weet niet waarom. Misschien om me veiliger te voelen.'

'Hoe was het toen?' vroeg Johansson. 'Typische tweedekeerseks?'

'Beter,' antwoordde Pia en ze keek hem ernstig aan. 'Veel vrijer, niet zo nerveus. Maar voordat hij wegging zei hij iets wat ik nogal vreemd vond.'

'Vertel,' zei Johansson.

'Toen hij op het punt stond weg te gaan en we in de hal stonden, legde hij zijn hand om mijn nek. Vrij hardhandig eigenlijk en toen zei hij dat we de volgende keer bij hem thuis zouden afspreken. Om eens een echt potje te neuken. Zoiets zei hij en iets in zijn manier van doen deed me denken aan wat die Jeanette me had verteld.'

'Maar toch ging je die keer daarop met hem mee.'

'Yes.' Pia glimlachte. 'Dat deed ik. Maar toen ik in zijn bed lag en hij naar de badkamer ging, kon ik me niet inhouden. Ik keek stiekem in zijn nachtkastje.'

'Ja? En...'

'Toen vond ik de foto's die hij van Jeanette had genomen. Dat waren geen fijne foto's. Ze waren vreselijk.'

'Wat deed je toen?'

'Ik voelde me ijskoud worden. Vooral toen hij plotseling vanuit de deuropening naar me stond te kijken. Hij zei niets, stond alleen maar naar me te kijken. Hij zag er heel vreemd uit.'

'Wat deed je toen?' herhaalde Johansson.

'Ik werd er niet bepaald geil van, als je dat soms dacht,' zei Pia, die hem boos aankeek. 'Ik werd doodsbang, sprong het bed uit en begon mijn kleren aan te trekken. Toen begon hij met me te vechten.'

'Hoe liep dat af?' vroeg Johansson.

'Geweldig goed,' zei Pia. 'Voor het eerst had ik er voordeel van dat ik met twee tweelingbroers ben opgegroeid, die voortdurend met me wilden vechten.'

'Hoezo?'

'Ik gaf hem een knietje. Een perfect knietje midden in zijn kruis. Precies zoals mijn broers me dat hadden geleerd. Hij dook in elkaar en viel kermend op de grond. Ik griste mijn kleren bij elkaar, greep mijn handtas, nam mijn jas van de kapstok en rende de trappen af naar buiten. Toen ontdekte ik pas dat ik mijn schoenen was vergeten. Mijn nieuwe, hoge zwarte pumps. Prachtige, chique, Italiaanse schoenen. Weet je trouwens van wie ik die had gekregen?'

'Van Claes Waltin,' zei Johansson.

'Yes,' zei Pia. 'Tijdens onze derde afspraak. Ik wist niet eens dat hij wist wat mijn schoenmaat was. Ze zaten perfect. Waren peperduur.'

'En toen? Wat gebeurde er toen?'

'Niets. Ik heb hem nooit meer gezien. Niet meer gesproken. Niets. Al mis ik die schoenen wel,' zei ze en ze schudde haar hoofd. 'En het is jammer dat ik die foto's van die Jeanette niet mee kon nemen, dan had ik ze kunnen vernietigen. Zo'n type als hij mag zoiets niet in huis hebben.'

'Hij had er vast veel meer,' zei Johansson. Wat zou ermee gebeurd zijn, dacht hij.

Toen ze eenmaal in bed lagen, had hij voor het eerst moeite in slaap te komen. Hij had Pia tegen zich aan getrokken. Een klein lepeltje tegen een grote opscheplepel, die niet eens meer zijn buik hoefde in te trekken als hij met zijn vrouw sliep. Hoewel hij zijn arm om haar heen had geslagen, kon hij niet in slaap komen. Welke arm zou haar kunnen beschermen als zijn vermoedens over Waltin bewaarheid werden? Als die voor alles en iedereen bekend werden gemaakt? Als de media er lucht van kregen? Het verhaal van de vrouw van de politiechef, die een affaire had met de man die achter de moord op de minister-president zat. Of erger nog, die een affaire met hem had, op het moment dat hij de premier vermoordde.

Dus dat verhoor kun je wel vergeten, Holt, dacht Lars Martin Johansson. Daarna was hij eindelijk in slaap gevallen.

70

'Kan ik je even spreken?' vroeg Mattei toen ze in de deuropening van Johansson kamer verscheen.

'Kan het niet tot maandag wachten?' vroeg Johansson. 'Ik heb nog een en ander te doen. Mijn vrouw ophalen, bijvoorbeeld. We gaan een weekendje weg.'

'Ik ben bang dat het belangrijk is.'

'Wat kan er belangrijker zijn dan mijn vrouw.'

'Niets, waarschijnlijk,' glimlachte Lisa Mattei. 'Maar ik denk alleen dat ik de rotzak heb gevonden die de trekker heeft overgehaald.' Die kerel waar je de hele tijd over loopt te zeuren, dacht ze.

'Doe de deur dicht,' zei Johansson. 'Ga zitten.'

'4711,' zei Johansson vijf minuten later, toen Mattei was uitgesproken. 'Is dat niet zo'n mysterieus Duits parfum?'

'Daardoor kwam ik erop,' zei Mattei. 'Daardoor kon ik me die codenaam herinneren op dat zogenaamde ontvangstbewijs dat Waltin aan Wiijnbladh gaf.'

'Maar je weet niet hoe hij heet,' zei Johansson.

'Iemand moet dat geweten hebben. Iemand van de Säpo. Gezien het antwoord van hun personeelsafdeling, dat in het dossier lag. Ik heb het aan Linda gevraagd, aan mijn moeder dus, maar zij wil er niet over praten. Ze dacht ook dat het moeilijk zou worden om zijn naam te achterhalen, na al die jaren.'

'Heb je een beschrijving van die mysterieuze parfumman?' vroeg Johansson.

'Die anonieme tipgever heeft een beschrijving gegeven. Ik denk dat die Orjala, Jorma Kalevi Orjala, de tipgever was. In die tijd een bekende lastpost, die slechts een paar maanden na de moord op Palme werd aangereden door een onbekende dader en dood werd gevonden in het Karlbergskanaal. Het schijnt dat Orjala die collega niet erg mocht, maar daar moeten we misschien niet te veel waarde aan hechten.'

'Waar moeten we dan wel waarde aan hechten?' onderbrak Johansson haar.

'Orjala beweerde dat de man die hij in het Chinese restaurant in de Drottninggatan had gezien, op de avond dat Palme werd vermoord, bij de recherche van Solna had gewerkt, maar die baan een aantal jaren daarvoor had ingeruild voor een functie bij de Säpo. Daar zou hij in 1982 ontslag hebben genomen, volgens het antwoord van de Säpo aan de collega die de zaak van de anonieme tip behandelde.'

'Mijn hemel.' Johansson schoot rechtovereind. 'Verdomme nog aan toe. Waarom heb ik daar niet eerder aan gedacht? Hoe is het mogelijk dat ik die rotzak vergeten ben?'

'Pardon?' zei Mattei.

'Mijn hemel,' herhaalde Johansson. 'Kjell Göran Hedberg. Zo heet die man over wie je het hebt.'

Noord-Mallorca, najaar 1992.

Aanvankelijk was hij van plan alle sporen uit te wissen. Dat zou hij doen zodra hij zich van het lichaam had ontdaan. Om te beginnen in zijn hotelkamer. Hij zou zijn sleutels in beslag nemen, naar Stockholm vliegen en alle sporen uitwissen die hij in zijn appartement aan het Norr Mälarstrand en in zijn grote landhuis had achtergelaten. In het beste geval zou hij de spullen kunnen weghalen die hem rechtmatig toekwamen.

Maar hij had er nooit de tijd voor gekregen. Zoals zo vaak wanneer je plannen maakt, gebeurde er iets onverwachts, wat een streep door de rekening trok.

Toen hij de volgende ochtend bij het hotel verscheen, was de politie hem al voor. Een gewone burgerauto die voor de ingang van het hotel stond. Twee Spaanse collega's in uniform, die bij de receptie met het personeel stonden te praten. De loper die in zijn jaszak zat en hem zoveel geld had gekost, kon hij niet meer gebruiken. Die deed hij van de hand door hem in het water te gooien, toen hij zijn gehuurde boot terugbracht. Zijn reis naar Zweden kon hij nu wel vergeten.

Restte hem de hoop dat hij niet veel sporen had achtergelaten. Hij hield zich een tijdje gedeisd. Hij koos een andere verblijfplaats en wachtte af, hield zich maandenlang rustig en verschool zich, als een konijn in een nieuw hol. Dat was ook de periode waarin hij besloot de Esperanza te laten bouwen, als een extra verzekering, als een toevluchtsoord dat hem zou beschermen tegen onverwachte gebeurtenissen.

Maar er was niets gebeurd. Er waren geen sporen geweest. Anders zou hij dat hebben gemerkt. Dan zou er wat zijn gebeurd. Maar het enige dat gebeurde, was dat de jaren zich aaneenregen, zodat het binnenkort voorgoed voorbij zou zijn en de mondiale gerechtigheid hem niets meer kon maken. Over de goddelijke gerechtigheid had hij zich nooit zorgen hoeven maken. Die leek juist steeds aan zijn kant te hebben gestaan, als je erin geloofde.

De Esperanza was inmiddels meer dan een boot, een verzekering en een herinnering. Ze leverde nu ook een bijdrage aan zijn levensonderhoud. Ignacio Ballester had hem op het idee gebracht. Waarom zou hij niet wat extra centen verdienen aan al die chartertoeristen? Aan al die mensen die wilden zwemmen, vissen en duiken? Hij kende de omgeving, hij kende het water. Hij was ook een ervaren zeeman, een goede duiker en een bedreven visser. Wat was er simpeler dan dat hij zijn kaartje tussen al die andere hing, op het mededelingenbord bij de jachthaven van Puerto Pollensa? Dagtripjes, zwemmen in zee, vissen en duiken. Snel verdiend geld, zonder dat de belastingdienst op de loer lag, als je zo slim was om alleen je mobiele telefoonnummer op het kaartje te laten drukken.

Denk eens aan al die mooie vrouwen die je zou kunnen ontmoeten, zei Ignacio, die naar hem knipoogde. Een man als hij, in de kracht van zijn leven en met zo'n mooie boot als de Esperanza. Al die mooie vrouwen, bijna naakt, klaar om te baden. En dan de zon en het warme water. Veiligheid, vrijheid en misschien ook liefde. Liefde. Wat was er mis met een beetje liefde?

71

Woensdag 26 september, precies twee weken voor 10 oktober.
Het hoofdkwartier van de rijksrecherche in Kungsholmen,
Stockholm.

Een halfuur voordat het gebruikelijke woensdagoverleg zou beginnen, stapte de moeder van Lisa Mattei de kamer van Johansson binnen. Ze deed de deur achter zich dicht, ging in de bezoekersstoel zitten en keek Lars Martin Johansson strak aan.

'Geen tijd voor poespas nu,' zei Johansson, die haar een glimlach schonk. 'Je bent mooier dan ooit, Linda. Maar dat durven die suffe collega's van je vast niet te zeggen.'

'Ook geen tijd voor praatjes, Lars. Een korte vraag. Wat heb je met mijn dochter uitgehaald?'

'Niets,' zei Johansson hoofdschuddend. 'Ze is weliswaar net zo betoverend als haar moeder, maar zoals je wel weet, ben ik al jaren gelukkig getrouwd.'

'Ze stelt de merkwaardigste vragen,' zei Linda Mattei. 'Ik maak me ongerust over haar.'

'Dat is helemaal niet nodig. Persoonlijk ben ik ervan overtuigd dat ze een gouden toekomst tegemoet gaat. Ze doet het nu al uitstekend, ze kan het heel ver schoppen. En dat gaat ook gebeuren, let maar op.'

'Vorige week wilde ze dat ik de identiteit van een van mijn voormalige collega's onthulde. Heb jij haar dat soms gevraagd?'

'Zeker niet,' antwoordde Johansson. 'Dat is volledig haar eigen idee geweest en daar ben ik haar heel dankbaar voor.'

'Dus jij zit daar niet achter?' vroeg Linda Mattei.

'Ik heb haar natuurlijk geholpen, toen ze mij die vraag stelde.'

'Heb jij haar geholpen?'

'Kjell Göran Hedberg. Onbegrijpelijk dat ik uitgerekend hem was vergeten.'

'Dus je wist het,' zei Linda Mattei.

'Toen die geweldige dochter van jou zo vriendelijk was hem voor mij te beschrijven, schoot het me ineens te binnen. Hij zat in de jaren zeventig bij de rijksrecherche in Solna. Daarna bij de lijfwachten van de Säpo. Nam ontslag in 1982. Kjell Göran Hedberg. Een man die nooit politieman had mogen worden.'

'Wist je dat hij de Parfumman werd genoemd, naar die vreselijke Duitse eau de cologne, 4711. Die mijn man me altijd cadeau gaf.'

'Daar had ik geen idee van. Dat moet voor mijn tijd zijn geweest. Die spaarzame keren dat ik de eer had, had je het in elk geval niet op,' zei Johansson.

'Zo kan het wel weer,' zei Linda Mattei. 'Heb je dat verhaal van de Parfumman nog nooit gehoord?'

'Nee,' zei Johansson. 'Vertel.'

Hedberg was in de zomer van 1976 bij de Säpo begonnen. Hij was een van drie medewerkers van de rechercheafdeling van de politie Solna die naar Säpo's afdeling Koninklijke en Diplomatieke Bewaking werden overgeplaatst. Eerst volgde hij een opleiding en trad daarna in dienst als lijfwacht. Bovendien kreeg hij een dienstcode, om zijn identiteit tegen de buitenwereld te beschermen.

'Hij kreeg de code 4711,' zei Linda Mattei. 'Daar zat verder niets achter. Althans, niet dat ik weet. Het moet een code zijn geweest die op dat moment vrij was. Na een tijdje merkte ik dat zijn collega's hem de Parfumman noemden. Vanwege die Duitse eau de cologne dus. Toen kwam hij naar mij om te klagen. Ik was in die tijd hoofd van de administratie.'

'Ik barst van nieuwsgierigheid,' zei Johansson begerig.

'Ik zei tegen hem dat hij niet zo verschrikkelijk kinderachtig moest zijn. Als zijn vriendjes lelijk tegen hem deden, mocht hij ze best verklikken, dan zou de juf ze wel te grazen nemen. Want zelf was hij blijkbaar niet flink genoeg om met dat soort kinderachtigheden om te gaan.'

'Wat zei hij toen?'

'Toen droop hij af. In al die tijd dat ik achter de balie zat, heb ik hem niet meer gezien, en dat was minstens een paar jaar.'

'Hij had zijn handen vol aan andere zaken. Eerst kneep hij ertussenuit om het postkantoor in de Dalagatan te overvallen en vervolgens maakte hij twee getuigen koud, omdat die hem toevallig hadden herkend.'

'Dat verhaal heb ik eerder gehoord,' zei Linda Mattei. 'Laat me eerst maar eens een aanklacht zien of desnoods een vooronderzoek, dan zal ik naar je luisteren.'

'Laat maar,' zei Johansson. 'Ga door.'

'Mijn opvolger wilde kennelijk wel naar hem luisteren. Dat was Björn Söderström, die ken je vast wel. Hij werd later chef van het hele bureau. Hij verloste onze Parfumman Kjell Göran Hedberg in elk geval uit zijn lijden door hem een nieuwe dienstcode te geven en de code 4711 inactief te maken. Om dezelfde reden dat er geen LUL op je kentekenplaat staat.'

'Wat heeft een echte vent daar nu op tegen,' zei Johansson schouderophalend.

'Jij niets, misschien. Maar veel van je vakbroeders waarschijnlijk wel,' antwoordde Linda Mattei.

'Uitgerekend die code, 4711 dus, is nadien nooit meer gebruikt. Niet sinds het najaar van 1977, voor zover ik weet. Maar dat verhaal kende iedereen wel en dat was vast de reden waarom onze personeelsafdeling dat antwoord stuurde.'

'Maar Hedberg bleef. Zelfs nadat hij het postkantoor had overvallen en twee getuigen uit de weg had geruimd,' constateerde Johansson.

'Hij mocht blijven. Maar in 1978 ging hij al weg bij de lijfwachten. Enerzijds omdat er veel geruchten de ronde deden over wat jij zojuist zei. Anderzijds omdat de toenmalige chef Berg zoals je vast nog wel weet, hem wilde overplaatsen. Hij zat bijna vier jaar in de binnendienst voordat hij ontslag nam.'

'Ik heb daar lang over zitten nadenken,' zei Johansson. 'Waarom mocht hij van Berg blijven?'

'Nou, niet uit bezorgdheid voor Hedberg, in elk geval.'

'Ik begrijp het helemaal,' zei Johansson. 'Als je mij een bezoek brengt uit bezorgdheid voor je dochter, hoef je je allerminst ongerust te maken.'

'Mooi,' zei Linda Mattei terwijl ze opstond. 'En als je die jonge vrouw van je zat bent, weet je wie je kunt bellen.'

Al die vrouwen die van je houden, dacht Lars Martin Johansson. In zijn vergaderkamer zaten er minstens nog twee die naar hem verlangden.

Maar niet allebei, zo bleek. Toen hij verscheen, had Anna demonstratief op haar horloge gekeken, hoewel hij slechts een kwartier te laat was. Lisa was echter vrolijk en opgewekt als altijd, terwijl Jan Lewin vooral afwezig leek. Al was hij natuurlijk een vent. Geen echte vent, weliswaar, maar wie kon dat wat schelen?

'Lees dit eens.' Hij gaf hun het overzicht waaraan hij de vorige avond aan één stuk door had gewerkt, terwijl zijn vrouw steeds chagrijniger werd en uiteindelijk wegging om met een vriendin naar de bioscoop te gaan. In plaats van met haar man, zoals hij haar had beloofd.

'Kjell Göran Hedberg,' zei Holt. 'Waar heb ik die naam eerder gehoord?'

'Lees,' zei Johansson, die met zijn hele hand naar haar wees.

72

Kjell Göran Hedberg was geboren op 15 augustus 1944 in de gemeente Vaxholm, ten noorden van Stockholm. Zijn vader werkte als loods, was gestationeerd in Sandhamn en woonde in Vaxholm, als hij niet moest uitvaren om vaartuigen door de archipel van Stockholm te loodsen. Hij woonde met zijn gezin in een vrijstaand huis in Vaxholm. De moeder van Hedberg was huisvrouw. Behalve Kjell had het echtpaar Hedberg een drie jaar jongere dochter, Birgitta.

Indien hij nog leefde, en er was niets wat erop duidde dat dat niet zo was, zou hij ruim een maand geleden drieënzestig zijn geworden. Als hij de minister-president van Zweden inderdaad had neergeschoten, was hij eenenveertig toen hij de daad uitvoerde. Bovendien was hij lang genoeg. Toen hij zich meer dan dertig jaar geleden aanmeldde bij de politieacademie, was hij 1,86 meter. Volgens de zeven jaar oude gegevens in zijn laatste paspoort was hij tegenwoordig 1,84 meter.

'De jaren beginnen te tellen, zelfs bij een type als hij,' constateerde Johansson grimmig.

Na het negenjarige basisonderwijs werkte Hedberg een paar jaar als timmermansleerling op een kleine werf in Vaxholm, terwijl hij op de avondschool een gedeeltelijke vervolgopleiding deed. Toen hij achttien was, vervulde hij zijn militaire dienstplicht bij de kustjagers in Vaxholm. Hij werd opgeleid tot duiker met aanvalstaken en zwaaide af met de hoogste cijfers voor alle vakken. Zodra hij meerderjarig werd had hij zich aangemeld bij de politieacademie, waar hij het jaar daarop werd aangenomen. Het was toen 1965 en hij was eenentwintig.

Eenmaal klaar met zijn politieopleiding, die destijds nauwelijks een jaar duurde, was hij als aspirant bij de politie Stockholm begonnen. Hij werd binnen een jaar bevorderd tot assistent-agent en na in totaal tien jaar solliciteerde hij op de functie van inspecteur bij de politie Solna.

Hedberg had de aanstelling gekregen. Hij had niet alleen goede referenties, hij was ook zo'n collega die bij iedereen goed lag. Zo'n type waar je op kon bouwen als het plotseling menens werd. Ondanks zijn jeugd was Hedberg een echte politieagent. Het was toen 1975, hij was zelf net eenendertig geworden.

Hij had nauwelijks langer dan een jaar bij de recherche van Solna gezeten, of de veiligheidsdienst had van zich laten horen. Ze spraken met Hedbergs chef. Ze spraken met Hedberg zelf. Ze zonden hun gebruikelijke rekruteerders, die hem ondervroegen en meenamen naar hun internaat ergens in Zweden, voor de verplichte testweek. Ze vroegen of hij bij hen wilde beginnen en hij had een bevestigend antwoord gegeven. Ze maakten alle papieren in orde en kregen groen licht van zijn politiechef en van hemzelf.

Hedberg werd bij de afdeling Koninklijke en Diplomatieke Bewaking van de Säpo geplaatst. Hij was de beste schutter van de politie Solna en lichamelijk in perfecte conditie. Hij was vrijgezel en had geen kinderen. Er was niets dat hem ervan weerhield om zich volledig aan zijn politietaak te wijden. Hij zag er goed uit, was netjes op zijn uiterlijk, kleedde zich goed. Was aardig en beleefd. Hij had alles wat nodig was om de machthebbers van het land te beschermen en in het uiterste geval de kogel op te vangen die voor zijn bewakingsobject was bedoeld.

Tot zover was alles bekend en goed onderbouwd. Wat er daarna gebeurde, was in het gunstigste geval slechts lasterpraat, geuit door collega's. In het ergste geval was het waar, hoewel Hedberg in zijn actieve dienstjaren nooit in staat van beschuldiging is gesteld voor de misdrijven die hij zou hebben gepleegd.

Johansson had een memo over zijn leven geschreven, tot het moment waarop de boze geruchten het overnamen. Hij wees erop dat hij het zelf had geschreven, dat het kort en consistent was en dat hij ondanks zijn hoge leeftijd nog altijd de juiste knoppen op zijn computer wist te vinden.

'Dus lees en geniet, want de rest wil ik mondeling bespreken,' zei Johansson. 'Straks zullen jullie begrijpen waarom. Ik hoef er niet eens bij te zeggen dat het tussen deze vier muren moet blijven. Voorlopig, althans. Als het waar is wat ik denk, is er onderhand sprake van heel andere koek. Maar wie dan leeft, wie dan zorgt.'

'Op vrijdag 13 mei 1977 pleegde Hedberg een overval op het postkantoor van Dalagatan 13,' vertelde Johansson. 'Hij had de opdracht om die dag de toenmalige minister van Justitie te bewaken. De minister van Justitie wilde van de gelegenheid gebruikmaken om een paar straten verderop zijn favoriete hoer te bezoeken. Hedberg kreeg een paar uur vrijaf en beroofde in die tussentijd het postkantoor. Hij verdween met zo'n driehonderdduizend kroon aan contanten. Veel geld, voor die tijd, aangezien een doorsnee inspecteur als ik vijfduizend in de maand verdiende. Vóór belastingaftrek en inclusief alle extra uren die je maakte.'

'Dat verhaal heb ik al duizenden keren gehoord,' zei Holt. 'Maar is het wel waar?'

'Ja,' antwoordde Johansson. 'En hoe ik dat weet? Nou, ik kan het weten. Ik was namelijk degene die hem opspoorde.'

Daarna werd het nog erger. In de maanden die daarop volgden, had Hedberg zich van twee getuigen van de overval ontdaan door hen te vermoorden. De eerste was een jongeman die hij met zijn auto had overreden, toen de man voor het metrostation Skogskyrkogården ten zuiden van de binnenstad van Stockholm de weg overstak. Die zaak werd afgedaan als een tragisch verkeersongeluk, waarbij het slachtoffer onder invloed was van drugs en zich min of meer voor de auto van Hedberg had geworpen. Het tweede geval was een zuivere moord. Een oudere, aan lager wal geraakte man, die zijn nek had gebroken en uitgerekend op de begraafplaats Skogskyrkogården was gedumpt, op 24 december 1977.

'Op kerstavond,' zei Lisa Mattei met twinkelende ogen.

Voor de verdenkingen tegen Hedberg werden geen bewijzen gevonden. Wat uiteindelijk de doorslag had gegeven, was dat de minister van Justitie hem een alibi gaf voor het tijdstip waarop hij het postkantoor aan de Dalagatan zou hebben beroofd en daarmee was al het bewijsmateriaal als een kaartenhuis in elkaar gezakt.

'De zaak werd afgedaan door Hedberg uit de buitendienst te nemen,' zei Johansson. 'Hij mocht bij de Säpo papierwerk gaan doen. Daar bleef hij vier jaar, totdat hij zelf ontslag nam. Waar hij sindsdien gebleven is, weet niemand. Volgens de spaarzame gegevens die er zijn, zou hij een jaar later al naar Spanje zijn geëmigreerd. Dat was in het najaar van 1983. Al heb ik redenen om aan te nemen dat hij een aantal jaren voor de Säpo bleef werken, als een zogeheten externe operator.'

Volgens Johansson was er nog meer. De enige die van deze externe operator gebruik zou hebben gemaakt, was toenmalig hoofdinspecteur Claes Waltin. Waarschijnlijk had hij hem eveneens ingezet bij een geheime huiszoeking in een studentenflat aan de Körsbärsvägen in Stockholm, op vrijdag 22 november 1985.

'Waltin zorgde voor de praktische kant ervan. Het ging om een Amerikaanse journalist, die daar in onderhuur zat. Ik heb redenen te geloven dat Kjell Göran Hedberg de operator was van wie hij gebruikmaakte.'

'Vrijdag 22 november,' zei Lisa Mattei, die rode wangen had gekregen toen ze hoorde van het lijk op de begraafplaats Skogskyrkogården. 'Dat was de dag waarop Kennedy werd doodgeschoten.'

'Tweeëntwintig jaar eerder,' zei Johansson met een tevreden glimlach. 'Toch heb ik het idee dat dit nu zo'n uiterst zeldzame, toevallige samenloop van omstandigheden is.'

'Maar wat ging er dan mis?' vroeg Holt.

'Die journalist dook ineens op. Hij verraste Hedberg volledig. Hedberg sloeg hem dood en deed of het een zelfmoord was, door een afscheidsbrief te schrijven en hem uit het raam van de twintigste verdieping te gooien.'

'Het is niet waar,' zei Lisa Mattei met een gelukzalige glimlach. 'Mijn eerste, echte seriemoordenaar. Minstens drie moorden, bij minstens drie verschillende gelegenheden. Als hij Palme ook heeft doodgeschoten, heeft hij ruimschoots aan de eisen voldaan.'

'Ik ben blij dat ik je een plezier heb kunnen doen, Lisa,' reageerde Johansson. 'Want het is niet bepaald een pretje om met zo'n rotzak als deze te maken te krijgen.'

'Je moet hem wel eens gesproken hebben,' zei Lewin. 'Hoe zou je hem omschrijven?'

'Verscheidene keren tijdens diensttijd, in de periode dat zich dit allemaal afspeelde. Hoe hij is? Een psychopaat, ijskoud, berekenend, rationeel en levensgevaarlijk. Alles wat je maar wilt. Toen ik als operationeel leider bij de geheime dienst zat, heb ik voor de lol zijn persoonsdossier doorgelezen. Dat was geen fijne kost. Zo'n man als hij had nooit politieagent mogen worden. Toch is hij ook weer niet een gewone lustmoordenaar of sadist. Hedberg is uitermate praktisch ingesteld. Als een gloeilamp het begeeft draaien we er een nieuwe in, dat kan vrijwel iedereen. Als iemand het bestaan van Hedberg in gevaar brengt, ontdoet hij zich op dezelfde manier van die persoon als wij een gloeilamp verwisselen. Dus dat verhaal dat hij er een kick van zou krijgen om iemand dood te slaan, kunnen jullie volgens mij wel vergeten. Het is veel erger.'

'Bestaat er een psychologische analyse van hem?' vroeg Holt.

'Het gebruikelijke onderzoek, waaraan iedereen die in die tijd bij de Säpo begon, zich moest onderwerpen. Daarin staan natuurlijk alleen maar lovende woorden. Aanvankelijk, tenminste. Zeer goede zelfbeheersing, zeer hoge stressbestendigheid, constructief, rationeel, zeer daadkrachtig. Maar na dat voorval in 1977 was het andere koek. De chef in die tijd, Berg dus, liet een uitgebreid psychiatrisch rapport over Hedberg opstellen. Iedereen die hier zit, weet vast wel hoe ik over die lui denk, maar bij wijze van uitzondering was ik deze keer geneigd het met oom dokter eens te zijn.'

'Wat was zijn conclusie?' vroeg Mattei.

'Een kwaadaardige psychopaat met een nagenoeg onbegrensd zelfvertrouwen, die zichzelf als een soort übermensch beschouwt en totaal niet in staat is om diepgaande, emotionele relaties met andere mensen aan te knopen. En bovendien over zeer grote, fysieke capaciteiten beschikt.'

'Zwakke punten heeft iedereen. Zelfs zo'n type als hij,' merkte Holt op.

'Dat geloof ik ook,' zei Johansson. 'Hedberg had er in elk geval een, als je het mij vraagt.'

'En dat was?' vroeg Holt.

'Hij was gek op de vrouwtjes,' zei Johansson. 'En daar zit een prijskaartje aan. Vroeger of later.'

'Dit is dus die rotzak naar wie we hebben gezocht,' zei Anna Holt, toen Johansson een halfuur later uitgesproken was.

'Volgens mij wel.' Johansson glimlachte en knikte naar Mattei.

'En wat doen we met hem?' vroeg Holt.

'We gaan hem zoeken,' zei Johansson. 'Zodat ik gehakt van hem kan maken.' Eindelijk, want het werd wel tijd en er is geen seconde te verliezen, dacht hij.

'Nog één ding,' zei Holt.
'Ja?'
'Foto's. Heb je foto's van Hedberg?'
'Waar zie je me voor aan, Anna? De inlichtingendienst heeft een uur geleden hopelijk al een heel fotoalbum naar me toe gemaild. Een stuk of dertig foto's van Hedberg, een handvol van zijn ouders en ongeveer net zoveel van zijn zus.'
'Dank je,' zei Holt.
'Dat weet je toch, Anna?' zei Johansson glimlachend, 'dat een foto meer zegt dan duizend woorden?'

In totaal waren er eenendertig foto's van Kjell Göran Hedberg, waarvan er kennelijk buiten zijn medeweten om vijfentwintig aan het einde van de jaren zeventig of het begin van de jaren tachtig waren genomen. Typische politionele opsporingsfoto's, die met behulp van een motorcamera en een telelens buitenshuis waren genomen. Hedberg die in het gezelschap van een onbekende vrouw een café binnengaat. Hedberg die uit zijn woning komt. Hedberg die in zijn auto stapt. Hedberg die in de garage van het politiebureau diezelfde auto uitstapt. Een Mercedes uit 1977, een colbertje met brede revers, een broek met wijde pijpen, een wit overhemd met een grote puntkraag en een brede stropdas. Een Hedberg die met zijn tijd meegaat.

Wie de fotograaf was bleef uiteraard in het midden. Johansson en Jarnebring, in de vergeefse jacht op een collega die verdacht werd van een misdrijf waar hij een levenslange gevangenisstraf voor zou krijgen? Of een bezorgde Erik Berg, die slechts toezicht wilde houden op een mogelijke risicofactor in zijn onmiddellijke nabijheid?

Holts blik bleef bij een van de foto's hangen. Een gewone pasfoto die in het voorjaar van 1982 was genomen, toen Hedberg zijn politielegitimatie van de veiligheidsdienst zou verlengen, maar in plaats daarvan een maand later zijn ontslag indiende.

Kjell Göran Hedberg: een smal gezicht, regelmatige trekken, een rechte neus, een scherpe kin en kaaklijn, donker, kortgeknipt haar, donkere, diepliggende ogen. Ogen die geen enkele boodschap uitdroegen naar de fotograaf of een eventuele toeschouwer; die zich niet bewust leken te zijn, of eerder, totaal geen interesse leken te hebben voor het feit dat ze gefotografeerd werden; in het reine met zichzelf, voorbijgaand aan alles en iedereen.

Hij ziet er goed uit, dacht Holt. Dat was duidelijk te zien, zelfs als hij zijn gezicht probeerde te verbergen door te doen alsof hij zijn neus snoot. Zoals die avond op 28 februari 1986, toen hij de trappen van de Malmskillnadsgatan naar de Kungsgatan afliep en daar Madeleine Nilsson tegenkwam.

73

Na het overleg was Lisa Mattei blijven zitten, terwijl Holt en Lewin naar hun kamer terugkeerden. Er was geen tijd te verliezen en er moest nog heel wat gedaan worden.

'Je wou nog iets met me bespreken?' vroeg Johansson.

'Die computergegevens,' zei Mattei, die een plastic hoesje met een stuk of tien blaadjes papier naar hem toeschoof.

'Computergegevens?'

'De computergegevens over de vereniging van die rechtenstudenten, die ik moest natrekken,' verduidelijkte ze.

'O, die,' zei Johansson. 'Nou?'

'Ze staan allemaal in het Palme-register. Sjöberg, Thulin en Tischler. Waltin niet, uiteraard, maar die hadden we zelf immers al gevonden.'

'Een vos verliest zijn haren, maar niet zijn streken,' constateerde Johansson, terwijl hij het plastic hoesje in zijn hand woog.

'Wil je een snelle samenvatting?'

'Graag,' antwoordde Johansson. Alles wat tijd bespaart, voor zover het niets met de zaak te maken heeft, dacht hij.

Er was met Sjöberg een informatief gesprek gevoerd naar aanleiding van de zogeheten Indische wapenaffaire. Hij had niets toe te voegen en was al vroeg uit het onderzoek afgevoerd. Bovendien was hij al vijftien jaar dood.

'Dan hebben we van hem geen last meer,' zei Johansson met een hoofdknik.

'Thulin is in het onderzoek een van de *Good Guys*. Hij is een paar keer ingevallen voor de officier van justitie, was expert in een van de onderzoekscommissies en politiek lid in een andere commissie.'

'Dat weet ik,' zei Johansson. 'Ik heb hem ontmoet. Ik kan me herinneren dat hij voortdurend over Christer Pettersson zat te zeuren. Een enorme verwaande kwast. Echt niet goed bij zijn hoofd. En een verdomd groot mysterie.'

'Hoe bedoel je?'

'Dat een vrouw het met zo'n man wil doen,' verduidelijkte Johansson. 'Hij schijnt tenslotte die idiote bokaal gewonnen te hebben die ze aan elkaar gaven.'

'Dat onderdeel ontbreekt in mijn papieren,' zei Mattei. Jij ook al, beste Johansson, dacht ze.

'Allemaal opschepperij, als je het mij vraagt,' zei Johansson. 'Thulin kunnen we schrappen. De volgende.'

'Tischler. Over hem zijn er op zijn minst drie verschillende tips binnengekomen, afkomstig van die groep privéspeurders, waarin werd beweerd dat hij op een of andere manier bij een groot complot betrokken zou zijn geweest, om Olof Palme te vermoorden.'

'Hoe dan? Hoezo betrokken?' Die kletskop zeker, dacht hij. Was het maar zo simpel.

'Er werd beweerd dat hij de eerste onderzoeksleider Hans Holmér een heleboel geld had aangeboden, om zijn Koerden-spoor te kunnen voortzetten,' verklaarde Mattei. 'Niet omdat hij erin geloofde, maar om een rookgordijn op te trekken ter bescherming van de werkelijke dader.'

'Vergeet het maar,' zei Johansson. 'Als Tischler deel had uitgemaakt van een complot, zouden alle betrokkenen binnen een dag in de lik hebben gezeten. Een betere garantie dan die bek van meneer de bankier zelf is daar niet voor te vinden. Bovendien heeft hij toch helemaal geen geld aan Holmér gegeven?'

'Nee. Volgens Tischler zelf vanwege de informatie die hij van kennissen binnen de sociaaldemocratische beweging had gekregen. Bovendien zou hij met mensen hebben gesproken die nauw in contact stonden met de regering. Ze zouden het hem hebben afgeraden. De Koerden hadden volgens hen niets met de moord te maken.'

'Noemde hij namen?' vroeg Johansson. 'Van degenen met wie hij sprak, bedoel ik?'

'Nee.' Mattei schudde haar hoofd. 'Mensen van binnen de sociaaldemocratische partij. Mensen die nauw in contact stonden met de regering. Gezien het tijdstip moest dat in de periode zijn geweest dat Ingvar Carlsson minister-president was.'

'Maar geen namen.' Johansson knikte bedachtzaam. Al zou ik er zelf wel een kunnen bedenken, dacht hij.

'Geen namen,' bevestigde Mattei. Al weet ik iemand met wie hij mogelijk heeft gesproken, dacht ze.

'Waltin,' zei Johansson. 'Alles draait om hem. Sjöberg, Thulin en Tischler kunnen we volgens mij vergeten.'

'Ik ben het met je eens,' knikte Mattei. 'Maar toch wel wat vreemd dat al die anderen ook in het onderzoek voorkomen.'

'Het is een klein landje,' zei Johansson. 'Veel te klein.' Vooral voor iemand als ons moordslachtoffer, dacht hij.

'Nog één ding,' zei Johansson toen Mattei op het punt stond de deur van zijn kamer uit te lopen.

'Ja?' Ze bleef staan.

'Dat van die Hedberg,' zei Johansson, 'daar krijg je een grote gouden ster voor. Het verontrust me dat ik zelf niet op hem ben gekomen. Dat had wel zo moeten zijn, vind ik, en dat verontrust me.'

'Misschien word je oud,' zei Mattei met een vriendelijke glimlach.

'Ja,' zei Johansson. 'Zelfs ik ben ouder geworden.' Hoe ongelooflijk dat ook is, dacht hij.

74

Diezelfde avond had Johansson afgesproken met de bijzonder deskundige, op een seminar van het Turing-genootschap. Hoewel hij eigenlijk belangrijker zaken te doen had, aangezien er na meer dan twintig jaar eindelijk beweging in de zaak leek te komen. Of na meer dan dertig jaar wellicht, afhankelijk van hoe je rekende.

Dat werd hoog tijd, dacht Johansson. Het werd hoog tijd dat een echte politieagent eindelijk licht aan het einde van de tunnel zag. Overigens een heel andere tunnel dan die waarover dat misbaksel dat aanvankelijk de leiding had, voortdurend liep te bazelen. En het licht was ook heel anders, dacht hij. Een scherp wit schijnsel, dat hem en alle andere mensen zoals hij bescheen. Recht in hun gezicht, zonder dat ze hun blik konden afwenden of zelfs maar konden knipperen.

Het Turing-genootschap was genoemd naar Alan Turing, een wiskundige die tijdens de Tweede Wereldoorlog een beroemde codekraker was.

Aanvankelijk was het vooral een illuster gezelschap, dat Turings Zweedse collega's, andere wiskundigen, statistici en taalwetenschappers die een verleden hadden binnen militaire geheime organisaties, in de gelegenheid stelde een onderhoudend gesprek te voeren en een fatsoenlijke maaltijd te nuttigen. Ze kwamen één keer per kwartaal bij elkaar, om naar voordrachten te luisteren, seminars te houden of gewoon een gezellige avond te hebben. Bijvoorbeeld tijdens het verplichte kerstdiner op de eerste zondag van december. Een traditioneel kerstdiner in de legendarische sociëteit Stora Sällskapet in Stockholm, in rokkostuum en academisch ornaat, met verschillende soorten sterkedrank en flessen rode wijn. En waar niets en niemand ontbrak.

De bijzonder deskundige had Johansson uitgenodigd, de eerste keer toen ze elkaar in het regeringsgebouw Rosenbad tegen het lijf liepen. Toen ze elkaar enkele dagen later op een receptie in de ambassade van de Verenigde Staten weer tegenkwamen, herhaalde hij zijn uitnodiging.

De bijzonder deskundige was al jarenlang voorzitter van het Turing-genootschap en in die periode had de vereniging een nieuwe impuls gekregen door andere leden toe te laten. Niet alleen rasechte academici, maar ook mensen die zich vooral met geheime militaire operaties bezighielden. Er zat zelfs een enkele gevierde politicus tussen, die er plezier in had om over problemen te praten waar gewone mensen niet over zouden moeten praten.

'Het thema van de volgende bijeenkomst zou een man als jij werkelijk moeten interesseren,' zei de bijzonder deskundige in een poging hem over te halen. 'We gaan de Palme-moord behandelen, vanuit een specifiek perspectief.'

'Het Koerden-spoor of Christer Pettersson,' zei Johansson met een glimlach.

'Absoluut niet,' zei de bijzonder deskundige. 'Het wordt een zuiver academische discussie, waarbij het inleidende betoog van de hoofdspreker een consequentieanalyse is van de verschillende sporen. Als het zus was gegaan en niet zo. Wat de politieke en financiële consequenties daarvan zouden zijn, afgezien van de zuiver juridische consequenties.'

'Komen er veel mensen die bij het onderzoek betrokken waren?' vroeg Johansson, die er absoluut niets voor voelde om een zekere vrouwelijke hoofdofficier van justitie tegen het lijf te lopen.

'Maak je soms een grapje, Johansson?' vroeg de bijzonder deskundige. 'Dit is een eersteklas gezelschap. Daarom hecht ik er juist zoveel waarde aan dat jij komt.'

'Ik heb heel veel te doen.'

'Doe het voor mij, Johansson. Voor mij.'

'Oké, ik kom.'

'Uitstekend,' zei de bijzonder deskundige, die straalde als een zonnetje. 'Dan zul je eveneens het genoegen hebben met mijn opvolger kennis te maken. Hij is namelijk degene die het inleidende betoog gaat houden.'

Hij had weinig gemeen met de man die hij blijkbaar zou opvolgen. Een lange, magere academicus, de helft jonger dan de bijzonder deskundige, met dik, blond haar dat naar alle kanten uitstak en een bril die voortdurend tussen zijn voorhoofd en het puntje van zijn neus heen en weer schoof.

Hij sprak langzaam en duidelijk, koos zijn woorden zorgvuldig en nam de tijd voor pauzes en interpunctie, alsof hij een tekst aan het schrijven was, terwijl hij tegelijkertijd een bijzonder afwezige indruk maakte.

Weer zo een die zijn arme hoofd vol lettertjes heeft zitten, dacht Johansson op zijn bevooroordeelde wijze.

Zijn boodschap was daarentegen eenvoudig en duidelijk. Als een eenzame gek, zoals Christer Pettersson, de minister-president had vermoord, was het voordeel dat er vanuit het oogpunt van de samenleving geen consequenties aan verbonden waren. Wat restte, was de heimwee naar een betekenisvolle politicus, maar daar was dan ook alles mee gezegd, en op zichzelf viel daarmee te leven. Zoals bekend gaat een gevoel van gemis voorbij.

'De tijd heelt alle wonden,' constateerde de inleidende spreker van de avond. Hij schoof zijn bril naar zijn voorhoofd en draaide een blaadje om.

Ondanks het zuiver academische karakter van de avond had de spreker zich een zijsprongetje gegund. Christer Pettersson bood tevens een ander wezenlijk voordeel, niet te vergeten, aangezien ieder kritisch denkend mens die zich in dit geval had verdiept tot geen andere slotsom kon komen dan dat hij daadwerkelijk degene was die de premier had vermoord.

'In puur intellectueel opzicht is de Palme-moord opgelost,' verklaarde hij tegenover zijn publiek. 'Waarmee we moeten leren omgaan, is dus niet met het collectieve trauma als gevolg van het vermeende feit dat de moord niet zou zijn opgelost, maar met de individuele trauma's als gevolg van het feit dat verschillende ontvangers van de zuiver zakelijke boodschap ook over verschillende perceptiemogelijkheden beschikken om te begrijpen hoe het zit.'

Wat zoveel betekent dat dommeriken als Holt, Lewin, Mattei en ik nog overtuigd moeten worden, dacht Johansson.

Het Koerden-spoor en vergelijkbare daderbeschrijvingen hadden eveneens beperkte gevolgen voor de Zweedse politiek en de Zweedse samenleving. De geografische, culturele en politieke distantie tot bijvoorbeeld Koerdische terroristen maakte het mogelijk om het probleem in termen van 'wij' en 'zij' te definiëren en een duidelijke 'dichotomie' te formuleren, waarin 'wij' voornamelijk alle normale, fatsoenlijke mensen behelsde, terwijl 'zij' in wezen slechts uit een soort collectief van merkwaardige figuren bestond, afkomstig uit een verafgelegen deel van de wereld. Dat had een zeker effect op de visie op immigranten, vluchtelingenpolitiek en overige aanverwante kwesties, en bracht uiteraard hogere budgetten voor verschillende maatschappelijke controle-instanties met zich mee. Omgerekend in budgettaire termen, kwamen de problemen afzonderlijk uit op een kostenpost in de orde van grootte van zo'n honderd miljoen kroon. 'In totaal hooguit een miljard op jaarbasis, in een lopend budget. Het gaat hier om maatregelen die zich bovendien goed laten inpassen in de reeds vastgelegde bureaucratische structuur.'

Fijn om te horen dat we niets nieuws hoeven te bedenken, dacht Johansson.

Maar vanaf dat punt werd het al snel erger. Van een normale niesaanval, via een licht griepje bleef uiteindelijk de keuze over tussen de pest en de cholera. Vergaande gevolgen voor politiek en samenleving, maatschappelijke kosten die in de miljarden liepen, een collectief wantrouwen jegens politici en maatschappelijke instanties en een aanzienlijke teloorgang van de Zweedse geloofwaardigheid tegenover de buitenwereld. Een Zweden dat plotseling gereduceerd was tot een ordinaire bananenrepubliek, op één hoop geveegd met Afrikaanse en Centraal-Amerikaanse republieken, waar staatshoofden, regeringen en ministers elkaar afwisselden zonder enige vorm van politieke verkiezingen. Wat uiteindelijk niet meer teweegbracht dan wat gegeeuw in de VN-Veiligheidsraad.

Of het hierbij ging om een politiek complot in de geest van de moord op Gustav III of om wat men in het publiekelijk debat had samengevat onder de noemer politiespoor, was naar de stellige opvatting van de spreker 'grotendeels om het even'.

Aangezien die vergelijking veel van zijn toehoorders zeker zou verbazen, wilde hij zijn stellingname gelijk nader toelichten.

'In onze hedendaagse samenleving is het politiewezen een maatschappelijke pijler van hetzelfde kaliber als bijvoorbeeld ongecorrumpeerde, democratisch gestuurde politieke organen, zoals parlement en regering. De politie is in de huidige Zweedse samenleving van grotere betekenis dan het leger. Er is tevens een mondiale ontwikkeling gaande, waarin tegenwoordig in politionele termen over veiligheid wordt gesproken. Dat neemt niet weg dat we nog steeds gebruikmaken van traditionele militaire middelen. De zienswijze en de argumenten waarom we dat doen, zijn vandaag de dag echter politioneel, en de focus is niet meer gericht op oorlog, maar op terrorisme. Het traditionele militaire evenwicht tussen staten en machtsblokken is inmiddels verleden tijd. Omgerekend in schadetermen, vergeleken met bijvoorbeeld het Koerden-spoor, spreken we over een maatschappelijke schadepost die in orde van grootte een paar tiende machten hoger ligt, waarvan het hoofdbestanddeel bestaat uit afschrijvingen op de Zweedse democratische geloofwaardigheid door de buitenwereld,' eindigde de inleidende spreker, die zijn bril naar het puntje van zijn neus schoof en zijn bedachtzame publiek onderzoekend aankeek.

Honderd keer erger dan dat. Op zijn minst, dacht Lars Martin Johansson, hoewel wiskunde niet bepaald zijn favoriete schoolvak was. Hoewel het hier eigenlijk alleen maar gaat over twee geschifte collega's, die nooit politieagent hadden mogen worden.

Na het afsluitende debat werd hun een diner aangeboden in Rosenbad, waar de regering haar eigen eetzaal ter beschikking had gesteld.

'En wat vond je van mijn jonge opvolger?' vroeg de bijzonder deskundige nieuwsgierig.

'Interessante man,' antwoordde Johansson, die altijd probeerde te voorkomen ruzie te krijgen als hij ergens te gast was. 'Waar houdt die jonge vent zich mee bezig?' Los van het feit dat hij een hoop onzin uitkraamt, dacht hij.

'Hij werkt bij de radiodienst van de Zweedse krijgsmacht,' zei de bijzonder deskundige. 'Maar omdat jij het vraagt, Johansson,' voegde hij eraan toe, terwijl hij zijn wijsvinger tegen zijn vochtige lippen hield, 'die jongeman is verantwoordelijk voor de banden die het land onderhoudt met de Amerikaanse geheime dienst. Je weet wel, al die oren en ogen hoog in de hemel, die alles horen en zien wat wij mensen uitvreten.'

'Ja, helemaal geweldig,' zei Johansson. 'Helemaal geweldig.' Om zoiets over te laten aan zo'n idioot als die spreker van daarnet, dacht hij.

'Ja, vind je niet?' zei de bijzonder deskundige instemmend, met een gelukzalige glimlach. 'En dat durven ze satellieten te noemen.'

Na het diner nam de bijzonder deskundige Johansson apart, om nogmaals een vertrouwelijk gesprek met hem te kunnen voeren.

'Wat vond je trouwens van de wijnen?' begon hij. 'Deze keer vond ik ze zeer acceptabel, als je het mij vraagt, zelfs voor een eenvoudige aangelegenheid als deze.'

'Uit je eigen kelder?' vroeg Johansson.

'Geenszins, geenszins. Een van mijn medewerkers heeft ze buit gemaakt. Ze lagen verstopt in een garderobe bij Harpsund. Iemand had ze zeker vergeten. Het was een hele voorraad, waar we gelijk beslag op hebben gelegd.'

'Meen je dat nou echt? Of is dat net zo'n verhaal als met die herten in Oxford?'

'Het is absoluut de waarheid,' verzekerde de bijzonder deskundige, die ijverig knikte. 'De vorige bezitter ervan schijnt nogal haast te hebben gehad. Heb je trouwens nog nagedacht over die zogenaamde waarheid, Johansson? Ik bedoel, heb je er werkelijk over nagedacht?'

'Ja,' zei Johansson. Mijn hele leven al, dacht hij.

'Als een belangrijke waarheid zich aan je openbaart,' zei de bijzonder deskundige, die nu zo geestdriftig werd dat hij Johansson aan de mouw van zijn jasje trok, 'als een belangrijke waarheid zich aan je openbaart... kan dat veel slechter uitpakken dan wanneer je een grote leugen ontmaskert. De waarheid heeft een veel grotere impact dan een leugen. Als je de waarheid daadwerkelijk voor je ziet, kun je een vrije val maken, als in een droom. Je weet wel, zo'n gruwelijke droom waarin je plotseling een vrije val maakt, in een donker gat valt waar nooit een einde aan lijkt te komen. Het is zo afschuwelijk, dat het lijkt of je borst uit elkaar springt als je wakker wordt. Dat het soms een paar minuten duurt voordat je weet of je nog leeft of dood bent. Heb je ooit zoiets gedroomd?'

'Nog nooit. Maar toen ik klein was hebben ze ooit mijn amandelen geknipt, dat was de eerste keer dat ik onder narcose werd gebracht. Met ether, om precies te zijn. Die geur zit nog steeds in mijn neus. Toen viel ik ook op die manier, kan ik me herinneren. Dat was bepaald geen pretje.'

'Maar nog nooit in een droom?' vroeg de bijzonder deskundige. 'Nog nooit in een droom? Volkomen verloren, aan je lot overgelaten en hulpeloos?'

'Nog nooit in een droom.'

'Je moet een gelukkig man zijn, Johansson,' verzuchtte de bijzonder deskundige. 'En gelukkig getrouwd ben je ook. Met een vrouw die goed, mooi en wijs schijnt te zijn.'

Probeert hij me soms iets duidelijk te maken, dacht Johansson.

75

Die avond had Johansson voor het eerst moeite om in slaap te komen. Niet dat hij gedroomd had, maar ineens was zijn vroege jeugd weer bovengekomen. De herinnering aan die keer dat hij elf jaar oud was, de hele herfst door verkouden was geweest en zijn ongeruste vader hem uiteindelijk meenam naar het ziekenhuis in Kramfors, om zijn amandelen weg te laten halen.

Vijftig jaar later lag het nog vers in zijn geheugen. Hoe hij zijn kleren uit moest trekken en aan hen overgeleverd was, in een wit nachthemd van het ziekenhuis. Hoe ze hem vastmaakten in een gewone tandartsstoel, zijn armen en benen met leren riemen vastketenden, zijn hoofd vastbonden en zijn mond wijd opensperden. Twee volwassenen met een masker voor hun gezicht, waarin gaten zaten voor hun ogen. En dan die doek met ether, die ze tegen zijn neus en mond drukten. Hoe hij probeerde zich los te wurmen, voordat ze hem zouden laten stikken. Die prikkende geur van ether, veel scherper dan benzine, diesel of zelfs chloor, de geuren die hij kende van zijn leven op de boerderij.

Hoe het zwart werd voor zijn ogen en dreunde in zijn hoofd. Hoe alles om hem heen begon te draaien en hij regelrecht in een zwart gat viel, en hoe hij als laatste dacht aan zijn vader Evert, die niet met hem mee naar binnen mocht, hoewel hij zijn hand tot aan de deur had vastgehouden.

76

Marja Ruotsalainen woonde in een klein huurappartement in Tyresö, twintig kilometer ten zuidoosten van het centrum van Stockholm. Met het oog op het leven dat ze had geleid, had ze het er schijnbaar goed van afgebracht. Een klein, mager vrouwtje, met een grote, hennakleurige haardos, die onafgebroken rookte en daar alleen mee stopte als ze door haar rochelende hoest gehinderd werd.

Ze leek niet verheugd te zijn toen ze hen zag. Maar ze had hen niet uitgemaakt voor kutwijven of hun verzocht op te sodemieteren. Ze had hun zelfs een scheef lachje geschonken toen ze plaats namen aan haar keukentafel.

'Vrouwensmerissen,' zei Marja. 'Waar hebben jullie vrouwen je de afgelopen twintig jaar eigenlijk mee beziggehouden?'

Ze had geen koffie aangeboden. Zoiets deden ze vooral in politieromans, maar in werkelijkheid boden mensen als zij de politie nooit een kop koffie aan. Iets anders trouwens ook niet. Daar stond tegenover dat ze milder was geworden en wilde praten.

Samen met haar toenmalige vriend had ze de avond van de moord op de minister-president in het Chinese restaurant aan de Drottninggatan gezeten. Ze woonde bij hem. Ze hield zich bij hem schuil. Ze was al een paar maanden voortvluchtig. Het was vrijdagavond en ze moest even de stad in, omdat de muren op haar afkwamen. Ze moest er even tussenuit om lucht te krijgen, ook al was Stockholms City niet de meest geschikte plek voor types als zij.

Zij was ook degene die de politieagent in burger, die al aan de bar zat, had herkend. Ze had hem tien jaar eerder ontmoet, toen ze nog maar zeventien jaar was en ze met een van haar twee keer zo oude vriendjes in een drugswijk in Tensta werd opgepakt.

'Een echte fascist. Zo'n type dat je armen op je rug draaide, je uitschold voor heroïnehoer en in de deuropening bleef staan kijken als die potten tegen me zeiden dat ik mijn kleren uit moest trekken,' vatte Marja Ruotsalainen de gebeurtenissen samen.

Ze had er slechte herinneringen aan bewaard. Een jaar later zag ze hem weer, toen ze samen was met een andere vriend die ook twee keer zo oud was als zij. De naamloze politieman stapte met een soortgenoot voor het parlementsgebouw uit een grote zwarte Volvo en hield de deur open voor een bekende politicus, die ze vervolgens het gebouw in vergezelden.

'Dat ze van de Säpo waren, straalde ervan af,' zei Ruotsalainen. 'Ze hadden het net zo goed op hun voorhoofd kunnen schrijven. Achterlijke idioten. Hoe dom kun je zijn?'

'Die politicus,' zei Holt, 'weet je nog hoe hij heette?'

'Nee.' Ze schudde haar hoofd. 'Het zal wel een van die rechtse lui zijn geweest. Volgens mij was het in de zomer van zevenenzeventig. Die keer dat ik in Solna tippelde, was namelijk in zesenzeventig. Dat weet ik nog.'

'Hoe weet je dat zo goed?' vroeg Mattei.

'Omdat het toen mijn zeventiende verjaardag was,' zei Marja. 'Fijn verjaardagscadeau, niet?'

Die naamloze politieman van het restaurant wist ze zich te herinneren. Hij zat aan de bar toen ze binnenkwam. Het was ongeveer halftien 's avonds. Na een uurtje vertrok hij. De rest had ze zich herinnerd toen ze over de moord op Olof Palme had gelezen.

'Hij voldeed heel goed aan het signalement. Donker haar, goed getraind. Veertig jaar, zo'n beetje. Een meter tachtig lang. Donkere jas. Dat weet ik nog, omdat hij die in het restaurant aanhad. Wat voor broek hij droeg, weet ik niet meer. Heb ik vast niet bij stilgestaan.'

Vervolgens lieten ze foto's aan haar zien. Tien pasfoto's van politieagenten, die twintig tot dertig jaar eerder waren genomen. Het origineel ervan had op hun politielegitimaties gezeten. Een van hen was Kjell Göran Hedberg en de foto was genomen in de zomer dat hij met een onbekende politicus het parlementsgebouw binnen zou zijn gegaan.

'Geen flauw idee,' zei Ruotsalainen. 'Ze zien er allemaal uit als bosbessen. Hoe kun je daar onderscheid in maken?'

'En als je hiernaar kijkt?' vroeg Mattei, die een getypt A4'tje naar haar toeschoof. Tien namen van politiemannen, waarvan ze de meeste uit het personeelsbestand van de rijksrecherche had gehaald. Een van hen heette Kjell Göran Hedberg.

'Pettersson, Salminen, Trost, Kovac, Östh, Johansson, Hedberg, Eriksson, Berg, Kronstedt. Tien namen, waarvan de achternamen niet eens in alfabetische volgorde stonden.

'Östh herken ik wel,' zei Ruotsalainen. 'Dat was zo'n rechercheur uit Solna. Ook een vreselijk figuur, maar zijn voornaam weet ik niet meer.'

'Neem rustig de tijd,' zei Holt. 'We hebben geen haast.'

'Ik ook niet,' zei Ruotsalainen. 'Tegenwoordig heb ik alle tijd van de wereld. Vroeger was ik altijd aan het rennen en vliegen.'

'Nee.' Ze schudde haar hoofd. 'Geen flauw idee. Het zijn zeker allemaal smerissen en dan heb ik ze vast wel ontmoet.'

'Nadat jullie in 1976 in Solna waren opgepakt, werden jij en je toenmalige vriend door de rechtbank in Solna veroordeeld voor drugsdelicten, dat was in april 1976. Dit is het vonnis,' zei Mattei, die een plastic hoesje naar Ruotsalainen toeschoof. 'Je zei dat je zeventien jaar was toen je werd opgepakt. Dat klopt, volgens het vonnis. Voordat je het inkijkt, wil ik dat je nog een keer goed nadenkt over de naam van de politieman die toen tegen je getuigde.'

'Dit is zeker van die psychologische shit die je op de politieacademie hebt geleerd?' vroeg Ruotsalainen met een glimlach.

'Denk goed na, Marja,' zei Mattei, die een glimlach teruggaf. 'Denk aan die politieagent die tegen je getuigde. Kijk naar de namenlijst voor je.'

'Kjell Göran Hedberg,' zei Ruotsalainen plotseling. 'Zo heette hij. Verdorie, jij bent een echte kei, zeg.'

'Dat van die naam kan ik me nog herinneren,' vervolgde ze. 'Toen die nazi daar vooraan in zijn bankje zat en zich door die eed heen zat te liegen, voordat hij pas echt loskwam. Ik, Kjell Göran Hedberg, zweer dat ik... En of ik dat nog weet. Hoe vaak is het voorgekomen dat iemand mij Marja Lovisa Ruotsalainen noemde? Zelfs mijn moeder deed dat niet.'

Voordat ze vertrokken, spraken ze met Marja over haar toenmalige vriend, Jorma Kalevi Orjala, die enkele maanden na de moord op de premier werd aangereden en vervolgens in het Karlbergskanaal verdronk.

'Kalle,' zei Ruotsalainen met een zucht. 'Dat was pas een echte idioot. Maar jullie zijn vast niet voor hem hierheen gekomen.'

'Nee,' zei Holt, die niet graag loog, zelfs niet tegen mensen als Marja Ruotsalainen. 'Maar we hebben het onderzoek doorgelezen. Daarin stond dat er hoogstwaarschijnlijk sprake was van een aanrijding waarbij de dader is doorgereden. Hij werd van achteren aangereden door een auto en werd toen over de rand van de kade het water in geslingerd, waarin hij per ongeluk verdronk.'

'Per ongeluk,' snoof Ruotsalainen. 'Kalle overkwam nooit zomaar iets. Hij werd vermoord. Dat moet je toch wel hebben begrepen?'

'In dat geval komen we ook voor hem,' zei Holt, die haar ernstig aankeek. 'Wie zou hem dan vermoord kunnen hebben?'

'Ik wou dat ik kon zeggen dat het die vervloekte Hedberg was,' zei Ruotsalainen. 'Maar daar geloof ik eigenlijk niet in. Er waren ik weet niet hoeveel mensen die Kalle wilden vermoorden. Die avond zat hij bijvoorbeeld bij een vriendin van me te zuipen en te wippen, hij moest zeker nodig weer eens van bil, want ik zat immers in de bajes.' Ze haalde haar schouders op.

'Kun je me wat namen geven?' vroeg Mattei. 'Hoe heette die vriendin van jou bijvoorbeeld, bij wie Kalle op bezoek ging? En misschien heb je een idee wie hem aangereden kan hebben?'

'Natuurlijk wel,' zei Ruotsalainen. 'Het probleem is dat ze allemaal dood zijn. Kalle is dood, mijn vriendin is dood. Haar toenmalige vriend, die Kalle misschien wel heeft overreden toen hij hem uit het huis van zijn meisje zag waggelen, is ook dood. Jullie hadden hier twintig jaar geleden moeten zijn. Waarom waren jullie er toen trouwens niet?'

'Goeie vraag,' zei Anna Holt toen ze terugreden naar het politiebureau. 'Waarom hebben we dat verhoor twintig jaar geleden niet afgenomen?'

'Dat mocht ik toen nog niet,' zei Mattei. 'Ik was pas elf toen Palme stierf. In die tijd werd ik soms verhoord, door mijn moeder. Dan zat ik altijd op de rand van mijn bed en zat zij gehurkt voor me, terwijl ze mijn hand vasthield. Bovendien deed die collega van ons toch een poging? Eerlijk is eerlijk.'

'Al was hij niet zo geraffineerd als wij,' zei Holt. 'Dus moest hij gewoon opsodemieteren, die ordinaire klootzak.'

'Mannen,' zei Mattei en ze haalde haar schouders op. 'Ze zijn maar goed voor één ding.'

Wat is er met onze Lisa gebeurd, dacht Holt. Zou ze soms volwassen worden?

'Johan toch niet, hoop ik?' vroeg Holt.

'Nee, hij niet,' antwoordde Mattei. 'Johan is voor meer dingen te gebruiken. Je kunt met hem praten en hij kan ook goed koken en schoonmaken.'

'Kan hij ook de hoek om kijken?' vroeg Holt.

'Nee,' zuchtte Mattei. 'Dat kan alleen Johansson.'

Nog niet helemaal, misschien, dacht Holt.

77

De dag na de bijeenkomst met het Turing-genootschap besloot Johansson uit te zoeken wie de bankier Theo Tischler had afgeraden zijn privévermogen in te zetten in de jacht op de moordenaar van Olof Palme. Hij had slechts een plotselinge ingeving gekregen en zoals zo vaak had hij daar gelijk aan toegegeven. Waar het ook goed voor mag zijn, dacht Johansson, toen hij de vrouw belde met wie hij wilde spreken.

'Ik zou graag met advocate Helena Stein willen spreken,' zei Johansson, zodra haar secretaresse had opgenomen.

'Mag ik uw naam noteren?' vroeg de secretaresse.

'Ik ben Lars Martin Johansson.'

'Waar gaat het over?'

'We kennen elkaar,' zei Johansson. 'Wil je haar vragen of ik haar kan spreken? Graag zo snel mogelijk.'

'Een ogenblik,' zei de secretaresse.

Dat we elkaar kennen, is ook een manier om het uit te drukken, dacht Johansson. Om precies te zijn had hij haar maar één keer eerder gesproken. Ruim zeven jaar geleden, toen hij operationeel leider was van de veiligheidsdienst en verantwoordelijk was voor een antecedentenonderzoek, aangezien de toenmalige staatssecretaris Helena Stein tot minister van Defensie zou worden benoemd. Toen hij erachter kwam dat ze een verleden had, dat na vijfentwintig jaar dreigde uit te komen en definitief een punt achter haar politieke carrière zou zetten. Toen hij zichzelf verweet dat hij die ontdekking had gedaan en zichzelf vervolgens feliciteerde dat hij haar van een veel tragischer lot had gered. In een andere tijd, toen zij allebei een ander leven leidden.

'Mevrouw Stein laat weten dat u over een halfuur welkom bent,' deelde de secretaresse hem mee.

'Dankjewel,' zei Johansson en hij hing op.

Het kantoor aan de Sibyllegatan in Östermalm. Een grote, traditionele woning, met aanzienlijk veel ruimte tussen de lambrisering en de plafondornamenten, liefdevol gerenoveerd tot een advocatenkantoor, dat ze aan het bordje op de deur te zien met drie collega's deelde. Hij werd ontvangen door een zeer chique dame, die zelfs vriendelijk kon knikken en glimlachen, hoewel ze daar waarschijnlijk al haar krachten voor moest verzamelen.

'Laat me één ding zeggen, voordat we beginnen,' zei Johansson, zodra hij in de stoel voor haar bureau had plaatsgenomen. 'Dit bezoek heeft absoluut niets te maken met die geschiedenis waar we de vorige keer over spraken. Dus je kunt gerust zijn.'

'Is het zo duidelijk te zien?' voeg Helena Stein. Vervolgens glimlachte ze weer, deze keer echt.

'Ik heb je hulp nodig,' zei Johansson.

'Als ik je kan helpen, doe ik dat graag,' antwoordde Helena Stein met een hoofdknik.

Vervolgens vertelde Johansson waar hij voor kwam. Uiteraard zonder in te gaan op de werkelijke reden. Hij vroeg haar waarom haar neef, de bankier Theo Tischler, uiteindelijk had besloten geen geld te steken in het privéonderzoek van Hans Holmér naar de Koerdische betrokkenheid bij de moord op Olof Palme. Had Theo Tischler haar mogelijk om advies gevraagd? Een hooggeplaatst lid van de sociaaldemocratische partij. Een hoge ambtenaar in de nabijheid van de regering. Het moet voor Stein niet moeilijk zijn geweest te bedenken waar hij eigenlijk op uit was, dacht Johansson, zodra hij uitgesproken was.

'Holmér,' zei Stein en ze schudde verbaasd haar hoofd. 'Wanneer speelde dat?'

'In het voorjaar van 1987,' zei Johansson. Een paar maanden nadat hij ontslag kreeg, dacht hij.

'Nee,' zei Helena Stein. 'Als Theo dat beweert, herinnert hij zich dat niet goed. Hij kwam pas veel later bij mij om daarover te praten, vele jaren nadat Hans Holmér uit het Palme-onderzoek was verdwenen. Bovendien was er in het voorjaar van 1987 geen enkele reden om mij over zoiets om advies te vragen. Ik was een gewone, beginnende juriste die bij een advocatenkantoor werkte. Ik heb er binnen de familie wel over horen kletsen, dat Holmér geld van Theo wilde, maar dat het allemaal op niets uitliep, zoals zoveel van Theo's plannen en ingevingen.'

'Weet je nog wanneer dat was, toen hij je om advies vroeg?'

'Jaren later,' zei Stein. 'Dat moet aan het einde van de jaren negentig zijn geweest. Ik was toen staatssecretaris, kan ik me herinneren. Vermoedelijk 1999. Slechts een jaar voordat wij elkaar ontmoetten, overigens.'

'Dat ben ik vergeten,' zei Johansson. 'Wat wilde je neef? Welk advies heb je hem gegeven?'

'Samen met een van zijn vele vrienden, een zeer opmerkelijke man overigens, en een van de rijkste mensen van het land, veel rijker dan Theo, had hij blijkbaar besloten dat de zogeheten marktwerking wellicht de oplossing zou kunnen bieden voor het Palme-onderzoek, dat dankzij ons openbare rechtswezen zo hopeloos mislukt was. Het mochten dan geen sociaaldemocraten zijn, op zijn zachtst gezegd, maar de moord op Palme ging hun bijzonder aan het hart en dat gold misschien nog wel meer voor het politionele fiasco. En wat doe je dan, als je in de wereld zit van Theo en zijn goede vriend? Dan doe je een investering van zo'n miljard kroon, koopt het beste wat er te vinden is aan mensen, materiaal, kennis en contacten, en zorgt ervoor dat het probleem wordt opgelost. Zo simpel is het.'

'Die vriend,' zei Johansson. 'Die goede vriend van Theo. Heeft hij geen naam?'

'Jawel. Je hebt vast wel een vermoeden over wie ik het heb. Het probleem is alleen dat hij al jaren dood is. Een ander probleem is dat ik heel erg op hem gesteld was. Hij was een van de opmerkelijkste mannen die ik ooit heb ontmoet, in positieve zin. Dus ik weet niet... Ik heb de indruk dat er al zoveel over hem gekletst is.'

'Jan Stenbeck,' zei Johansson. Het Zweedse antwoord op Howard Hughes, dacht hij.

'Jan Hugo,' zei Helena Stein, met een zweem van weemoed in haar koele glimlach. 'Wie zou ik hier in Zweden anders kunnen bedoelen? Maar het was niet zo dat Theo en hij bij mij aanklopten voor advies. Wat had ik aan het Palme-onderzoek kunnen bijdragen? In zakelijk opzicht?'

'Wat wilden ze dan van je?'

'Ze wilden in contact komen met mijn toenmalige minnaar. Of

vriendje, zoals dat tegenwoordig schijnt te heten, ongeacht leeftijd of emotionele lading.'

'Wat wilden ze dan van hem?' vroeg Johansson, die al een vermoeden had hoe hij heette.

'Ze wilden dat hij voor hen zou gaan werken, hun privéonderzoek ging leiden, met vrijwel onbeperkte middelen. Omdat hij de beste was die ze zich überhaupt konden indenken.'

'Maar zelf gaf hij er de voorkeur aan in de buurt van de minister-president te blijven,' zei Johansson. Dat is in elk geval gezegd, dacht hij.

'Ja, en aangezien je hem kent, kun je je vast wel voorstellen hoe hij dat formuleerde.'

'Nee, vertel,' zei Johansson, die opgetogener klonk dan de bedoeling was.

'Om het kort te houden: hij was niet bepaald gecharmeerd van Theo. Ik weet nog dat hij zei dat als hij werkelijk zoveel macht had als al die onwetenden hem toeschreven, hij geen seconde zou hebben gewacht met het nemen van zijn eerste maatregel: de openbare terechtstelling van mijn neef Theo. Uitgevoerd met een botte, roestige bijl.'

'Dat van die bijl heb ik eerder gehoord,' zei Johansson. 'Ik wilde alleen maar weten of ik gelijk had. Dat Theo Tischler je neef was, wist ik al. Dat je een verhouding had met onze eigen Richelieu was nieuw voor mij. Dat je Jan Stenbeck kende, wist ik ook niet.'

'Ons kent ons. Dat is alles,' constateerde Helena Stein, terwijl ze haar slanke nek een beetje boog.

'Maar er is nooit iets van gekomen,' vervolgde ze en ze schudde haar hoofd. 'Hij sprak met Jan en zei hem dat hij zijn geld moest houden. Dat dit een totaal zinloze investering was. Uiteraard weigerde hij met Theo te praten. Maar met Jan Stenbeck had hij geen problemen. Ze kenden elkaar al jaren en hadden allerlei gemeenschappelijke interessen, niet alleen op het gebied van eten en drinken.'

'Hij had het Stenbeck afgeraden,' kwam Johansson op de zaak terug. 'Waarom? Waarom was het zinloos?'

'Omdat de moord op Palme al opgelost was,' zei Helena Stein. 'Omdat hij wist wie de daders waren en waarom ze de minister-president hadden laten vermoorden. Omdat het in het belang van het land was dat wij in het ongewisse bleven.'

'Zei hij dat tegen jou?' vroeg Johansson verbaasd. Ik vraag me af wat hij toen zat te eten, dacht hij.

'Niet tegen mij.' Helena Stein schudde haar hoofd. 'Dat zou hij niet in zijn hoofd halen. Maar wel tegen zijn goede vriend Jan. En tegen mijn goede vriend, wat dat aangaat. Mijn zeer goede vriend, om precies te zijn. Hij vertelde het op zijn beurt aan mij, een maand voordat hij stierf. Waar het wezenlijk over ging, wist hij echter niet. Dus toen hij op zijn beurt weer met Theo sprak, zei hij slechts dat hij het hele idee niet meer zag zitten. Hij heeft met geen woord gezegd waarom.'

'Nee,' zei Johansson. Zoveel geluk hadden we niet, dacht hij.

'Als het echt zo is gegaan, is het waarschijnlijk maar goed ook. Dat hij er niet met Theo over heeft gesproken, zodat we het de volgende dag in *Expressen* hadden kunnen lezen, bedoel ik. Theo is nu niet bepaald discreet. Of vind je dat ik mijn persoonlijke ervaring te veel betekenis toedicht?'

'Absoluut niet,' vond Johansson, met meer nadruk dan de bedoeling was, aangezien hij met zijn gedachten al ergens anders zat. Hoe kun je een legendarische Zweedse miljardair ondervragen die al vijf jaar dood is, dacht Lars Martin Johansson. Om te proberen de bijzonder deskundige te horen was een onmogelijke gedachte, of hij nu dood of levend was. Vooral als er iets waar was van wat Helena Stein zojuist had verteld.

Al heeft hij Jan Hugo Stenbeck vast niet dat advies gegeven omdat hij zo begaan was met de consequentieloze Christer Pettersson, dacht Johansson, in de taxi op weg terug naar zijn werk.

78

De ouders van Hedberg waren dood. Hij was nooit getrouwd geweest en had geen kinderen. Althans, dat bleek niet uit zijn persoonsgegevens. Restte zijn jongere zus, Birgitta Hedberg, inmiddels zestig jaar. Ook zij was vrijgezel en had geen kinderen. Ze woonde in een gekocht driekamerappartement, aan de Andersvägen in Solna. Hetzelfde appartement waar Hedberg eerder had gewoond, voordat hij opgaf dat hij was geëmigreerd.

Dat moet genoeg zijn, dacht Jan Lewin, want hij moest toch ergens beginnen.

De zus van Hedberg had als secretaresse bij een grote bouwonderneming gewerkt, totdat ze vier jaar geleden arbeidsongeschikt raakte. Toen ze haar baas naar een conferentie in Södermanland reed, werd ze van achteren aangereden, waardoor ze een whiplash kreeg en niet meer in staat was om te werken. Ze werd arbeidsongeschikt verklaard. Haar werkgever en de verzekeringsmaatschappij hadden daarbovenop nog een paar miljoen kroon uitgekeerd aan schadevergoeding, en dat was mogelijk de voornaamste reden waarom haar vermogen werd geschat op meer dan vijf miljoen kroon aan banktegoeden, rentedragende obligaties en beleggingen in aandelenfondsen.

Maar misschien ook niet, dacht Jan Lewin. Al voordat het verzekeringsgeld werd uitgekeerd, had ze namelijk al bijna drie miljoen aan liquide middelen, en gezien haar loon was dit voor Jan Lewin de meest waarschijnlijke optie.

Een spaarzaam leven, goede beleggingen, een rijke minnaar of misschien slechts een oudere broer die ze hielp door zijn geld te beheren, dacht Jan Lewin. Dezelfde broer die volgens Johansson in mei 1977 het postkantoor aan de Dalagatan van 295.000 kroon zou hebben beroofd. Vijf jaarsalarissen vóór belastingaftrek van een politie-inspecteur in die tijd. Dat wist Lewin net zo goed als Johansson, aangezien hij zelf bij Geweldsdelicten werkte toen het gebeurde en zich de zaak zelfs nog wist te herinneren. Ruim dertig jaar later was dat bedrag uitgegroeid tot nagenoeg twee miljoen kroon, nog altijd vijf jaarsalarissen vóór belastingaftrek van een politie-inspecteur, dacht Lewin, die er een aantekening over maakte.

Als het inderdaad zo is dat ze als bank voor haar broer functioneert, moeten ze contact met elkaar hebben, dacht Jan Lewin. Al is dat ook mogelijk zonder dat ze zijn bank is, hoewel broederliefde onbekend terrein was voor een man als hij.

Vervolgens was hij overgegaan tot het invullen van de formulieren die nodig waren om haar op de gebruikelijke manier te kunnen controleren in de registers waarover de politie beschikte en sloot het onderdeel af met het verzoek haar telefoongesprekken te controleren. Tot zover was het een kwestie van routine, waarna het creatievere gedeelte wachtte, voordat het tijd was om naar huis te gaan.

Eerst had hij een foto van haar tevoorschijn gehaald. Gelukkig was die recent genomen, toen ze in februari van dat jaar haar paspoort vernieuwde. De foto toonde een donkerharige vrouw van in de zestig, het haar in een strakke knot in haar nek, regelmatige gelaatstrekken, een rechte neus, een scherpe kaaklijn en kin, en donkere, waakzame ogen. Ze ziet er goed uit, dacht Jan Lewin. Als ze niet zo strak en waakzaam had gekeken. Nee, fout, dacht hij. Ze ziet er gemeen uit.

Paspoort, buitenlandse reizen, creditcards, reisbureaus. Beginnen met de creditcards en als dat niets oplevert de reisbureaus in haar woonomgeving checken, schreef Jan Lewin.

Whiplash, arbeidsongeschikt, thuiszorg, klachten? Praten met thuiszorg, noteerde Lewin. Als ze in werkelijkheid net zo is zoals ze er op de foto uitziet, weten ze vast wel wie zij is.

Vervolgens schreef hij zijn gebruikelijke *to-do-list* op de computer, want hij heette immers niet voor niets Jan Lewin. Om dezelfde reden las hij alles drie keer door, vulde hij aan, streepte hij door en veranderde hij de tekst nogmaals en nogmaals, totdat hij na een diepe zucht eindelijk klaar was om het stuk naar Johansson te sturen. Daarna schudde hij wederom bedenkelijk zijn hoofd. Hij maakte zich zorgen over dat vijftiende en laatste punt: 'Birgitta Hedberg verhoren?'. Dat voelt niet goed.

Eerst haalde hij het vraagteken weg, en na nog wat overpeinzingen het hele zinnetje. Ten slotte verving hij het door een nieuwe zin. 'Stel voor dat we zo lang mogelijk wachten met het horen van Hedbergs zus,' schreef Jan Lewin. Hij slaakte een diepe zucht, knikte en drukte op de verzendknop, de laatste dienstmaatregel van weer een dag uit zijn leven.

Verstandig, dacht Johansson, toen hij tien minuten later achter zijn computer las wat Lewin had geschreven. Niet alleen verstandig, maar ook noodzakelijk. Als het waar was wat Helena Stein hem had verteld. Daarna riep hij een stuk of vijf van zijn meest zwijgzame medewerkers bij zich en gaf hun wat snelle instructies.

'Vragen?' vroeg Johansson, terwijl hij zijn blik over het gezelschap liet gaan. Ze schudden allemaal hun hoofd, drie van hen waren al opgestaan en collega Rogersson deed zelfs de deur van het lokaal al open.

'Mooi,' zei Johansson. 'Vooruit met de geit.'

Vervolgens vroeg hij zijn secretaresse onmiddellijk contact op te nemen met zijn gelijke van de Spaanse nationale garde, de Guardia Civil, op hun hoofdkwartier in Madrid. Al na een kwartier belde zijn Spaanse collega terug. Johansson vertelde in voldoende bedekte termen wat hij wilde, waarna hem alle hulp werd toegezegd die een zaak van dit kaliber vereiste. Of zelfs meer dan dat, mocht het nodig zijn.

Best handig om zo je connecties te hebben, dacht Johansson toen hij de hoorn oplegde, en hij moest denken aan het achterafkamertje van die gezellige bar in Lyon. De bar waar hij met die andere gewichtige jongens het voorrecht genoot tot diep in de nacht door te zakken.

De hele strategische opzet had hem slechts iets meer dan een uur gekost. Uiteraard zonder met een woord daarover te reppen tegen Lewin en Mattei, laat staan tegen Holt, aangezien hij zich nu in een situatie bevond waarbij de ene hand niet zou mogen weten waar de andere mee bezig was. Alles goed en wel, zolang hij ze allebei maar zelf aanstuurde.

Further information will be given on a need to know basis, dacht Johansson tevreden. Hij leunde achterover in zijn stoel en om een of andere reden zag hij Anna Holt voor zich.

79

Lisa Mattei had ook naar de foto's gekeken die ze van Johansson hadden gekregen, en trouw aan haar systematische karakter was ze begonnen met degenen die reeds waren overleden. Loodskapitein Einar Göran Hedberg, geboren in 1906, overleden in 1971 op vijfenzestigjarige leeftijd. Dan zijn vrouw Ingrid Cecilia, geboren in 1924, achttien jaar jonger dan de man met wie ze trouwde in hetzelfde jaar waarin hun zoon werd geboren. Overleden in 1964, op slechts veertigjarige leeftijd.

Hij ziet er niet vriendelijk uit, dacht Mattei, toen ze de trouwfoto van het echtpaar Hedberg bekeek. Einar Hedberg gekleed in het uniform van het loodsbedrijf, schuin achter zijn vrouw, breedgeschouderd, meer dan een hoofd langer dan zij. Afgezien van de waakzame blik, de afwezigheid van een glimlach, zijn militaire houding en lichaamstaal, zag hij er goed uit.

Zijn vrouw Cecilia. Blijkbaar werd ze zo genoemd. Klein, lief, knap, angstig glimlachend naar de camera. Haar blik schuin naar rechts gericht. De hand van haar echtgenoot rust beschermend op haar schouder.

Ik vraag me af wat hij haar heeft aangedaan, dacht Lisa Mattei.

Einar Hedberg scheen een man te zijn geweest die gewend was leiding te geven aan het leven van anderen. Die niet alleen vaartuigen door de nauwe vaargeulen langs ondiepe wateren, onzichtbare klippen en eilandjes in de archipel van Stockholm loodste. In zijn overlijdensbericht in *Norrtelje Tidning* werd gesproken over zijn natuurlijke leiderscapaciteiten, zijn vastberadenheid en aanzienlijke nautische en maritieme kennis. Zijn 'vroegtijdig heengegane vrouw' had tijdens zijn leven 'trouw aan zijn zijde gestaan', maar uit zijn necrologie bleek niet of er om hem werd gerouwd. 'Einar Hedberg heeft twee volwassen kinderen achtergelaten'. Meer stond er niet.

Ik vraag me af wat hij hun heeft aangedaan, dacht Lisa Mattei.

Afgezien van de vraag hoe de loodskapitein zijn kinderen behandeld had, bleek uit de foto's van Johansson dat dat verschillend had uitgepakt. Dat wil zeggen, als hij hun iets heeft aangedaan, dacht de nauwkeurige Lisa Mattei, zich bewust van het feit dat foto's net zo verraderlijk kunnen zijn als woorden.

Er waren ook vier klassenfoto's van de lagere school in Vaxholm. Kjell Göran met zijn leraar en klasgenootjes toen hij in de eerste klas begon. Dezelfde opstelling vlak voordat hij de negende klas had doorlopen en zijn schoolcarrière afsloot. Vergelijkbare beelden van zijn zusje Birgitta, die op dezelfde school zat. Broer en zus vertoonden een opvallende uiterlijke gelijkenis, vooral als je wist hoe hun ouders eruitzagen, maar daar hield de gelijkenis dan ook op. Hun houding ten opzichte van de buitenwereld en de camera deed hen van elkaar verschillen.

De zevenjarige Kjell Göran Hedberg was een stevig stuk graniet dat de fotograaf rustig in de ogen keek. In tegenstelling tot de meesten van zijn klasgenoten glimlachte hij niet. Hij observeerde wat er gebeurde en wat hij zag leek totaal geen indruk op hem te maken. Zijn zusje glimlachte evenmin, maar aangezien ze de waakzame ogen van haar vader leek te hebben geërfd, zag ze er bijna achterdochtig uit.

Ze hadden hetzelfde krullende, donkere haar, dezelfde bruine ogen en regelmatige gelaatstrekken. Kjell Göran met een keurige zijscheiding, ondanks zijn krullen. Birgitta met een strik in haar haar. Dezelfde keurige kleding, waarin moeder Cecilia zeker heel wat uren had gestoken toen ze voor de naaimand in de kamer zat, of in de wasruimte in de kelder stond. Maar met heel verschillende uitdrukkingen op hun gezicht. Broer Kjell, die al klaarstond de wereld op zijn eigen voorwaarden tegemoet te treden, hoewel hij nog maar zeven jaar was en nog geen twee turven hoog. En zijn zusje Birgitta, die voortdurend op haar hoede was om zich tegen diezelfde wereld te verweren, los van wat die haar te bieden had.

Negen jaar later leek er weinig te zijn veranderd. Een zestienjarige Kjell Göran, in het midden van de foto. Even lang als zijn langste klasgenoot, breedgeschouderd, slanke taille en met zijn armen over elkaar geslagen. Met behulp van een kam en brillantine waren de krullen vervangen door een zwart, golvend Elvis-kapsel, volgens de mode van die tijd. Zijn blik was onveranderd, rustig en observerend, maar omdat hij zich ditmaal een glimlachje veroorloofde, leek hij de gebeurtenissen bijna geamuseerd gade te slaan. Dat gold echter niet voor zijn zus. Ze had haar lange haar in een paardenstaart gebonden en de strik was verdwenen, en hoewel ze objectief gezien het mooiste meisje van de klas zou moeten zijn, had ze de fotograaf niets anders te bieden dan diezelfde achterdochtige, donkere ogen.

Hij moet ze op heel verschillende manieren hebben behandeld, dacht Lisa Mattei.

80

Rapportcijfers, dacht Lisa Mattei, terwijl ze uitlogde uit het bestand met de foto's van Kjell Göran Hedberg en zijn familie. Ik moet zijn rapportcijfers bekijken, dacht ze, en nog geen vijf minuten later zat ze bij politiecommissaris Wiklander, het hoofd van de interne inlichtingendienst van de rijksrecherche en normaal gesproken ook haar directe chef.

'Cijfers? Wil je de rapportcijfers van Hedberg bekijken?' herhaalde Wiklander met een hoofdknik naar Mattei. 'Wat een merkwaardig toeval,' constateerde hij en hij knikte opnieuw.

'Hoezo, toeval?'

'Toen onze zeer gewaardeerde chef en ik een paar dagen geleden bespraken welke gegevens van Hedberg we zouden ophalen, noemde hij zijn rapportcijfers.'

'O?'

'Ja. Ik meen me te herinneren dat hij zei dat het misschien goed zou zijn om ook zijn rapportcijfers erbij te halen. Niet omdat die voor de zaak in zijn geheel van belang waren, maar vooral om jou niet teleur te stellen als je ernaar mocht vragen. Vermoedelijk deed hij dat omdat hij nu eenmaal om de hoek kan kijken.'

'Dat zei hij dus,' zei Mattei.

'Exact in die woorden.' Hij zuchtte tevreden en overhandigde haar een dun plastic hoesje met een paar A4'tjes. 'Een uitgesproken intellectueel schijnt Hedberg niet te zijn geweest,' voegde hij eraan toe. 'Eerder een doorsnee, praktisch ingestelde middenmoter, dus enige vorm van zielsverwantschap hoef je niet te verwachten.'

'Dank je,' zei Mattei en ze stond op.

'Graag gedaan,' Wiklander haalde zijn schouders op. 'Voordat je weggaat: ik heb nog een mededeling voor je. Van Johansson.'

'Vertel.'

'Dat je niet met Hedbergs leraren, oude klasgenoten of wie dan ook mag praten die hem gekend zou kunnen hebben. Onder geen beding.'

'Dat zei hij dus.'

'Exact in die woorden,' zei Wiklander. 'Dus laat elke gedachte in die richting varen. Anders zal de grote baas je te grazen nemen. Een letterlijk citaat van onze hoogste chef. Een bevel van hem. Voor de zekerheid ook van mij.'

'Oké,' zei Mattei met een kort knikje, waarna ze vertrok.

Vanuit onderwijsperspectief bezien behoorde Kjell Göran Hedberg tot een lang verloren generatie. In de negen jaar dat hij in Vaxholm naar school ging, had hij elk halfjaar een rapport gekregen. Negen jaar, dus achttien rapporten, met een zevengradige beoordelingsschaal, waarvan een grote A stond voor het absolute succes en een C voor de volledige mislukking. Het rapport was voor de zekerheid aangevuld met een statistiek, die liet zien hoe Hedbergs klasgenoten het ervan af hadden gebracht.

Hij was een typische middenmoter, die voor bijna alle vakken een B of Ba had behaald. Behalve bij geschiedenis, handenarbeid en gymnastiek zat de zoon van de loodskapitein gedurende zijn schooljaren veilig verankerd in de gemiddelde waarden van zijn klas.

Al in de vierde klas kreeg Hedberg een AB voor geschiedenis en deelde hij samen met twee klasgenootjes een eervolle eerste plaats. Twee jaar later had hij dat resultaat verbeterd tot een kleine a, wat hij zijn hele schooltijd wist vol te houden. De eerste plaats moest hij echter afstaan. Uit de beoordelingsstatistiek van het laatste schooljaar bleek dat een van zijn klasgenoten een grote A had, en hij samen met twee anderen een kleine a op zijn eindrapport kreeg.

Ik durf te wedden dat die anderen twee meisjes waren, dacht Lisa Mattei.

In handenarbeid was hij een van de besten van de klas; over de laatste drie schooljaren behaalde hij gemiddeld een AB. Die beoordeling bezorgde hem een eervolle gedeelde tweede plaats voor het onderdeel houtbewerking en een gedeelde negende plaats in totaal. De zes eerste plaatsen in de klas werden namelijk ingenomen door vijf naaisters, met twee grote en drie kleine a's, en verder door één enkele houtbewerker.

Ik vraag me af wie dat waren, dacht Mattei.

In gymnastiek was Hedberg gedurende zijn hele schoolperiode de beste van de klas geweest, met een merkwaardige uitzondering in de achtste klas. Al in de vierde klas was hij de enige met een kleine a, en vanaf het vijfde jaar kreeg hij een grote. Maar op zijn eerste halfjaarlijkse rapport van de achtste klas was zijn beoordeling gezakt naar een kleine a, een beoordeling die hij deelde met drie anderen. Op zijn tweede rapport had hij een AB gekregen en was hij gezakt naar een gedeelde achtste plaats, in een klas met vierentwintig leerlingen. Daarna was het weer als vanouds: in de negende klas begon hij met een grote A en toen hij in juni 1960 zijn lagereschoolperiode in Vaxholm afsloot, behaalde hij als enige hetzelfde resultaat.

Puberteitsproblemen of zou het iets anders zijn, dacht Lisa Mattei, en vijf minuten later had ze haar keuze al gemaakt. Ze moest eenvoudigweg praten met Hedbergs voormalige klassenleraar. De Johanssons, Wiklanders en alle andere grote bazen van deze wereld ten spijt, die ondanks hun erbarmelijke statistieken probeerden om haar en haar soortgenoten te onderdrukken.

Hedbergs klassenleraar heette Ossian Grahn en hij stond op dezelfde klassenfoto als Kjell Göran Hedberg en zijn klasgenoten. Een klein mannetje van in de dertig, met opgewekte ogen en springerig, blond haar. Nadat ze een kwartier op de gebruikelijke wijze had rondgezocht op haar computer, wist Lisa Mattei bijna alles wat ze van hem moest weten.

Ossian Grahn, voormalig leraar aan de middelbare school, was geboren in 1930 en ging met pensioen in 1995. Hij was sinds vijf jaar weduwnaar, had twee kinderen en woonde in een vrijstaand huis aan de Båtsmansvägen in Vaxholm en stond met zijn naam, functie, adres en telefoonnummer in de telefoongids. Een zoektocht op internet had bovendien meer dan honderd resultaten opgeleverd en toonde aan dat Ossian een zeer actieve 65-plusser was. Niet alleen als bestuurslid in de gepensioneerdenvereniging van Vaxholm, wat hij al jarenlang was, maar ook vanwege zijn intellectuele belangstelling. Alleen al in de afgelopen vijf jaar was die tot uitdrukking gekomen in de vorm van drie drukwerkjes. Een boek met de titel *Bootsmannen en boeren in Zuid-Roslagen*, waarvan hij de enige schrijver was, een artikel in een dik boek over Vaxholms vesting en ten slotte nog een artikel, 'Archeologische monumenten in Roslagen', dat in samenwerking met de gemeente Norrtälje door de plaatselijke volkskundige vereniging in eigen beheer was uitgegeven.

Hij nam al op nadat de telefoon twee keer was overgegaan.

In gedachten zag Lisa Mattei een kleine, energieke 65-plusser met opgewekte ogen en springerig blond haar voor zich en dat maakte het voor haar ondenkbaar om geen open kaart te spelen.

'Mijn naam is Lisa Mattei. Ik ben politieagent en werk bij de rijksrecherche in Stockholm. Ik zou graag een gesprek met u hebben.'

'Je maakt me heel nieuwsgierig,' antwoordde Grahn, die net zo vrolijk klonk als de foto deed vermoeden. 'Wanneer?'

'Het liefst zo snel mogelijk,' zei Lisa Mattei.

'Over een uurtje?' vroeg Grahn. 'Want ik veronderstel dat je een auto hebt en werkt in dat grote, verschrikkelijk lelijke, bruine gebouw op Kungsholmen in Stockholm, dat altijd op tv verschijnt zodra iemand iets ergs is overkomen.'

Vervolgens raapte Lisa Mattei alle papieren bij elkaar die ze nodig dacht te hebben, met de klassenfoto van 1960 boven op de stapel, regelde ze een dienstwagen, reed naar Vaxholm en sprak met voormalig onderwijzer Ossian Grahn. Zevenenzeventig jaar oud, maar aan zijn ogen te zien geen dag ouder dan de bijna vijftig jaar oude foto van Mattei. Deze Ossian Grahn had haar hart al gestolen zodra ze in zijn keurige woonkamer was gaan zitten en hij een kop koffie had ingeschonken.

'Een vraag uit nieuwsgierigheid,' zei Grahn. 'Spreek ik met hoofdinspecteur Lisa Mattei of heb ik de eer om met doctor Lisa Mattei te spreken? Ik heb je op internet opgezocht, mocht je je dat afvragen.'

'Goede vraag,' zei Mattei. 'Ik denk eigenlijk dat je hen allebei op visite hebt.'

Daarna haalde Mattei de klassenfoto uit 1960 tevoorschijn, de foto die doctor Matteis nieuwsgierigheid had gewekt en bepaalde vraagtekens bij haar opriep. Om redenen waar hoofdinspecteur Mattei helaas niet nader op in mocht gaan, maar die in wezen betrekking hadden op een van zijn leerlingen in de hoogste klas van Vaxholms lagere school in 1960.

'Ik heb hun klassenfoto meegenomen,' zei Lisa Mattei, die de foto aan hem gaf.

'Je moet een paar dingen weten. Ik heb meer dan veertig jaar in het onderwijs gezeten. Ik heb in al die jaren duizenden leerlingen gehad. Wat deze klas betreft, kan ik me herinneren dat ik drie jaar lang hun klassenleraar ben geweest, in de zevende, achtste en negende klas. Ik gaf ze Zweeds en geschiedenis en dat weet ik nog omdat ik het jaar daarop bij het Norra Latin in Stockholm begon. Daar kreeg ik mijn eerste vaste aanstelling als docent.'

'Staat er iemand op de foto die je je nog kunt herinneren?' vroeg Mattei.

'Dat zijn er twee,' zei Ossian Grahn. 'En ik hoop werkelijk dat hoofdinspecteur Lisa Mattei me niet heeft opgezocht vanwege Gertrud.'

Gertrud stond links op de achterste rij. Ze was knap en goed gekleed, haar lange donkere haren hingen over haar schouders. Verlegen glimlachte ze naar de camera. Op de foto was ze vijftien jaar, maar aan haar ogen te zien was ze aanzienlijk volwassener. In die tijd heette ze Gertrud Lindberg. Haar vader had een ICA-supermarkt in de binnenstad en haar moeder was onderwijzeres en een collega van Ossian Grahn. Gertrud was een van die duizenden leerlingen die hij in zijn lange loopbaan als leraar had onderwezen.

'Een van de beste leerlingen die ik heb gehad,' constateerde Ossian Grahn met een gedecideerde beweging met zijn nek. 'Als we het over de simpele vaardigheden hebben die in cijfers zijn samen te vatten,' voegde hij eraan toe.

'En verder?' vroeg Lisa Mattei.

'Gertrud is een zeer bijzondere vrouw. Er zijn maar weinig mensen zo innemend als zij. Ze is ontwikkeld, getalenteerd en bovendien fatsoenlijk en respectvol naar anderen toe. Daarbij ziet ze er ook nog eens goed uit. Altijd al, trouwens. Ik heb haar van jongs af aan gekend.'

'Zie je haar nog wel eens?'

'Ze is arts. Afdelingshoofd van de districtsartsenpraktijk hier in Vaxholm,' antwoordde Grahn. 'Tot enkele jaren geleden werkte ze bij het Karolinska-ziekenhuis in Stockholm, maar nadat haar nieuwe man ziek werd en arbeidsongeschikt werd verklaard, verhuisde ze weer hierheen. Ze wonen hier maar een paar straten vandaan. In haar ouderlijk huis, overigens. We zeggen elkaar minstens een paar keer per week gedag. Tegenwoordig heet ze trouwens Rosenberg, sinds ze hertrouwd is. Haar nieuwe man was ook arts. Maar nu werkt hij niet meer, zoals ik al zei.'

'Ik ben hier niet gekomen om over Gertrud te praten,' zei Lisa Mattei. 'Wie is die andere die...'

'Laat me raden,' zei Ossian Grahn. 'Ben je hier gekomen om over Kjell te praten? Kjell Hedberg?'

'Waarom denk je dat? Waarom weet je nog wie hij is?'

'Meestal is het zo dat mensen als ik twee soorten leerlingen onthouden. Aan de ene kant heb je types als Gertrud, waar je altijd met plezier aan terugdenkt. En dat zijn er niet al te veel, moet je weten. Ja, en dan zijn er de zorgenkindjes. Dat zijn er helaas aanzienlijk meer. De gebruikelijke belhamels, hoewel daar ook een aantal echte charmeurs tussen kunnen zitten, en, helaas, zo nu en dan een echte gangster in de dop. Maar het overgrote deel bestond toch wel uit stakkers met wie je medelijden had.'

'Was Hedberg zo'n belhamel?' vroeg Mattei. Laten we daar maar beginnen, dacht ze, omdat ze zich dat nauwelijks kon voorstellen.

'Was het maar waar,' zei Grahn, die flink zijn springerige, lichte haardos schudde.

'Was het nog erger?' Nu begint het ergens op te lijken, dacht ze.

'Hopelijk was hij een uitzondering,' zei Grahn, die ongemakkelijk op zijn stoel heen en weer schoof.

'Hoe bedoel je?'

'Kjell Hedberg is in mijn lerarenloopbaan eigenlijk de enige leerling geweest voor wie ik bang was. Hoewel hij nooit kattenkwaad uithaalde. Niet tijdens mijn lessen, in elk geval. En ondanks het feit dat ik zijn klassenleraar was en twee keer zo oud was als hij. Er was iets met zijn ogen en lichaamstaal, de manier waarop hij naar me keek, wat soms ronduit beangstigend was. Zodra er iets gebeurde wat hem niet zinde.'

'Nu begin ik nieuwsgierig te worden,' zei Mattei. 'Leg eens uit?'

'Volgens mij is het te simpel om te zeggen dat hij een slecht mens was. Vijftienjarigen zijn nog niet echt slecht. Ik denk dat ze dat later pas worden.'

'Wat was er dan met hem?'

'Volgens mij wist hij het verschil niet tussen goed en kwaad. In Kjells belevingswereld deed het er alleen toe hoe hij over jou dacht en hoe hij jouw gedrag ten opzichte van hemzelf interpreteerde. Ik had het geluk dat ik lesgaf in zijn favoriete vak.'

'Was hij geïnteresseerd in geschiedenis?'

'Ja, op de ergste manier die je je kunt voorstellen. Hij kon het rijtje Zweedse regenten achter elkaar opdreunen, al maakte je hem midden in de nacht wakker. Hij wist het jaartal en de plaats van elke veldslag te noemen. Maar zijn kijk op de geschiedenis was ronduit bedroevend. Hij toonde alleen belangstelling voor grote persoonlijkheden. Alexander de Grote, Hannibal, Caesar, Gustav II Adolf, Karl XII, Napoleon en Hitler. Grote mannen die het lot van de wereld bepaalden, en zogezegd en passant inhoud en zin aan het leven van ons normale stervelingen gaven. Ik weet nog dat we het over Gustav III hadden. Na een van die lessen kwam hij naar me toe en vertelde hij dat hij ervan overtuigd was dat Gustav III homoseksueel was. Dat Gustav V dat was, wist hij al. Zijn vader, de loodskapitein, had hem verteld over de vorige koning. Die had geprobeerd zijn chauffeur aan te randen, waardoor die een greppel in reed en hen bijna de dood injaagde. De koning naar wie een bocht in de hoofdweg ten zuiden van Stockholm is vernoemd... Ik probeerde hem gerust te stellen door te zeggen dat ze niet eens familie van elkaar waren.'

'Hoe nam hij dat op?'

'Hij vertelde in een lange uiteenzetting dat dat te maken had met inteelt binnen ons koningshuis. Dat ze geen familie waren, wist hij natuurlijk al. Er moest haast wel sprake zijn van genetisch verval en een van de redenen waarom Gustav III was doodgeschoten, was vermoedelijk dat men erachter was gekomen dat hij homoseksueel was.'

'En toch kreeg hij een kleine a op zijn eindrapport.'

'Ja, dat is waar,' gaf Ossian Grahn met een zucht toe. 'Dat kwam wel door die regenten en jaartallen. En ik was gewoon te laf, natuurlijk.'

'Dan zijn beoordelingen voor gymnastiek,' ging Mattei verder. 'Daar was iets mee toen hij in de achtste klas zat. Weet je daar nog iets van?'

'Ja,' zuchtte Ossian Grahn. 'Ik was immers zijn klassenleraar, dus daar heb ik mijn deel wel van gehad. Zowel van Kjell, zijn vader als zijn gymnastiekleraar.'

'Wat was er dan gebeurd?'

'Toen Kjell in de achtste klas begon, kreeg hij een nieuwe leraar, en al vanaf de eerste les vlogen ze elkaar in de haren.'

'Waarom?'

'Volgens mij omdat ze veel te veel op elkaar leken. Niet dat ik zoveel afweet van sport en gymnastiek en zo, maar Kjell had waarschijnlijk dezelfde hoge beoordeling verdiend als altijd. Gezien zijn leeftijd was hij ongelooflijk lenig en sterk. Hij was de beste in voetbal, handbal en ijshockey. Om maar niet te spreken van hardlopen, zwemmen en de rest.'

'Was er iets bijzonders gebeurd?'

'Volgens mij begon het allemaal toen ons schoolteam moest voetballen tegen het schoolteam van Vallentuna. Dat was aan het begin van het nieuwe schooljaar. Kjells nieuwe gymnastiekleraar was de teamcoach en op een gegeven moment schenen ze ruzie te hebben gehad. Van het een kwam het ander en al in de eerste helft zei de leraar tegen Kjell dat hij het veld moest verlaten om plaats te maken voor een van zijn klasgenoten. Het schijnt dat Kjell gelijk de kleedkamer in verdween om zich te douchen en om te kleden, en dat hij daarna terug naar Vaxholm is gelift. En zo ging het voortdurend, er waren steeds conflicten.'

'Maar in het laatste schooljaar kwam dat weer in orde,' constateerde Mattei. 'Ik zag dat hij op zijn eerste halfjaarlijkse rapport zijn grote A terug had. Hadden ze het eindelijk goedgemaakt?'

'Nee.' Ossian Grahn schudde zijn hoofd. 'Hij kreeg een nieuwe leraar, met wie hij het beter kon vinden.'

'Wat was er dan met die andere gebeurd?'

'Hij moest ermee stoppen,' zei Ossian Grahn.

'Stoppen? Waarom?'

'Slechts enkele dagen voordat het nieuwe schooljaar zou beginnen, kreeg hij een ernstig auto-ongeluk. Hij woonde zo'n twintig kilometer ten noorden van Vaxholm, bij Österåker in de buurt. De ochtend waarop hij naar school zou komen om met de rest van het lerarenkorps te vergaderen voor het nieuwe schooljaar, kreeg hij een ongeluk. Hij kwam met zijn auto in een greppel terecht. Het had heel slecht kunnen aflopen. Hij kwam ervan af met een zware hersenschudding en een aantal ernstige botbreuken. Hij lag maandenlang in het ziekenhuis en is nooit meer bij ons teruggekomen.'

'Wat was er precies gebeurd?'

'Het schijnt dat hij een voorwiel had verloren,' zei Ossian Grahn. 'Hij mocht dan wel veel te hard hebben gereden, maar er deden ook allerlei geruchten de ronde.'

'Over Kjell Hedberg?'

'Niet dat ik weet,' zei Ossian Grahn en hij schudde zijn hoofd. 'Bovendien was hij nog maar zestien jaar. Nee, eerder de gebruikelijke roddels over ontrouw en jaloezie. Hier op het platteland wordt daar veel over gesproken, moet je weten. Bovendien ben ik er vrijwel zeker van dat de politie de zaak afdeed als een normaal ongeval. Dat hij slordig te werk was gegaan toen hij zijn autobanden verwisselde. De bouten niet goed had aangedraaid. Weet je wat,' zei Ossian Grahn, die Mattei ernstig aankeek. 'Misschien zou je ook even met Gertrud moeten praten, nu je hier toch bent. Ik zal je haar nummer geven.'

'Met Gertrud Rosenberg? Over het ongeluk?'

'Nee,' zei Ossian Grahn en hij schudde zijn hoofd. 'Was het maar zo eenvoudig.'

81

De oude baas kan de pot op, dacht een tevreden Lisa Mattei, toen ze drie uur later de snelweg naar Stockholm opreed en tegelijkertijd haar mobiele telefoon ging.

'Over een halfuur wil ik je in mijn kamer zien,' zei Johansson, die klonk alsof hij het meende.

'Ik heb nog minstens een uur nodig,' zei Mattei. O jee, dacht ze.

'Je hebt verdomme toch geen uur nodig om van Vaxholm hierheen te komen.'

O jee, o jee, dacht Mattei.

'Maar het is heel druk op de weg en autorijden is niet mijn sterkste punt,' loog Lisa Mattei.

'Mijn kamer,' zei Johansson. 'Zodra je een voet in het bureau zet, kom je gelijk naar mijn kamer,' herhaalde hij, waarna hij direct de hoorn erop gooide.

Wie dan leeft, wie dan zorgt, dacht Lisa Mattei en ze gaf wat extra gas om te kunnen doen wat ze van plan was, voordat ze naar haar hoogste baas zou gaan.

Dit is de eerste keer dat ik hem zo woedend zie, dacht ze ruim een uur later, toen ze in de bezoekersstoel voor zijn bureau had plaatsgenomen.

'Hoe wist je dat ik in Vaxholm was?' vroeg ze met een vriendelijke glimlach.

'Collega Wiklander heeft je in de garage gezien. Je wilt toch niet beweren dat je niet weet dat we tegenwoordig in bijna al onze auto's GPS en opsporingsapparatuur hebben zitten. Ik weet tot op de meter nauwkeurig waar je geweest bent.'

Daar heb ik niet aan gedacht, dacht Mattei, die ijverig haar hoofd schudde om een opkomende giechelaanval te onderdrukken.

'Je hebt meer dan vijf uur voor de Båtsmansvägen 3 in Vaxholm geparkeerd gestaan, en ik neem aan dat het puur toevallig is dat Kjell Göran Hedbergs oude klassenleraar... dat blondharige rotventje dat er net zo uitziet als zijn leerlingen, op die foto die ik stom genoeg aan je heb gegeven... zijn leven lang al op datzelfde adres woont.'

'Daar had ik geen idee van,' zei Lisa Mattei. 'Dat hij daar zijn hele leven al woont, bedoel ik.'

'Laat maar zitten,' Johansson keek haar boos aan. 'Hoewel Wiklander en ik je van tevoren hebben gewaarschuwd, heb je uren met die man zitten kletsen. Ondanks het enorme risico op lekkage. Wat weet je eigenlijk van Hedberg en die vent? Misschien zijn ze wel vriendjes vanaf die laatste drie schooljaren.'

'Ik denk niet dat ze elkaar ooit nog hebben gesproken, nadat Hedberg van school ging.'

'O nee? Hoezo denk je dat?'

'Ik heb namelijk ook met een van Hedbergs klasgenoten gesproken. Zij was daar vrijwel zeker van.'

'Wát deed je, zei je?' vroeg Johansson, die haar verbaasd aankeek. Neemt ze me soms in de maling, dacht hij.

'Ik heb met een van zijn klasgenoten gesproken,' herhaalde Mattei. 'Ze woonde heel dichtbij, dus ik liet de auto staan en ben naar haar huis toe gelopen. Mocht Wiklander zich dat afvragen,' verduidelijkte ze met een vriendelijke glimlach.

'Ik hoop,' zei Johansson, 'ik hoop... dat je een heel goede verklaring hebt,' herhaalde hij, terwijl hij zwaar op zijn ellebogen leunde.

'Iets veel beters, zelfs,' zei Lisa Mattei.

'Lisa, Lisa,' zuchtte Johansson een halfuur later. 'Wat moet ik toch met je beginnen?'

'Ik had gehoopt dat ik nog een gouden ster zou krijgen,' zei Lisa Mattei. 'Een hele grote,' verduidelijkte ze.

82

De volgende ochtend lag er een uitdraai van het verhoor met districtsarts Gertrud Rosenberg, geboren in 1945, op Johanssons bureau.

Het verhoor was gehouden in haar woning te Vaxholm. Ondervrager was hoofdinspecteur Lisa Mattei. Er was een bandopname van gemaakt, reeds goedgekeurd door de vrouw die dag daarvoor was verhoord. Er was iets minder dan een uur voor nodig geweest, volgens de tijdstippen die in het verslag stonden aangegeven. Het verhoor werd ingeleid door een korte samenvatting van Mattei en eindigde met de mededeling dat ze Gertrud Rosenberg een spreekverbod oplegde.

'Gertrud Rosenberg verklaart als inleiding en samenvattend onder andere het volgende.

Gertrud Rosenberg was vanaf de zevende tot en met de negende klas de klasgenoot van Kjell Göran Hedberg, op de toenmalige lagere school van Vaxholm, van september 1957 tot begin juni 1960. Na de lagereschoolperiode volgde Gertrud een middelbareschoolopleiding in Djursholm. Ze deed in mei 1963 eindexamen in de natuurwetenschappelijke richting, waarna ze in september dat jaar bij het Karolinska-ziekenhuis werd aangenomen voor de studie geneeskunde. In verband hiermee verhuisde ze een halfjaar later naar een studentenflat in Östermalm in Stockholm. Gertrud voltooide haar artsenopleiding en ontving haar artstitel in juni 1970.

Volgens Gertrud begon Kjell Göran Hedberg na de lagere school in de zomer van 1960 als leerling bij een kleine botenwerf en botenbouwer in Vaxholm. Aangezien ze tot het midden van de jaren zestig in Vaxholm vlak bij elkaar woonden, zagen ze elkaar regelmatig als ze afspraken hadden met gemeenschappelijke vrienden, uitgingen in de stad, enz. Een hechte vriendschap tussen hen heeft zich echter nooit ontwikkeld. Ze hadden daarentegen ook geen hekel aan elkaar en maakten altijd een praatje als ze elkaar tegenkwamen.

De jaren daarna spraken ze elkaar steeds minder vaak. Ze wist echter dat Kjell halverwege de jaren zestig aan de Politieacademie was begonnen en enkele jaren later politieagent was. Dat hadden haar ouders haar verteld. Begin jaren zeventig zag ze Hedberg samen met een collega op de eerstehulpafdeling van het Söder-ziekenhuis waar ze werkte. Hij zat toen bij de patrouilledienst van de politie Stockholm en bracht een ingerekende dronken man met steekwonden binnen. Tijdens die gelegenheid hadden ze samen een kop koffie gedronken en telefoonnummers uitgewisseld. De reden hiervoor was dat Gertrud en haar toenmalige man plannen hadden een zeilboot te kopen en ze Hedberg om advies wilde vragen nu ze hem toch zag, aangezien ze wist dat hij eerder op een werf had gewerkt en over contacten in de bootbranche beschikte.

Deze ontmoeting leidde echter niet tot een hernieuwd contact.

Vervolgens duurde het bijna tien jaar voordat ze Kjell Göran Hedberg opnieuw tegenkwam, op een zomeravond tegen het einde van de jaren zeventig, toen ze met haar toenmalige echtgenoot het hotel in Vaxholm bezocht om wat te eten. Hedberg was daar om dezelfde reden, met een vrouw die weliswaar aan haar werd voorgesteld, maar van wie ze de naam niet meer wist. Maar ze wist nog wel dat hij had gezegd dat hij inmiddels bij de Säpo werkte...

De laatste keer dat ze Kjell Göran Hedberg had ontmoet, was op vrijdag 28 februari 1986 rond elf uur 's avonds, op de Sveavägen in Stockholm.'

LISA MATTEI: Vertel over die laatste keer dat je Kjell Hedberg tegenkwam. Zo gedetailleerd mogelijk.

GERTRUD ROSENBERG: Zoals ik al eerder tegen je zei, was het dezelfde avond waarop Palme werd doodgeschoten. Daar ben ik heel zeker van. Mijn gezelschap en ik liepen in noordelijke richting langs de Sveavägen. We hadden net gegeten in een restaurant bij het stadspark Kungsträdgården. We hadden een kamer gehuurd in een hotel aan het parkje Tegnérlunden. Er waren veel mensen die in tegengestelde richting liepen. Dat kwam waarschijnlijk omdat de bioscopen net uit waren. Aangezien we allebei getrouwd waren en hij ook nog mijn baas was, besloten we linksaf de Adolf Fredriks Kyrkogata in te gaan, waar niet zoveel mensen liepen. Om te voorkomen dat we bekenden tegen het lijf liepen, dus. Juist op dat moment zag ik Kjell, op de hoek van de Sveavägen en Adolf Fredriks Kyrkogata, op de plek waar de worstenkraam staat. Aan dezelfde kant van de weg als de kerk en de begraafplaats. Precies op het moment waarop we de dwarsstraat in lopen, steekt hij het zebrapad over in de richting van de Kungsgatan. Ik zag hem dus schuin van opzij, van zo'n vijf, zes meter afstand, en zoals ik al vertelde, mankeert er niets aan mijn ogen.

LISA MATTEI: Op welk tijdstip was dat?

GERTRUD ROSENBERG: Het was al elf uur geweest. We verlieten het restaurant namelijk even na elven, dus dat weet ik nog. Laten we zeggen dat we er een kwartier over deden om bij de plek te komen waar ik hem zag. We liepen snel, vanwege het vreselijke weer. En we waren verliefd, dus we wilden vast zo snel mogelijk naar onze hotelkamer.

LISA MATTEI: Kwart over elf, ongeveer?

GERTRUD ROSENBERG: Ja, kwart over elf. Niet eerder.

LISA MATTEI: Ben je er zeker van dat je Kjell Hedberg zag?

GERTRUD ROSENBERG: In eerste instantie wel. Ik wilde hem zelfs bijna gedag zeggen. Maar tegelijkertijd flitste het door me heen dat ik dat beter niet kon doen, omdat hij mijn man had ontmoet. Al heb ik er daarna wel aan getwijfeld, moet je weten. Vrij lang heb ik mezelf wijsgemaakt dat ik alleen maar iemand had gezien die op Kjell leek. Naar aanleiding van wat er gebeurd was.

LISA MATTEI: Heeft hij jou gezien?

GERTRUD ROSENBERG: Dat denk ik niet. Hij liep snel en leek zijn aandacht op de overzijde van de straat te hebben gericht. Op de Sveavägen, dus.

LISA MATTEI: Terwijl hij rechtdoor liep? In tegengestelde richting, de kant van de Kungsgatan op, en in een snel tempo?

GERTRUD ROSENBERG: Ja. En de manier waarop hij liep, viel ook op. Dat was typisch Kjell. Goed getraind, doelgericht, oplettend. In zekere zin was de kleding die hij droeg ook typisch voor hem. Hij had zo'n praktische jas aan, een donkere winterjas, iets langer dan een jack. Verder een donkergrijze broek, geen jeans, en hij moet ook goede schoenen hebben gedragen, al stond ik daar niet zo bij stil. Hij was stijlvol en praktisch gekleed. Kjell ten voeten uit, zou ik zeggen...

'Ze gaat dus vreemd?' vroeg Johansson, terwijl hij opkeek van de papieren die hij in zijn hand hield en Mattei aankeek.

'Ja,' zei Mattei. 'Met haar baas, op dat moment al een maand. Ze waren allebei getrouwd. Zij woonde met haar man en twee kinderen op Kungsholmen en hij op Östermalm met zijn vrouw. Hij was vijftien jaar ouder dan zij, dus zijn kinderen waren al uitgevlogen. Officieel had hij een conferentie in Denemarken. Zijn vrouw scheen thuis te zijn. Onze getuige was daarentegen een onbestorven weduwe. Haar man was met de kinderen op wintersportvakantie.'

'Waarom gingen ze dan niet naar haar huis?'

'Dat heb ik haar ook gevraagd. Dat wilde ze niet, omdat ze vond dat ze daarmee een grens overschreed.'

'Ja, dat zal wel,' zuchtte Johansson. 'Dus nemen ze een kamer in hotel Tegnér aan de Tegnérlunden.'

'Waar we hen dankbaar voor moeten zijn,' constateerde Mattei.

'Waarom?' vroeg Johansson.

'Ik ben er nog niet aan toegekomen om het te vertellen, maar ik heb de boeking van de hotelkamer vanmorgen teruggevonden. Die lag in een van die dozen waar Jan altijd zo over loopt te zuchten. Het is een van die paar duizend hotelboekingen die nooit verwerkt zijn. Gertrud Lindberg, dat is haar meisjesnaam, had een dag van tevoren telefonisch een tweepersoonskamer gereserveerd, voor één nacht. Het adres dat ze opgeeft, is van haar ouderlijk huis in Vaxholm.'

'Waarschijnlijk had toch niemand aan haar gedacht, als ze die berg papier doorgespit zouden hebben,' zuchtte Johansson. 'Maar waarom duurt het zo lang voordat ze iets van zich laat horen?' vroeg

Johansson. 'Voordat ze contact opneemt met onze collega's, bedoel ik.'

'Dat staat in het verhoor,' antwoordde Lisa Mattei en ze glimlachte vriendelijk.

'Dat weet ik,' zuchtte Johansson. 'Help deze oude man even.'

'De reden dat ze niet direct iets van zich laat horen, is niet dat ze vreemdgaat. De werkelijke reden is een andere en daarin geloof ik haar.'

'En wat is die reden?'

'Omdat ze niet denkt dat ze iets toe te voegen heeft. In die tijd kwam het totaal niet in haar op dat Kjell Hedberg ook maar iets met de moord te maken kon hebben. Het echtpaar Palme heeft ze immers niet gezien, net zo min als een figuur als Christer Pettersson, of andere verdachte zaken. Een schot heeft ze niet gehoord. Het was vrijdag, het weekend was begonnen en er waren veel mensen op de been die een avondje uitgingen. Een oude klasgenoot van haar was kennelijk een van hen. Misschien was hij wel op weg naar een geheime liefde.'

'En verder heeft ze niets meer losgelaten over dit historische moment?'

'Ja, toch wel. In de zomer van 1986 komt ze haar oude klassenleraar Ossian tegen, op een barbecuefeest bij haar ouders in Vaxholm. Ze gaan zitten om een praatje te maken en zoals bij de meesten komt het gesprek natuurlijk op de Palme-moord. Dan vertelt ze hem wat ze die avond heeft meegemaakt.'

'Dat ze vreemdging en de moordaanslag op Palme op een haar na heeft gemist?'

'Inderdaad. Ze scheen met Ossian vrijwel overal over te praten. Tegen die tijd was ze bovendien al bij haar man weggegaan.'

'Heb je dat ook nagetrokken?'

'Ja, Ossian vertelde hetzelfde verhaal.'

'Dan moet ze ook over Kjell Göran Hedberg hebben verteld.'

'Ja, maar vooral in de vorm van een leuke anekdote. Dat het op de Sveavägen wel iets weg had van een klassenreünie.'

'Maar pas in het voorjaar van 1989 neemt ze contact op met de politie,' zei Johansson.

'Ja, en dat is echt een ongelooflijk verhaal,' zei Mattei. 'Heb ik trouwens ook nagetrokken en volgens onze papieren klopt alles wat ze zegt.'

'Ik brand van nieuwsgierigheid,' zei Johansson. Hij leunde achterover in zijn stoel en vouwde zijn handen over zijn buik.

Eerst was er die drieëndertigjarige man die al veertien dagen na de moord werd aangehouden. Op dat moment staat hun getuige er niet bij stil dat Kjell Göran Hedberg iets met de moord op de minister-president te maken zou kunnen hebben. Dan de zomer en de herfst van 1986 waarin 'iedereen weet dat de Koerden Palme hebben vermoord'. Ook dan denkt ze uiteraard niet aan hem.

Een jaar later begint ze er pas over na te denken. De Koerden zijn inmiddels van de agenda afgevoerd. In plaats daarvan staat het politiespoor serieus in de belangstelling. Om verschillende redenen kiest ze ervoor om niets van zich te laten horen. Ten eerste is ze er niet meer zeker van of ze inderdaad haar oude klasgenoot heeft gezien. Sinds de moord zijn er al twee jaar verstreken en dan kun je je afvragen waarom ze niet eerder haar mond opendeed. Dan vraagt ze haar voormalige baas en minnaar om steun en advies.

'Hij stond vast en zeker te juichen,' zei Johansson met een grijns.

'Volgens onze getuige vroeg hij of ze soms van plan was hem van kant te maken. Zelf wist hij er niets van, dat ze die avond een oude klasgenoot van haar tegen het lijf waren gelopen. Hoe kon het ook anders? Hij zat immers op een conferentie in Denemarken toen Palme werd vermoord.'

'En nu is die rotzak dood,' constateerde Johansson.

'Overleden in 1997 aan een hartinfarct. Heb ik nagetrokken,' knikte Mattei bevestigend. Allang overleden, net als de meesten, dacht ze.

'Maar in maart 1989 neemt ze contact op met het rechercheteam,' zei Johansson.

'Inderdaad. Niet om een tip over Hedberg achter te laten, maar om te vertellen dat ze op het tijdstip van de moord Christer Pettersson niet had gezien.'

'Meen je dat? Belt ze het Palme-team op om te vertellen dat ze Christer Pettersson niet heeft gezien?' Dit gaat werkelijk de goede kant op, dacht Johansson.

Christer Pettersson zit al maanden vast, verdacht van de moord op Olof Palme. Tegen die tijd weet ook 'iedereen die het kan weten' dat hij de dader wel moet zijn. Om het minste spoortje twijfel uit te bannen, komen de Palme-rechercheurs toch naar buiten met een algemeen verzoek aan het Grote Speurderspubliek. Ze willen graag praten met 'iedereen die zich op het tijdstip in kwestie op de plaats in kwestie bevond'. Of ze nu iets gezien hebben of niet. Ook degene die niets gezien heeft, kan dus net zo interessant zijn voor de politie als een ooggetuige van de moord.

Aangezien Gertrud Rosenberg noch het echtpaar Palme, noch Christer Pettersson heeft gezien – of überhaupt iemand die ook maar enigszins op Christer Pettersson lijkt – besluit ze haar hart te luchten. Ze belt het nummer dat ze in de krant heeft zien staan. Ze heeft een gesprek van nauwelijks tien minuten met een van de rechercheurs van het Palme-team. Ze vertelt wat ze niet heeft gezien, zonder met een woord over haar oude klasgenoot te reppen. Ze belandt regelrecht in een van de mappen met valse tips.

'Ik heb er een kopie van, als je die zelf wilt bekijken,' zei Mattei. 'Het is een gewone opsporingstip. Handgeschreven.'

'Lees maar voor,' zei Johansson, die gelaten zijn hoofd schudde.

'Dit schrijft onze collega. Ik citeer. "De tipgever meldt dat ze Christer Pettersson niet heeft waargenomen. Ze meldt bovendien dat ze evenmin het echtpaar Palme heeft waargenomen, of andere interessante waarnemingen heeft gedaan op het tijdstip in kwestie". Einde citaat.'

'Dat soort getuigen zochten ze toch?' zei Johansson met een opgewekte grijns.

'Onze collega die de tip aannam scheen er minder blij mee te zijn.'

'Wat vond hij dan?'

'Citaat. "Toverkol. Beweert dat ze arts is". Einde citaat.'

'Dan belandt ze dus in de map met valse tips.'

'Ja, hoewel een zakelijker ingestelde collega haar blijkbaar ook als getuige in een van de dataregisters heeft ingevoerd. Want zo heb ik haar gevonden.'

'En dan?'

'Vervolgens laat ze nooit meer iets van zich horen. Dat begrijp ik wel. Ze heeft dat gesprek heel beeldend beschreven.'

'Conclusie?' vroeg Johansson, die Mattei dringend aankeek.

'Gertrud brengt Hedberg direct in verband met het tijdstip en de plaats van het misdrijf. Vermoedelijk vlak voordat hij de Sveavägen oversteekt en op de hoek van de Tunnelgatan en Sveavägen op Olof en Lisbeth Palme gaat staan wachten.'

'Dat denk ik ook,' zei Johansson. 'Bovendien is ze arts en niet zomaar een of andere junkie die redenen heeft om Hedberg te haten.'

'Ja,' zei Lisa Mattei. Niet zomaar een junkie, dacht ze.

'Weet je wat het meest kenmerkend is voor een hele slechte baas?' vroeg Johansson ineens.

'Nee,' zei Mattei. Nu komt het, dacht ze.

'Dat hij zijn favoriete werknemers voortrekt.'

'Dus geen gouden sterren meer.'

'Wel als het onder ons blijft,' zei Johansson. 'Als je belooft dat je het tegen niemand zult zeggen.'

'Dat beloof ik,' zei Mattei.

'En dat je het nooit meer zult doen.'

'Dat beloof ik.'

83

Hoewel hij herstellende was, had Bäckström niet liggen luieren. Er was inmiddels sprake van een dreigende situatie en dan telde elke minuut. Dat wist iedere echte politieman en Bäckström beter dan wie ook. Eén keer had hij bijna voor open doel gemist, omdat hij onnodig had lopen dralen. Al was het uiteindelijk toch nog goed gekomen, uiteraard. Dat kon ook niet anders, als Bäckström de touwtjes in handen had. Maar deze keer was hij niet van plan dat risico te lopen, wat oom dokter ook liep te zeuren. Dat hij een hartaanval of een lichte hersenbloeding zou hebben gehad, of misschien zelfs allebei. Wat kun je verwachten van zo'n man, die niks anders doet dan kletspraatjes houden met een stelletje simulanten, dacht Bäckström.

Eerst sprak hij met zijn neef van de politievakbond. Die zat tenslotte als een soort spin in het politionele web en verzamelde alle gegevens die zijn leden ter ore kwamen als ze in de stad rondhingen. Redelijkerwijs zou iemand als hij heel wat te vertellen moeten hebben over Palme en zijn seksleven, ook al was hij geen collega van hen.

'Palme?' vroeg zijn neef. 'Hoe moet ik dat verdomme weten? Hij was toch geen politieman?'

'En onze collega's dan? Die hebben vast wel over Palme lopen zwammen.'

'Jij belt me dus op om te vragen of onze collega's over Palme hebben lopen zwammen. Houd je me soms voor de gek? Ben je niet helemaal lekker? Vraag je je af wat voor seksleven die man had? Dat zag er vast net zo uit als bij iedereen.'

'Hij schijnt heel wat erger te zijn geweest.'

'Hij zal zijn kansen wel hebben gegrepen. Wie zou dat verdorie niet doen? Zo'n man als hij zat natuurlijk op een ware goudmijn.'

'Kijk maar wat je kunt vinden,' zei Bäckström. Nutteloze vakbobo, dacht hij, terwijl hij de hoorn erop smeet.

Vervolgens was hij internet opgegaan, die onuitputtelijke bron van kennis en vermaak. Al vrij snel had hij heel wat ijzersterk, belastend materiaal gevonden. Eerst een hoop gegevens over een bekende zangeres met wie het moordslachtoffer iets zou hebben gehad. Een dame die niet voor de poes was, als je mocht geloven wat er nog meer over haar te lezen viel.

Daarna had hij een knettergek kunstenaarswijf gevonden, dat blijkbaar in haar levensonderhoud voorzag door naaktfoto's van zichzelf te maken, die ze vervolgens vol kliederde met verf en voor astronomische bedragen verkocht. Ze had een boek over haar rijke liefdesleven geschreven, dat voornamelijk over Palme ging. Tenminste, volgens de krantenartikelen die over het boek waren geschreven.

Dit is vast het topje van de ijsberg, dacht Bäckström. Die kerel moet een ware seksfanaat zijn geweest. Het volgende zoekresultaat was pas echt raak. Een gouden vondst. Een goudader zo dik als zijn wijsvinger.

Twee journalisten hadden enkele jaren eerder een onthullend, documentair boek geschreven over de Hoerenmadam en het grote bordeelschandaal, dat in het midden van de jaren zeventig veel opschudding veroorzaakte onder het Stockholmse establishment. Een van haar trouwste klanten was blijkbaar de toenmalige premier, die bovendien het lef had om twee minderjarige prostituees op de meest grove wijze te misbruiken. Een die net vijftien was geworden, en een van nog maar dertien.

Het net sluit zich, dacht Bäckström, en op dat moment ging de telefoon.

'Bäckström,' zei Bäckström met passende, gedempte stem, gezien de ernst van het Historische Moment dat zojuist aan hem voorbijtrok.

Het was zijn neef van de vakbond. Hij had een beetje rondgesnuffeld en was om praktische redenen in de koffiekamer begonnen. Daar vertelde een oudere collega, die in de jaren zeventig bij de ordepolitie van Stockholm werkte, dat Palme in die tijd iets met Lauren Bacall had gehad.

'Je weet wel, dat wijfie dat met Humphrey Bogart getrouwd was,' legde zijn neef uit.

'Hoe weet hij dat zo zeker?' vroeg Bäckström. Dat mens moest wel haast zo'n honderd jaar oud zijn geweest. Op zijn minst.

Hij wist het pertinent zeker, zei zijn neef. Bacall had Stockholm destijds een bezoek gebracht en verbleef uiteraard in het Grand Hotel. Laat in de nacht had ze bezoek gekregen van de minister-president.

'Is dat wel zeker?' hield Bäckström vol. Honderd jaar, dacht hij. Van dertienjarigen naar honderdjarigen? Die man was een perverse idioot.

Het was absoluut waar, volgens de collega met wie hij had gesproken. Hij was toen namelijk verantwoordelijk voor de bewaking van dat prominente bezoek en had er persoonlijk voor gezorgd dat de premier door de personeelsingang van het hotel naar binnen werd gesmokkeld, zodat hij op de meest discrete manier bij haar kon komen.

Absoluut een perverse idioot, dacht Bäckström.

Daarna ging Bäckström over tot een extern onderzoek en bracht om te beginnen een bezoek aan de bankier Theo Tischler. Bäckström kende Tischler nog van een oude zaak. Weliswaar was dat bijna twintig jaar geleden, maar hun ontmoeting was op zo'n goede manier geëindigd, dat Tischler nog altijd wist wie hij was.

'Ga zitten, Bäckström.' Tischler gebaarde naar de grote leunstoel in rococostijl, die speciaal voor zijn bezoekers was. 'Waarmee kan ik je van dienst zijn?'

Elke minuut telt, dacht Bäckström, die ervoor koos om gelijk met de deur in huis te vallen.

'De Vrienden van de Vagina,' zei Bäckström. 'Vertel.'

'Geen voorspel, maar gelijk erbovenop,' zei Tischler met een glimlach. 'Wat wil je weten?'

'Alles,' zei Bäckström. 'Alles wat interessant kan zijn,' verduidelijkte hij.

'Juist,' zei Tischler. Daarna begon hij te vertellen. Precies zoals hij dat altijd deed, vaak zonder dat het hem gevraagd werd.

'Die mythomaan Claes Waltin werd geroyeerd. Hij bracht de vereniging een slechte naam toe, dus moest ik hem er wel uit donderen.'

'Hoe kwam dat?' vroeg Bäckström, hoewel hij dat al wist. 'Omdat hij die wijven van hem met de zweep gaf?'

'Nee, zeg, veel erger. Hij had een lul die net zo groot was als die van Japie Krekel. Wat denk je dat die dames daarvan vonden? Wat zouden ze dan wel niet denken van de overige verenigingsleden? Dus werd hij eruit gegooid. Met zo'n figuur wilde ik natuurlijk niet geassocieerd worden. Weet je trouwens hoe mijn vrienden me noemden, toen ik bij de zeekadetten zat?'

'Nee,' zei Bäckström.

Vervolgens had Tischler hem verteld over de Ezel en hoewel Bäckström hem had gevraagd alles te vertellen, moest hij hem een halfuur later de mond snoeren.

'Ik geloof dat ik nu wel een duidelijk beeld heb,' stelde Bäckström vast.

'Onmogelijk,' zei Tischler. 'Dan moet je hem gezien hebben.'

'En die Thulin?' vroeg Bäckström om hem op een ander onderwerp te brengen. 'Weet je over hem nog iets interessants?'

'Je bedoelt Lazarus,' zei Tischler. 'Hij zoop als een Rus in die tijd, en zodra hij bezopen was, begon hij te ijlen over dat sterke godsgeloof van hem. Al is hij nu een deftige kerel geworden.'

'Dat heb ik begrepen. Er schijnt ook nog een of andere bokaal te zijn,' zei hij, terwijl hij zijn verhoorobject sluw aankeek.

'Een bokaal? Hoe bedoel je?'

'Zo'n bokaal voor prijswinnaars, die jullie uitdeelden aan degene die de meeste meisjes had afgewerkt. Vaginakampioen van het jaar, noemden jullie hem geloof ik.'

'Nee,' zei Tischler hoofdschuddend. 'Wat zouden we daarmee moeten? We hadden helemaal geen bokaal nodig. Ik was namelijk altijd degene die won. Waarom zou ik mezelf zo'n dure bokaal uitreiken? Dat ik al die caférekeningen moest betalen vond ik wel genoeg.'

Verder was hij niet gekomen en zodra hij weer op straat stond, hield hij een taxi aan. Hij vertrok weer naar huis, met een omweg langs zijn vaste eettentje, aangezien hij zijn lege maag bedenkelijk hoorde rommelen.

Hoog tijd om wat naar binnen te werken, dacht Bäckström, die naast gortworst met gebakken ei en rode bietjes een groot glas bier bestelde, met een flinke borrel toe voor de spijsvertering. Van het een kwam het ander en eenmaal terug in zijn gezellige optrekje nestelde hij zich languit op de bank en begon hij langs al die nieuwe, interessante kanalen te zappen die hij onlangs had aangeschaft.

Alles op zijn tijd, dacht Bäckström de filosoof, en het interne onderzoek naar de leden van het Genootschap voor de Vrienden van de Vagina kon rustig wachten tot de volgende dag.

84

Bäckström was gewend keihard te werken. Om precies te zijn deed hij dat zijn hele politieleven al, hoewel hij daar zelden voor beloond was. In plaats daarvan kreeg hij van al die afgunstige, halfdebiele collega's meestal stank voor dank. Maar de afgelopen week sloeg alles. Hij werd heen en weer geslingerd tussen extern en intern onderzoek en sloop noodgedwongen rond in de kelder van het politiebureau, om het volgende moment urenlang achter de computer door te brengen. Hij had geheime ontmoetingen in de stad, waarbij hij fluisterende gesprekken moest voeren en ook nog eens de rekening moest betalen. Hij moest zelfs in het programma-archief van de Zweedse Radio-omroep duiken om een kopie van een oud tv-programma te bemachtigen, waarin een van zijn verdachten in een grindgroeve in Sörmland wild om zich heen stond te schieten met een magnumrevolver.

Hij had al zijn contacten benut, overtuigd, omgepraat, bedreigd en gesmeekt, diensten en wederdiensten geëist, en hij was zelfs genoodzaakt een buitengewoon corrupte collega met een fles van zijn allerbeste maltwhisky om te kopen.

Woensdagavond was het eindelijk achter de rug en toen hij uiteindelijk zijn Magnum Opus in zijn hand hield – de stapel papier die nog de behaaglijke warmte van zijn printer verspreidde – was het alsof er een kracht, die zelfs sterker was dan hij, zijn grote hart toucheerde.

'De moord op Olof Palme. Analyse van het misdrijf, daderprofielen en motieven. Opgesteld door hoofdinspecteur Evert Bäckström, op 26 september', las Bäckström. Juist op dat moment werd zijn hart aangeraakt door een kracht die sterker was dan hijzelf.

Eindelijk klaar, dacht Bäckström. Had hij de zaak vanaf het begin maar in handen gehad, dan hadden al zijn onschuldige landgenoten niet twintig jaar lang in onzekerheid hoeven verkeren.

Een complot met vier deelnemers. Daar was hij al vrij snel achter, vanaf het moment dat hij die geheime vereniging op het spoor was gekomen. Zijn systematische aard getrouw was hij daar begonnen, door de rollen van de verschillende daders boven tafel te krijgen. Dat Claes Waltin het brein achter de moord was, was duidelijk: een hooggeplaatste politiefunctionaris van de Säpo, die volledig op de hoogte was van de handel en wandel van het moordslachtoffer. Die de daad min of meer tot in detail heeft kunnen opzetten.

Toen dat klusje eenmaal was geklaard, hadden de anderen hun werk mogen doen. Officier van justitie en parlementslid Alf Thulin, die voortdurend volledige inzage had in de werkzaamheden van de Palme-rechercheurs, ze zelfs gedurende lange perioden kon aansturen en naar behoefte de nodige misleidende en afleidende manoeuvres kon uitvoeren. Daar kwam ook de rijke bankier Theo Tischler in beeld, om rookgordijnen te leggen en, mocht dat nodig zijn, de eerste onderzoeksleider van geld te voorzien, zodat hij onbeperkt een hoop rare Koerden de stuipen op het lijf kon jagen, ook nadat hij het veld had moeten ruimen.

Resteerde de bekende bedrijfsjurist Sven Erik Sjöberg. Wat was zijn aandeel in de moord op Palme?

Volgens betrouwbare getuigenverklaringen van de plaats delict, bovendien ondersteund door verschillende forensisch-technische onderzoeken, stond vast dat de dader die Palme had neergeschoten minstens een meter tachtig lang was.

Claes Waltin was te klein. Slechts een meter vijfenzeventig, geheel los van alle andere feiten die belastend waren voor een onnozele jurist als hij. Theo Tischler was nog kleiner, een meter drieënzeventig, net zo lang als het slachtoffer. Daar kwam bij dat hij vierkant en kaal was. Met Thulin was het nog erger. Volgens de gegevens in zijn paspoort viel hij het beste te beschrijven als een lange, statige dwerg van maar liefst een meter negenenzestig.

Resteerde Sven Erik Sjöberg. Een reus van een meter tweeëntachtig, vergeleken met de anderen in het gezelschap, bovendien goed getraind en stevig. Hij vertoonde een opvallende gelijkenis met de man die de getuigen hadden beschreven en hoewel hij al bijna vijftien jaar dood was, had Bäckström hem hiermee de eerste dolkstoot toegediend. Zoals altijd had zijn intuïtie hem op het juiste spoor gebracht.

Sjöberg was blijkbaar een fanatiek gezelschaps- en verenigingsmens. Niet alleen als jonge rechtenstudent in de Vrienden van de Vagina. Dat was slechts een bescheiden begin, de aanloop naar een verenigingsleven dat zich uitstrekte van de plaatselijke Conservatieve Partij in Danderyd, de Werkgeversorganisatie van Uppland, de Vereniging van de Vrienden van het Platteland, de Vereniging van Aandeelhouders, de Vereniging der Belastingbetalers, de Vereniging tegen de Werknemersfondsen, het Grote Genootschap, het Kleine Genootschap, het Nieuwe Genootschap, het Genootschap voor een vrij Zweden, de Rotary... enzovoort, enzovoort. Van het Zweedse Jagersverbond, de zeilvereniging de Gaffelzeilen, de winterzwemclub de IJsberen tot de schuttersvereniging de Magnummannen.

De Magnummannen, dacht Bäckström, die zijn lippen aflikte en een dag later alles al wist wat hij over dit illustere gezelschap moest weten. Een vijftigtal mannen, schutters, wapenverzamelaars en jagers, die regelmatig samenkwamen bij een grindgroeve in Huddinge, waar ze hun tijd doorbrachten door met magnumrevolvers en automatische wapens op kartonnen figuren en lege benzinevaten te schieten. Toen Bäckström het jaarverslag van hun activiteiten in 1990 doorkeek, las hij ook ergens dat vicevoorzitter Sven Sjöberg in oktober van dat jaar blijkbaar als eregast had opgetreden in het spraakmakende tv-programma 'Grabbarna på Fagerhult'. De volgende dag had hij bij het tv-archief al een kopie van dat programma weten te bemachtigen, en stuitte hij wederom op een zuivere goudader, deze keer zo dik als zijn duim.

De programmaleiders, drie dikke bekenden van tv met interesse voor de jacht, hadden in het inleidende filmpje, wederom in een grindgroeve, op een etalagepop geschoten die een kogelvrij vest van de politie droeg. Sjöberg schoot met zijn eigen magnumrevolver, die opvallende gelijkenis vertoonde met de beschrijving die GeGurra ervan had gegeven, terwijl de dikste van de drie gastheren met een semiautomatisch geweer van het merk Heckler & Koch van leer trok. Na een paar minuten was er van het kogelvrije vest en de pop niets meer over en vatte de op een na dikste programmaleider het resultaat samen met de conclusie dat hij nog liever zijn geruite flanellen overhemd zou dragen dan een kogelvrij vest van de politie, als hij – bij wijze van spreken – in een zogeheten dreigende situatie mocht belanden.

Daarna hadden ze samen gegeten, en dat was het moment waarop de laatste puzzelstukjes op hun plaats vielen. Sjöberg was niet alleen uitgenodigd in zijn hoedanigheid als jager, schutter en gezelschapsmens. Eigenlijk was hij daar slechts om, in zijn hoedanigheid als bestuurslid en jurist van de onderneming, wat hij al jaren was, de wapenaffaire tussen Bofors en India te bespreken.

Volgens Sjöberg was het meer dan vanzelfsprekend dat India de kanonnen van Bofors had gekocht. Met zo'n product was het absoluut niet nodig om smeergeld te gebruiken. Veel meer werd er niet over gezegd, behalve dat men een toast op de zaak uitbracht, waarna er wezenlijker dingen aan de orde kwamen, zoals hoe je op de beste manier onschuldige dieren om het leven brengt.

In het licht van deze nieuwe informatie had Bäckström ook zijn aanvankelijke motiefbeeld bijgesteld. Het ging niet alleen om seks, al schenen er op dat gebied sterke banden te bestaan tussen de daders en hun slachtoffer. Hij had ook bewijzen gevonden voor het tweede klassieke motief. Geld. Veel geld, dat Bofors in de vorm van steekpenningen aan Indiërs en anderen had uitbetaald. Niet in de laatste plaats aan het slachtoffer, als je de tientallen beschuldigingen die Bäckström op het internet had gevonden, moest geloven.

Seks en geld. Daders en slachtoffer met een gemeenschappelijk verleden. Het slachtoffer was vermoord omdat hij onenigheid had gekregen met de rest. Met het brein Waltin, de infiltrant Thulin, de geldschieter Tischler en de schutter Sjöberg.

Dezelfde Sjöberg die jammer genoeg al bijna vijftien jaar dood was en daarom niet meer gehoord kon worden. Het zag ernaar uit dat hij een volkomen natuurlijke dood was gestorven. Tijdens het jaarlijkse kerstdiner van de vereniging de Tuinkabouters was hij opgestaan om zijn gebruikelijke dankwoord uit te spreken. Hij had zijn mond nog niet opengedaan om het woord te nemen, zoals hij dat al jaren gewend was, of hij werd plotseling getroffen door een hersenbloeding. Hij zakte als een zoutzak in elkaar, nam in zijn val een gegrilde varkenskop mee en stierf ter plekke.

Na een lang ziekbed. Dank je de koekoek, dacht Bäckström, die zijn overlijdensbericht in *Svenska Dagbladet* had gelezen, maar zich niet zo gemakkelijk om de tuin liet leiden als alle anderen.

85

De hoogste tijd om de daad bij het woord te voegen en de twee daders die nog in leven zijn met de feiten te confronteren, dacht Bäckström, zodra hij zijn stevige donderdagsontbijt van pannenkoeken met gebakken spek, appelmoes, geroosterd brood en extra zoute boter, een beker zwarte koffie en een slok Jägermeister achter de kiezen had. Vervolgens bestelde hij een taxi, reed naar het parlementsgebouw en liep de receptie binnen. Hij overhandigde zijn visitekaartje aan de bewaker achter de balie en vroeg of hij parlementslid Alf Thulin mocht spreken, naar aanleiding van een zowel dringende als gevoelige kwestie.

'Heeft u een afspraak?' vroeg de bewaker.

'Daar was helaas geen tijd voor,' zei Bäckström. 'Ik ben hier op goed geluk heen gegaan.' Sabbel daar maar eens op, broekie, dacht hij.

Natuurlijk had hij geluk. Zoals altijd wanneer hij flink in de weer was. Vijf minuten later zat hij bij Lazarus op de bank. Tegenwoordig was hij een voorname, gerespecteerde kerel, dus hij moest omzichtig te werk gaan als hij hem het mes op de keel wilde zetten. In het begin, althans, dacht hij.

'U wilde me spreken, hoofdinspecteur?' vroeg parlementslid Thulin, die zijn korte dunne vingers tot een kerkgewelf vormde.

'Ik zal gelijk open kaart spelen,' zei Bäckström. 'Ook al is dit een enigszins delicate kwestie.'

'Ga uw gang. Ik luister.' Het parlementslid maakte een uitnodigend gebaar met zijn rechterhand.

'De Vrienden van de Vagina,' zei Bäckström, die zijn ronde hoofd naar voren stak, om extra respect af te dwingen. 'Wordt het niet eens tijd om dat op te biechten?' Laten we daar maar mee beginnen, de rest komt later wel, dacht Bäckström, die meer verhoren had afgenomen dan menig ander.

'Pardon?' vroeg het parlementslid, terwijl hij Bäckström verbaasd aankeek.

'Ik heb het over de Vrienden van de Vagina. Een vriendenclubje waar je lid van was, tijdens je goeie ouwe studententijd. Dat kun je je vast nog wel herinneren.'

'Ik kan me niet eens herinneren dat we elkaar zouden tutoyeren,' zei het parlementslid, dat naar zijn dichte kamerdeur keek.

Oké, dacht Bäckström. Als het zo moet.

'Hou op met die onzin, Thulin,' zei Bäckström, die hem een staaltje van zijn klassieke politieblik gaf.

'Vertel maar. Alsjeblieft, Thulin, ik luister. Of heb je soms liever dat ik je Lazarus noem en je meeneem naar de biechtstoel van het politiebureau?'

'Neem me niet kwalijk, hoofdinspecteur,' zei het parlementslid met een bleek glimlachje. 'Ik ben bang dat ik even mijn handen moet wassen. Ik ben zo terug.'

'Natuurlijk,' zei Bäckström. Voordat je in je broek schijt, dacht hij. Als hij tijdens een verhoor ooit een slachtoffer had gezien dat zich zo gewillig naar de slachtbank liet leiden, was het Lazarus wel.

Verdomme, dat duurt lang zeg, dacht Bäckström, toen hij tien minuten later op zijn horloge keek. Zou die eikel het in zijn broek hebben gedaan? Ik kan maar beter even gaan kijken. Hij stond op en liep naar de deur om te kijken waar hij was gebleven.

Op slot. Wat is er in godsnaam aan de hand, dacht Bäckström, die het voor de zekerheid nog een keer probeerde. Nog altijd op slot.

Wat is er in godsnaam aan de hand, dacht Bäckström nog een kwartier later. Het bleef doodstil aan de andere kant van de deur. Hij had nu en dan slechts een paar heel zwakke geluiden vernomen, hoewel hij met zijn oor tegen de deur gekluisterd stond en er heel wat heen en weer werd gelopen toen hij het gebouw binnenkwam. Sluipende voetstappen, iets zwaars wat over de vloer werd gesleept. Er staat iets heel vervelends te gebeuren, want ineens werd het zo stil dat je de stilte kon horen. Verdomme zeg, dacht Bäckström. Ik had kleine Sigge mee moeten nemen. Hij tastte voor de zekerheid in de binnenzak van zijn jasje. Leeg. Je sleept verdorie toch geen schouderholster met een hoop ijzeren rommel mee als je ten strijde trekt tegen een dwerg.

Dat was ook zo ongeveer het laatste wat hij zich kon herinneren toen hij de volgende ochtend wakker werd en zo zachtjesaan begreep dat hij nog steeds leefde. Ondanks de Vrienden van de Vagina, waarvan de tentakels blijkbaar tot in de top van de politieleiding waren doorgedrongen en één telefoontje blijkbaar voldoende was om die Lapse hufter van de rijksrecherche een doodseskader op hem af te laten sturen.

86

'Hoe gaat het?' vroeg Johansson, zodra Lewin zijn kamer had betreden.

'Er begint zo onderhand vaart in te komen,' zei Lewin, die een vragend hoofdknikje naar de bezoekersstoel van Johansson gaf voordat hij ging zitten.

'Leeft hij nog?'

'Volgens mij wel,' antwoordde Lewin. 'Die indruk heb ik tenminste,' voegde hij er met een discreet kuchje aan toe. 'We hebben in elk geval geen aanwijzingen voor het tegendeel.'

'En zijn zus? Die zit zeker steeds champagne te drinken in de kroeg, van al die rente op haar bankrekening.'

'Ze schijnt een heel teruggetrokken leven te leiden.' Hij schudde zijn hoofd. 'Uit de controle van haar vaste telefoon blijkt dat ze vooral contact heeft met een ex-collega en enkele buren uit haar woonomgeving. Daarnaast is ze secretaris van de woningbouwvereniging. Echt geen intensieve sociale contacten. Ze belt hooguit een paar keer per dag. Een mobiele telefoon heb ik niet kunnen vinden. Ze heeft geen abonnement bij een Zweedse mobiele telefoonaanbieder. Al heeft ze wel een computer en een vaste aansluiting bij Telia.'

'Ze heeft natuurlijk zo'n prepaid telefoon, net als al die andere criminelen. Een oude vos verleert zijn streken niet,' zei Johansson, op hetzelfde moment dat er in het borstzakje van zijn jasje een politiesirene afging. 'Neem me niet kwalijk,' zei hij, terwijl hij zijn rode mobiele telefoon opviste.

'Ja,' zei Johansson, zoals hij altijd deed wanneer hij opnam.

'Je meent het,' vervolgde hij. 'Kom als de wiedeweerga hierheen, zodat we een schutterskordon kunnen uitzetten.'

'Jaja,' zei Johansson en hij knikte. 'Hier moeten we het helaas bij laten, Jan. Er is even iets tussengekomen, maar ik laat zo snel mogelijk weer iets van me horen.'

Wat zou er aan de hand zijn, dacht Lewin toen hij Johanssons kamer uitkwam en in de gang bijna omver werd gelopen door de chef van het landelijke arrestatieteam en twee van zijn kaalgeschoren medewerkers, die zich in een stevig marstempo in tegengestelde richting begaven.

'Wat is er aan de hand?' vroeg Johansson zonder naar zijn bezoekersstoel te knikken. Volledige gevechtsuitrusting en grimmige gezichten. Wat is er in vredesnaam aan de hand, dacht hij.

'We schijnen met een gijzelaarsactie te maken te hebben, in het parlementsgebouw,' zei de chef van het arrestatieteam. 'Op het partijbureau van de christendemocraten. Eén dader. Waarschijnlijk bewapend en gevaarlijk.'

'Weten we wie hij is?' vroeg Johansson.

'De mannen ter plaatse beweren dat het om Bäckström gaat,' zei de chef van het arrestatieteam. 'Bäckström is weer eens op speurtocht. Die kleine, dikke rotzak. Ze zeggen dat hij iemand in gijzeling heeft genomen en zich in een van hun kamers heeft verschanst. Het gaat om die Thulin. Weet u wie ik bedoel?'

'Bäckström ken ik wel,' zei Johansson. 'Thulin, is dat niet die gelovige hypocriet die op de televisie altijd loopt te zeuren hoe slecht de mensen zijn? Voormalig hoofdofficier van justitie Alf Thulin?'

'Inderdaad chef, die Bäckström. Inderdaad chef, die Thulin.'

'Ga erheen en zeg tegen die kleine vetzak dat hij zich normaal moet gedragen,' zei Johansson met een zucht.

87

Een vrouw die een teruggetrokken leven scheen te leiden. Met één familielid dat nog in leven was. Een broer die, naar wat hij zelf aan de Zweedse overheidsinstanties had opgegeven, vierentwintig jaar geleden naar Spanje was geëmigreerd en tegenwoordig in een appartementenhotel in Sitges woonde, ten zuiden van Barcelona. Hij had tien jaar op dat adres gewoond, maar toen hij zeven jaar geleden zijn Zweedse paspoort vernieuwde, was hij blijkbaar verhuisd naar 189, Calle Asunción in Palma de Mallorca. Twee Spaanse adressen in vierentwintig jaar. Dat was alles.

Hopelijk woont hij daar nog, dacht Lewin, die zelf gedurende zijn hele volwassen leven in hetzelfde appartement in Gärdet had doorgebracht.

Vervolgens vulde hij alle formulieren in die nodig waren om via Europol de Spaanse politie te vragen een discrete adrescontrole voor hem uit te voeren en aansluitend Kjell Göran Hedberg in al hun andere registers op te zoeken. En natuurlijk had hij een kruisje gezet in het vakje dat betrekking had op personen die in een 'verdachte relatie tot terrorisme staan'.

Dat zal die Spaanse collega's wel op gang krijgen, dacht Jan Lewin, hoewel hij normaal gesproken nauwelijks last van vooroordelen had. Fijn dat je geen enveloppen en postzegels meer nodig hebt, dacht hij, terwijl hij zijn verzoek mailde naar zijn collega van de rijksrecherche die het praktische gedeelte regelde en, mocht hij hem nodig hebben, drie deuren verderop zat.

'Heeft u even?' vroeg Johanssons secretaresse, terwijl ze zachtjes op zijn deur klopte.

'Ga zitten, verdomme,' siste Johansson, die naar de tv gebaarde die in de hoek van de kamer stond.

Het arrestatieteam, het parlement... wat is er aan de hand, dacht ze.

'Wat is er aan de hand?' vroeg ze.

'Bäckström,' zei Johansson. 'Dat dikke propje is blijkbaar knettergek geworden. Hij heeft de deur van het partijkantoor van de christendemocraten gebarricadeerd en de Almachtige Alf Thulin zelf als gijzelaar genomen. Ik heb de mannen van het arrestatieteam erheen gestuurd, om die rotzak tot rede te brengen.'

De leden van het arrestatieteam handelden zoals het hun was geleerd, om figuren als Bäckström tot rede te brengen. Figuren van wie het vermoeden bestond dat ze zowel bewapend als gevaarlijk waren. Deze keer een figuur die met zekerheid een zeer ongewone politieman kon worden genoemd en helaas toegang had tot dezelfde dienstwapens als zijn normale collega's. Die helaas letterlijk in de weg stond toen men tot actie overging.

Om te beginnen was de deur die ze hadden ingeslagen, boven op hem gevallen. Vervolgens was de schokgranaat die ze tegelijkertijd naar binnen hadden gegooid, op slechts een halve meter van zijn hoofd ontploft. Daarna werd hij door vier man overmeesterd en aan zijn handen en voeten geboeid. Dat allemaal in een tijdsbestek van iets meer dan tien seconden. De teamchef had uiteraard de tijd van deze actie opgenomen.

Toen Bäckström op een brancard werd weggedragen naar de ambulance, was hij bewusteloos en bovendien van de nodige boeien voorzien. Klaar om naar de psychiatrische afdeling van het Huddinge-ziekenhuis te worden vervoerd, voor de zekerheid geëscorteerd door het arrestatieteam dat hem nota bene bijna van het leven had beroofd.

De dag daarop besteedden een stuk of tien van zijn chefs van de politie Stockholm het grootste deel van hun tijd aan de discussie over hoe gevaarlijk Bäckström al dan niet was. Aangezien de meningen hierover verdeeld waren, had men uiteindelijk zijn voormalige baas, Lars Martin Johansson, opgebeld en hem om een oordeel gevraagd.

'Het is een kleine, dikke rotzak die niets anders doet dan onzin uitkramen,' vatte Johansson samen.

'Vindt u dat hoofdinspecteur Bäckström een gevaar vormt voor het leven en de veiligheid van anderen?' vroeg de psycholoog met wie Johansson sprak.

'Bäckström?' snoof Johansson. 'Je maakt zeker een grapje?' Dokter Fridolin, dacht hij. Wat is dat nu weer voor naam?

Verder waren ze niet gekomen.

88

Op vrijdagochtend had Johansson Anna Holt bij zich geroepen en haar meegedeeld dat zij samen met Linda Mattei op maandagochtend naar Mallorca zou afreizen. Hij had al een discreet samenwerkingsverband met de plaatselijke collega's opgezet. Al hun middelen stonden tot hun beschikking. De onderste steen moest boven komen.

Johansson had er zelfs voor gezorgd dat de Spaanse politie tijdens hun verblijf op hun veiligheid zou toezien, naast de uitvoering van de gebruikelijke taken als collega's. Hun contactpersoon was een Spaanse politie-inspecteur van zijn eigen leeftijd. Een plaatsvervangend chef bij de recherche van Palma en een uitstekende kerel, volgens een van Johanssons vrienden die de Johansson van Spanje was. Door de echte Spaanse politiemensen werd hij El Pastore genoemd, de Pastoor. Niet omdat hij zo godvruchtig was, maar vooral om de indruk die hij maakte: een lange kerel met een somber, klerikaal uiterlijk, die zelfs de meest verharde misdadiger zover kreeg dat die op zijn benige schouder uithuilde.

'Mallorca?' vroeg Holt. Een zeven jaar oud adres, dat Hedberg zelf had opgegeven, dacht ze. Dezelfde Hedberg die waarschijnlijk zeer goede redenen had om zich voor de politie te verbergen.

'We moeten toch ergens beginnen,' zei Johansson, die zijn schouders ophaalde. 'Bovendien ben ik er vrijwel zeker van dat hij daar ergens moet zijn.'

'Hoe kun je dat nu weten?' vroeg Holt.

'Dat is een gevoel.' Johansson haalde zijn schouders op.

'Een gevoel?'

'Ja,' antwoordde Johansson met een brede glimlach. 'Je weet wel, zo'n gevoel dat je zomaar kunt hebben, een gevoel dat de reden is dat sommigen van ons om de hoek kunnen kijken.'

'Daar houdt die rotzak zich schuil,' vervolgde hij. 'Dat voel ik tot in mijn botten. Dus nu komt het erop aan hem zo voorzichtig mogelijk in de smiezen te houden, zodat we hem niet wegjagen.'

'De officier van justitie,' zei Holt. 'Ik ga ervan uit dat je dit met de officier van justitie hebt besproken?'

'Vanzelfsprekend,' zei Johansson. 'Over een uur krijg je alle papieren van me. Ondertekend en wel. Bij Financiën kun je geld halen als je dat nodig hebt. Volgens mij gaan de meisjes van die afdeling eerder naar huis op vrijdag. Als ze er niet meer zijn, regel ik het voor je,' voegde hij er genereus aan toe, terwijl hij een klap op zijn broekzak met portemonnee gaf.

'Dus je hebt met de officier van justitie gesproken,' zei Holt. 'Met de hoofdofficier van het Palme-onderzoek?'

'Ben je gek, Anna,' zei Johansson. 'Ik heb met onze eigen officier gesproken, bij wie ik voor dit soort dingen altijd aanklop. Hij zit helemaal op mijn lijn.'

'Welke lijn?'

'Dat er gegronde redenen zijn om Hedberg ervan te verdenken dat hij Jorma Kalevi Orjala heeft vermoord. Die zogenaamde aanrijding, weet je nog? Terwijl Hedberg niets anders deed dan een getuige uit de weg ruimen. Zoals hij al eerder had gedaan toen hij het postkantoor aan de Dalagatan overviel.'

'Maak je soms een grapje?' vroeg Holt. 'Die zaak was in mei 1986 al afgeschreven.'

'Het kan geen kwaad om wat papieren mee te nemen,' zei Johansson. 'Daarbij is deze zaak nog altijd jonger dan die Palme-kwestie. Bovendien hebben we hem heropend. De collega's van het team voor cold cases heeft de zaak gisteren al van Stockholm overgenomen. Het wordt tijd dat ze iets krijgen waar ze hun tanden in kunnen zetten.'

'Maar, Lars...'

'Luister nou eens, Anna,' onderbrak Johansson haar. 'Natuurlijk. Ik weet precies wat je wilt zeggen. Laat die Jorma Kalevi zitten. Ik wil Hedberg hierheen krijgen. Ik wil hem in alle rust hierheen zien te krijgen en het maakt me echt geen mallemoer uit hoe dat er in formele zin aan toegaat. Probeer voor één keer eens een beetje praktisch te zijn. Is dat akkoord?'

'Nee,' zei Anna Holt. 'Maar ik begrijp wat je bedoelt.' Bovendien ben jij degene die beslist, dacht ze.

89

Diezelfde vrijdagochtend ontwaakte Bäckström in een bed op de psychiatrische afdeling van het Huddinge-ziekenhuis. Een vriendelijke medepatiënt, die op dat moment slechts een lichte vorm van dwanggedachten had en zelfs toestemming had gekregen om de kiosk van het ziekenhuis te bezoeken, had de ochtendkranten voor hem meegesmokkeld en daarbij om een handtekening gevraagd, omdat Bäckström zowel op de voorpagina van de *Metro* als *Svenska Dagbladet* stond. Weliswaar zonder naam, maar toch.

Dagens Nyheter was daarentegen terughoudender geweest en had zelfs mogelijkheden voor alternatieve verklaringen opengehouden. In die krant werd gesproken over een politieman met ziekteverlof, die contact had gezocht met 'een bekend parlementslid, om zijn beklag te doen over de manier waarop de rijksrecherche het Palme-onderzoek verricht', maar dat het hoogst onduidelijk was wat er daadwerkelijk was gebeurd. Volgens betrouwbare bronnen was er echter nooit sprake geweest van een 'gijzelingssituatie'. Het parlementslid in kwestie had geen politieaangifte gedaan en was ook onbereikbaar geweest voor commentaar. De actie van het arrestatieteam was echter aangegeven bij de ombudsman van justitie, de procureur-generaal en bij de interne onderzoeksafdeling van de politie Stockholm.

's Middags werd Bäckström alweer verplaatst naar de neurologische afdeling, waar ze eerst zijn ronde hoofd en beurs geslagen lichaam in een buisachtig röntgenapparaat stopten. Daarna kreeg hij gekookte kabeljauw met eiersaus, vlierbloesemsap en rabarbertaart. Voordat hij in slaap viel, had hij eerst een stuk of vijf tabletten met allerlei kleurtjes moeten innemen, en toen hij de volgende ochtend wakker werd, zat er een personeelsconsulent van de politie Stockholm op de rand van zijn bed, die hem bezorgd aankeek.

'Hoe is het, Bäckström?' vroeg de consulent, terwijl hij hem een klopje op zijn arm gaf.

'Wat gebeurt er allemaal?' rochelde Bäckström. 'Is het soms oorlog?'

‘Het is voorbij nu, Bäckström,’ zei de consulent, die voor de zekerheid nog maar een keer over zijn arm streek.

‘Probeer eerst maar eens tot rust te komen, dan komt het vanzelf weer in orde.’

‘Is dat zo?’ vroeg Bäckström. Wat bazelt die man, dacht hij.

‘Je zult binnenkort je persoonlijke begeleider ontmoeten. De hoofdcommissaris heeft er zelf voor gezorgd dat dokter Fridolin die opdracht heeft gekregen. Je weet wel, de man die je op die emancipatiecursus hebt leren kennen toen je die hersenbloeding kreeg, Fridolf Fridolin.’

‘Fridje,’ zei Bäckström. ‘Wat is er verdomme mis met een doodgewoon nekschot?’

‘Het komt allemaal goed, Bäckström,’ verzekerde de consulent hem. ‘Kom eerst maar eens tot rust, dan...’

‘Ik wil met de vakbond praten,’ onderbrak Bäckström hem. ‘Bovendien eis ik een bodyguard, zodat die arrestatieterroristen niet opnieuw een poging kunnen doen om me om zeep te helpen. Als het maar geen collega’s zijn. Bezorg me maar een paar betrouwbare halfapen van Securitas.’

Op maandag werd hij ontslagen en mocht hij naar huis. Fridolin, die het hele weekend trouw aan zijn zijde had gestaan, had hem een lift naar huis gegeven en was zelfs meegelopen naar zijn gezellige optrekje.

‘Ik zal ervoor zorgen dat er iemand van de thuiszorg komt om voor je schoon te maken, Eef,’ zei Fridolin met een zwak glimlachje, zodra hij over de drempel stapte en geconfronteerd werd met de Bäckströmse huisvrede.

‘Ga zitten, Fridje,’ zei Bäckström, die naar zijn zitbank wees. ‘Ik moet een ernstig woordje met je spreken.’

Vervolgens gaf Bäckström hem zijn memo over het complot achter de moord op minister-president Olof Palme, compleet met een analyse van het misdrijf, de profielen van de vier daders en de motieven. Bovendien een kopie van de aangifte tegen Waltins vergrijpen met de kandelaar op de Walpurgisnachtviering in 1968.

‘Maar dit is vreselijk, Eef,’ zei een gechoqueerde Fridolin, toen hij een halfuur later klaar was met lezen. ‘Dit is nog erger dan die film van Oliver Stone over de moord op Kennedy. We moeten er onmiddellijk voor zorgen dat je een lijfwacht krijgt, zodat je niet...'

'Rustig maar, Fridje.' Bäckström maakte een afwerend gebaar. 'We moeten ons niet gek laten maken en er zomaar op af vliegen. Haal een pilsje voor me uit de koelkast, dan zal ik je uitleggen hoe we dit gaan aanpakken. Neem er zelf ook een, als je wilt,' voegde hij eraan toe, omdat hij voelde dat hij zijn oude vertrouwde, genereuze ik weer terug begon te krijgen.

Woensdag 10 oktober. Voor Cap de Formentor in Canal de Menorca.

'O, zaligheid, zo jong in het ochtendlicht op zee te ontwaken', dacht de jonge graaf Malte Moritz von Putbus op zijn reis naar West-Indië, met de driemasterbark Speranza. We reizen mee in een roman van Sven Delblanc en de reis vindt plaats in hetzelfde jaar waarin Gustav III tijdens een gemaskerd bal in Stockholm werd vermoord. De hoofdpersoon van het boek heet Malte Moritz, die door zijn vrienden Mignon wordt genoemd. Hij is jong, idealistisch, verlangt naar vrijheid en heeft nog niet ontdekt dat de Speranza een lading slaven aan boord heeft. Laat staan dat hij ook maar een moment beseft dat het bittere lot ook de meest vrije man in de boeien kan slaan, of volledig kan verwoesten.

Wat de eenzame man aan boord van de Esperanza meer dan tweehonderd jaar later voelt en denkt, weten we niet. Er is weinig wat erop wijst dat hij als mens bijzonder veel op Malte Moritz lijkt, maar van een afstand bezien, in het ochtendlicht op zee, is er toch veel wat erop duidt dat hij, althans op dit moment, hetzelfde voelt en denkt. De rustige ademhaling van de zee, de ruisende golven tegen de steven, de ochtendnevel die hem omarmt, de zilte bries die zijn lichaam en geest verkoelt. Het roer, dat door zijn wil wordt gestuurd en in zijn handen rust. Zodat hij elk moment de koers kan veranderen of helemaal omleggen zelfs. Veiligheid, vrijheid, 'O, zaligheid...'

90

Tien dagen eerder, maandag 1 oktober. Het hoofdkwartier van de rijksrecherche in Kungsholmen, Stockholm.

Op maandag 1 oktober waren Anna Holt en Lisa Mattei naar Mallorca afgereisd om te proberen Kjell Göran Hedberg te vinden en had Lars Martin Johansson een nieuwe kant van zichzelf laten zien. Bovendien op een breedsprakige en omslachtige manier.

In de periode dat Lars Martin Johansson zelf rechercheur was die veldwerk deed, had hij tevens – letterlijk – verscheidene moordenaars en grove geweldplegers in de kraag gegrepen. De meesten door hen een brief te sturen of op te bellen, met de vraag of ze zich bij het politiebureau wilden melden voor een gesprekje. Een enkele keer had hij met zijn collega Jarnebring een bezoek aan huis gebracht, zonder eerst om toestemming te vragen. Normaal gesproken was er niet meer voor nodig dan de gezamenlijke aanwezigheid van zijn beste vriend en hemzelf, en al die jaren had geen van beiden ooit naar een dienstwapen hoeven grijpen. Eén keer, 'zeg één keer', verduidelijkte Johansson, was er een 'doorgedraaide Joegoslaaf' die zich 'niet zo slim had gedragen' en met Jarnebring begon te vechten, die het probleem op zijn beurt had opgelost door hem in de oude, klassieke, politionele wurggreep te nemen, 'je weet wel, die ze dertig jaar geleden verboden hebben', terwijl Johansson hem in de boeien sloeg.

'Hij was vooral verdrietig, die arme kerel,' zei Johansson. 'Wie zou dat niet zijn, als je je beste vriend hebt doodgeslagen, omdat je het allemaal verkeerd begrepen hebt?'

Zo was het altijd gegaan. Zo ging het in grote lijnen nog steeds en zo zou het ook blijven, als Johansson het voor het zeggen had. Elk getrokken dienstwapen, elke loeiende sirene, alle harde woorden, zelfs elke overhaaste, onverhoedse beweging, was niets anders dan een blijk van politionele tekortkomingen, die in werkelijkheid gelukkig bijna nooit voorkwamen. Mogelijk met één uitzondering. Een voormalig collega met de naam Kjell Göran Hedberg.

'Pas dus goed op jezelf, meiden, en bel naar huis als er iets mocht gebeuren,' zei Johansson.

'En neem vooral,' vervolgde hij, terwijl hij een waarschuwend vingertje in de lucht stak, 'geen onnodige risico's. Hedberg is door- en doorslecht. Als hij opduikt en moeilijk begint te doen, schiet je direct.'

'Wil je daarmee zeggen dat we onze dienstwapens mee moeten nemen?' vroeg Holt.

'Dat kunnen jullie ter plaatse wel regelen.' Hij haalde zijn schouders op. 'Anders moet je daar in het vliegtuig mee lopen slepen. In deze tijden nog wel, nu je niet eens een fles gewone aftershave of een blikje leverpastei mee mag nemen. Dat kunnen jullie beter regelen als jullie er eenmaal zijn. Ik heb ze daar trouwens al over geïnformeerd.'

Daarna gaf hij hun een stevige omhelzing. Hij legde een arm om hun schouders en drukte ze stevig tegen zich aan. Zijn rechterarm om Mattei en zijn linker om Holt, zonder enige bijgedachten.

Lewin zou in Stockholm blijven om alle papieren in orde te maken. Wat Johansson zou doen, was niet helemaal duidelijk. Hij had vermoedelijk zo zijn eigen bezigheden en daarmee bleef alles bij het oude.

'Eigenlijk is het best een schat,' zei Mattei, zodra hun vliegtuig van Arlanda was opgestegen. 'Johansson, bedoel ik.'

'Nou ja,' zei Holt. 'Niet alleen maar.'

'Hij ruikt ook nog lekker,' zei Mattei, die niet scheen te luisteren. 'Hij ruikt op een of andere manier naar geborgenheid. Schone kleren, aftershave. Als een echte ouderwetse kerel, in feite.'

'Lisa,' zei Holt en ze keek Mattei aan.

'Ja?'

'Nu moet je ophouden.'

'Oké dan,' zei Mattei, die haar laptop oppakte. Als het zo moet, dacht ze.

91

Hun Spaanse beschermengel, El Pastore, was blijkbaar een man die zijn taak zeer serieus nam. Zodra hun vliegtuig was geland en naar de gate was getaxied, stond hij daar, vlak achter de deur van het vliegtuig. Toen hij Holt en Mattei in het oog kreeg, knikte hij naar hen en voerde hij hen mee naar het elektrische wagentje van de luchthaven dat klaarstond.

Een lange, magere man van in de zestig met pikzwart haar, vriendelijke, waakzame ogen, die in de verste verte niet leek op de Fernandel-figuur die in Holts fantasieën had rondgespookt. Een paar meter achter hem stonden zijn twee assistenten, die twee keer zo jong waren en blijkbaar voor de invulling van het praktische gedeelte zorgden. Ze waren een decimeter kleiner, aanzienlijk breder, hadden kleine, lege ogen en hielden hun handen voor hun in jeans verpakte kruis.

Ze deden een beetje aan Jansen en Janssen denken. Er stond nog net niet op hun voorhoofd geschreven wat ze deden, om te voorkomen dat je ze zou verwarren met een paar gewone huurmoordenaars uit het Middellandse Zeegebied.

Van de Spaanse flegmatiek was evenmin een spoor te bekennen. Een kwartier later waren ze al met een burgerauto op weg naar hun hotel in het centrum van Palma.

'Ik ga ervan uit dat jullie je eerst op je hotelkamer willen installeren,' zei El Pastore met een beleefde glimlach.

'Ik stel voor dat jullie daarna een bezoek aan mijn kantoor brengen, zodat we jullie wensen met betrekking tot deze zaak kunnen bespreken. Daarna kunnen we een eenvoudige maaltijd nuttigen in een nabijgelegen restaurant waar ik zelf regelmatig kom en waar ze uitstekende schaaldieren serveren. Tenzij de dames iets anders wensen, uiteraard.'

Holt had zijn voorwaarden onmiddellijk geaccepteerd. Op zoek gaan naar Hedberg en in de tussentijd een beetje bijbruinen, dacht ze. Lijkt me prima zo.

Met de schaaldieren en de bruine teint was het beter verlopen dan met de opdracht zelf. Geëscorteerd door Jansen en Janssen hadden ze in Palma en in de kleinere steden en dorpjes in de omgeving, talloze adressen opgezocht waar Hedberg zou kunnen zijn, of wellicht iemand die hun informatie over zijn verblijf kon geven.

Als eerste deden ze het adres aan dat Hedberg zelf aan de Zweedse instanties had opgegeven. Ruim zeven jaar eerder, toen hij een nieuw paspoort aanvroeg. Dat was tevens de laatste keer dat er een levensteken van hem werd vernomen. De woning bleek een eenvoudig pension te zijn aan de Calle Asunción, in het oude gedeelte van Palma. De man in de receptie had slechts zijn hoofd geschud, toen hun Spaanse assistenten naar Hedberg vroegen.

Kroegen, hotels, bordelen, verhuurfirma's, makelaars en agenturen van divers allooi. De gebruikelijke verklikkers, informanten, kleine criminelen en een enkele eerzame burger die Hedberg mogelijk hadden ontmoet. Ze hadden allemaal hun hoofd geschud.

Pas vijf dagen later, op vrijdagmiddag 5 oktober, hadden ze eindelijk een tip gekregen die de moeite waard was.

92

Zodra Holt van Arlanda was opgestegen, kreeg Lewin plotseling hulp uit onverwachte hoek. Toen hij maandagochtend op zijn werk kwam, lag er al een kopie van zijn eigen lijst met vijftien punten op zijn bureau. Die lag boven op een aanzienlijke stapel papier, met een kort briefje van collega Rogersson: 'Van onze chef. Rogge.' Aan de datum te zien hadden die papieren al meer dan een dag op zijn bureau gelegen, terwijl hij zelf wederom een doelloos weekend in eenzaamheid had doorgebracht. Ik had net zo goed op mijn werk kunnen zitten, dacht hij.

Een uur later klopte collega Falk op zijn deur, die hem een lijst overhandigde met de transacties die Birgitta Hedberg het afgelopen jaar met haar creditcard had verricht. Een gewone Visacard, die ze nog sporadischer gebruikte dan haar vaste telefoon. Eén zin was met rood onderstreept. Begin maart, zeven maanden eerder en een maand nadat ze haar paspoort had verlengd, had ze een reis naar Spanje geboekt, die ze met haar creditcard had betaald. Een week hotel met halfpension. Niet naar Mallorca, maar naar de Costa del Sol. Of Hedberg was verhuisd of hij had er bewust voor gekozen haar daar te ontmoeten, dacht Lewin.

De gedachte dat ze uit eigen beweging daarheen was gegaan, was niet eens in hem opgekomen. Birgitta Hedberg was niet het type dat een week van haar leven verspilde aan zonnebaden, zwemmen of contact met mensen die ze niet kende. Zelfs niet om te ontspannen, dacht Jan Lewin. Dat had hij begrepen zodra hij op de pasfoto de uitdrukking in haar ogen had gezien.

'Dank je,' zei Jan Lewin.

'Graag gedaan,' antwoordde Falk en hij haalde zijn schouders op. 'Straks krijg je nog meer.'

'O ja, voordat je gaat,' zei Lewin, 'om te voorkomen dat we elkaar onnodig lastigvallen...'

'Vertel,' zei Falk, maar zonder te gaan zitten.

'Ik zal ervoor zorgen dat onze collega's ter plaatse de gegevens over haar reis krijgen. Dan zal ik ze ook vragen of Hedberg rond dezelfde tijd een vlucht vanuit Palma heeft genomen. Kan ik jullie nog helpen met iets waar jullie nog niet mee bezig zijn, of wat jullie nog niet voor me hebben uitgezocht?' Lewin knikte vriendelijk om zijn woorden wat af te zwakken, die anders misschien als kritiek konden worden opgevat.

'Ik denk niet dat dat nog nodig is,' zei Falk. 'Dat hebben we namelijk al uitgezocht, met behulp van onze collega's van Europol. Hedberg heeft niet op de desbetreffende vluchten van en naar Palma gezeten, al zegt dat helemaal niks, omdat we het hier hebben over de Spaanse gang van zaken bij binnenlandse vluchten. Wat zijn zus in die vakantie heeft uitgespookt, kun je ook wel vergeten, want dat kost veel te veel tijd om uit te zoeken. Laat je gedachten eens gaan over die mobiele telefoon. Misschien heb je een idee hoe we aan haar nummer kunnen komen.'

'Als ze er een heeft,' zei Lewin, die vooral hardop leek te denken. Maar die heeft ze wel, dacht hij. Dat zag ik aan die uitdrukking in haar ogen.

'Ze heeft er een,' zei Falk. 'Ik heb hem zelf gezien. Vanochtend nog.'

'Ja?' Dit gaat als een speer, dacht hij.

'Het staat vast in je mail,' antwoordde Falk, die op zijn horloge keek. 'Collega Wiklander zou een memo naar je sturen.'

Dit gaat werkelijk als een speer, dacht Lewin, die voor de zekerheid alleen even knikte.

Collega Wiklander was de hoogste chef van de interne inlichtingendienst van de rijksrecherche. Al meer dan twintig jaar was hij Johanssons vertrouweling, die vooral bekendstond om zijn zwijgzaamheid. Wiklander verzamelde gegevens over alles wat voor het politiewezen van belang was. Over hoog en laag, en hoe hoger hoe beter. Van iedereen die iets te melden had, maar als je er iets voor terug wilde, moest je aantonen dat je daar zeer goede redenen voor had. Anders bepaalden Wiklander en zijn staf van analytici hoe de kennis die ze hadden vergaard aan hun collega's ten goede kon komen, of ze daar nu om gevraagd hadden of niet. Wiklander was een man naar Johanssons hart. Een man met wie hij heel openlijk de meest gevoelige zaken kon bespreken, omdat hij wist dat het gesprek nooit had plaatsgevonden, als de verkeerde persoon het in zijn hoofd zou krijgen ernaar te vragen.

Blijkbaar had Lewin de toets der kritiek doorstaan. Wat het nummer van de mobiele telefoon van Kjell Göran Hedbergs zus betrof, althans. Het is in elk geval iets, dacht Lewin, die het mailtje van Wiklander uitprintte, omdat hij dat prettiger lezen vond en er zo aantekeningen op kon maken.

Het externe speurwerk naar Birgitta Hedberg was op vrijdag de week daarvoor al in gang gezet door de interne opsporingsafdeling van de rijksrecherche onder leiding van Rogersson, hoewel hij eigenlijk bij Geweldsdelicten werkte. Op zaterdagochtend hadden ze al een geschikt 'nest' gevonden. Een appartementje dat tegenover Birgitta Hedbergs woning lag, aan de overzijde van de straat, en een volledige inkijk in haar slaapkamer, eetkamer en keuken bood. Een ideaal nest, dat was onderverhuurd aan een politieagente in spe, die in de eindfase van haar studie aan de politieacademie zat, Birgitta Hedberg absoluut niet kende en uiteraard niet wist waarom men geïnteresseerd was in haar onbekende buurvrouw. Ze reageerde dolenthousiast op de mogelijkheid haar toekomstige collega's te mogen helpen. Van de rijksrecherche, nota bene.

Al op zaterdagmiddag moest ze de gebruikelijke geheimhoudingsverklaringen ondertekenen, werd ze voor onbepaalde tijd ondergebracht in een nabijgelegen hotel en kreeg ze een behoorlijk douceurtje voor het ongemak. Vervolgens had Rogersson haar strak in de ogen gekeken en haar niet alleen toegebeten dat ze haar mond moest houden, maar ook dat ze uit de buurt moest blijven. Niet alleen van haar appartement, maar ook van haar directe woonomgeving.

Terwijl Rogersson de aspirant-politieagente en de financiële en sociale aspecten voor zijn rekening nam, hadden zijn rechercheurs zich in haar appartement verschanst en hun uitrusting geïnstalleerd.

'Het externe opsporingsonderzoek in de hierboven beschreven locatie is op zaterdag 29 september om 14.00 uur van start gegaan,' vermeldde Wiklander onder het eerste punt van zijn opsporingsmemo en nog diezelfde avond gebeurde er al een en ander.

Nadat ze rond halfzeven een eenvoudige maaltijd had gegeten, was Birgitta Hedberg naar de woonkamer gegaan om tv te kijken. Niet dat ze dat hadden gezien – haar woonkamer lag namelijk aan de 'verkeerde' kant van de straat – maar omdat ze haar tv konden horen met behulp van de microfoon die ze op haar keukenraam hadden gericht. Al was het een raadsel waar ze die vandaan hadden gehaald, aangezien het parlement nog steeds worstelde met de vraag of de politie al dan niet gebruik mocht maken van afluisterapparatuur.

Hoe het ook zij, ze had eerst naar het nieuws van TV4 gekeken. Daarna was ze teruggegaan naar de keuken. Ze had koffiegezet, een pak koekjes uit de voorraadkast gehaald en na tien minuten – toen de koffie klaar was – nam ze de koffie en de koekjes mee naar de woonkamer. Daarna zapte ze een kwartier lang van het ene naar het andere kanaal, voordat ze uiteindelijk op TV2 naar een Zweedse film begon te kijken, die om acht uur begon.

Toen de film afgelopen was, keek ze naar het late nieuws van TV4. Vervolgens zette ze tijdens de aftiteling van het journaal de tv uit. Exact om zevenendertig minuten over tien 's avonds verscheen ze opnieuw in haar keuken. Ditmaal in een ochtendjas van witte badstof, met het haar los, gepoetste tanden en ontdaan van make-up, klaar om naar bed te gaan. De gevoelige microfoon had ook geluiden opgevangen van tanden die werden gepoetst, van een badkamerkastje dat een paar keer open en dicht werd gedaan en van een lopende badkamerkraan. Drie minuten later van het toilet dat werd doorgespoeld.

Wat ze precies op het toilet had gedaan, werd echter niet duidelijk, omdat alle eventuele geluiden van natuurlijke oorsprong en toiletpapiergebruik en dergelijke overstemd werden door het geluid van de badkamerkraan die nog steeds liep. Daarna viel ook dat geluid weg. Slechts een minuut later, zevenendertig minuten over tien dus, was Birgitta Hedberg opnieuw de keuken binnengekomen, met in haar rechterhand de koffiebeker en het pak koekjes in haar linkerhand. Nadat ze de koekjes terug in de kast had gestopt, spoelde ze de koffiebeker om, zette die in de vaatwasser, ging aan de keukentafel zitten en begon de kruiswoordraadsels in *Svenska Dagbladet* van die dag op te lossen. Nadat ze ruim een halfuur had zitten schrijven en gummen, legde ze haar potlood weg, slaakte met een ontevreden gezicht een zucht en vouwde de krant op, waarna ze opstond en in de richting van de hal verdween.

‘Ongelooflijk spannend allemaal,’ constateerde hoofdinspecteur Joakim Eriksson van het team Grootschalige Opsporing van de rijksrecherche, die in het nest achter de filmcamera stond, in de veilige duisternis.

‘Beter dan dit kan bijna niet,’ zei zijn vrouwelijke collega, hoofdinspecteur Linda Martinez, instemmend.

Op dat moment was Birgitta Hedberg de keuken weer binnengekomen, met een rode mobiele telefoon in haar rechterhand.

‘Nu heb ik je,’ constateerde Eriksson, terwijl zijn motorcamera met telescoop begon te ratelen en de voorgeschreven stilstaande beelden met een snelheid van zo’n tien foto’s per seconde maakte.

Daarna deed ze het licht in de keuken uit, liep ze gelijk door naar haar slaapkamer, knipte ze het lampje op het nachtkastje naast haar bed aan, legde ze de rode mobiele telefoon naast het bedlampje, deed ze de plafondlamp uit, liep ze naar het raam en trok ze de rolgordijnen naar beneden. Drie minuten later had ze ook het bedlampje uitgedaan. De kamer achter de rolgordijnen was nu in duisternis gehuld. Dat gaf niets, omdat Martinez de microfoon al op haar slaapkamerraam had gericht.

Uit de geluidstape bleek dat ze binnen een kwartier in slaap was gevallen. Dat ze ’s nachts een paar keer had gesnurkt, even na drieën de druk in haar darmen flink had verlicht en drie uur later ontwaakte. Toen ze om kwart over zes ’s ochtends haar rolgordijn omhoog deed, had ze haar ochtendjas al aangetrokken. Op het moment dat ze haar mobiele telefoon van het nachtkastje pakte om hem in haar zak te stoppen, was collega Falk al ter plaatse en kon hij hem met eigen ogen zien.

Zondag hadden ze hetzelfde mobieltje nog drie keer opgemerkt en volgens het memo dat Lewin doorlas, waren ze op maandagmorgen al op de hoogte van haar merkwaardige mobiele telefoonroutines. Ze scheen hem niet te gebruiken om zelf iemand mee op te bellen en er was ook niemand die haar had gebeld. Tegelijkertijd zorgde ze ervoor dat het mobieltje altijd in haar buurt was. Toen ze op zondag twee keer voor korte tijd haar woning verliet, had ze hem in haar handtas gestopt. Als ze thuis was, zat hij in een van haar zakken of lag hij binnen handbereik. Ze zorgde er blijkbaar altijd voor dat hij opgeladen was. Het was een standaardmodel Nokia, voorzien van een eenvoudig, rood plastic frontje. Een van de meest voorkomende mobiele telefoons in Zweden, minder gebruikelijk in Spanje weliswaar, maar tot zover was het resultaat veelbelovend. Nu moest alleen het nummer nog achterhaald worden, om met behulp daarvan – hopelijk – haar broer Kjell Göran Hedberg te vinden. Mocht Jan Lewin geïnteresseerd zijn in de tactische besprekingen naar aanleiding van deze opsporingsresultaten, dan werd hij om tien uur in Johanssons kamer verwacht.

Twee minuten geleden dus, dacht Jan Lewin. Hij stond op, trok zijn stropdas recht, deed zijn jasje aan en zette zijn computer uit.

Bij Johansson zat de stemming er goed in. Johansson, Wiklander, Rogersson, Falk, Martinez en Eriksson waren aanwezig. En nog voordat Lewin de deur had kunnen openen, hoorde hij vrolijke lachsalvo's de kamer uit komen.

'Ga zitten, Jan,' zei Johansson, voordat Lewin de kans kreeg zich voor zijn late komst te verontschuldigen. 'Neem een kop koffie.' Hij wees naar het dienblad op tafel. 'Maar wees voorzichtig met de koekjes. Linda heeft ons net verteld wat de risico's zijn als je te veel koekjes eet. Vooral voor het slapengaan. Verhoogt de hoorbare darmactiviteiten op jammerlijke wijze.'

Linda Martinez, dacht Lewin, terwijl hij naar haar knikte. Net zo oud als Lisa Mattei, en net zo streetwise als Mattei intelligent was. Als rechercheur in de buitendienst was ze vrijwel enig in haar soort. Wat misschien ook wel beter was, gezien de strapatsen die ze scheen uit te halen, dacht Lewin, en hij ging zitten.

'Oké,' zei Johansson. 'Dat vrouwtje Hedberg heeft dus een mobieltje. Het ziet ernaar uit dat ze die maar om één reden heeft: om in contact te kunnen komen met haar geliefde broer. Hoe krijgen we haar nummer te pakken? Zo snel mogelijk? Kom maar met een goed voorstel.'

'Als we alleen maar haar nummer willen, kan ik dat vandaag al regelen,' zei Linda Martinez.

'Hoe?' vroeg Johansson.

'Door haar mobiel te pikken.' Martinez haalde haar schouders op. 'Zodra ze naar buiten gaat jat ik dat ding van haar, en anders ruk ik gewoon die tas uit haar handen. Maar omdat jullie alleen het nummer willen, zou ik dat zeker niet aanraden. Zeg het maar.' Martinez zwaaide expressief met haar handen, om haar goede wil te tonen.

'Er bestaat ook een volkomen legale mogelijkheid,' bracht Lewin er met een discreet kuchje tegenin.

'En dat is?' vroeg Johansson, die plotseling nogal achterdochtig keek.

'Dat de officier van justitie ons haar laat aanhouden en haar mobiel in beslag laat nemen.' Zoals alle normale politieagenten dat tien van de tien keer doen, dacht hij.

'Niks daarvan,' zei Johansson hoofdschuddend. 'Als we Linda dat ding zomaar laten jatten, en zoals ze er tegenwoordig uitziet zou ze best voor een gemiddelde drugsverslaafde door kunnen gaan die tasjes rooft, dan zal vrouwtje Hedberg haar broer opbellen om te vertellen dat ze haar mobiel kwijt is. Met behulp van een andere telefoon die we niet kunnen controleren.'

'Dat geldt ook voor jouw oplossing, Lewin,' vervolgde hij. 'Zodra ze de kans krijgt, zal ze hem waarschuwen. Dan zijn we pas echt de klos, als we haar hebben aangehouden. Bovendien kunnen we niet uitsluiten dat ze voor de zekerheid routines hebben afgesproken waar we niets van af weten. Dat ze op regelmatige tijden belt om te bevestigen dat er niets aan de hand is, bijvoorbeeld.'

Verder verandert er natuurlijk niets, juridisch gezien. Zeker niet in Johanssons wereld, dacht Jan Lewin.

Juist aan die afgesproken routines had Wiklander al gedacht. Daarom waren zijn medewerkers op dat moment al bezig speciale afluisterapparatuur voor mobiele telefoons te installeren, die op haar woning werd gericht. Als haar mobiel ook maar een enkel teken van leven gaf, was het gebeurd. Hetzelfde gold als Hedberg haar zou bellen. Al was er een duidelijk probleem. Ze hadden weinig tijd. Stel dat ze slechts één keer in de week met elkaar belden. Of nog erger, één keer in de maand. Of nooit, als er geen speciale reden voor was.

Ze konden het ook wel vergeten om de zendmasten op belgegevens te controleren. Omdat ze Birgitta Hedbergs nummer niet hadden, was dat praktisch vrijwel onuitvoerbaar. Het had ook weinig zin om mobiele telefoongesprekken na te trekken die vanuit haar woonomgeving met ontvangers op Mallorca waren gevoerd, als Hedberg zich daar al bevond. Het appartement aan de Andersvägen lag vlak naast de noordelijke oprit van de snelweg naar Stockholm en intensiever telefoonverkeer dan daar was in heel Zweden nauwelijks te vinden.

'Ik begrijp het,' onderbrak Johansson hem. 'Wat doen we dan?'

'Als we vanaf haar mobiel naar een van onze speciale opsporingsnummers kunnen bellen, hebben we haar nummer direct te pakken. Daarna kunnen we de telefoonnummers opzoeken die ze heeft gebeld. Al zullen onze computers dan wel oververhit raken, vanwege de omvang van het aantal gesprekken. Als we ook nog een bepaalde dag of en bepaald tijdstip kunnen achterhalen, zal dat enorm schelen.'

'Oké,' zei Johansson.

'In dat geval stel ik voor dat we 15 augustus van dit jaar nemen,' zei Lewin.

'Hoezo?' vroeg Falk.

'Dat is zijn verjaardag,' zei Lewin. 'Ik denk dat zij wel zo'n type is dat haar oudere broer en enige familielid belt als hij jarig is. Ook al heeft hij zelf liever dat ze dat niet doet.'

'Dat denk ik ook,' stemde Johansson in. Dat moet iedere weldenkende collega begrijpen, dacht hij en hij knipoogde voor de zekerheid naar Falk.

'Als we de belgegevens van 15 augustus uit de juiste zendmasten halen, komen we toch nog met tienduizenden gesprekken te zitten,' zei Wiklander. 'En als je bedenkt hoeveel gesprekken er van en naar Arlanda vanuit de auto worden gevoerd, zitten daar duizenden telefoontjes naar het buitenland tussen. Het duurt maanden voordat we die allemaal hebben nagetrokken. We moeten haar nummer hebben, anders gaat het niet. Zodra we haar nummer hebben, zijn we binnen een paar uur klaar. Ervan uitgaande dat ze op die dag heeft gebeld, uiteraard.'

'Wat vind je ervan, Lewin, als Martinez bij de thuiszorg in Solna gaat werken?' vroeg Johansson.

Birgitta Hedberg was arbeidsongeschikt verklaard en had als zodanig recht op thuiszorg, waarmee ze vanaf de eerste dag voortdurend conflicten had. Deze keer over een grote schoonmaak, die haar wel was toegezegd, maar nog niet was uitgevoerd. De belangrijkste reden daarvoor was dat menigeen die bij de thuiszorg werkte, nog liever ontslag nam dan dat hij of zij nog een voet in Birgitta Hedbergs appartement zette.

Wiklander had aan een paar van de gebruikelijke touwtjes getrokken en vrijwel onmiddellijk een collega van de politie Solna gevonden, wiens vrouw het hoofd van de gemeentelijke thuiszorg was. Discretie was vereist en al op dinsdagmiddag belde de vrouw van de collega mevrouw Hedberg op met de mededeling dat de volgende dag met de beloofde grote schoonmaak kon worden begonnen.

Dat werd hoog tijd, volgens Birgitta. Ze kon de hulp die haar al lang geleden was toegezegd de volgende ochtend om acht uur al ontvangen. Vervolgens had ze het gesprek beëindigd zonder te bedanken.

Ik hoop dat dat mens levenslang krijgt, dacht de vrouw van de collega uit Solna, aangezien de betrokkenheid van haar man bij deze zaak haar daarop hoop gaf.

'Zo zo,' zei Birgitta Hedberg, toen ze woensdagochtend de deur opendeed en Linda Martinez van top tot teen opnam, die haar best had gedaan om de rol van de nederige allochtoon in dienst van de Zweedse Reinheid te kunnen spelen.

De twee dagen daarna had Linda Martinez zich als een witte tornado door Birgitta Hedbergs driekamerflat heen gewerkt. Ze had zo lopen boenen en schrobben dat zelfs Assepoester uit de klassieke Disneyfilm daarbij vergeleken een sloddervos was. De derde dag was haar alle genade ten deel gevallen die Birgitta Hedberg iemand als haar kon bieden. Eerst mocht ze met haar mee om boodschappen te doen en alle tassen te dragen. Vervolgens mocht ze voor het bankgebouw blijven wachten, omdat haar nieuwe bazin zaakjes moest afhandelen die iemand als Martinez niet aangingen en ten slotte waren ze naar een nabijgelegen banketbakker gegaan, waar Birgitta Hedberg twee tompoezen kocht. Eenmaal terug in de flat moest Martinez eerst helpen met de lunch en daarna de koffie serveren. In twee kopjes deze keer, met voor allebei een gebakje.

Na de koffie kreeg Martinez de laatste instructies voor die dag. Daarna ging Birgitta Hedberg naar het toilet. Haar handtas liet ze op het aanrecht staan.

Zodra ze de wc-deur achter zich dicht had gedaan, viste Martinez de mobiel uit Birgitta's handtas en toetste het nummer in dat Wiklander haar had gegeven. Een seconde nadat ze contact kreeg met de ontvanger, verbrak ze de verbinding. Ze wiste het nummer uit het geheugen, legde de telefoon terug in de handtas en hield zich vervolgens bezig met het uitwissen van de sporen van hun kleine taartfestijn.

Ik hoop dat dat mens levenslang krijgt, dacht Linda Martinez, hoewel ze niet eens wist waarom Birgitta Hedbergs mobiele nummer bijna van levensbelang voor haar hoogste baas scheen te zijn.

Een kwartier voordat Jan Lewin van plan was naar huis te gaan, kwam Wiklander zijn kamer binnen en zijn tevreden glimlach gaf voldoende antwoord op de vraag waarmee Lewin al een week lang rondliep.

'Op 15 augustus om nul acht nul twee uur heeft Birgitta Hedberg een buitenlands telefoongesprek gevoerd, van haar prepaid mobiel naar een Spaanse prepaid mobiel.'

'Zowel hier als daar op hetzelfde tijdstip,' verduidelijkte Wiklander. 'De laatste telefoonmast die het gesprek heeft doorgegeven, ligt op Noord-Mallorca, twee kilometer van een stadje met de naam Puerto Pollensa. Het gesprek duurde zeventien minuten. De nummers en alle andere gegevens staan in je mail.'

'Ik ga onmiddellijk Holt bellen,' zei Lewin.

'Doe dat,' zei Wiklander.

'Hallo, Anna,' zei Lewin vijf minuten later. 'Hoe is het weer daar?'

'Fantastisch,' antwoordde Holt. 'Zit je erover te denken om je zwembroek in te pakken en dit weekend langs te komen?'

'Als dat zou kunnen,' zei Lewin met een zucht. 'We hebben haar nummer opgespoord. Zoals het er nu naar uitziet, heeft ze maar één telefoongesprek gevoerd, op 15 augustus dit jaar. Hedbergs geboortedatum, zoals je vast nog wel weet. Alle gegevens staan in je mail. Het gesprek verliep via een zendmast die een paar kilometer van een stad ligt met de naam Puerto Pollensa, op Noord-Mallorca, maar waar die precies ligt weet ik niet. Dat kun je het beste aan een van onze Spaanse collega's vragen.'

'Heb je een moment, Jan?' vroeg Holt. Ze legde haar mobiel op haar bureau en draaide zich om.

'Puerto Pollensa,' zei Holt, met een vriendelijke glimlach naar Jansen en Janssen, die achter hun bureau naast dat van haar en van Mattei zaten. 'Ligt dat hier in de buurt?'

'Honderd kilometer naar het noorden. Ongeveer een uur hiervandaan, afhankelijk van het verkeer,' antwoordde Pedro Rovira, die aanzienlijk beter Engels sprak dan zijn beste vriend en collega Pablo Ballester.

93

Op vrijdagochtend 5 oktober kregen Holt, Mattei en hun Spaanse collega's eindelijk aanwijzingen dat Kjell Göran Hedberg in leven was. De tip waar het om ging was weliswaar zeven maanden oud, maar vergeleken met wat ze daarvoor hadden, was dit verse waar. Ergerlijk genoeg was die tip er al die tijd al geweest. Niet bij de recherche van Palma, maar bij de speciale antiterreureenheid van het hoofdkwartier van de Guardia Civil in Madrid.

Begin maart had Hedberg een auto gehuurd van verhuurbedrijf Hertz op de luchthaven bij Málaga. Dat was de dag nadat zijn zus daar voor haar vakantie was aangeland en een hotelkamer in de buurt had betrokken. Drie dagen later belde hij Hertz op om te vertellen dat zijn auto was gestolen. Ze vroegen hem naar hun hoofdkantoor in het centrum van Málaga te komen, waar ze een aangifteformulier invulden. Ze maakten een kopie van Hedbergs paspoort en hij moest vertellen wat hij wist.

'S Avonds had hij de auto neergezet op de parkeerplaats van het hotel waar hij verbleef. Toen hij 's ochtends het hotel uitkwam, was de auto verdwenen. Dat was alles wat hij wist, en als ze hem hierover nog eens wilden spreken, konden ze hem bereiken in zijn woning aan de 189 Calle Asunción in Palma de Mallorca.

In toeristenland Spanje werden jaarlijks duizenden huurauto's gestolen en dergelijke misdrijven waren jarenlang routinezaken in torenhoge stapels geweest, die door het verhuurbedrijf, de politie en de verzekeringsmaatschappij altijd buiten de huurder van de auto om werden afgehandeld. Daar was de laatste jaren verandering in gekomen. De oorzaak daarvan was het binnenlandse en internationale terrorisme. De Baskische afscheidingsbeweging ETA en de islamitische terreuractie op treinen in Madrid, waarbij tweehonderd Spanjaarden het leven lieten.

Gestolen huurauto's, speciaal de types die gehuurd werden door buitenlanders, werden plotseling interessant gevonden als een mogelijke tussenschakel in de voorbereidingen van een terroristische aanslag. In de registers die men had aangelegd om een overzicht van de gestolen huurauto's en de huurders te krijgen, waren inmiddels tienduizenden voertuigen en personen opgenomen.

De week daarvoor, op vrijdag 28 september, had de antiterreureenheid in Madrid een direct verzoek om inlichtingen gekregen van hun collega's van de inlichtingendienst van de Zweedse rijksrecherche. Een verzoek dat bovendien voorrang kreeg, omdat hun hoogste baas had bevolen dat alles wat daarmee te maken had met de hoogste prioriteit zou worden behandeld. Voorlopig althans.

De gegevens waarop de vragen waren gebaseerd, waren behoorlijk gedetailleerd. Ze waren geïnteresseerd in een Zweedse vrouw, Birgitta Hedberg, zestig jaar, en haar drie jaar oudere broer Kjell Göran Hedberg. Birgitta Hedberg zou volgens hun gegevens tussen 3 en 10 maart in Zuid-Spanje zijn geweest, waar ze in de omgeving van Marbella een kamer in het Aragon Hotel had. Waar haar broer zich op dat moment bevond, was echter niet bekend, maar wel hoogst interessant.

Birgitta Hedberg had men onmiddellijk gevonden. Navraag wees uit dat ze 'die bewuste week in dat bewuste hotel verbleef'. Een dag later hadden de computers in Madrid haar broer al gevonden in het register met gestolen huurauto's. Hij verbleef destijds echter niet in hotel Aragon in Marbella, zoals hij bij Hertz in zijn aangifte had vermeld. Er bestond in elk geval geen boeking op zijn naam, en als hij op de kamer van zijn zus had geslapen moest dat in het geheim zijn gebeurd, in een eenpersoonsbed. Aangezien de auto op de luchthaven van Málaga was opgehaald, was het op zijn zachtst gezegd merkwaardig dat men de huurder ervan niet had kunnen terugvinden op de lijsten met vliegtuigpassagiers van die dag, afkomstig uit Palma of andere bestemmingen.

Zijn woonadres in Palma bleek evenmin te kloppen. Op donderdag werd de zaak daarom doorgestuurd naar hun collega's in Palma, met een verzoek tot assistentie. Vanwege de afzender was de zaak op El Pastores bureau beland, vlak voordat hij naar huis zou gaan om zich voor te bereiden op het dinertje met zijn zeer charmante Zweedse collega's. En daar lag hij plotseling. De man naar wie hij meer dan een week vergeefs had gezocht. Niet omdat hij hun erom had gevraagd, maar omdat zij hem om hulp vroegen. Zoals dat soms kan gaan, als de een niet weet waar de ander mee bezig is.

Eerst had de Pastoor zijn Spaanse temperament de vrije loop gelaten. Hij belde zijn evenknie in Madrid en vertelde hem eens goed de waarheid. Vervolgens stortte hij de rest van zijn hart uit bij zijn incompetente medewerkers. Zodra hij zijn evenwicht hervonden had, liet hij Holt en Mattei in hun hotel ophalen, nam hen voor de zoveelste keer mee naar een schaaldierenrestaurant aan de blauwe zee en repte de hele avond met geen woord over wat er was voorgevallen. Waarom zou hij een verder zeer geslaagde avond met zoiets bederven, dacht El Pastore, die Anna Holt diep in haar ogen keek terwijl hij zijn glas hief. Wat een fantastische vrouw, dacht hij. Net zo mooi als een jonge zigeunerin uit Sevilla, in een opera van Bizet.

De volgende ochtend waren Jansen en Janssen teruggegaan naar het pension aan de Calle Asunción. Ze namen de man van de receptie apart en hadden in het bijzijn van Holt en Mattei een zeer serieus onderhoud met hem. Het had niet geholpen. Hij schudde nog altijd zijn hoofd en weigerde iemand te kennen met de naam Kjell Göran Hedberg.

'*Nada*,' zeiden Jansen en Janssen, terwijl ze gezamenlijk hun schouders ophaalden, nadat ze 's middags waren teruggekeerd op kantoor om rapport uit te brengen aan de donkere Zweedse.

'*Nada*,' herhaalde Holt met een flauwe glimlach, op hetzelfde moment dat haar mobiele telefoon ging.

'Hallo, Anna,' zei Jan Lewin. 'Hoe is het weer daar?'

'Fantastisch,' antwoordde Holt. 'Zit je erover te denken om je zwembroek in te pakken en dit weekend langs te komen?' En voor een duel te worden uitgedaagd door El Pastore, dacht ze.

'Als dat zou kunnen,' zei Lewin met een zucht. 'We hebben haar nummer opgespoord. Zoals het er nu naar uitziet, heeft ze maar één telefoongesprek gevoerd, op 15 augustus dit jaar. Hedbergs geboortedatum, zoals je vast nog wel weet. Alle gegevens staan in je mail. Het gesprek verliep via een zendmast die een paar kilometer van een stad ligt met de naam Puerto Pollensa, op Noord-Mallorca, maar waar die precies ligt weet ik niet. Dat kun je het beste aan een van onze Spaanse collega's vragen.'

'Heb je een moment, Jan?' vroeg Holt. Ze legde haar mobiel op haar bureau en draaide zich om. Ik wist het, ik wist het, dacht ze. Hij is hier al die tijd geweest.

'Puerto Pollensa,' zei Holt. 'Ligt dat hier in de buurt?'

'Honderd kilometer naar het noorden. Ongeveer een uur hiervandaan, afhankelijk van het verkeer,' antwoordde Pedro Rovira, die aanzienlijk beter Engels sprak dan die andere collega, Pablo Ballester.

94

Bäckström had er vrijwel onmiddellijk voor gezorgd dat zijn steun en toeverlaat Fridje wat stijl en fatsoen werd bijgebracht. Hij was zelfs een beetje gesteld geraakt op die klojo, ook al klonk hij als een slecht boek en zag hij eruit als een pijnlijke dierproef.

Hij doet me een beetje aan Egon denken, ondanks alles, dacht Bäckström. Al is hij natuurlijk niet zo zwijgzaam.

Egon was zijn geliefde goudvis, die door een bijzonder kwaadaardige collega, zodra deze de kans kreeg, helaas om het leven was gebracht toen Bäckström ergens in het land bezig was met een moordonderzoek. Vervolgens had die collega zich van het lijkje ontdaan door het door de wc te spoelen. Maar dat zal Fridje vast niet overkomen, hoop ik, dacht Bäckström. Omdat hij zich aan hem begon te hechten, zoals gezegd.

Al na een paar dagen vroeg Fridje dan ook aan Bäckström of hij hem niet meer Fridje wilde noemen.

'Oké dan,' zei Bäckström. 'Als jij ophoudt me Eef te noemen, beloof ik dat je voortaan Fridolin heet.'

'Ik dacht dat je Eef werd genoemd,' zei Fridje verbaasd. 'Zo noemden je vrienden je toch?'

'Ik loog. Ik heb nooit vrienden gehad.' Hij schudde zijn hoofd en spoelde een slok van zijn lekkere whisky weg.

'Wat triest,' zei Fridolin, die een teugje van zijn bier nam en klonk alsof hij meende wat hij zei.

'Mag deze wijze man je een goede raad geven, Fridolin?'

Fridolin knikte.

'Wat je verder ook doet, begin nooit aan vriendschappen. In deze klotewereld kun je namelijk niemand vertrouwen.'

Daarmee was het ijs gebroken, en samen met zijn inmiddels trouwe schildknaap had Bäckström gediscussieerd over de vraag hoe ze zijn boodschap aan het grote publiek kenbaar konden maken, dat langer dan twintig jaar door alle achterbakse machthebbers voor de gek was gehouden.

Fridolin wond er geen doekjes om en stelde voor met de hoofdcommissaris van Stockholm te praten. Zij was namelijk 'zijn luisterend oor' en hij was er zeker van dat hij een vergadering kon regelen, waarin Bäckström een presentatie kon houden over de waarheid achter de Palme-moord.

Goed om te horen dat het niet om een vitaler lichaamsdeel ging, dacht Bäckström.

'Wat heeft dat voor zin?' vroeg hij.

Volgens Fridolin was het het proberen waard. Om drie goede redenen. Types als Waltin en zijn kompanen stonden hoog op de politieke misdaadagenda van mevrouw de hoofdcommissaris. Zij was – zoals gezegd – zijn luisterend oor en bovendien was het een publiek geheim dat ze de beoogde opvolger van de huidige landelijke hoofdcommissaris was.

'Oké dan,' zei Bäckström. Het is tenslotte oorlog, dacht hij.

95

Puerto Pollensa op Noord-Mallorca. Dat wisten ze op vrijdagmiddag al en dat de zendmast die de telefonische felicitaties uiteindelijk aan Kjell Göran Hedberg had doorgegeven, slechts enkele kilometers verwijderd was van de plaats waar voormalig hoofdinspecteur Claes Waltin vijftien jaar daarvoor dood was gevonden, kwam in elk geval niet als een verrassing voor Anna Holt en Lisa Mattei.

Ook niet voor El Pastore, zo bleek.

'Ik weet me te herinneren dat een hooggeplaatste collega van jullie daar jaren geleden is verdronken,' zei hij, toen Holt, Mattei en hij op zaterdag zaten te lunchen.

'Ja,' zei Holt. 'Ja.' Ze schonk hem een extra vriendelijke glimlach.

'Ik begrijp het,' antwoordde El Pastore met licht gebogen hoofd. 'We zullen voorzichtig te werk moeten gaan,' zei hij. 'Ik heb zo het vermoeden dat hij nog altijd daar in de buurt zit. Nog even en we pakken hem.'

Maar niet op zondag, niet op maandag en ook niet op dinsdag. Hoewel de activiteiten om hen heen in een stroomversnelling raakten en Holt en Mattei geen woord begrepen van wat hun Spaanse collega's elkaar vertelden.

'Geduld,' troostte de Pastoor, toen hij hen dinsdagavond laat naar hun hotel liet brengen. 'Geduld, dames.'

De volgende ochtend om zes uur belde hij naar Holts hotelkamer en omdat ze hier allang op voorbereid was, nam ze klaarwakker direct de telefoon op toen die twee keer was overgegaan.

'We hebben hem gevonden,' zei de Pastoor. 'Hij ligt op dit moment in zijn huis te slapen. Als jullie erbij willen zijn als we hem grijpen, haal ik jullie over een kwartier op.'

'We zien elkaar in de receptie,' zei Holt, die gelijk onder de douche sprong.

Mattei stond al te wachten toen Holt beneden kwam. Ongeveer op hetzelfde moment dat hun auto voor de entree van het hotel stopte.

'Is het je ook opgevallen, Anna?' vroeg Lisa Mattei, terwijl ze naar haar horloge wees.

'Wat?' vroeg Holt, die als eerste de deur uitliep.

'Vandaag is het 10 oktober. Nog maar acht weken geleden zaten we nog te zuchten om Johansson en die eigenaardige ideeën van hem.'

'Nee,' antwoordde Holt. 'Dat was nog niet in me opgekomen. We hebben nu andere dingen aan ons hoofd.'

96

Met de auto naar Puerto Pollensa rijden, was niet aan de orde. Zelfs niet met zwaailicht en sirene, hoewel de reis op dit vroege tijdstip nog geen uur zou duren.

Slechts een kilometer ten noorden van het hotel was hun auto het strand opgereden, waar een helikopter stond te wachten.

El Pastore had hen natuurlijk de cabine in geholpen en ervoor gezorgd dat ze goede plaatsen kregen, met hun stoelriemen stevig vastgegespt. El Pastore, Rovira, Ballester en nog drie collega's van de recherche in Palma. Zich bewust van de ernst van het moment en uitgerust om die tegemoet te treden. Kogelvrije vesten, automatische wapens, stille, gesloten gezichten.

De Pastoor hielp Anna met het aantrekken van haar kogelvrije vest en bood haar een holster met een pistool aan, die ze met een metalen clip aan haar riem bevestigde. Lisa Mattei had zichzelf moeten helpen en bovendien het wapen geweigerd dat collega Rovira bij haar probeerde te steken.

'*Okay, Lisa*,' zei Rovira. '*As long as you keep yourself behind me. Promise?*' vroeg hij haar met een brede glimlach.

'*Promise*,' zei Lisa Mattei, die een glimlach teruggaf. God, wat spannend, dacht ze. Ze deden exact datgene waar Johansson hen voor gewaarschuwd had. En nog wel samen met collega's uit Spanje, die erom bekendstonden de trekker aanzienlijk sneller over te halen dan hun collega's thuis.

Twee minuten later kregen ze gezelschap in de duisternis daarboven. Het licht van een andere helikopter, die vlak naast hen was gaan vliegen. Deze was ook van de Guardia Civil en een van de grootste modellen.

'Ons arrestatieteam,' verklaarde El Pastore in het Engels. 'Twee groepen van zes man. Nog even en we hebben hem.' Hij gaf Holt een klopje op haar hand. 'We landen over vijftien minuten en we zijn van plan om uiterlijk over veertig minuten zijn huis binnen te dringen, niet later dan kwart over zeven,' verduidelijkte hij en hij wees het aan op zijn horloge.

'Is hij daar nog?' vroeg Holt, die zich een beetje ongerust begon te maken. Vooral nu ze moest denken aan wat Johansson had gezegd toen ze afscheid namen.

'*To be sure*,' zei de Pastoor en hij knikte.

Daarna had hij tekst en uitleg gegeven. Gisteravond laat hadden ze de doorslaggevende tip van een van hun lokale informanten gekregen. Nog maar een paar uur geleden vonden ze zijn verblijfplaats. Hedberg bleek in een poortwachtershuisje van een groot landgoed te wonen, van een vermogend Engels echtpaar dat daar zelden was. Het landgoed lag in de bergen, iets meer dan tien kilometer ten zuidwesten van Puerto Pollensa, op flinke afstand van verdere bebouwing. Hedberg mocht daar gratis wonen en hield in ruil daarvoor toezicht op hun eigendommen. Blijkbaar had hij daar de afgelopen twee jaar gewoond. Waar hij zich verder mee bezig had gehouden, was nog steeds niet duidelijk.

'Van het leven genieten, misschien,' zei de Pastoor. Hij glimlachte en haalde zijn schouders op.

'Nog maar een halfuur geleden heb ik met mijn collega's ter plaatse gesproken,' vervolgde hij. 'Net nadat ze zijn huis hadden gelokaliseerd. De lamp boven zijn voordeur brandt. De rolgordijnen in zijn slaapkamer zijn dichtgetrokken. Zijn auto staat op de parkeerplaats voor het landgoed. Hij heeft geen waakhond die hem kan waarschuwen. Hij ligt te slapen en kan met geen mogelijkheid ontsnappen.'

Uiteindelijk ging het precies zoals Johansson had gevreesd, dacht Anna Holt een halfuur later. Ze zat gehurkt achter een struik, slechts vijftig meter van het poortwachtershuisje van geelroze kalksteen, waar Kjell Göran Hedberg hopelijk lag te slapen als een roos. Alles wees daarop. Het was er rustig en stil. De lamp boven de voordeur brandde. De auto stond op de parkeerplaats. De rolgordijnen waren dichtgetrokken. Precies zoals El Pastore had gezegd.

De twaalf collega's van het Spaanse arrestatieteam kwamen van alle kanten geruisloos dichterbij. Zwarte schaduwen, onmogelijk te onderscheiden in de duisternis die hen omgaf. Zwarte overalls, stevige schoenen tot aan hun kuiten, helmen, kogelvrije vesten, automatische wapens. Toen werd het plotseling heel stil.

‘Nu,’ fluisterde El Pastore, die naast haar gehurkt zat, op hetzelfde moment dat de boel losbarstte.

In ruim tien seconden was alles voorbij. Het geluid van de voordeur die werd ingeslagen, van de drie ramen die tegelijkertijd werden verbrijzeld. De vier schokgranaten die naar binnen werden gegooid. De knallen, de lichtflitsen, het gebrul van degenen die daar achteraan kwamen. Daarna was het weer stil en om een of andere reden moest Holt aan Bäckström denken.

Na een halve minuut kwam de teamleider naar buiten, door de buitendeur die nu aan een scharnier hing te bungelen. Hij deed zijn helm af, streek met zijn hand door zijn kortgeknipte haar en haalde spijtig zijn schouders op. ‘*Nada*,’ zei hij tegen El Pastore en hij schudde zijn hoofd.

97

Op dinsdag 9 oktober laat in de avond kreeg Johansson in zijn woning in Söder een onverwacht telefoontje. Het was Persson. Nooit eerder had hij Johansson thuis opgebeld.

'Persson,' zei Johansson. 'Leuk je weer eens te spreken. Alles goed met je, hoop ik?' Wat een slechte lijn, dacht hij. Slechte ontvangst. Dat komt vast door dat mobiele telefoonverkeer in Solna, waar Wiklander over zeikte.

'Uitstekend,' bevestigde Persson. 'Ik bel niet eens om geld van je te lenen, maar omdat ik iets met je wil bespreken.'

'Wanneer wou je dat doen?' vroeg Johansson. Klinkt ernstig, dacht hij.

'Morgenavond, als je tijd hebt. Ik moet namelijk eerst nog wat regelen. Ik wil je trakteren op een etentje, in mijn zomerhuis in Sörmland. Het ligt bij Gnesta, nog geen uur van de stad.'

'Ik dacht dat je een huis in Spanje had gekocht,' zei Johansson.

'Dat was ook zo,' zei Persson. 'Dat heb ik na een paar jaar weer verkocht. Het enige dat je daar kunt doen, is zuipen en golfen. Maar ik golf niet en zuipen doe ik het liefste thuis.'

'Verstandig,' zei Johansson. 'Hoe laat?'

'Rond een uur of zeven, had ik gedacht,' zei Persson. 'Dan kunnen we nog even de sauna in voordat we gaan eten. Ik wilde je trakteren op verse snoekbaars, als je van vis houdt. Anders nemen we iets anders.'

'Snoekbaars is prima,' zei Johansson. Bijna net zo lekker als marene, dacht hij.

'Je hoeft niet eens brandewijn mee te nemen,' zei Persson. 'Deze keer heb ik zelf wat in huis. Je hebt maar één ding nodig.'

'En dat is?'

'Een routebeschrijving. Heb je een GPS van je werk bij je?'

'Altijd,' zei Johansson. Anders bega ik een ambtsovertreding, dacht hij.

'Geef me het nummer, dan zal ik de coördinaten naar je toesturen.'

‘Je kunt ze rechtstreeks naar mijn mobiel sms’en.’

De tijden zijn veranderd, dacht Johansson toen hij ophing. Ik vraag me af wat hij wil.

Een rood houten huisje met witte lijsten en een schuurtje, op vijftig meter van een meer. Aan dat meer een steiger en een sauna. Persson kwam hem in een overall, een trui en met een mooie bruine kleur tegemoet lopen.

‘Welkom, Lars. Ik zie dat je je knecht hebt meegenomen,’ zei hij, met een knikje naar Johanssons dienstauto en diens chauffeur, die voorin zat te bellen.

‘Vanwege de brandewijn voor bij de snoekbaars,’ zei Johansson. ‘Vermoedelijk is hij zijn vrouw aan het vertellen dat ik zijn avond verpest heb.’

‘Verstandig,’ zei Persson. ‘We zullen bij elkaar wel een paar uur nodig hebben voor de sauna, de gesprekken en het eten.’

‘Ik zal hem naar huis sturen,’ zei Johansson. ‘Zelfs in deze uithoek zijn wel taxi’s te vinden.’

‘Verstandig,’ herhaalde Persson. ‘Ik wil je onder vier ogen spreken, namelijk.’

Ik vraag me af wat hij wil, dacht Johansson.

Een houtgestookte sauna. Een meer om in af te koelen. Je hoefde er alleen maar vanaf de steiger in te springen. Het water was nog altijd tien graden, hoewel oktober al aardig vorderde. Een netje met blikjes bier, dat in het water koel werd gehouden.

‘Die bruine kleur heb je niet hier opgedaan,’ zei Johansson toen ze eenmaal met een blikje bier in hun hand op het korstmos zaten. ‘Niet in deze tijd, ook al worden de zomers steeds tropischer.’

‘Ik ben er een week tussenuit geweest,’ zei Persson, die het schuim van zijn bovenlip veegde.

‘Griekenland, Spanje, Turkije?’ raadde Johansson.

‘Mallorca,’ zei Persson. ‘Ik moest daar een zaakje regelen.’

‘Mallorca?’ Hoe kwam het toch dat hij dat vermoeden al had zodra hij de auto uitstapte?

‘Erg mooi, deze tijd van het jaar,’ vertelde Persson. ‘De beste tijd, in feite. Het is er warm zonder dat het heet is. ’s Nachts is het er koel, zodat je goed kunt slapen.’

‘Wat een merkwaardig toeval,’ zei Johansson. ‘Vorige week maandag heb ik namelijk een paar van mijn medewerkers naar Palma gestuurd.’

‘Dat weet ik,’ zei Persson. ‘Holt en Mattei, om Hedberg op te sporen.’

‘Dat weet je dus,’ zei Johansson. Al vermoedde ik dat ook al, dacht hij.

‘Je kunt ze terughalen. Het is al geregeld.’

‘Vertel,’ zei Johansson. Wat zullen we nu krijgen, dacht hij.

Op het Canal de Menorca voor Cap de Formentor, vroeg die ochtend.

De naam van de boot was dus Esperanza. Dat betekent hoop. Hoop op een gelukkige toekomst of in elk geval op een toekomst waarover je zelf kunt beschikken. De Esperanza had veertien jaar geleden haar naam gekregen. De eigenaar en schipper, tevens het enige bemanningslid, had haar zo genoemd, en met het oog op wat hem en zijn vaartuig stond te gebeuren, had hij geen slechtere naam kunnen kiezen.

98

Volgens Persson was er niet veel te vertellen. Twaalf uur eerder, om acht uur 's ochtends lokale tijd op Noord-Mallorca, overigens dezelfde tijd als in Zweden, had hij het probleem Kjell Göran Hedberg verholpen door hem en zijn boot op te blazen.

'Ongeveer vijftien zeemijl buiten de haven van Puerto Pollensa, als je weet waar dat ligt.'

'Ik weet waar dat ligt,' zei Johansson. 'Dat was toch die plek waar Claes Waltin verdronk?' Neemt hij me soms in de maling, dacht hij.

'Nou ja,' zei Persson. 'Hedberg heeft hem laten verdrinken. Maar dat gebeurde een stuk verder de baai in.'

'Hoe lang heb je geweten waar hij zat?' vroeg Johansson.

'Sinds ik huiszoeking deed bij Waltin en begreep met wie hij samenwerkte. Nadat Hedberg van ons moest vertrekken, heeft Waltin hem jarenlang als externe operator gebruikt.'

'Dat heb ik begrepen,' zei Johansson. 'Ik denk ook dat ik begrijp waarom Hedberg hem uit de weg moest ruimen.'

'Waltin wankelde,' zei Persson en hij knikte. 'Hij zoop te veel, kletste te veel, ging met de verkeerde mensen om. Waltin was een veiligheidsrisico en Hedberg was niet van plan vanwege hem levenslang te krijgen.'

'Ik begrijp het,' zei Johansson. 'Hoe lang heeft Hedberg op Noord-Mallorca gewoond?'

Het grootste deel van de afgelopen twintig jaar, volgens Persson. De laatste jaren woonde hij in een huisje in de bergen, een eindje buiten Pollensa. Een poortwachtershuisje waar hij gratis mocht wonen en in ruil daarvoor bewaakte hij het landgoed van een paar rijke Engelsen die er bijna nooit waren. Bovendien had hij een huurauto en een vissersbootje dat hij in het voorjaar van 1993 had laten bouwen, waarmee hij boottochtjes maakte met toeristen die wilden zwemmen, zonnen, vissen en duiken.

'Hoe heb je hem gevonden?'

Dat was geen kunst volgens Persson. Zeker niet met al die sporen van Hedberg die hij tijdens een huiszoeking bij Waltin had gevonden. Toen hij tien dagen geleden naar Mallorca afreisde, wist hij alles wat hij moest weten. Over zijn boot, bijvoorbeeld.

'Zodra ik erachter kwam dat hij een gastank aan boord had, wist ik wat me te doen stond. Die rotzak had zo'n gasstel van roestvrij staal in de roef geïnstalleerd. Die maffe Spanjaarden hadden de gasfles onder het dek gezet en die met een slang door de roefwand eraan vast gemonteerd. Kon niet beter.'

'Leg eens uit aan een leek als ik,' zei Johansson. Die nog nooit de ontsteking van een stuk geroeste mijn van tweehonderd kilo heeft losgeschroefd, dacht hij. Die niet eens weet of je het snot van je bovenlip mag likken terwijl je daarmee bezig bent.

De avond voor de ochtend van de explosie had hij het praktische gedeelte geregeld. Overigens vlak voordat hij Johansson belde om hem uit te nodigen. Hij zorgde ervoor dat Hedberg op een veilige afstand was. Hij gebruikte normaal bouwdynamiet van Nitronobel. Drie miezerige springladinkjes, hij had slechts een paar ons van dit klassieke Zweedse product nodig. Eén onder het dek, met een gerichte werking om de gastank open te splijten, en twee op de slang die door de roefwand heen was getrokken. Dat had hij binnen een halfuur voor elkaar. Hij had zelfs de tijd gehad om de gasfles een beetje open te draaien.

'Butagas is reukloos, zoals je wel weet,' zei Persson, die met zijn blikje bier een proostbeweging maakte.

'Dus toen hij de motor aanzette, ontplofte de boel,' zei Johansson.

'Waar zie je me voor aan, Johansson,' zei Persson. 'Ik ben verdomme toch geen massamoordenaar. Natuurlijk heb ik er eerst voor gezorgd dat hij op open zee kwam, zodat er verder niemand in de buurt was. Ik ben hem met mijn eigen boot gevolgd.'

Om dit humanitaire aspect te waarborgen, had Persson een gewone mobiele telefoon gebruikt als ontstekingsmechanisme. Een prepaid telefoon die hij ter plaatse met contant geld had gekocht en die niet te traceren was. Bovendien met een vertraagde werking.

'Zoals je zeker wel zult begrijpen, was ik die klootzak meer dan spuugzat, na alle ellende die hij dertig jaar lang heeft veroorzaakt. Dat moet jij trouwens als geen ander weten. Dus besloot ik hem een laatste groet te sturen, om hem eens flink terug te pakken.'

Toen Hedberg eenmaal op open zee was, had Persson eerst naar zijn mobiel gebeld. Zodra hij opnam, belde Persson het mobiele nummer dat de springlading enkele seconden later tot ontploffing zou brengen.

'Hoe kwam je aan het nummer van zijn mobiel?' vroeg Johansson.

'Dat had ik al,' zei Persson. 'Dat was de telefoon waarmee hij zijn bootreisjes regelde. Een gewone Nokia. Met die oude vertrouwde ringtone die iedereen heeft, zodat je gelijk in je zakken begint te graaien als dat ding afgaat bij iemand die in je buurt zit.'

'Zei hij iets?' vroeg Johansson.

'Jazeker,' zei Persson. 'Ik lag hem een eindje verderop vanuit mijn boot met een verrekijker te bekijken. Al nam hij niet op met zijn naam.'

'Wat zei hij dan?'

'*Si*,' grinnikte Persson.

'En jij? Wat zei jij?'

Eerst was hij van plan hem een laatste groet van zijn collega's te brengen, maar bij nader inzien zag hij daarvan af.

'Wie wil er nu een collega zijn van zo'n idioot? Dus toen vroeg ik hem of hij dag met zijn handje wilde zeggen. "Zeg maar dag met je handje, Hedberg," zei ik. Je had eens moeten zien hoe verbaasd hij was. Vooral toen er een andere telefoon ging met dezelfde ringtone, zodra ik hem had begroet. Ik had zelfs nog tijd om naar die rotzak te zwaaien.'

'Nou ja, en toen kwam de explosie. Eerst drie korte knallen nadat de springladingen waren afgegaan en daarna een enorme vuurbal toen het gas ontplofte. Ik zag met eigen ogen hoe die rotzak omhoogschoot, minstens tien meter de lucht in, en hoe zijn ene been een andere kant uit vloog. Volgens mij werd zijn poot doorgesneden door het roestvrijstalen deksel van het gasstel. Die klereboot van hem zonk gelijk. Vijfhonderd meter diep is die vaargeul.'

'Zo zo,' zei Johansson. 'En toen? Ging je daarna terug naar Zweden om gebakken snoekbaars met een ex-collega van je te eten?'

'Nee, hou op, zeg, dat is nog niet alles. Wil je nog een biertje, trouwens?'

'Nee, dank je,' zei Johansson. 'Ik heb nog,' legde hij uit en hij toonde hem zijn blikje, om niet onbeleefd te lijken.

'Wat gebeurde er toen?'

Persson was naar de wrakstukken toe gevaren om alles beter te kunnen bekijken. Hij bleef daar nog een paar minuten liggen om de toestand te kunnen overzien, totdat de restanten waren opgebrand.

'Terwijl ik daar lig rond te kijken, duikt die rotzak plotseling naast mijn boot op. Zwartgeblakerd en onder het roet. Hij hapte naar adem als een vis, bloedde als een rund. Maar hij leefde nog, wonderlijk genoeg.'

'"*Help me, help me.*" Hij strekte zijn hand naar me uit. "Tuurlijk," zei ik en ik stak ook mijn hand uit. Toen pakte ik een stuk pijp dat tussen mijn visgerei lag – voor de wat grotere rakkers die je daar kunt vangen, mocht je je dat afvragen – waarmee ik hem een paar keer op zijn hoofd sloeg. En dat was het dan. Hij zonk als een baksteen. De pijp gooide ik achter hem aan als aandenken.'

'En toen?'

'Toen voer ik terug naar het hotel. Ik verbleef in een pensionnetje tegenover de jachthaven waar zijn boot lag. Ik checkte uit en nam de auto om naar zijn huis in de bergen te rijden en daar een discrete huiszoeking te verrichten.'

'Heb je iets gevonden?'

'Nee,' antwoordde Persson. 'Daar had ik geen tijd meer voor. Het krioelde daar al van de Spaanse collega's, dus reed ik gelijk door naar de luchthaven van Palma om terug naar huis te vliegen. Nog maar een paar uur geleden ben ik op Skavsta geland. Maar als je het mij vraagt, had hij niet veel meer dan een bed om in te slapen. Hedberg was niet zo slordig als Waltin, dus ik denk dat we ons wat dat betreft niet druk hoeven te maken.'

'Dus je was daar tegelijk met Holt en Mattei?' vroeg Johansson.

'Ik was er in feite het eerst, om precies te zijn. En dat was maar goed ook. Als ik er niet was geweest, was hij ertussenuit geknepen. Als hij nu aan ons was ontsnapt, hadden we hem nooit meer gezien.'

'Waarom denk je dat?' vroeg Johansson. Wat zegt hij nu eigenlijk, dacht hij.

'Hij werd gewaarschuwd door een van je zogenaamde medewerkers,' zei Persson en hij haalde zijn schouders op. 'Heb je trouwens al trek in een stukje snoekbaars?'

In de vaargeul voor Cap de Formentor op Noord-Mallorca, op de ochtend van de dag ervoor.

Uiteindelijk was het dan toch gebeurd. Dat wat hij nooit voor mogelijk had gehouden. In plaats van een draai van negentig graden naar bakboord te maken en koers te zetten naar de vrouw in het grote huis aan het strand van Sant Vicen, was hij in de vaargeul rechtdoor blijven varen. Hij toetste een nieuwe koers in op zijn GPS-navigator, terwijl hij zichzelf gelukkig prees dat de Esperanza altijd volle brandstoftanks had. Groot genoeg om hem driehonderd zeemijl verder naar Corsica te brengen, waar meer mensen zoals hij waren en in elk geval één die hij blindelings vertrouwde. Die hem een vrijplaats voor de rest van zijn leven kon bieden.

Niet de vrouw, die zei dat ze uit de Verenigde Staten kwam en het grote huis aan het strand van Sant Vicen huurde. Die over haar rijke man had verteld die ze nooit zag. Die twintig jaar jonger was dan hij, met haar lange, donkere haar, haar witte tanden, haar grote, deinende borsten en veelbelovende ogen. Die nog maar een paar weken geleden naar hem toe kwam, toen hij het dek van de Esperanza lag te boenen, om haar mooi te maken voor de herfst, nu het vakantieseizoen eindelijk voorbij was. Die hem vroeg of hij Engels sprak en wist waar je goed kon duiken. Of hij haar misschien kon helpen?

De vrouw die in feite net zo goed kon duiken als hij, wat ze de eerste keer dat ze met hem de zee op ging, al had laten zien. De vrouw die hij over ongeveer een uur zou ophalen in het grote huis. De vrouw die hem verraden had, ondanks haar veelbelovende ogen. Want een andere verklaring was er niet. Niet sinds Ignacio Ballester vroeg in de ochtend bij hem was gekomen, om te vertellen wat zijn neef had gezegd en dat hij ervoor gekozen had hem te waarschuwen in plaats van te verraden.

Hij had alleen het meest noodzakelijke meegenomen, samen met het koffertje dat altijd klaarstond. Dat was meer dan genoeg, want verder lag er niets meer in het huisje dat iets over hem kon vertellen, of over het leven dat hij sinds die vrijdagavond op de hoek van de Tunnelgatan-Sveavägen meer dan twintig jaar geleden had geleid. Zijn huurauto had hij laten staan, omdat dat veiliger was. Bovendien, wat moest hij ermee? Ignacio had hem naar de haven en de Esperanza gereden, zijn hand vastgepakt en hem gelukgewenst met zijn tocht op zee. Een alternatief was er niet, en dat was tenslotte ook de reden waarom de Esperanza daar lag. Een mooie, kleine boot, maar ook een verzekering en een voortdurende herinnering.

Veiligheid en vrijheid, voor een lage prijs. Wederom een dag en een nacht op zee.

99

Gebakken snoekbaarsfilet, boter en citroen, in de schil gekookte aardappelen, bier en een koude borrel. Lekkerder kon deze maaltijd niet zijn, in al zijn eenvoud, maar desondanks had Johansson problemen met zijn eetlust.

'Wie van mijn mensen heeft hem gewaarschuwd?' vroeg Johansson, zodra hij de eerste hap had doorgeslikt.

'Je had die Spaanse collega's gevraagd een paar lokale helden aan te wijzen om die dametjes van je te beschermen. Een van hen was toevallig de neef van de eigenaar van de werf waar Hedberg zijn boot had laten bouwen. Hij moet plotseling beseft hebben dat jouw medewerkers op zoek waren naar een oude klant van zijn oom. Hij belde hem op om alles te vertellen. Daarna reed zijn oom naar Hedberg om hem te waarschuwen. Het is niet de eerste keer dat zoiets gebeurt, maar dat hoef ik jou niet te vertellen.'

'Nee,' beaamde Johansson. 'Dat is niet nodig.'

'Wat eet je slecht, Lars, waarom eet je niet? En ik heb me nog wel zo uitgesloofd.'

'Wat had je anders verwacht, zeg. Is de gedachte nooit in je opgekomen dat ik je mee naar Stockholm zou kunnen nemen om je op te sluiten?'

'Nee, nooit.' Persson glimlachte vriendelijk. 'Waarvoor eigenlijk, als ik vragen mag?'

'Voor wat je zojuist hebt verteld,' antwoordde Johansson.

'Nee,' zei Persson en hij schudde zijn hoofd. 'Die gedachte is nooit bij me opgekomen. En als je dat toch zou doen, heb ik geen idee waar je het over hebt. Dat is een van de voordelen van een sauna, als je over dat soort dingen wilt praten. Geen kleren waar je microfoons en dat soort ondingen in kunt verstoppen. Proost, trouwens.'

'Proost,' zei Johansson, die zijn tot aan de rand gevulde glaasje achteroversloeg.

'Al heb ik er alle begrip voor dat je een beetje van slag bent. Wie zou dat niet zijn, na zo'n sterk verhaal. Maar zodra je de dingen in het juiste perspectief begint te zien, zul je me dankbaar zijn.'

'Dankbaar? Waarom? Omdat je Hedberg hebt doodgeslagen?'

'Omdat ik een probleem heb opgelost voor ons. Voor jou, mij, en alle anderen zoals jij en ik. En voor mijn enige vriend Erik, vooral. Als het niet om hem was geweest, had ik die rotzak misschien wel laten leven.'

'Je moet hulp hebben gehad,' zei Johansson. Aangezien je hier nu al zit kun je nauwelijks een lijnvlucht hebben genomen, na wat je vanmorgen hebt uitgespookt, dacht hij.

'Daar zal ik me nooit over uitlaten,' zei Persson. 'Een echte vent redt zichzelf. Hoe zou de wereld er verdomme uitzien als mensen als jij en ik niet voor elkaar op durven te komen?'

Toen Johansson een paar uur later in een taxi op weg naar huis was, ging zijn rode mobiel over. De mobiel waarvan alleen zijn naasten en dierbaren het nummer hadden.

'Ja,' zei Johansson, die zijn rode telefoon nooit opnam met zijn naam. Holt, dacht hij.

'Waar was je? Ik probeer je al uren te bereiken.' Holt klonk niet vrolijk.

'Ik had het een en ander te doen. Dus heb ik mijn mobiel uitgezet.'

'We hebben Kjell Göran Hedberg gevonden,' zei Holt. 'Dat denken we, tenminste. We zijn er vrijwel zeker van dat hij het is.'

'Wat zeg je me nu? Vertel.'

'Hij is dood,' zei Holt.

'Dood?' zei Johansson. 'Dat meen je toch niet?'

100

De Spaanse politie was ongewoon snel in actie gekomen. Hun onderzoek naar het bootongeluk voor Cap de Formentor, afkomstig van hun eigen contactpersoon in Spanje, werd slechts enkele weken later per koerier bezorgd.

In zuiver technisch opzicht hadden ze niet veel om op af te gaan. Ze hadden wrakdelen gevonden die overal verspreid lagen. Het enige dat ze van Kjell Göran Hedberg hadden gevonden, was zijn linkeronderbeen. In deze omgeving zaten veel haaien, dus vreemd was dat niet. Zelfs de witte haai zwom er rond, en die stond erom bekend weinig van zijn prooi over te laten. Dat het teruggevonden been van Hedberg was, stond buiten kijf. Een vergelijking met het DNA-materiaal dat tijdens de huiszoeking was veiliggesteld, sloot uit dat het been aan iemand anders had vastgezeten.

In het onderzoek was men op getuigenverklaringen afgegaan. Drie mensen, die op de uitkijkplaats van de landtong hadden gestaan toen het gebeurde, hadden alles wat ze hadden gezien aan de politie verteld. Alles duidde op een ongeluk, veroorzaakt door lekkage in een van de tanks die aan het gasstel was gekoppeld. Vermoedelijk vond de explosie plaats toen Hedberg het gasstel aanstak om zijn ontbijt klaar te maken.

Johanssons Spaanse bondgenoot El Pastore had een brief geschreven die direct aan Johansson was gericht. Hij had geen reden om aan te nemen dat er verdachte elementen in het spel waren. In plaats daarvan deelde hij de opvatting van zijn collega's van Forensische Opsporing van de politie in Palma dat dit een typisch voorbeeld was van een ongelukkig toeval, waar zelfs de best georganiseerde politieoperatie helaas niet tegenop kon.

Johansson had de chef van zijn internationale politie-eenheid een bondige, vriendelijke dankbrief laten schrijven. Uiteraard zonder een woord te reppen over de loslippige medewerker van de Pastoor. Hoe zou hij iets over hem kunnen zeggen, zonder zelf in grote problemen te komen? Bovendien was het niet zijn zaak.

De juiste zaak op de juiste plaats, dacht Johansson, die het onderzoeksrapport naar het dodelijke ongeval in een interne envelop stopte en doorstuurde naar zijn collega's van de rijksrecherche, die de identificatie van in het buitenland omgekomen Zweedse burgers behandelden. Eigenlijk hadden zij zich bezig moeten houden met de moord op een Zweedse minister-president, maar bij gebrek aan zinvolle opdrachten richtten ze zich al jaren op andere taken.

101

Drie weken na Kjell Göran Hedbergs overlijden had Johansson drie dagen nodig gehad om al zijn sporen uit te wissen. Eerst had hij alle papieren verzameld die het resultaat waren van de inspanningen die hij en zijn drie medewerkers hadden verricht. Hij liet het merendeel ervan in de papierversnipperaar verdwijnen en stopte de rest in een map. 's Avonds, toen al zijn medewerkers al naar huis waren, ging hij zelf naar de Palme-kamer om de inhoud ervan te verdelen over de duizenden mappen die daar nog in dozen lagen. Net als in het oude Rome liet hij de gerechtigheid aan het toeval over, nu zij door de rest in de steek was gelaten.

Vervolgens deed hij het licht uit en liet hij de kamer achter zich. In zijn stille gemoed wenste hij eventuele toekomstige archiefonderzoekers er veel succes mee.

De volgende dag had hij uitgebreid geluncht met de vrouwelijke hoofdofficier van justitie in Stockholm, die tevens de leiding had over het Palme-onderzoek. Hij overhandigde haar het memo dat hij Lisa Mattei had laten schrijven over de toekomstige registratie van het Palme-materiaal. Over hoe deze gigantische berg papier het beste voor de toekomst bewaard kon blijven, en de kantoorruimte die hij en zijn medewerkers zo dringend nodig hadden om hun werk te kunnen doen, weer door hen ingenomen kon worden.

'Als we ons in de toekomst nu eens beperken tot gewone diskettes en geheugensticks. Als we al dat materiaal nu eens invoeren in databestanden en volgens de nieuwste technieken beveiligen, dan kun je het zelfs met een koordje om je hals bij je dragen,' zei hij. 'Binnen afzienbare tijd, in elk geval,' verduidelijkte hij.

Om te benadrukken dat hij het meende, haalde hij zijn geheugenstick uit zijn zak. Deze had al een geheugen van tien gigabyte, was bevestigd aan zijn sleutelbos en nam minder ruimte in dan zijn sleutels, hoewel het ding groot genoeg was om er een hele muur met dossiermappen in kwijt te kunnen.

'Maar dan wil ik wel een amethist aan de mijne,' antwoordde de hoofdofficier, terwijl ze naar hem glimlachte.

'Geen probleem,' zei Johansson. 'Die krijg je van mij. Als jij de vertrouwelijke aspecten ervan voor je rekening neemt en ons duidelijk maakt hoe je de praktische kant geregeld wilt hebben.'

'Vanzelfsprekend. Wie zou dat anders moeten doen? En verder zal ik de regering er natuurlijk van op de hoogte moeten brengen.'

'Geen probleem, wat mij betreft,' zei Johansson. Naar de kelder met al die papieren, dacht hij. Met een geheimhoudingsplicht van vijfentwintig tot veertig jaar. Hoe het ook zij, hij had er niets meer mee te maken. Een ander eigenlijk ook niet. Hooguit een of andere historicus met een hoofd vol lettertjes.

Restte het belangrijkste. Dat hij met zijn medewerkers moest praten. Eerst Lisa, omdat dat het gemakkelijkst zou zijn. Dan Lewin, omdat dat eigenlijk niets uitmaakte. Ten slotte Anna Holt, omdat dat nog wel eens lastig kon worden.

'Wat zou je nu willen doen, Lisa?' vroeg Johansson, terwijl hij bezig was een kop koffie voor haar in te schenken om zijn goede wil nog eens goed te benadrukken.

'Ik ben van plan weer terug te gaan naar mijn baan bij de interne inlichtingendienst,' antwoordde Mattei.

'Zou je dat echt het liefste willen doen?'

'Ja,' zei Lisa Mattei.

'Goed,' zei Johansson. 'Dan doen we dat.'

En daar bleef het bij.

Jan Lewin was er niet zo zeker van of hij wel terug wilde naar zijn oude baan bij Geweldsdelicten. Hij overwoog zelfs om na een diensttijd van dertig jaar het politieambt te verlaten.

'Waar is dat nu weer goed voor?' Johansson keek hem verbaasd aan. 'Eens een politieagent, altijd een politieagent. Dat weet je toch wel, Jan?'

Dat mocht dan wel zo zijn, maar voor hem ging dat helaas niet op. Het beroep had duidelijke sporen nagelaten. Bovendien was hij achteraf bezien misschien toch niet zo geschikt. De laatste jaren was hij steeds neerslachtiger geworden.

Johansson probeerde hem op te monteren door te vertellen dat hij onlangs een proefschrift had gelezen waarin de schrijver beweerde dat uitgerekend de zwaarmoedige rechercheurs de beste vakmensen zijn. Veel beter dan hun lichtzinnige, opgewekte collega's.

'Blijkbaar moet je juist niet al te blijmoedig zijn,' zei Johansson met een brede glimlach. 'Dat gaat ten koste van je nauwkeurigheid en reflectievermogen.'

'Is dat zo?' zei Lewin. 'Het probleem is alleen dat je het je gaat aantrekken. Het vreet je langzaam op vanbinnen, als je begrijpt wat ik bedoel.'

'Ik begrijp het,' zei Johansson. 'Weet je wat ik denk?'

'Nee,' zei Lewin met een flauwe glimlach.

'Dat je een vrouw nodig hebt,' zei Johansson.

Vervolgens had Johansson resoluut zijn gedachten uiteengezet over Jan Lewins wezenlijke behoefte. Iedere man heeft een vrouw nodig. Echte kerels hebben echte vrouwen nodig. Zo simpel is het, maar voor de zekerheid had hij het toch twee keer herhaald.

'Heb je iemand in het bijzonder in gedachten?' vroeg Lewin.

'Holt,' antwoordde Johansson. 'Anna Holt. Ze mag je namelijk graag. Bovendien zijn jullie van dezelfde leeftijd. Je kunt beter niet achter die jonge dingen aan. Die groeien namelijk snel van je af.'

'In collegiaal opzicht, misschien,' zei Lewin, die ging verzitten. 'Bovendien ben ik in feite twaalf jaar ouder dan zij.'

'Ja, dat is toch haast niet te geloven? Ik zou je geen dag ouder dan vijfenveertig schatten, en Anna is zevenenveertig als ik het wel heb, dus dat loopt wel los.'

'Zo denk jij er dus over,' zei Lewin met een aarzelend lachje.

'Aangezien je weet dat ze twaalf jaar jonger is dan jij, schat ik in dat je al over de zaak hebt nagedacht,' constateerde Johansson.

'Waarom denk je dat?'

'Dat snapt toch elke politieagent,' zei Johansson. 'Als je zoiets weet, heb je de dame in kwestie al in het vizier.'

Het gesprek met Anna Holt was beter verlopen dan hij had gedacht. Aanzienlijk beter dan hij had gevreesd.

Holt wilde ook haar gebruikelijke werkzaamheden weer oppakken. Dat niet alleen, ze stelde het als voorwaarde.

'Natuurlijk,' zei Johansson. 'Je kunt alles krijgen wat je maar wilt, Anna. Dat weet je toch wel, zo onderhand.'

'Dank je,' zei Anna Holt. 'Maar ik ben meer dan tevreden met wat ik heb.'

'Dan spreken we dat zo af,' zei Johansson.

'Al heb ik nog een laatste vraag,' zei Holt, terwijl ze opstond.

'Dat vermoedde ik al.'

'Was dat niet heel toevallig, wat er met Hedberg gebeurde?'

'Ja, dat was wel een van de merkwaardigste voorvallen die ik in mijn hele carrière heb meegemaakt.'

'En?' vroeg Anna Holt.

'Ik was er net zo door gegrepen als jij, toen je vertelde wat er gebeurd was,' zei Johansson, die haar met zijn eerlijke, grijze ogen ernstig aankeek.

'Ik geloof je,' zei Anna Holt. Ze gaf een knikje en vertrok.

De volgende dag liep Jan Lewin de kamer van Holt binnen en na zijn gebruikelijke gehum en gekuch wist hij eindelijk uit te brengen waar hij voor kwam.

'Ik vroeg me af of je zin hebt om met me te gaan eten?'

Dat leek Holt een uitstekend idee. Ze stelde voor dat diezelfde avond nog te doen en het liefst bij haar thuis. Er was weliswaar niets mis met het restaurant waar hij haar mee naartoe had genomen, maar uiteindelijk vond ze het een beetje vervelend om altijd maar op stap te gaan. Onnodig duur ook.

'Ik kom graag,' zei Lewin zonder te hakkelen. 'Wil je dat ik iets meeneem?'

'Alleen jezelf, dat is genoeg,' zei Holt. Als ik je vraag om je tandenborstel mee te nemen, bel je van tevoren natuurlijk af, en je kunt altijd de mijne nog lenen, dacht ze.

De hoofdcommissaris van Stockholm was een drukbezette vrouw. Nog dezelfde dag dat Johansson en de hoofdofficier van justitie hadden besloten om onder strikte geheimhouding het Palme-onderzoek naar de archiefkelder van het grote politiebureau te brengen, moest ze tijd vrijmaken voor Bäckströms verslag over deze zaak.

Aanvankelijk zag het er tamelijk veelbelovend uit. De vergaderkamer van de hoofdcommissaris zelf. Een klein, hooggekwalificeerd gezelschap. Zijzelf, de jurist van de politie Stockholm, de spreker Bäckström en zijn trouwe schildknaap Fridolin.

'De Vrienden van de Vagina,' zei de hoofdcommissaris met een ongelovig gezicht. Zo was het begonnen en het zou alleen nog maar erger worden.

Een uur later was het voorbij. Mevrouw de hoofdcommissaris had kort naar Bäckström geknikt en vroeg of ze Fridolin onder vier ogen mocht spreken.

'Je stelt me teleur, Fridolf,' constateerde ze, terwijl ze de deur achter hen dichtdeed.

De dag daarna werd Bäckström thuis opgebeld door haar jurist, om hem een aantal juridische aspecten uit te leggen die met zijn dienstverband te maken hadden.

De privépersoon Evert Bäckström had de volledige vrijheid om te denken wat hij wil, bijvoorbeeld over de moord op Olof Palme, en voor zover dat indruiste tegen wettelijke regels en verordeningen was dat op eigen verantwoording. Wat hoofdinspecteur Evert Bäckström betrof, was het eveneens heel eenvoudig. Memo's van het soort dat hij de vorige dag aan zijn chef en hemzelf had overhandigd, mochten niet ondertekend worden met zijn functieaanduiding, aangezien de inhoud niets met Bäckströms functie te maken had. Deed hij dat toch, dan was hij, zoals gezegd, zelf verantwoordelijk voor de strafrechtelijke gevolgen. Om alle misverstanden op dit punt te vermijden, had hij bovendien een verhelderende brief geschreven, die hij al op de post had gedaan.

'Wat doen we nu?' zei Bäckström, die Fridolin het boze oog schonk. Voordat ik je door de plee spoel, slimmerik, dacht hij.

Volgens Bäckströms schildknaap was het in elk geval te vroeg om de handdoek in de ring te gooien. Daar stond tegenover dat ze misschien een alternatief actieplan moesten bedenken.

'Wat dacht je van de televisie, Bäckström?' vroeg Fridolin, terwijl hij naar voren leunde. 'Ik heb ook een aantal contacten binnen de media. Namelijk.'

‘Kutjournalisten,’ snoof Bäckström, en zijn verlangen naar Egon begon al bijna fysieke vormen aan te nemen.

‘Dit zijn geen gewone journalisten,’ verzekerde Fridolin hem. ‘Ik ken een vent van TV4. Een gewichtige kerel, een zwaargewicht. Hij werkt bij *Kalla Fakta*.’ Fridolin begon steeds meer als zijn nieuwe mentor te klinken.

‘Is dat zo?’ vroeg Bäckström, die bedachtzaam knikkend een teugje van zijn lekkere whisky nam, om helderder te kunnen denken. ‘Is dat zo,’ herhaalde hij. Wat zeggen ze ook weer, dat in tijden van oorlog alle middelen zijn toegestaan, dacht hij.

102

Op donderdag 2 november had de bijzonder deskundige de tijd waarin hij meer dan zestig jaar had geleefd en gewerkt, verlaten. Niet omdat hij enorme hoeveelheden erwtensoep en warme punch zou hebben verorberd, maar door volledig natuurlijke oorzaken. Door zijn slechte hart, zijn hoge bloeddruk en een levenslange overmatige consumptie van voedsel en alcoholhoudende dranken, wat zijn arts hem had ontraden. Door de slordige manier waarop hij met zijn medicijnen omging, hoewel zijn arts had benadrukt hoe belangrijk het was om zijn voorschriften nauwkeurig op te volgen. Volledig natuurlijke oorzaken dus en eigenlijk was het een groot mysterie hoe hij een dag ouder dan dertig had kunnen worden, gezien het leven dat hij leidde.

Net als zijn mentor, de oude professor Forselius, was hij 's nachts in zijn bed overleden, onmiddellijk, ten gevolge van een fikse hersenbloeding. Volgens het sectierapport waren er meer goede redenen, maar aangezien de patholoog-anatoom toch de vraag had gekregen, wilde hij er wel één aanwijzen. Zijn bloed was zo dun als water, veroorzaakt door een flinke overdosis van het bloedverdunnende middel warfarine-natrium, dat hij moest slikken vanwege zijn slechte hart. Een oud, klassiek rattengif, dat ook met succes gebruikt werd in de geneeskunde, hoewel het in combinatie met grote hoeveelheden alcohol vele malen erger was dan rattengif. Zijn hoge bloeddruk deed de rest en had voor een logisch einde gezorgd. Zoals gezegd was het een groot raadsel hoe hij zijn manier van leven zo lang had kunnen volhouden.

In het onderzoek naar de doodsoorzaak bevonden zich ook twee verhoren. Het ene was gehouden met de huishoudster die hem 's ochtends dood had aangetroffen. Het andere met de laatste die de bijzonder deskundige in leven had gezien en de avond waarop hij stierf met hem had gegeten, voormalig commissaris Åke Persson. Persson had het merendeel van zijn diensttijd bij de veiligheidsdienst gewerkt en volgens hem had hij zijn gastheer in die tijd leren kennen.

Een eenvoudige driegangenmaaltijd. Eenvoudige Zweedse kost. Eerst een stukje haring met een paar borrels en bier, vervolgens hachee, waarbij ze een fles rode wijn hadden gedeeld, en als toetje appeltaart, die door de huishoudster van de gastheer was gebakken. Een cognacje bij de koffie, en misschien nog iets van het een of ander wat hij was vergeten, maar absoluut geen overdaad.

Ze hadden de avond afgesloten met een partijtje biljart en een avonddrankje. Daarna was Persson naar huis gegaan. Zijn gastheer was zoals altijd in opperbeste stemming geweest en had zelfs voor hem gezongen toen hij de taxi instapte. Wat hij had gezongen wist hij echter niet meer. Voor zover dat er iets toe deed.

De bijzonder deskundige was dus aan natuurlijke oorzaken overleden en wat Persson betreft, had hij zo lang mogelijk in leven mogen blijven.

Verdriet en gemis bij naasten en geliefden, familie, vrienden en collega's. Bovendien een man met een goed geheugen, die slechts een paar weken voor zijn overlijden een aanvulling op zijn testament had gemaakt, waarin hij een oud boek over het Magdalen College in Oxford aan het hoofd van de rijksrecherche, Lars Martin Johansson, schonk.

'Voor mijn goede vriend Lars Martin Johansson. Als aandenken aan alle herten in het park van Magdalen, als aandenken aan alle verheffende gesprekken die we hebben gevoerd en omdat ik nu eindelijk ben uitgesproken.'

103

Johansson was aanwezig geweest bij de begrafenis en de aansluitende lunch in hotel Grands Franse restaurant. Ook Persson was aanwezig. Nadat ze waren uitgegeten en afscheid van de nabestaanden hadden genomen, waren ze naar Johanssons huis gegaan voor een drankje ter nagedachtenis aan de dode en om in alle rust te kunnen praten.

'Wat vond je vrouw ervan?' vroeg Persson, toen ze in de taxi op weg waren naar Johanssons gezellige, ruimtelijke woninkje op Söder.

'Helemaal niks,' zei Johansson. 'Ze heeft een conferentie en komt vanavond pas thuis.'

Johansson had geen tijd verspild aan kletspraat. Hij voerde zijn gast direct naar zijn werkkamer, mixte twee flinke longdrinks, bood hem zijn grootste fauteuil aan en ging zelf op de bank zitten.

'Ik werd een beetje ongerust toen ik het onderzoek naar de doodsoorzaak doorlas,' zei Johansson. 'Je bent je gevoel voor orde en netheid toch niet kwijtgeraakt?'

'Ben je gek,' antwoordde Persson en hij schudde zijn hoofd. 'Jij en je medewerkers hoeven zich geen zorgen te maken. Onze gemeenschappelijke vriend heeft zich gewoon doodgegeten. Zijn kaars is aan twee kanten opgebrand en voor de zekerheid stak hij hem ook nog in het midden aan. Zo simpel is het.'

'Goed om te horen,' zei Johansson. 'Wat vind je trouwens van Bäckström? Ik hoorde van Jarnebring, toen we elkaar vorige week spraken, dat hij min of meer tegen de muren opvliegt, als hij niet rondzweeft als een sperballon vanwege al die complottheorieën waar hij vol van is. Bo scheen door een journalist van TV4 te zijn gebeld die vroeg of hij iets af wist van een of ander geheimzinnig seksspoor in de Palme-moordzaak, waar Bäckström over liep te bazelen.'

'Kan het nog erger,' bromde Persson. 'Als Bäckström zoiets zegt, moeten zelfs die mafketels van de televisie wel begrijpen dat het niet waar kan zijn. En hij was toch met ziekteverlof? Als ik een voorspelling mag doen, denk ik dat die kleine dikzak voorlopig nog niet beter wordt verklaard.'

'Wie weet,' zei Johansson. 'Iets heel anders nu. Wanneer wist je hoe de vork in de steel zat?'

'In het najaar van 1992. Nadat we van onze Spaanse collega's te horen kregen dat Waltin op Mallorca was verdronken. Berg besloot toen dat we een huiszoeking bij Waltin moesten doen. Als hij dat niet had besloten, had ik het toch wel gedaan,' zei Persson, terwijl hij knikte.

'Ik deed de huiszoeking zelf,' vervolgde hij. 'Ordelijk en zorgvuldig. Ik vergat niets. Zijn woning in de stad, zijn landgoed bij Strängnäs, drie verschillende bankkluisjes en het extra appartement boven in het gebouw waarin hij woonde aan het Norr Mälarstrand, dat op naam stond van een bedrijf dat hij had opgericht.'

'Deed je interessante ontdekkingen?' vroeg Johansson, zonder nieuwsgierig over te willen komen.

'Nee.' Persson schudde zijn hoofd. 'Alleen een tasje met oude kleren, schoenen, winterkleding en een gebreide muts. Dat heb ik diezelfde dag nog verbrand, het was niets om te bewaren. Die kleren waren niet eens gewassen. Andere oninteressante rommel, die vooral iets met Waltins speciale belangstelling te maken leek te hebben, gooide ik in hetzelfde vuur.'

'Verder niets?'

'Niets wat jij wilt weten,' zei Persson. 'Daarmee rekende ik af toen ik samen met mijn vriendin de boot naar Finland nam. Ergens ter hoogte van Landsort, waar het een paar honderd meter diep schijnt te zijn. Ze komt uit Finland, trouwens, en we zouden haar oude ouders een bezoek brengen. Zo oud als Methusalem, maar zo gezond als een vis. Dat moet door die sauna komen.'

'Berg,' zei Johansson. 'Heb je het hem verteld.'

'Nee,' zei Persson. 'Waarom zou ik? Hij had wel genoeg aan zijn hoofd.'

'Maar waarom heb je vijftien jaar met Hedberg gewacht? Kon je het niet gewoon laten rusten?'

'Jouw schuld, Lars. Toen je een paar maanden geleden je neus liet zien en over Waltin begon te vragen, begreep ik dat het moment was aangebroken. De man die om de hoek kan kijken,' zei Persson met een grijns.

'Dus eigenlijk was het mijn schuld.'

'Nou ja, schuld.' Persson haalde zijn schouders op. 'Je zei dan wel tegen me dat je gehakt van die rotzak wilde maken, maar in feite deed ik het voor Erik.'

'Voor Erik Berg?'

'Voor wie anders,' zei Persson. 'Hoe denk je dat ze hem herdacht zouden hebben, als je Hedberg voor de rechtbank van Stockholm had gesleept? Wat denk je dat er met de organisatie zou zijn gebeurd? En met jou, niet te vergeten? Je hebt tenslotte zes jaar als operationeel chef bij hem gezeten. Als Erik nog geleefd zou hebben, zou hij vast en zeker ook in de bak zijn beland. Al was het alleen maar voor de zekerheid. Ik denk dat zelfs jou het lachen zou zijn vergaan, als die aasgieren van de media zich aan jou te goed hadden gedaan. Want je denkt toch niet dat ze met Waltin en Hedberg genoegen zouden hebben genomen?'

'Ik begrijp wat je bedoelt,' zei Johansson en terwijl hij dat zei, moest hij aan zijn vrouw denken.

'Maar wie heeft je dan geholpen?' vroeg Johansson. Het is voorbij nu, dacht hij.

'Laatste vraag,' zei Persson. 'Zijn we het daarover eens?'

'Ja. En dan zetten we er een streep onder.'

'Proost, op de dode,' zei Persson, terwijl hij zijn glas hief. 'Die man was niet alleen goedgebekt.'

'Op de dode,' zei Johansson. Je wist het eigenlijk al, dacht hij.

'Ik heb trouwens nog een cadeautje voor je,' zei Johansson. Hij stak zijn hand in zijn broekzak en gaf hem de met koper omhulde loden kogel, die hij vanuit zijn werk naar de begrafenis had meegenomen.

'De beroemde vijfenzeventigprocentkogel,' zei Persson met een glimlach. Hij hield hem tussen de duim en wijsvinger van zijn onwaarschijnlijk grote rechterhand.

'Daar weet je dus van,' zei Johansson.

'Dat heeft onze overleden vriend aan mij verteld. Hij was een goed verstaander, moet je weten.'

'Dat heb ik begrepen.'

'Ik heb drie broers en drie zussen,' zei Persson. 'Samen hebben ze meer dan tien kinderen gekregen. Heb ik je dat ooit verteld?'

'Nee,' zei Johansson. 'Ik heb zelf ook drie broers en drie zussen.'

In totaal hebben we zelfs meer kinderen dan jullie, dacht hij.

'Ja, dat weet ik,' zei Persson, die de kogel bestudeerde die hij in zijn hand hield. 'Mijn neefjes en nichtjes zijn nu groot, maar toen ze nog klein waren, deed ik vaak goocheltrucjes met ze. Elke keer als er een feestje was, moest oom Åke voor ze goochelen. Ik was er best goed in, moet ik zeggen. Ik had er zelfs de kost mee kunnen verdienen. Als je het eenmaal in de vingers hebt, verleer je het nooit meer.'

'Ik geloof je,' zei Johansson.

'Mooi zo,' zei Persson. 'Want hoe zou het de wereld vergaan, als mensen zoals jij en ik elkaar niet meer konden vertrouwen?'

'Niet best. Heel slecht zelfs. Denk ik,' zei Johansson instemmend, en hij nam een slok van zijn drankje.

'Wat vind je hier dan van?' vroeg Persson. Hij trok de manchet van zijn rechtermouw naar beneden, liet de kogel zien die hij tussen duim en wijsvinger hield, hief zijn hand op, kneep die dicht en draaide zijn reusachtige vuist om, waarna hij die weer opende en een lege handpalm liet zien.

'Simsalabim,' zei Persson.

104

Nadat zijn vrouw 's avonds was thuisgekomen en ze waren gaan slapen, had hij gedroomd. Voor zover hij het zich kon herinneren, was dit de enige nachtmerrie die hij in zijn volwassen leven had gehad. Deze keer zonder ethernarcose. Hij had niet eens bijzonder veel gedronken en hij was echt geen elf jaar meer. Toch had hij een vrije val gemaakt.

Een vrije val, precies als in een droom. Hij wervelde recht naar beneden en viel zomaar omlaag in een zwart gat, waar geen einde aan kwam. Hij schoot rechtovereind in zijn bed, zonder te weten of hij levend of dood was. Hij moest nog meer hebben gedaan, omdat Pia hem zo stevig vasthield aan zijn arm dat het pijn deed. Hoewel zijn spieren als touwen zo gespannen waren toen hij eenmaal rechtop kon zitten.

'Gaat het, Lars? God, wat was je bang.'

'Ik leef nog,' zei Johansson. Is dat wel zo, dacht hij.

'Natuurlijk leef je nog,' zei Pia, die hem over zijn wang streek. 'Het was maar een droom. Een nachtmerrie. Dat ben je vast niet gewend. Vergeet niet dat je me beloofd hebt dat je honderd zou worden.'

'Dat ben ik niet vergeten. Dat beloof ik,' zei Johansson hoofdschuddend. Ik leef, dacht hij.

'Is er iets gebeurd? Heb je iets op je hart? Ben je iets vergeten te vertellen?'

'Ik ga stoppen met werken. Ik heb er al over gesproken. Ik ben er klaar mee. Ik had nooit gedacht dat ik dat zou kunnen zeggen, maar nu is het zover.'

'Is er niets anders gebeurd? Iets wat ik zou moeten weten?'

'Nee, niets,' zei Johansson. 'Er is niets gebeurd.' Eindelijk, dacht hij. Eindelijk is het voorbij.

Waarheid, mythe of alleen maar een sterk verhaal? Niet dat het er iets toe deed, want op vrijdag 1 december weerklonk in alle vroegte een eenzaam schot door het park achter Maria Magdalena's College in Oxford. Het had die nacht gevroren. De grond was wit van de nachtvorst, gehuld in nevels die afkomstig waren van de rivier de Cherwell, op het moment dat het grootste hert van het park het leven moest laten. Hij was nog altijd de grootste van hen allemaal, maar sinds een paar jaar op zijn retour. De laatste tijd veroorzaakte hij vooral onrust binnen de roedel, stoorde hij de hinden en hield hij de jongere, vitalere herten tegen. Daarom had iemand besloten dat hij weg moest.

De man die het jachtgeweer in handen hield, was een dertigjarige beroepsjager van een van de omliggende landgoederen. De heer des huizes was onder andere bestuurslid van Magdalen en zijn jager had de taak erbij gekregen het wild van het College te beheren. Al was hij geen Proctor gekleed in een cape en een hoge, zwarte hoed, omdat die tot een reeds lang vervlogen verleden behoorde. In plaats daarvan een jonge, zeer professionele wildbeheerder met een groene pet en een oliejas, die voordat hij schoot zeker wist dat er achter de prooi voldoende kogelvang was, de avond ervoor het patroon al had geladen om de rust in de Zalen der Geleerden niet onnodig te verstoren, en het probleem snel afhandelde door het hert met een nekschot te treffen.

Het hert stortte ter aarde, met kop en gewei naar beneden, ingeklapte voorpoten en een paar laatste trappende bewegingen met de hoeven van zijn achterpoten. Het bloed kleurde de witte vorst rood en de tijd stond even stil. Maar daar zou het bij blijven, en voor de andere dieren in de roedel zou het leven snel weer verdergaan.

Waarheid, mythe, of alleen maar een sterk verhaal? Niet dat het er iets toe deed, want op zondag 3 december, de eerste advent, had men op het Magdalen College een diner gegeven ter nagedachtenis aan een onlangs overleden Honorary Fellow. Het was weliswaar geen bijzonder diner, een typisch Engels herendiner slechts, met hertenfilet, bruine saus en doorgekookte groenten, maar de wijn was uitstekend geweest. Een Romanée-Conti uit het topjaar 1985, waar de bijzonder deskundige al jaren eerder een grote partij van had gekocht, in de driehonderd jaar oude winkel Berry Brothers & Rudd, aan de St. James's Street in Londen, en gelijk een paar dozen aan de wijnkelder van Magdalen had geschonken.

De Engelse upperclass heeft de goede gewoonte bijna nooit een speech te houden tijdens een diner. Eten doe je elke dag en een toespraak houd je alleen bij speciale gelegenheden, maar uitgerekend vandaag had een van de dinergasten een speech gehouden, ter nagedachtenis aan de overledene.

De spreker was zelf Honorary Fellow en ook nog bestuurslid van een ander College, dat meer dan vijfhonderd jaar later was opgericht, in een heel andere periode dan de tijd waarin de gebouwen ter ere van de meest vooraanstaande vrouwelijke volgeling van Jezus werden neergezet. Dat was het St. Anthony's College, waarvan de naam alleen al respectabeler was dan de namen van de andere Colleges in Oxford, maar dat onder degenen die meer wisten 'The Spy College' werd genoemd. Het College werd na de laatste grote wereldbrand opgericht, door donateurs die voornamelijk anoniem hadden willen blijven en doorgaans grenzeloos vermogend leken te zijn. Als academisch instituut het logische antwoord op de vraag van de westerse mogendheden naar betere, hoger opgeleide en betrouwbare genieën voor de veiligheidsorganen in de westerse wereld. Wellicht ook de historische erfenis van de vijf verraders van Cambridge, als je dat liever wilde geloven.

Degene die de speech hield, was Michael Liska, tijdens de Tweede Wereldoorlog geboren in Hongarije en in zijn tienerjaren, na de opstand tegen de Russen in 1956, gevlucht naar de Verenigde Staten. Hij beschikte niet over bijzondere academische merites, zeker niet in vergelijking met dit gezelschap. Zijn hele volwassen leven had hij voor de Amerikaanse geheime dienst CIA gewerkt, waarmee hij zeer succesvol was geweest. Toen hij een paar jaar eerder met pensioen ging, bleef hij werkzaam als Deputy Director voor deze organisatie. Hij had zelfs bij enkele gelegenheden aan het hoofd gestaan, toen de president van de Verenigde Staten door omstandigheden snelle, radicale veranderingen moest doorvoeren.

Een grote, grove kerel die altijd 'de Beer' werd genoemd, hoewel Liska in het Hongaars 'vos' betekent. Michael 'The Bear' Liska, inmiddels een zeer welvarende gepensioneerde van zevenenzestig jaar, ondanks het feit dat hij als vijftienjarige in de straten van Boedapest op een Russische T54 was geklommen, een molotovcocktail door het geopende luik van de toren had gegooid en een kogelregen op het lichaam van de bestuurder had afgevuurd, toen die uit het brandende gevechtsvoertuig probeerde te kruipen.

Over dit voorval en vergelijkbare gebeurtenissen had hij natuurlijk geen woord gezegd. In plaats daarvan vertelde hij zijn geleerde toehoorders over zijn Zweedse vriend en wapenbroeder, die hij bijna veertig jaar had gekend.

Hij had zijn herdenkingsrede ingeleid met een uiteenzetting over de wetenschappelijke verdiensten van zijn vriend. De doorslaggevende bijdragen die hij aan de harmonische analyse binnen de wiskunde had geleverd en over de betekenis daarvan voor de codering en cryptoanalyse binnen de inlichtingendienst.

Liska had hem ook in een historisch perspectief geplaatst. Hij was de laatste en jongste in de rij van drie grote, Zweedse wiskundigen, die hun talent in dienst hadden gesteld van vrijheid en rechtvaardigheid. Een gave die alleen de Almachtige God hun had kunnen schenken.

Arne Beurling was de eerste van hen. Een professor in de wiskunde aan de Universiteit van Uppsala, die zich in 1940 als dienstplichtig sergeant met tegenzin bij de geheime dienst van de generale staf had gevoegd en vervolgens in veertien dagen tijd met behulp van pen, papier, harmonische analyse en bijzonder veel vernuft de Duitse geheime codes voor telecommunicatiedoeleinden had weten te kraken.

Daarnaast zijn collega en tijdgenoot Johan Forselius, professor in de wiskunde aan de Koninklijke Technische Hogeschool, die met behulp van computers en zijn eigen bijdragen aan de priemgetaltheorie ervoor gezorgd had dat de mededelingen die de westerse democratieën verborgen wilden houden, ook verborgen zouden blijven. Tot het einde der tijden, desgewenst.

Dan de jongste van de drie, voor wie zij nu bij elkaar waren gekomen om voorgoed afscheid te nemen. De leerling en opvolger van Forselius, die op negenentwintigjarige leeftijd professor in de wiskunde aan de Universiteit van Stockholm was geworden, na zijn proefschrift over stochastische variabelen en harmonische verdelingen. Een onderzoek dat al jarenlang de onthulling van boosaardige plannen en geheime samenzweringen van allerlei dictaturen aanzienlijk had vergemakkelijkt.

Liska had zijn toespraak afgesloten door de slotwoorden te citeren uit een brief die zijn oude vriend slechts een maand voor zijn overlijden aan hem had geschreven.

'Ongeacht of de waarheid absoluut of relatief is en geheel afgezien van het feit dat velen van ons er voortdurend naar op zoek zijn, blijft zij uiteindelijk toch voor bijna iedereen verborgen. Doorgaans uit noodzaak, en anders uit piëteit jegens degenen die haar toch niet zouden begrijpen.'